A-Z SHEFFIELD

CONTENTS

REFERENCE

Motorway	**M1**	Built Up Area	
A Road	A61	Posttown Boundary By arrangement with the Post Office	
Under Construction			
Proposed		Postcode Boundary Within Posttowns	
B Road	B6150	Map Continuation **86** / Large Scale City Centre **4**	
Dual Carriageway		Ambulance Station	✛
One Way Street Traffic flow on A Roads is indicated by a heavy line on the driver's left.	➡	Car Park	P
		Church or Chapel	†
Pedestrianized Road		Fire Station	■
Restricted Access		Hospital	⊞
Track		House Numbers 'A' and 'B' Roads only	13 / 8
Footpath			
Residential Walkway		Information Centre	🛈
		National Grid Reference	⁴35
Railway	Level Crossing / Station	Police Station	▲
		Post Office	★
Supertrams The boarding of Supertrams at stations may be limited to a single direction, indicated by the arrow.	Castle Square	Toilet	▽
		Toilet with Disabled Facilities	♿
Local Authority Boundary	— · — · —	Viewpoint	✳

SCALE

Map Pages 6-143 1:18103 (3½ inches to 1 mile)	Map Pages 4-5 1:9051 (7 inches to 1 mile)
Miles 0 ¼ ½	Miles 0 ⅛ ¼
Metres 0 250 500 750	Metres 0 100 200 300

Geographers' A-Z Map Company Ltd.

Head Office:
Fairfield Road, Borough Green, Sevenoaks, Kent, TN15 8PP
Telephone 01732 781000

Showrooms:
44 Gray's Inn Road, London, WC1X 8HX
Telephone 020 7440 9500

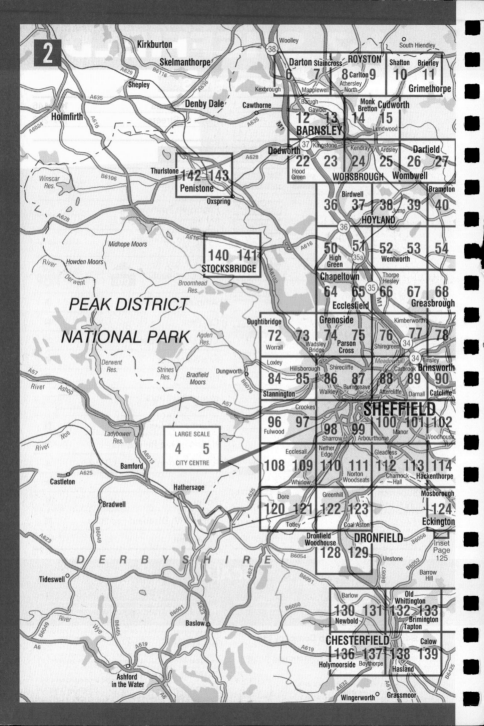

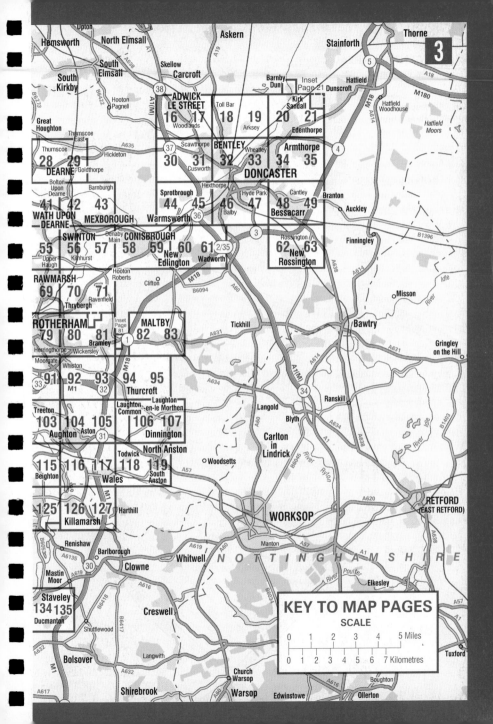

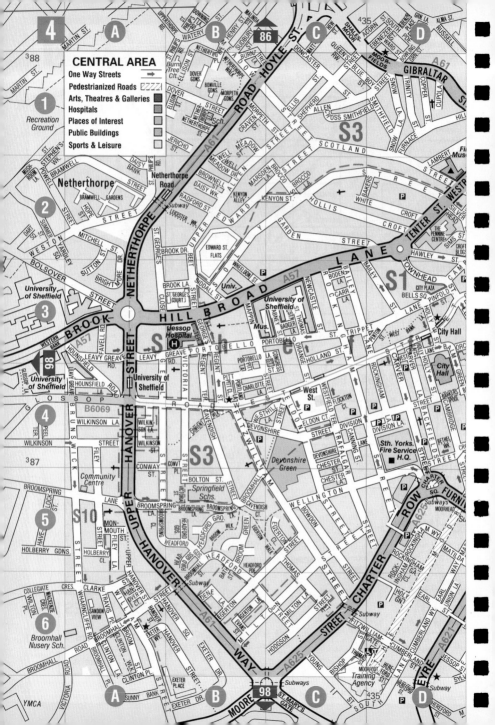

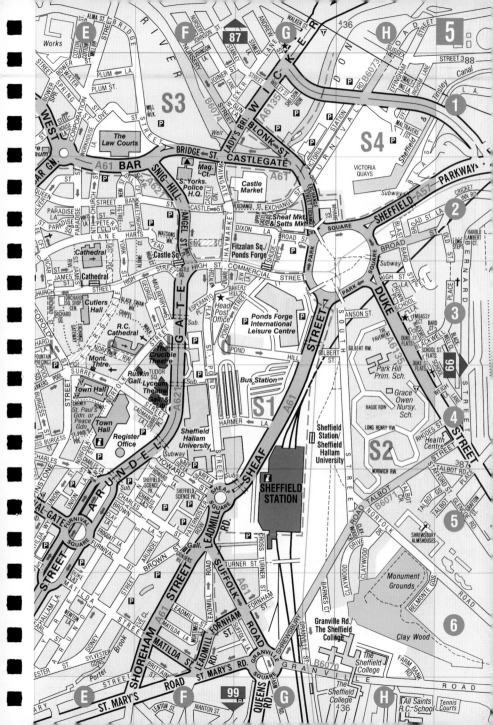

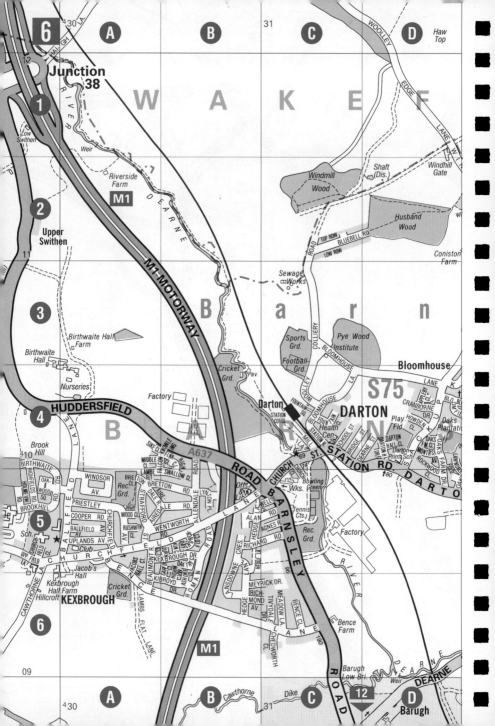

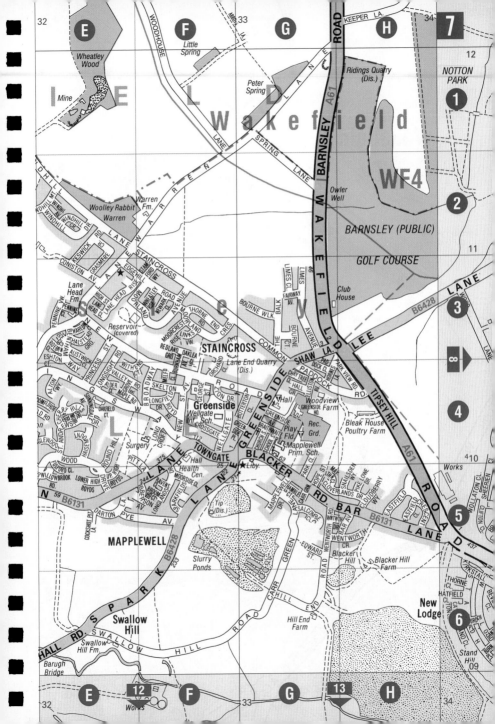

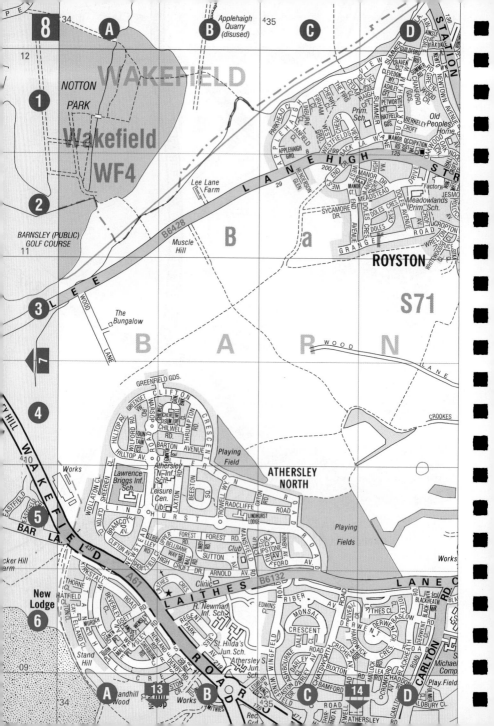

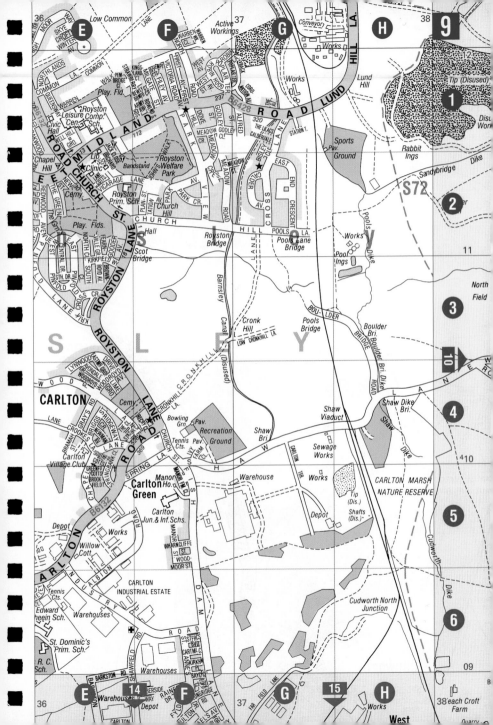

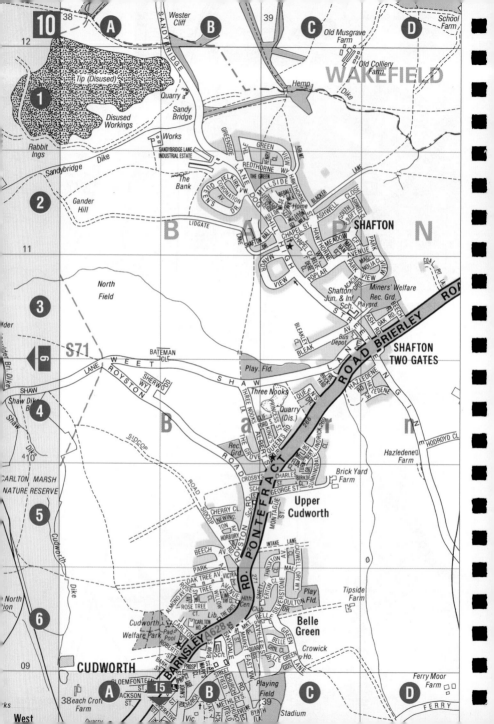

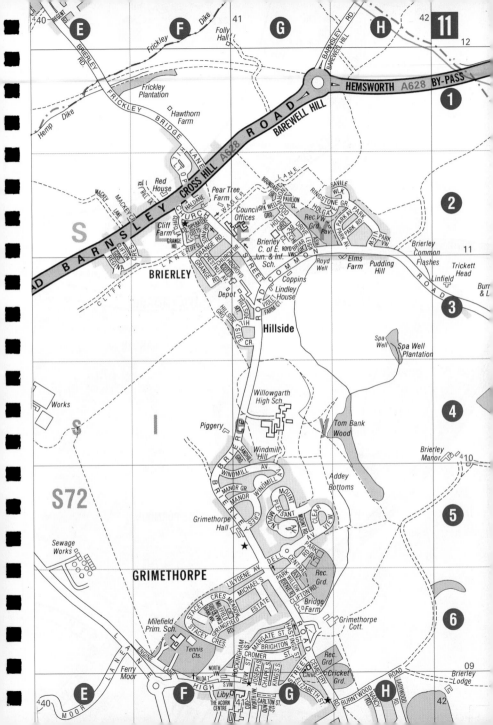

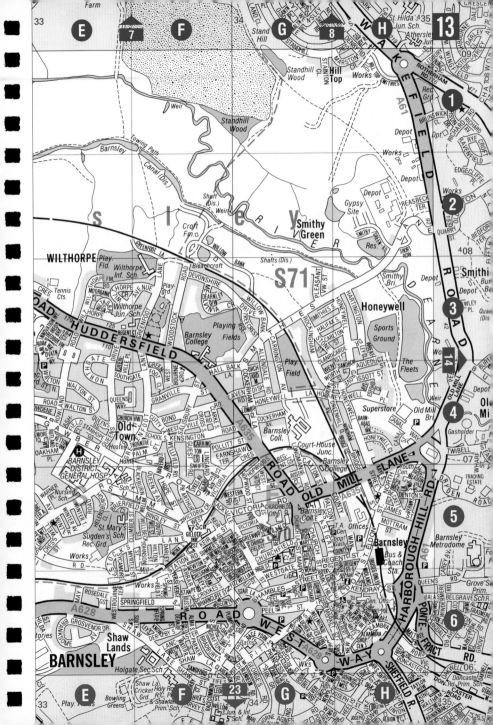

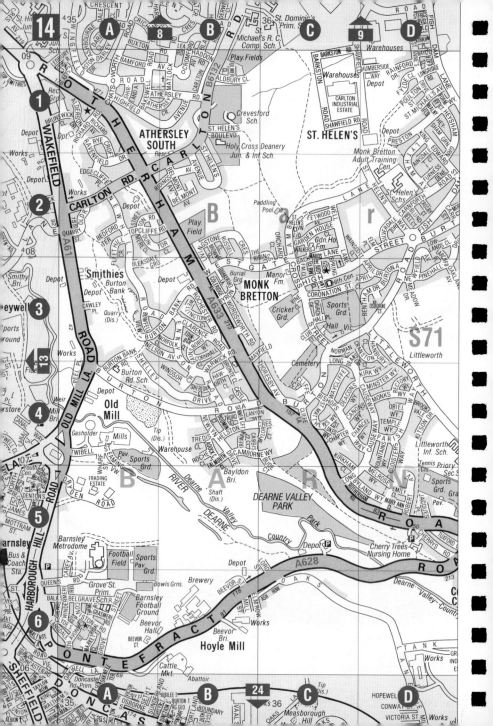

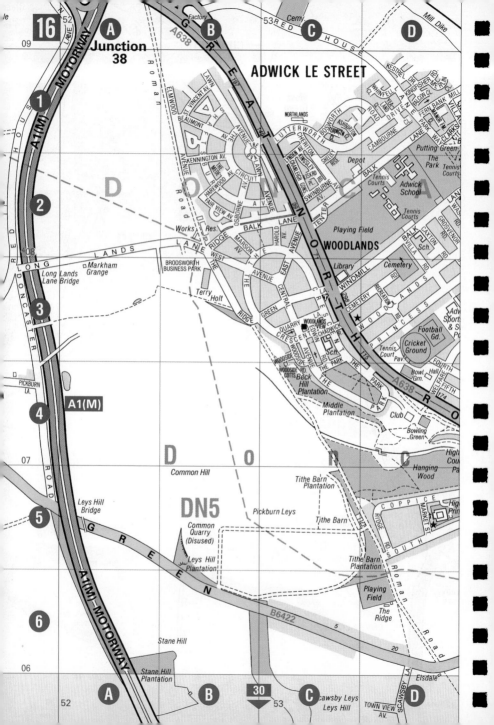

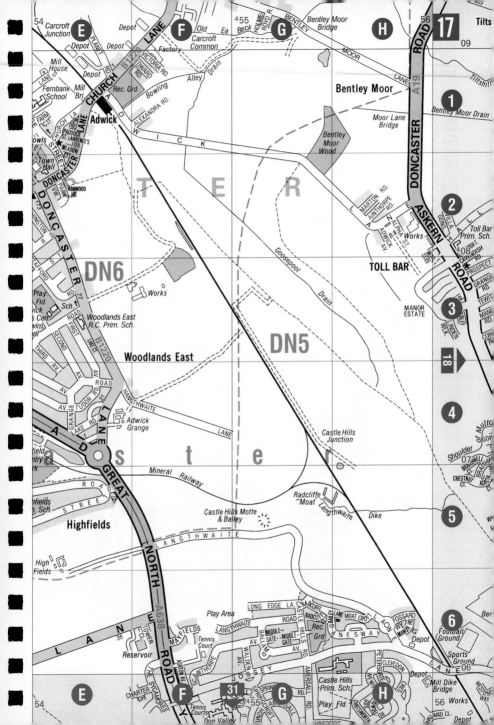

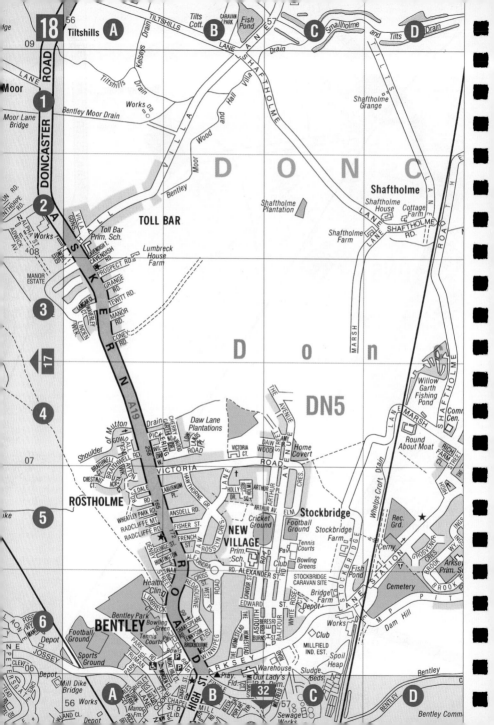

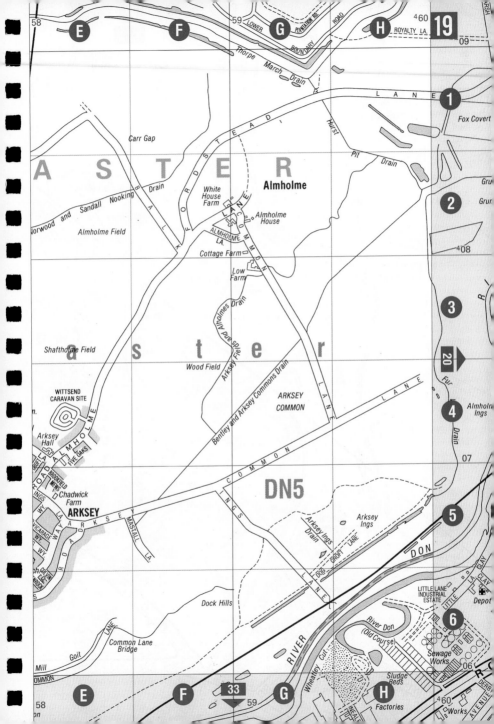

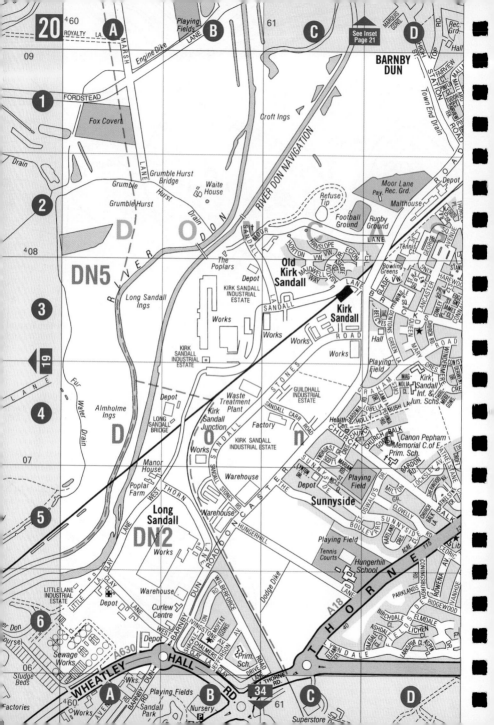

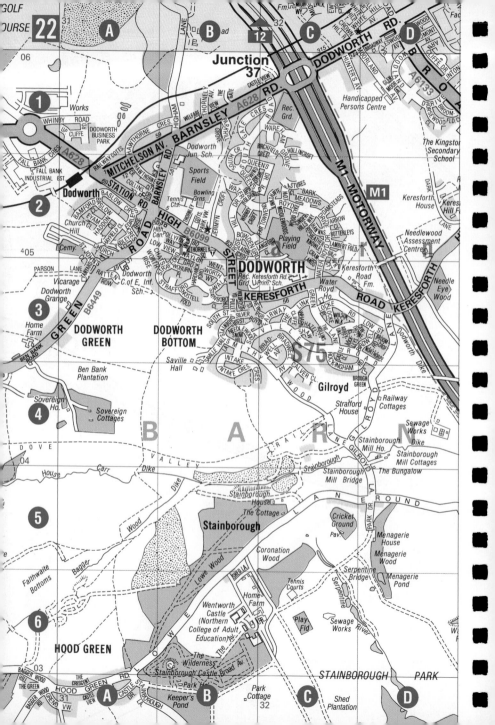

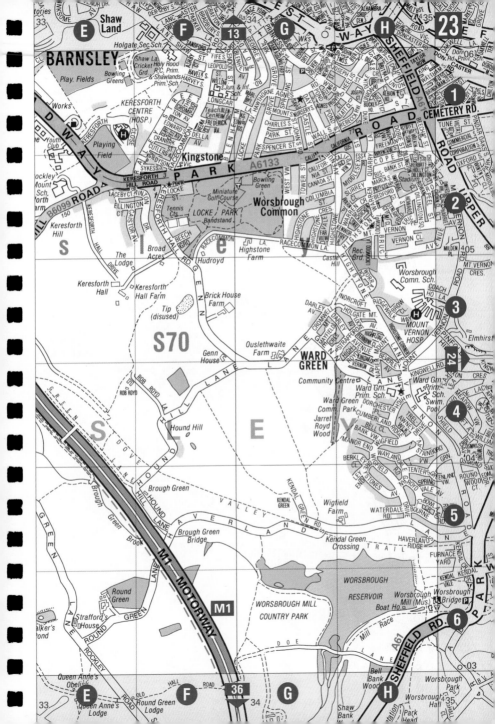

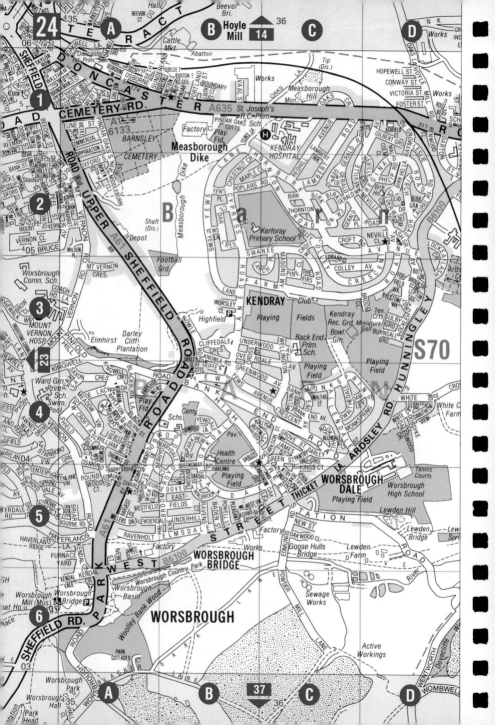

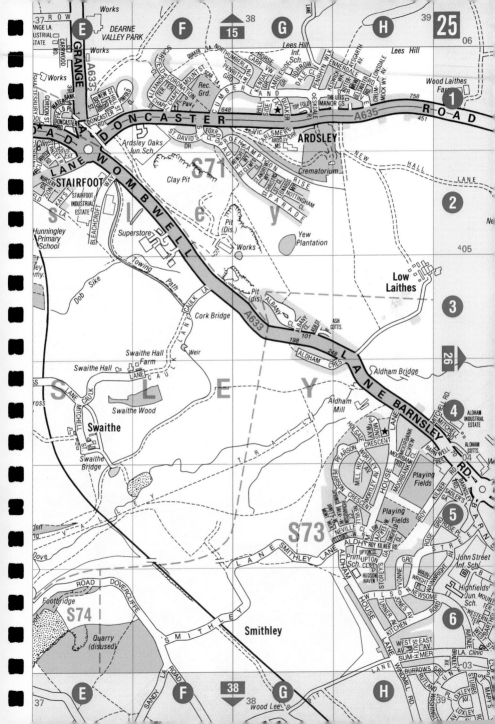

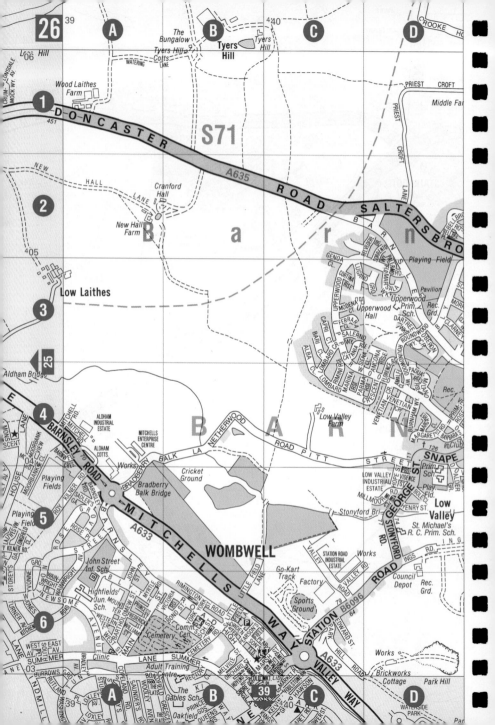

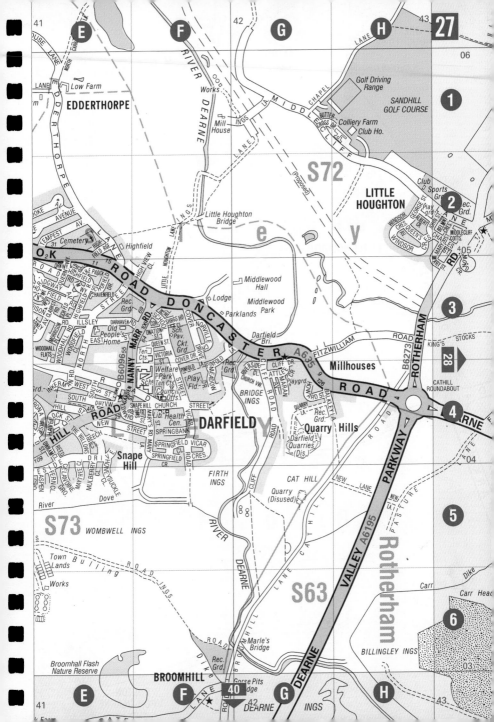

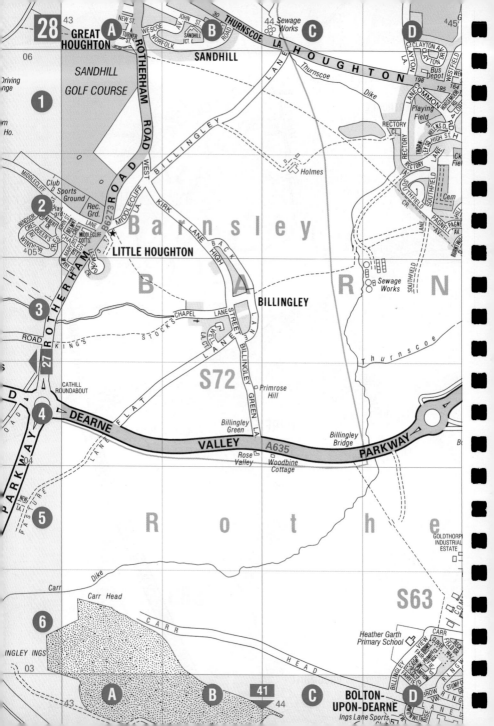

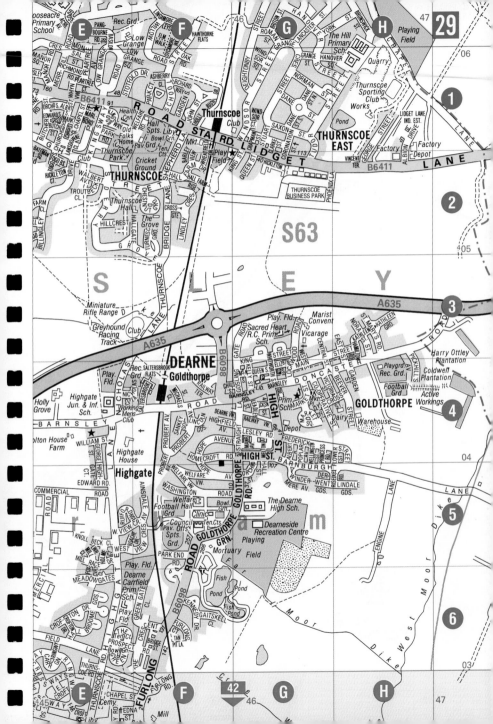

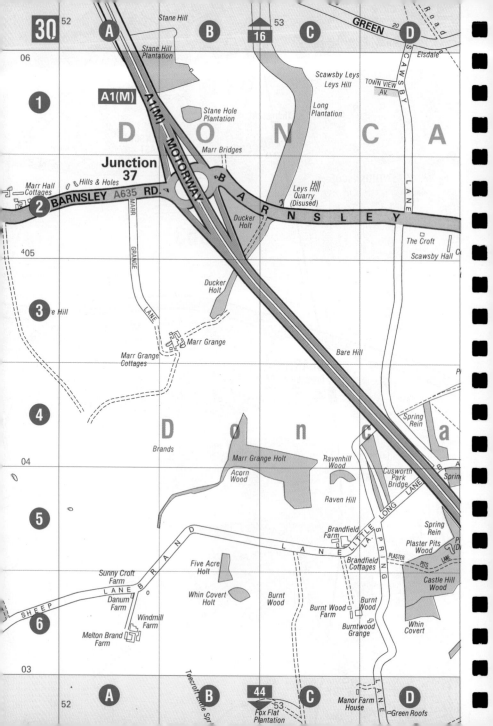

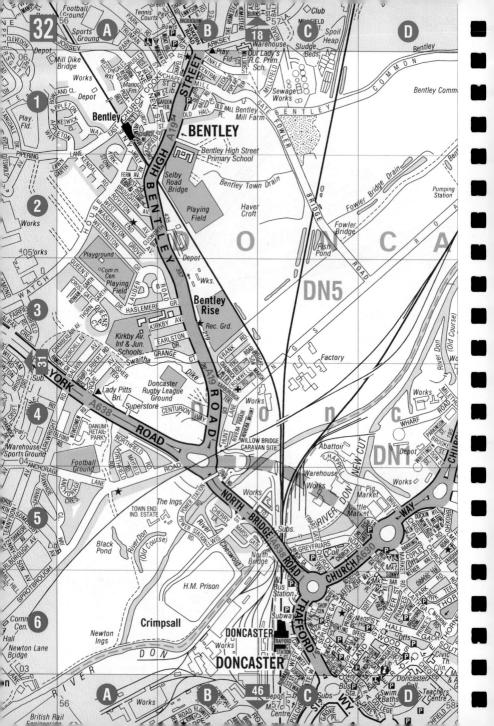

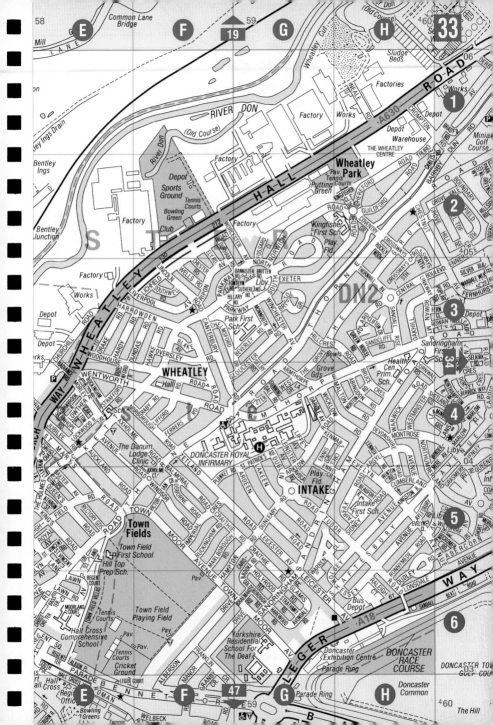

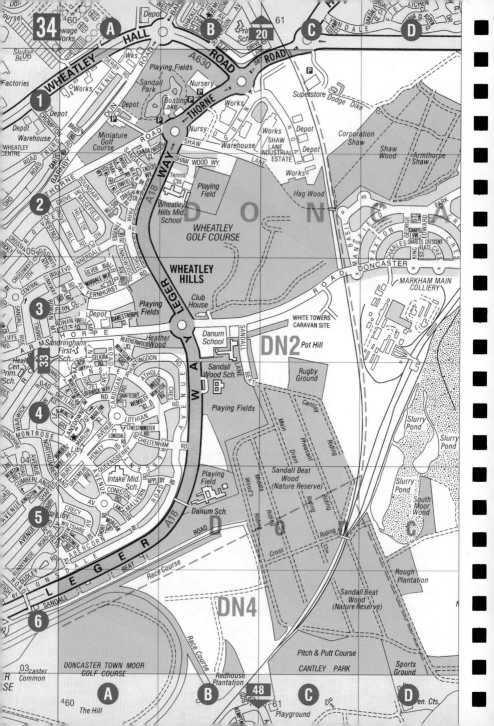

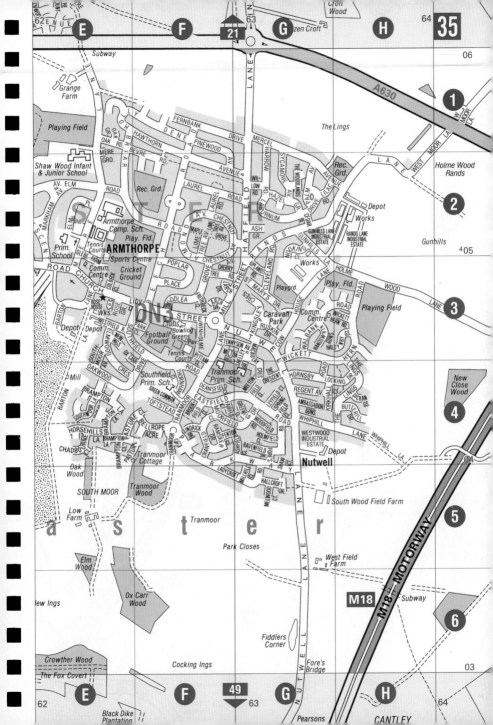

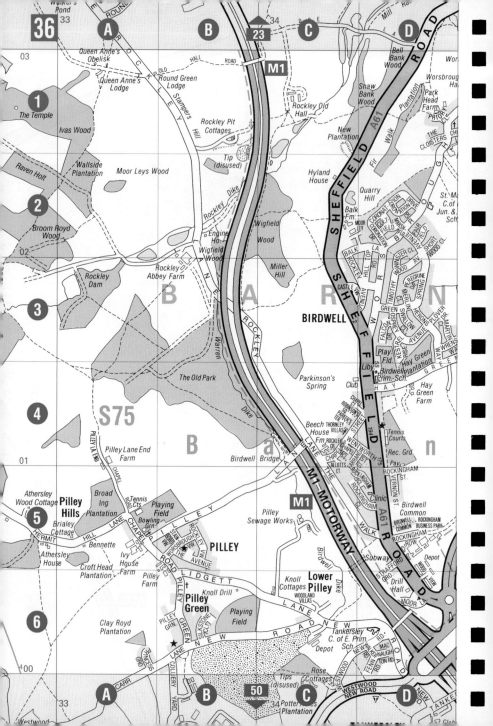

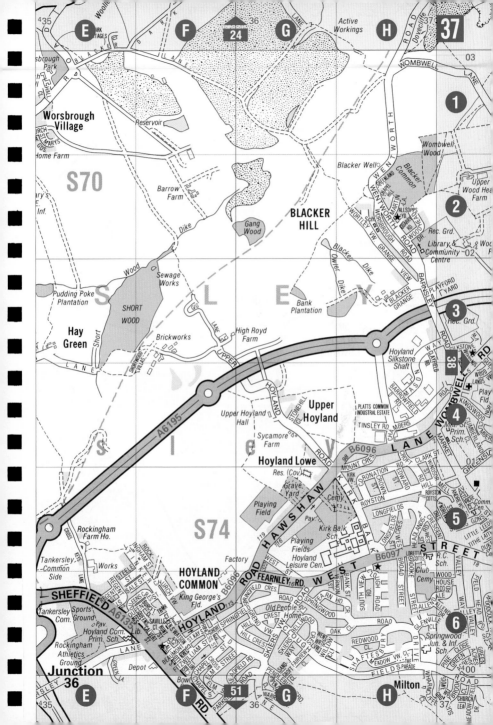

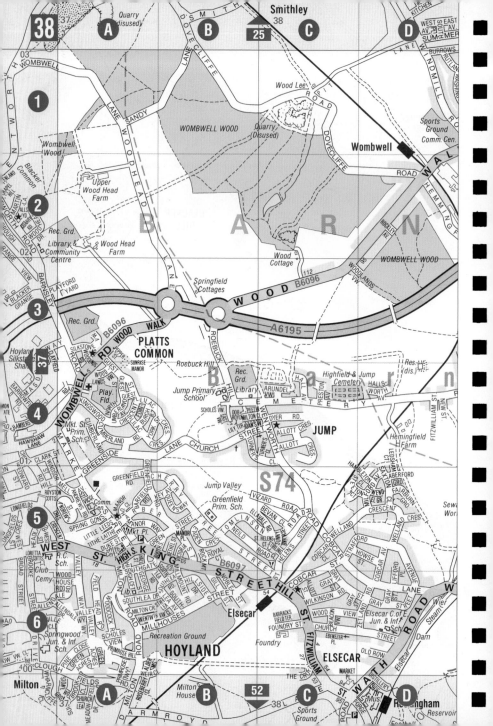

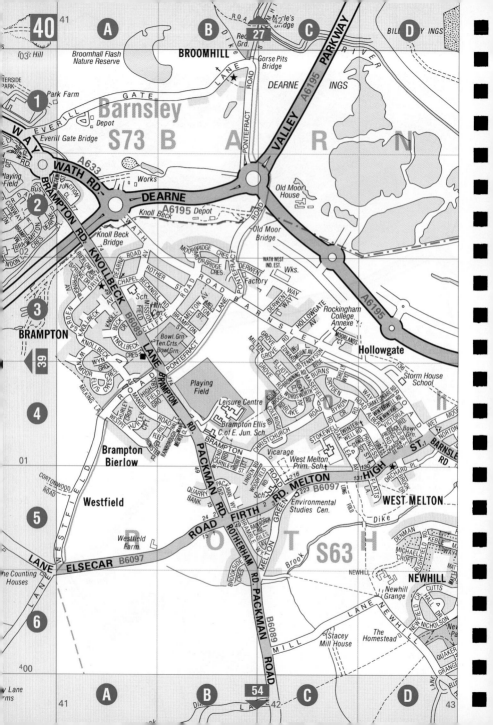

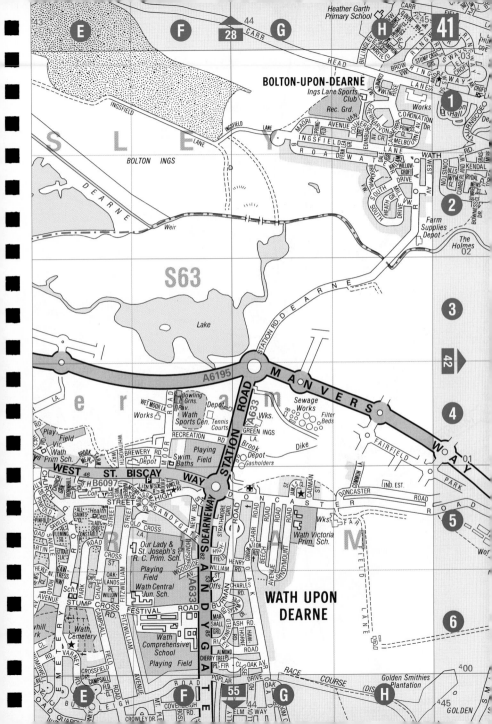

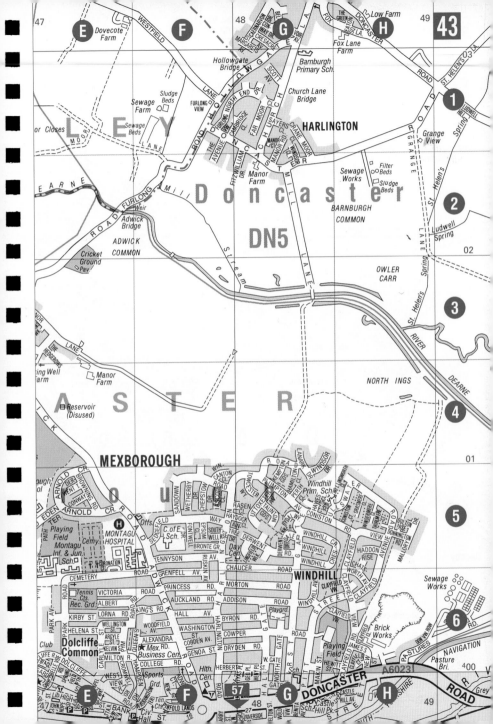

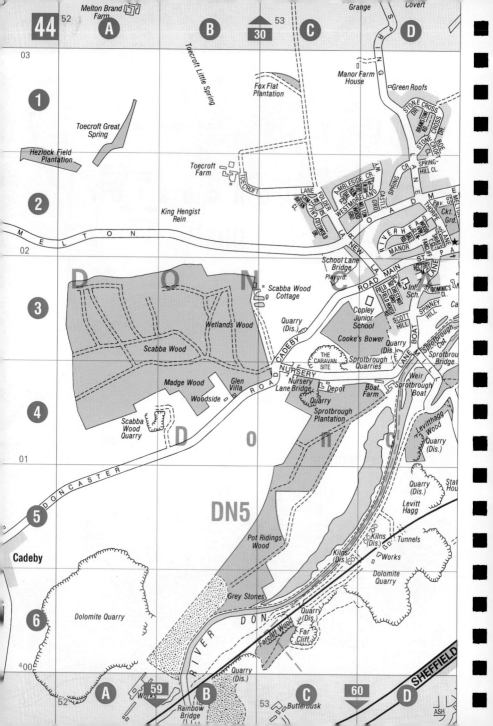

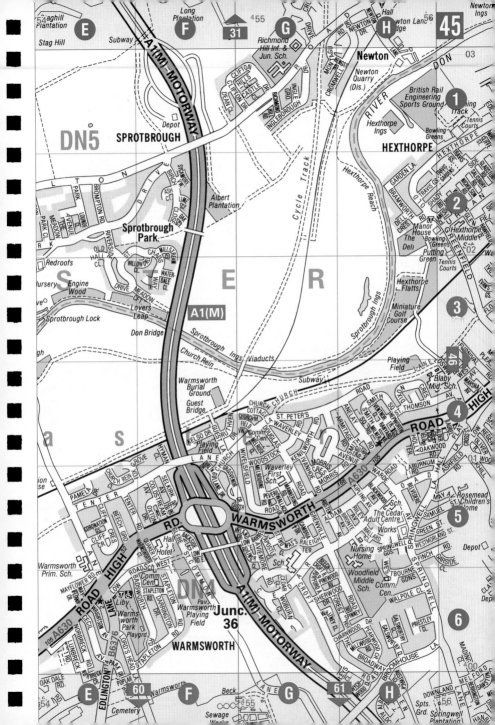

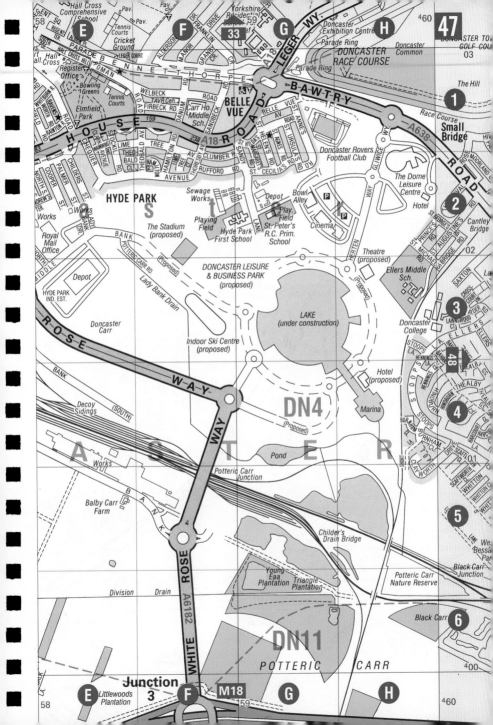

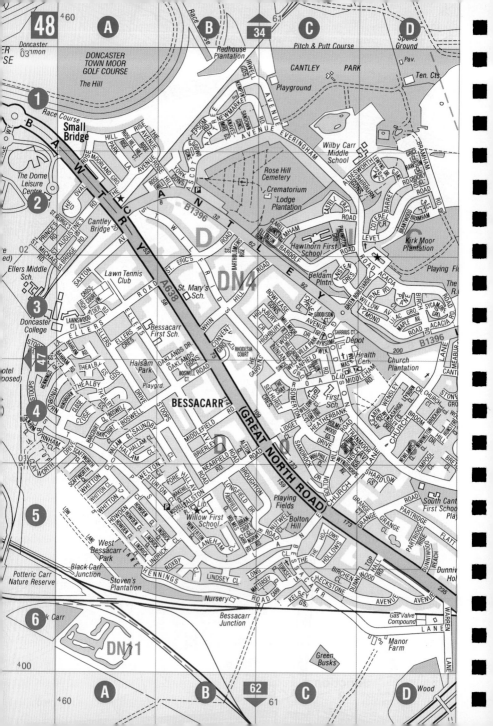

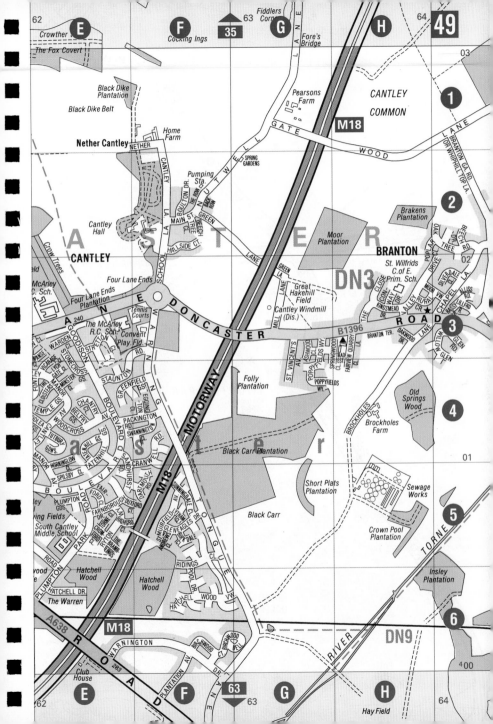

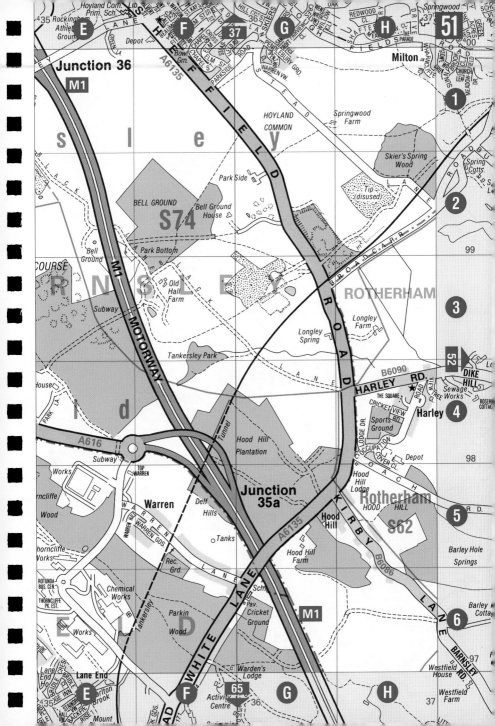

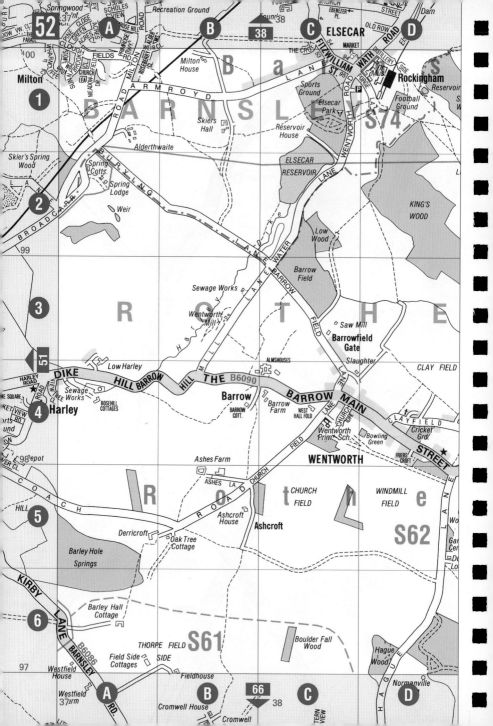

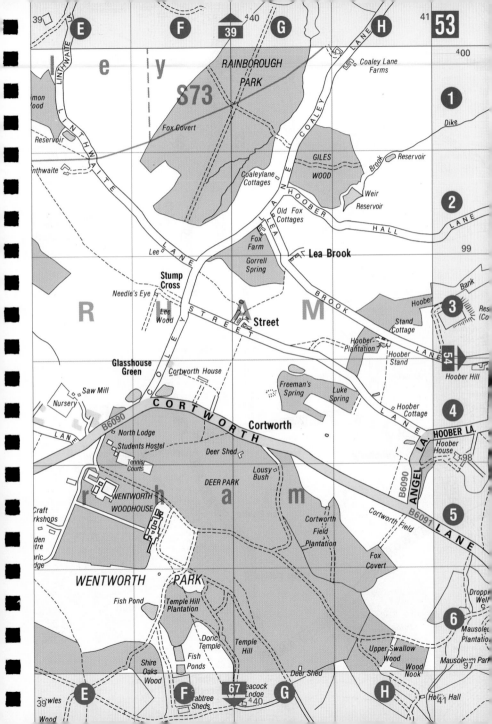

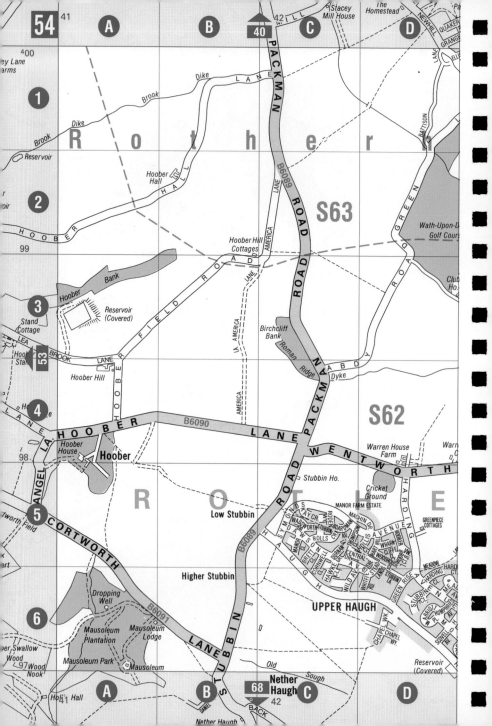

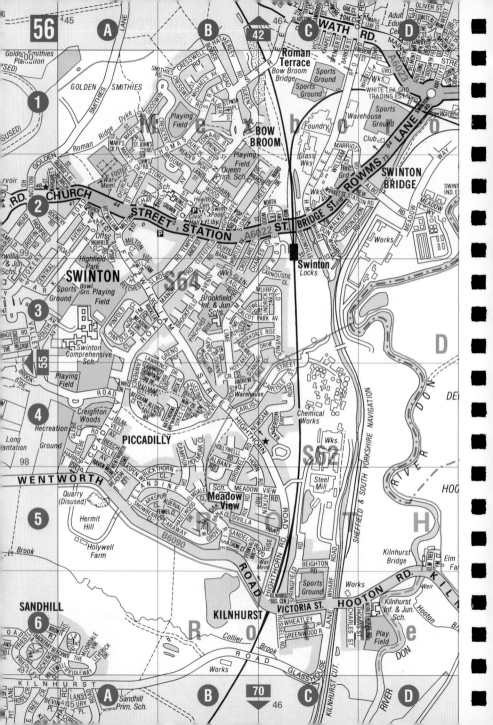

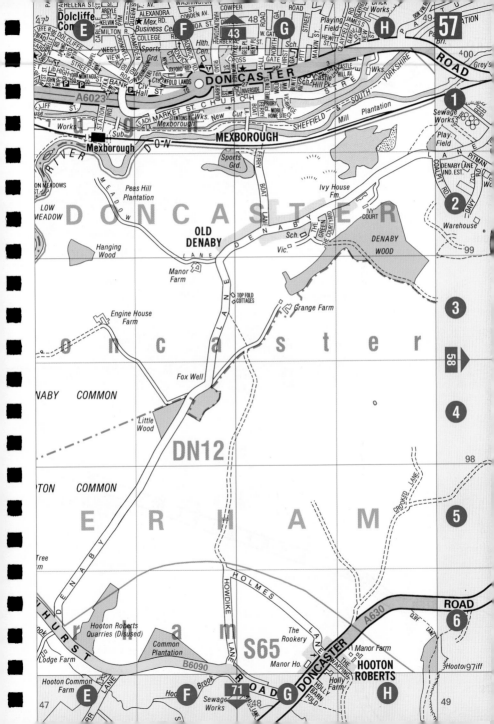

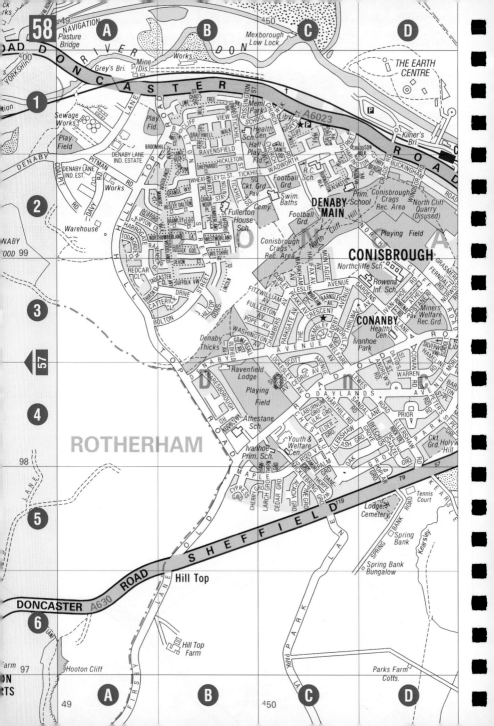

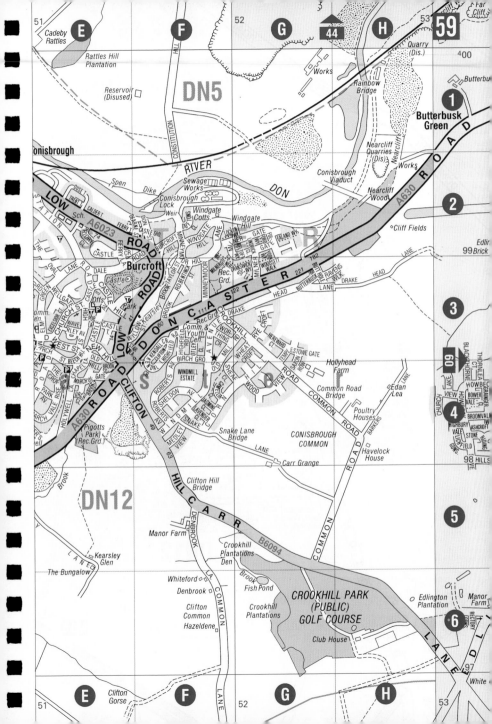

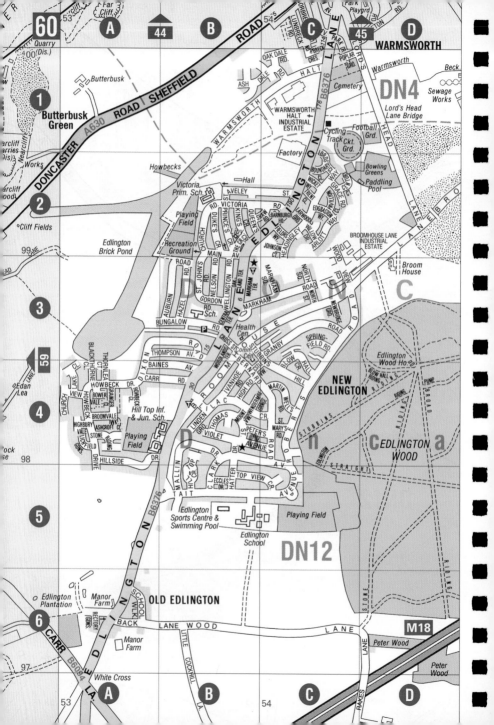

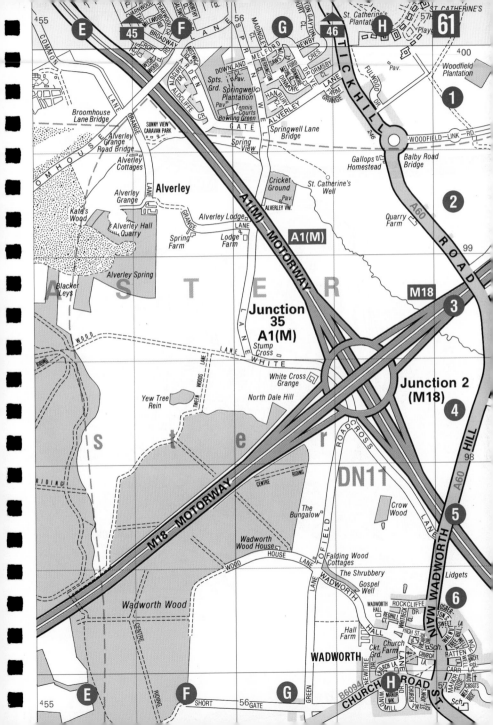

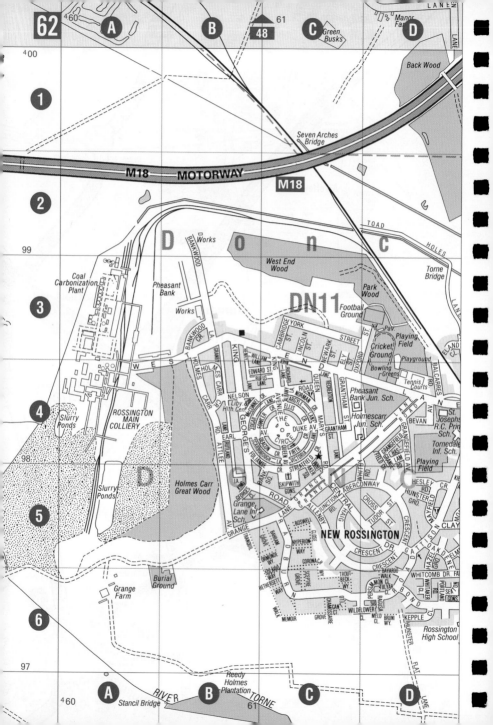

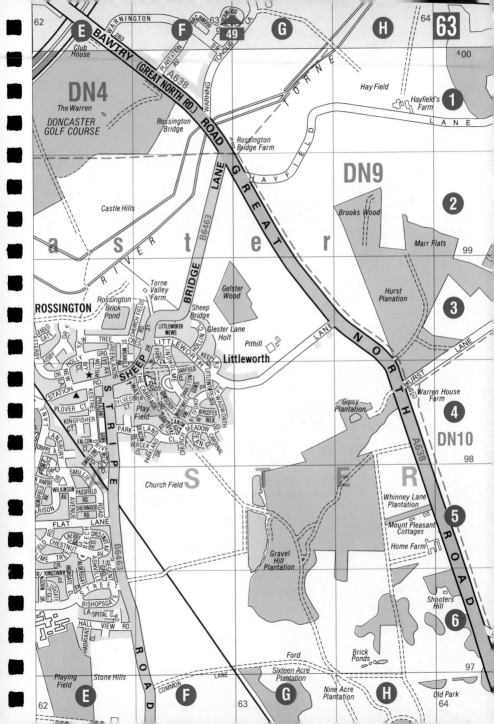

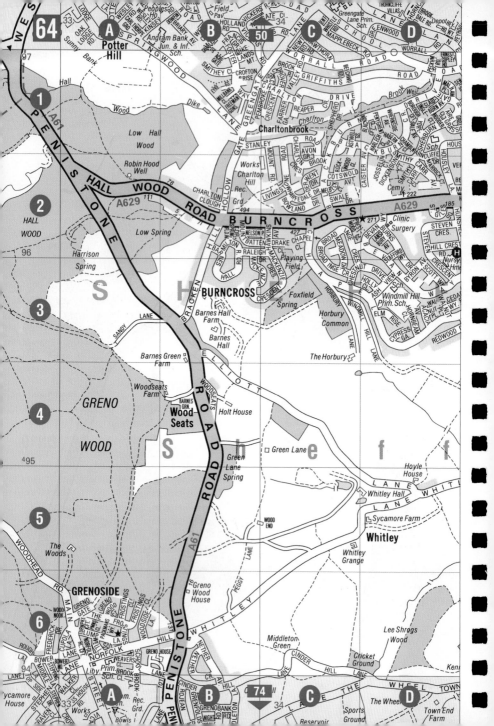

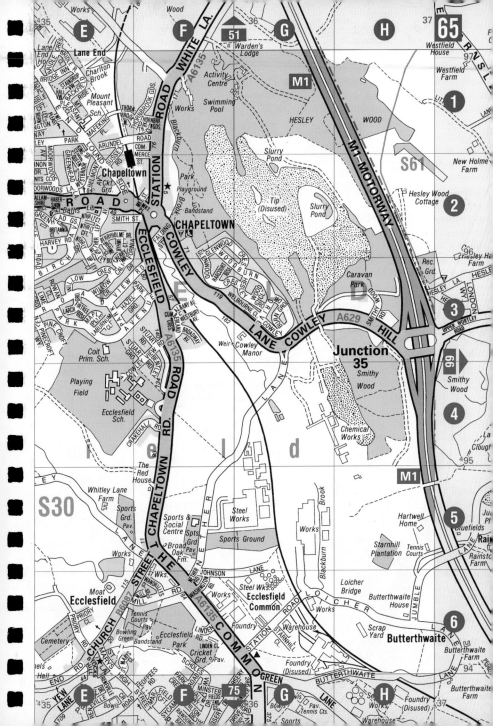

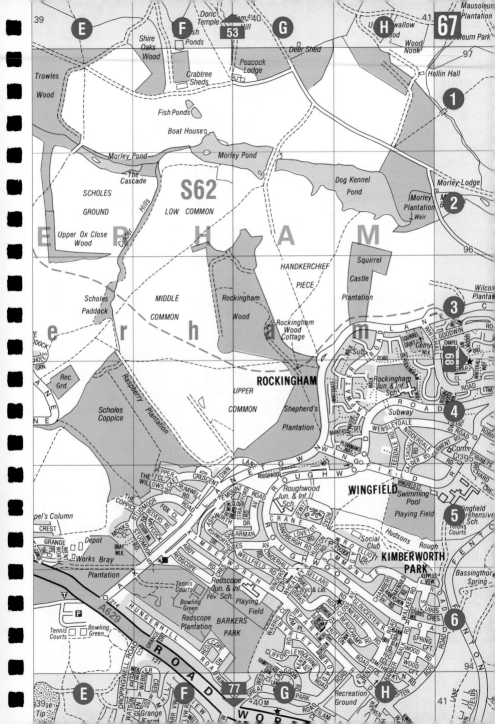

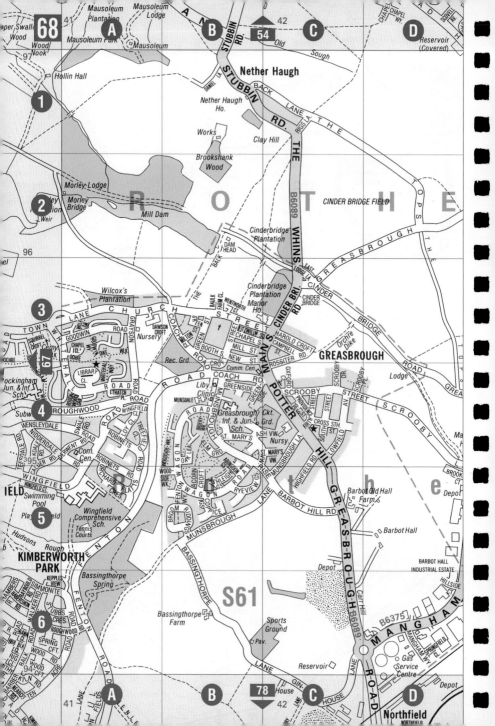

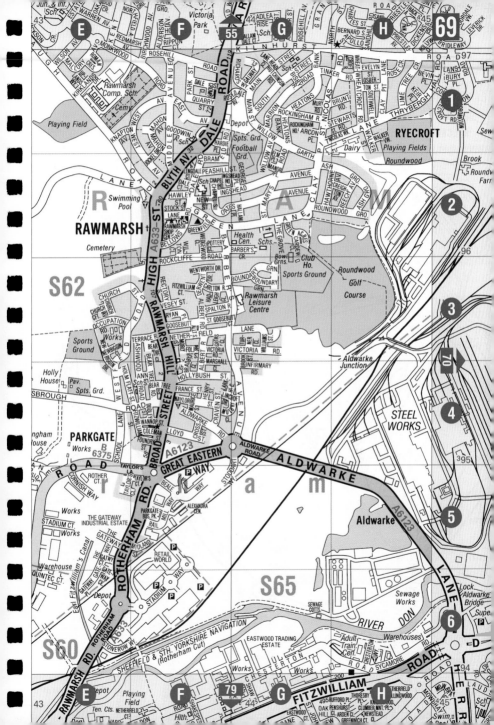

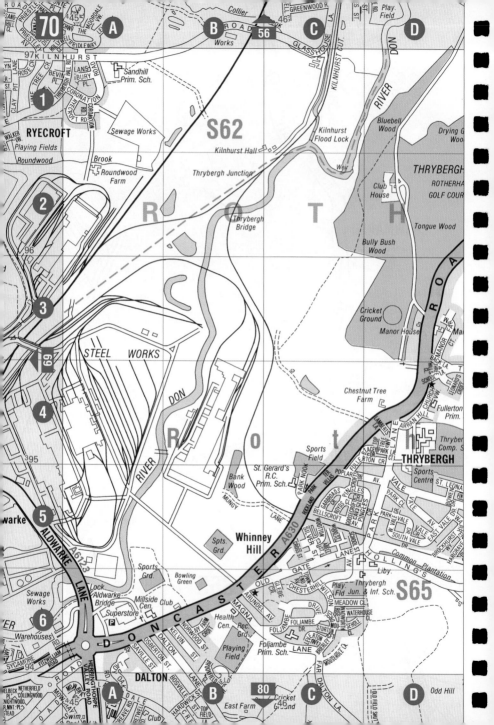

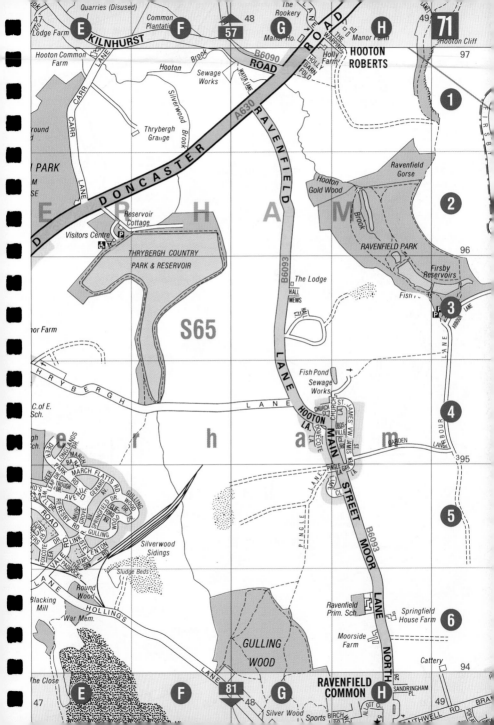

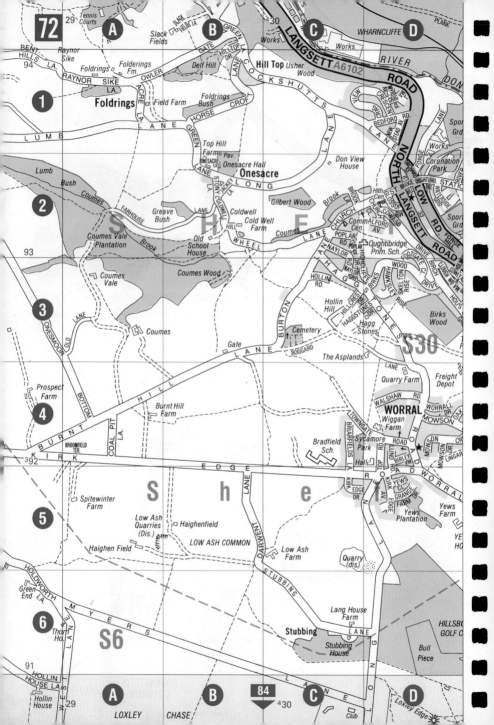

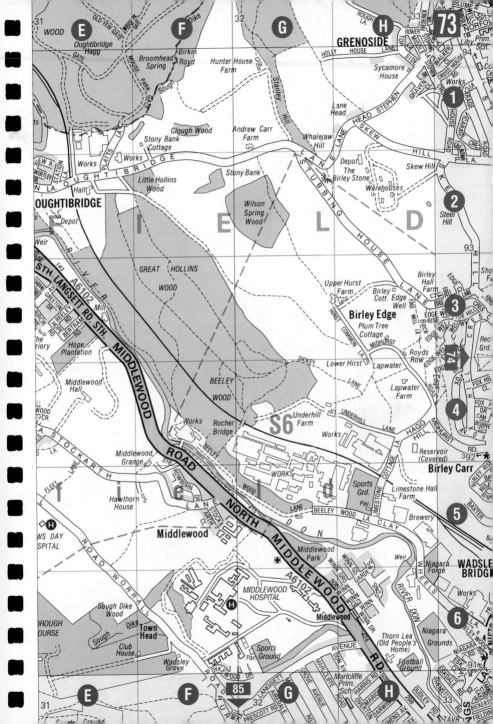

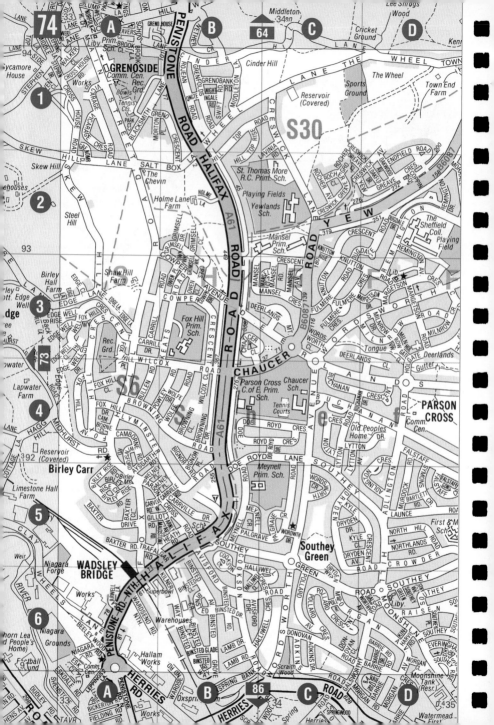

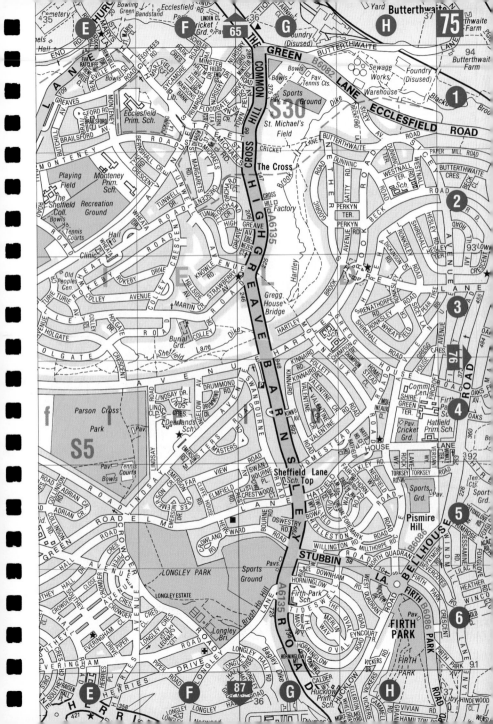

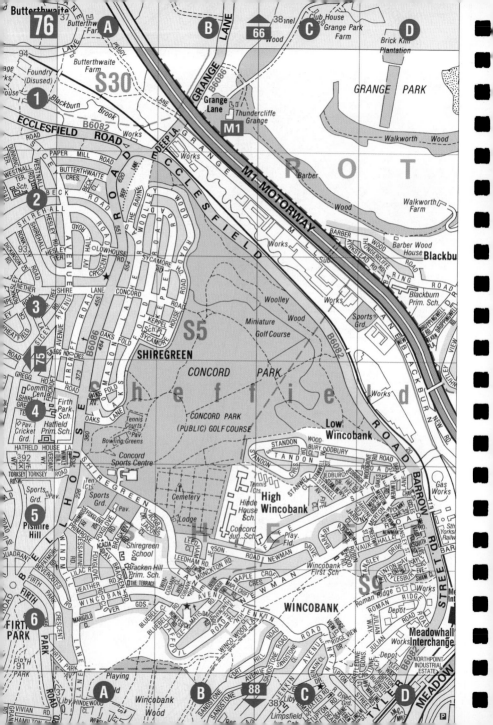

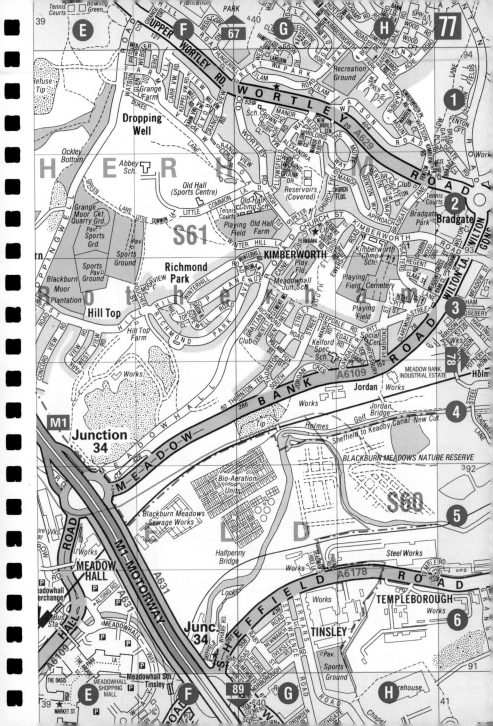

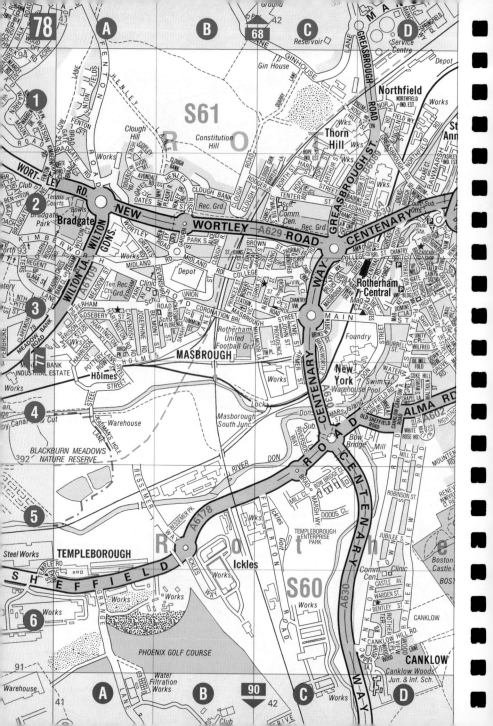

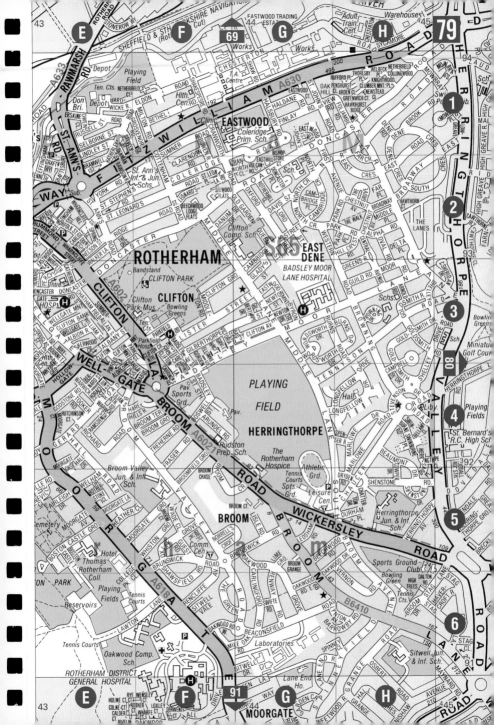

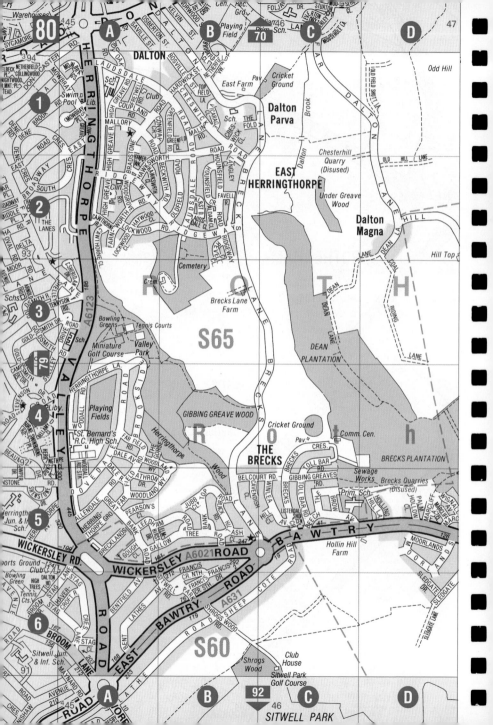

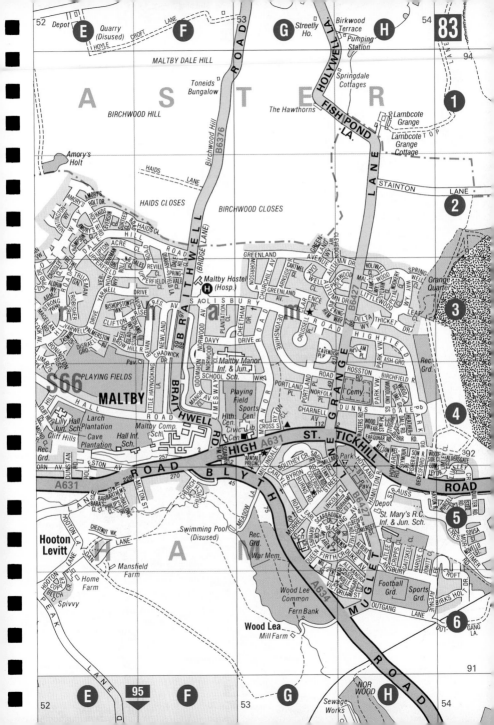

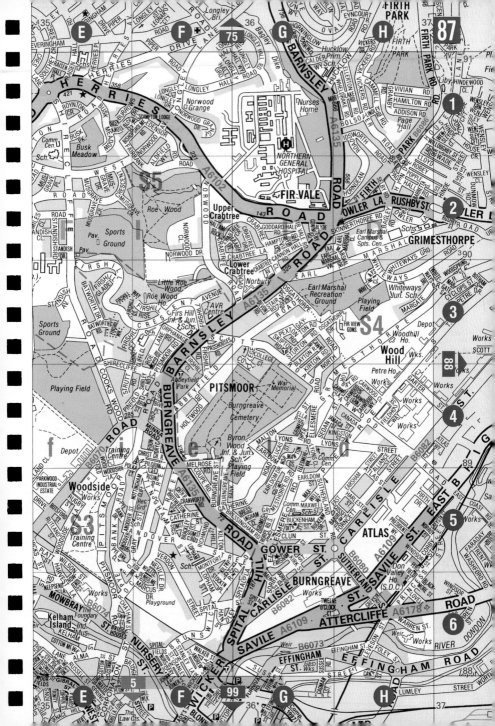

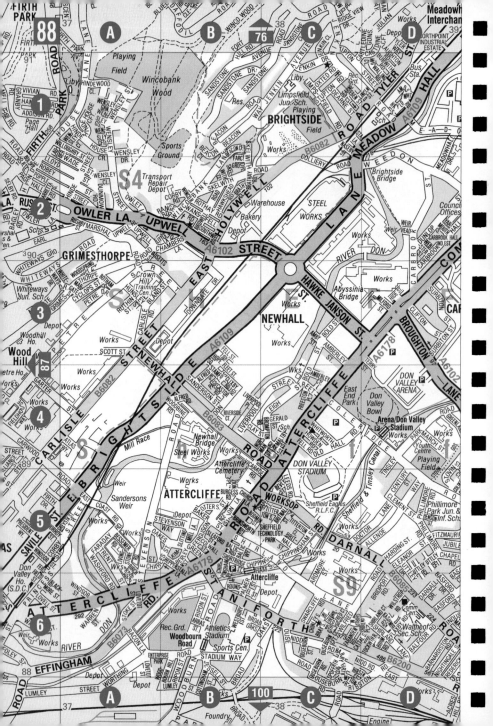

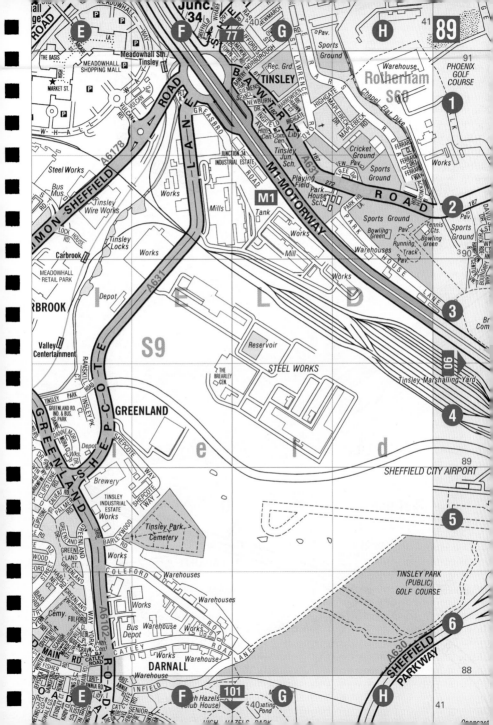

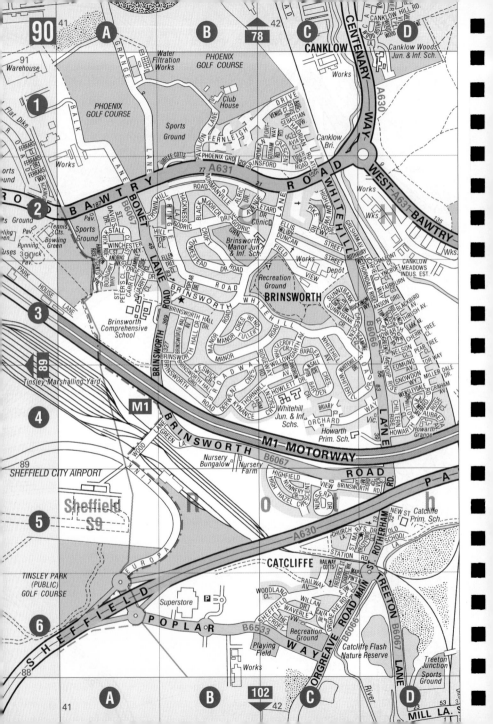

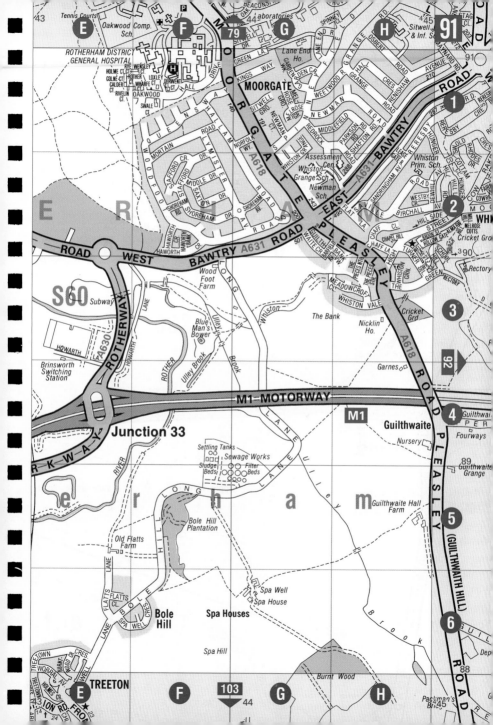

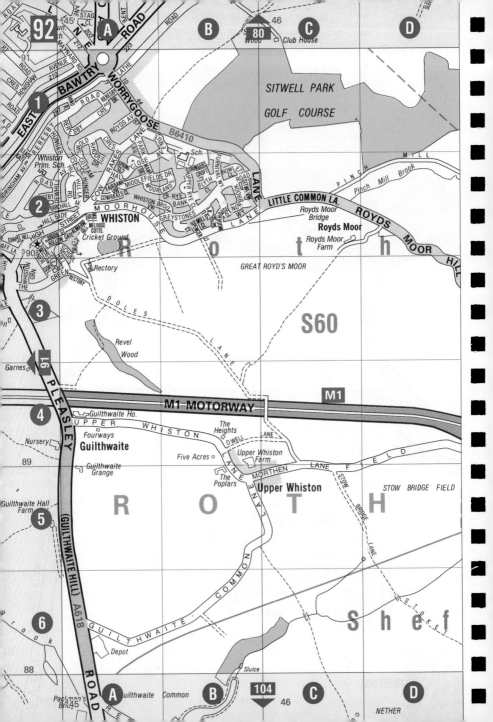

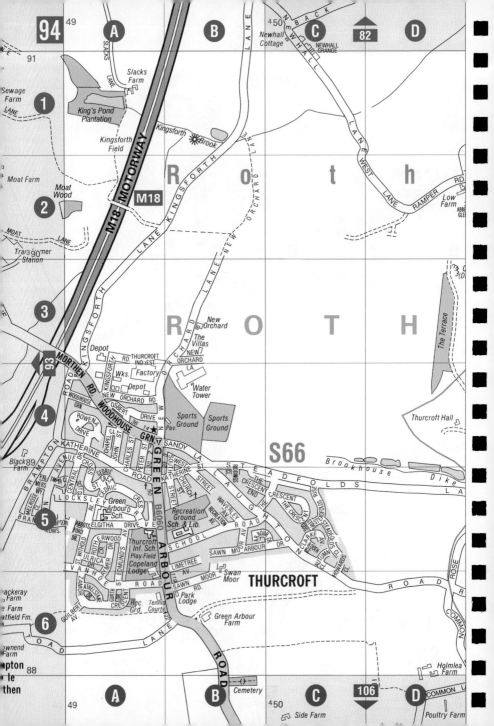

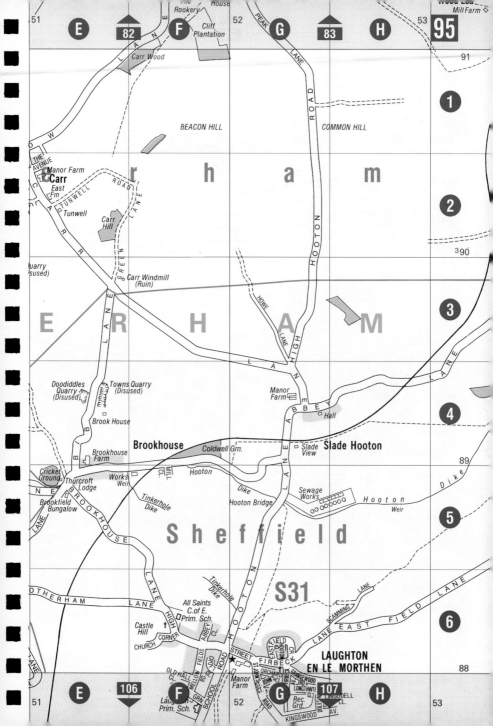

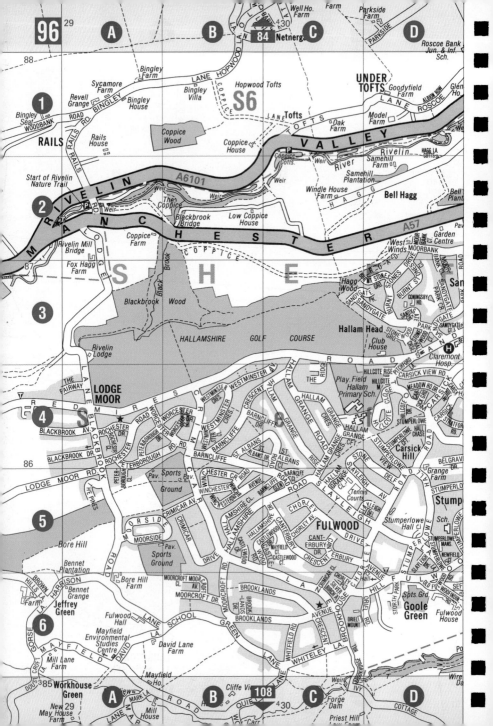

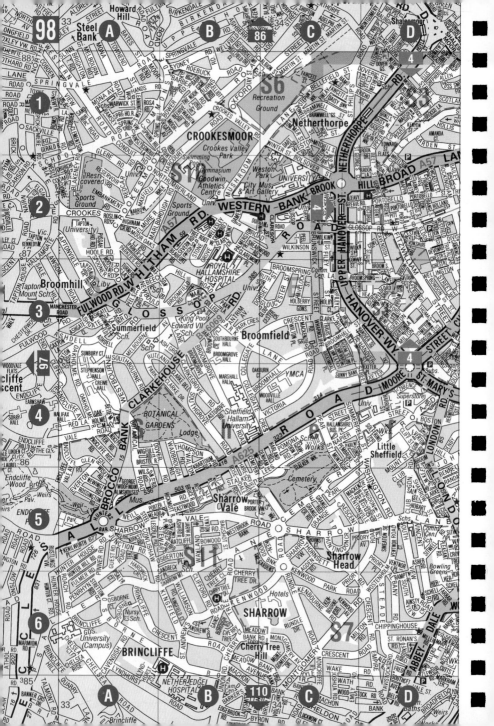

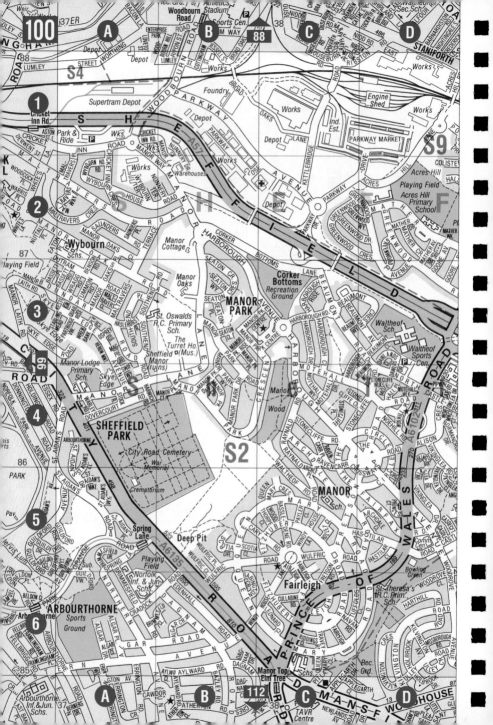

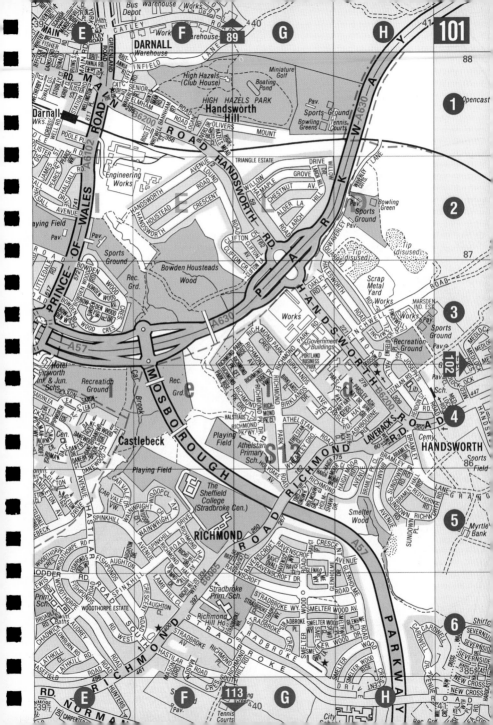

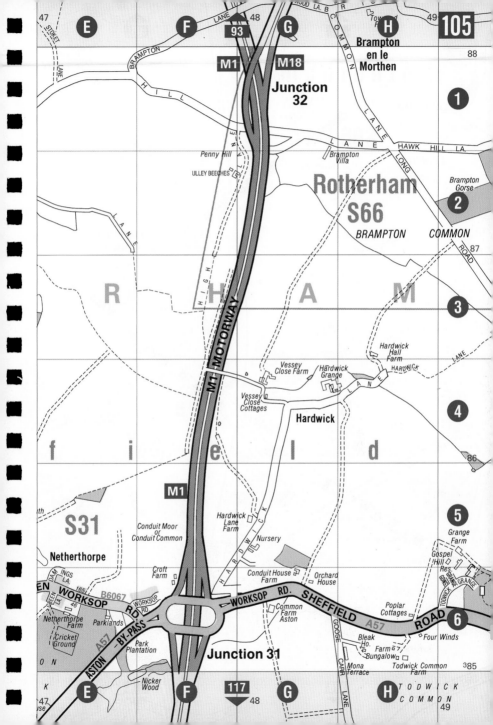

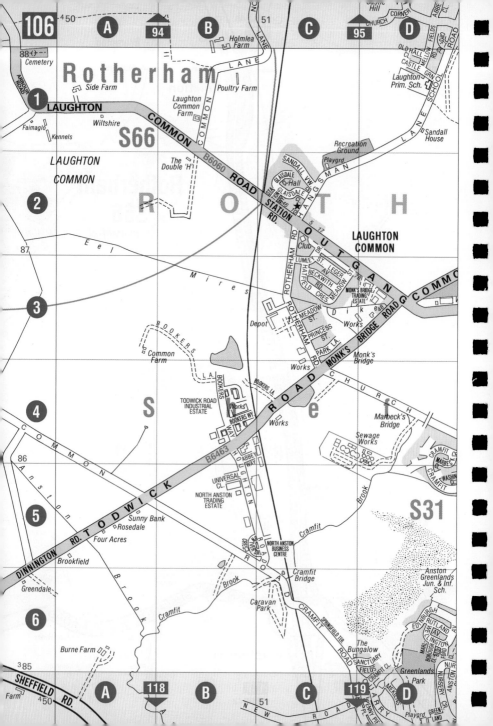

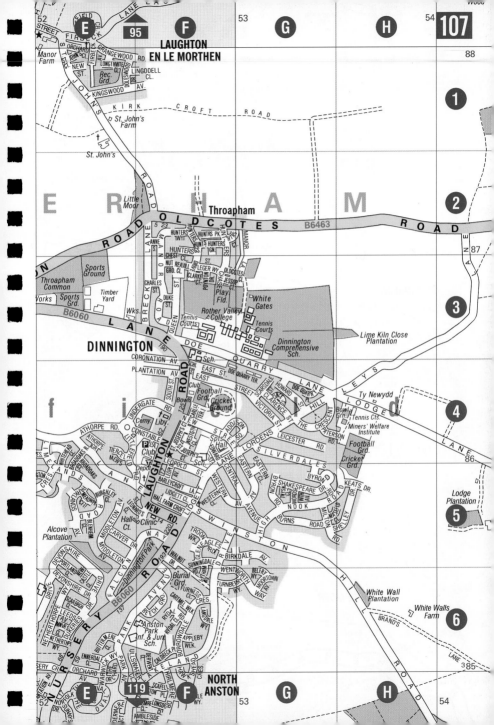

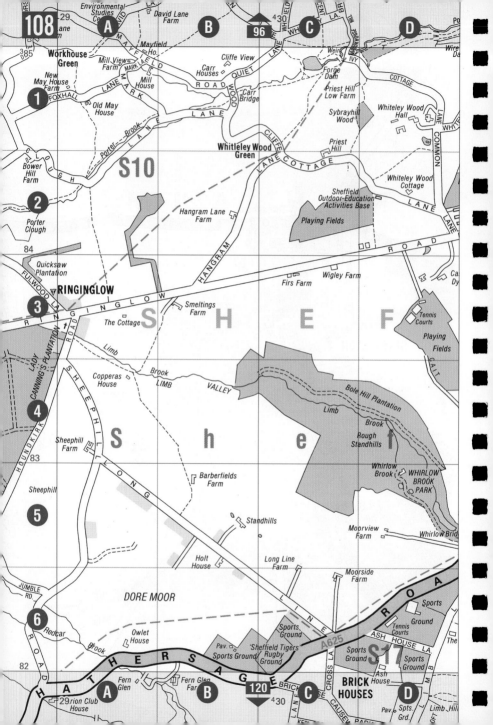

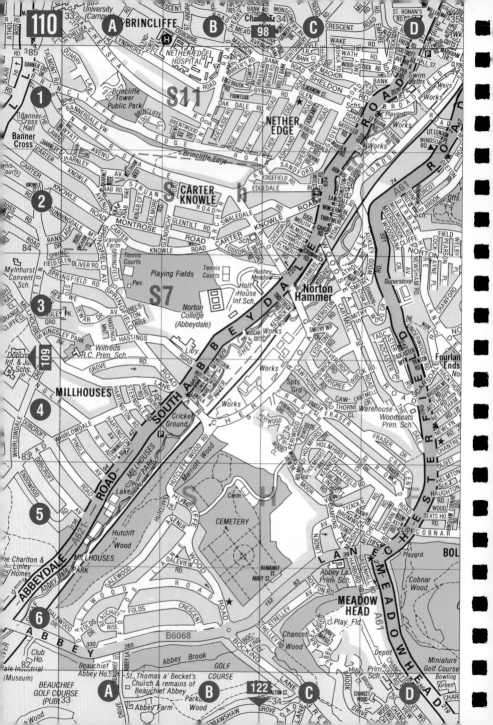

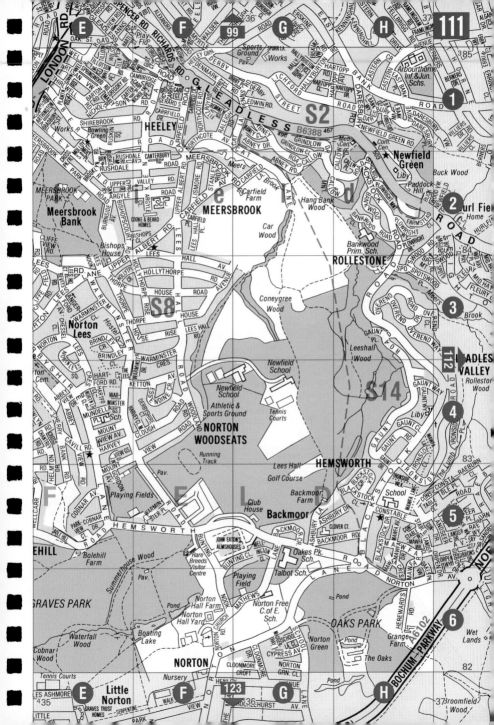

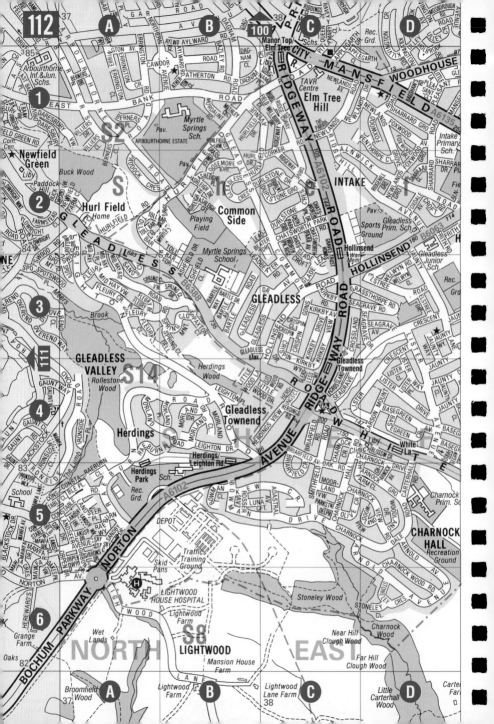

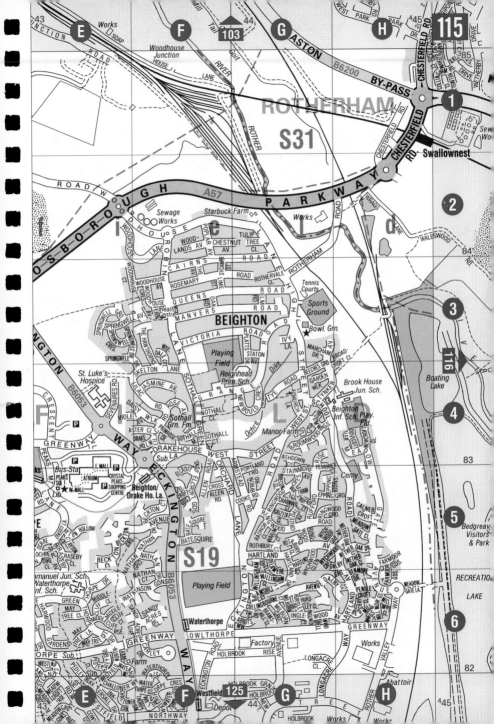

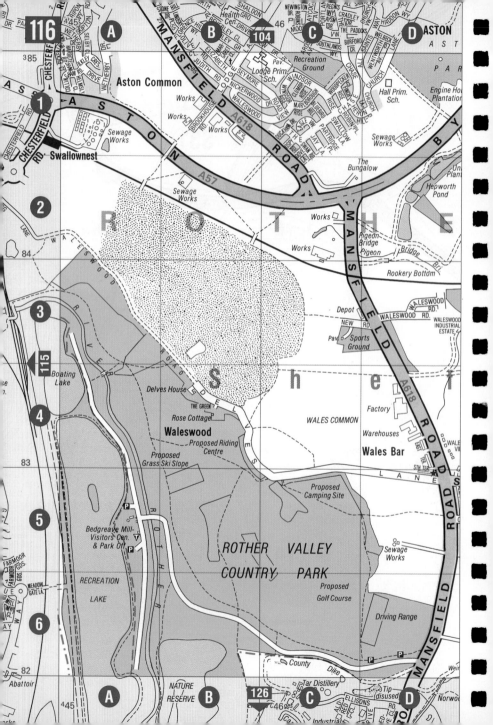

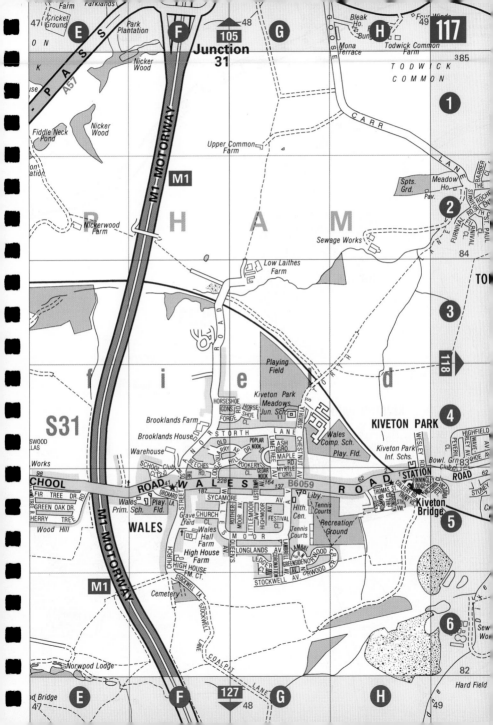

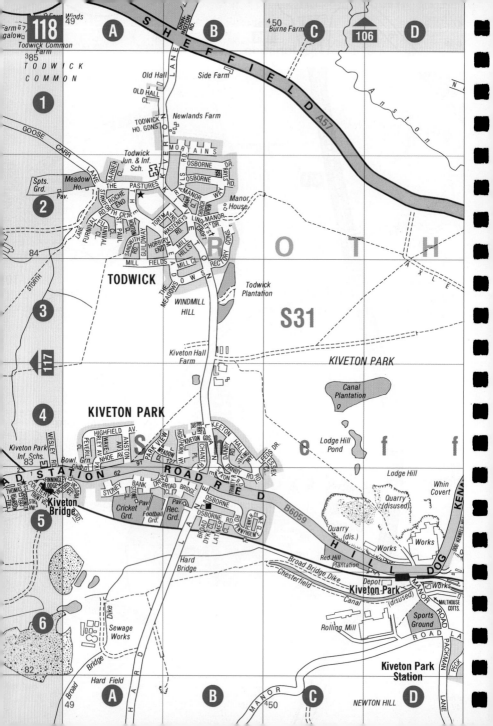

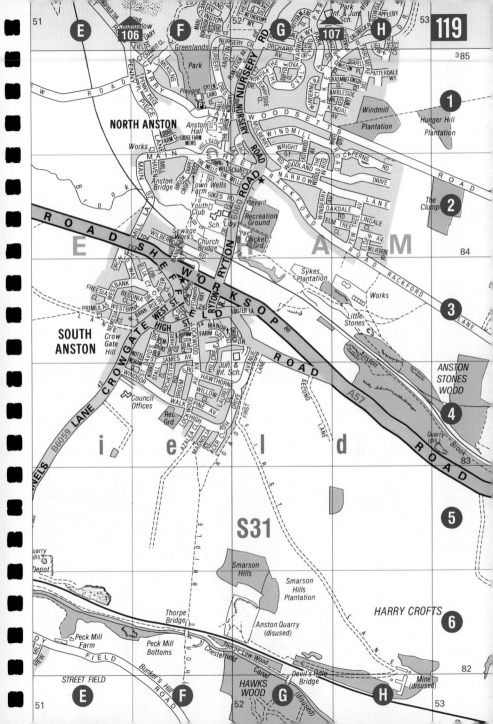

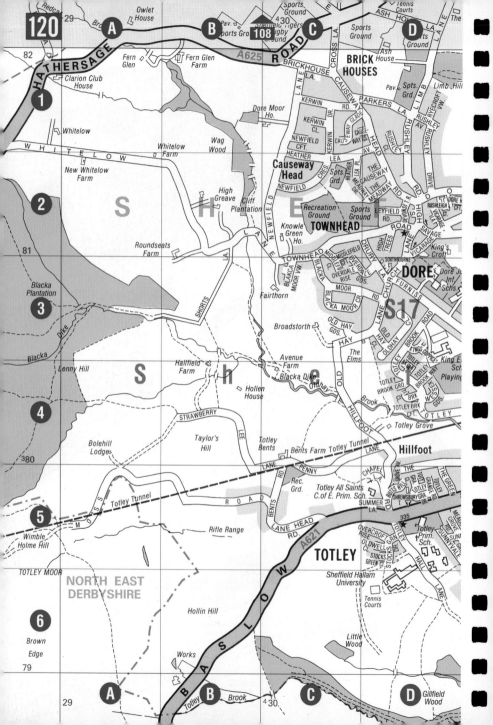

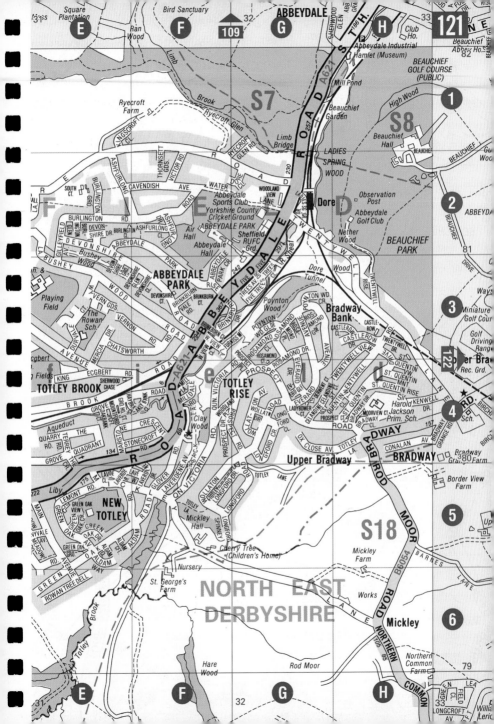

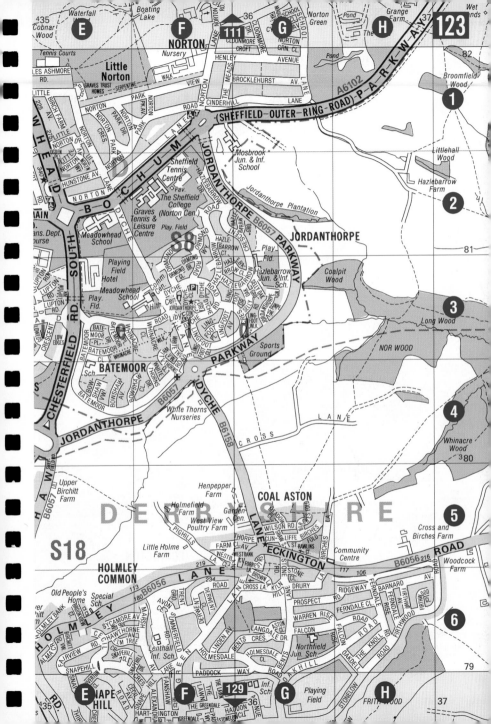

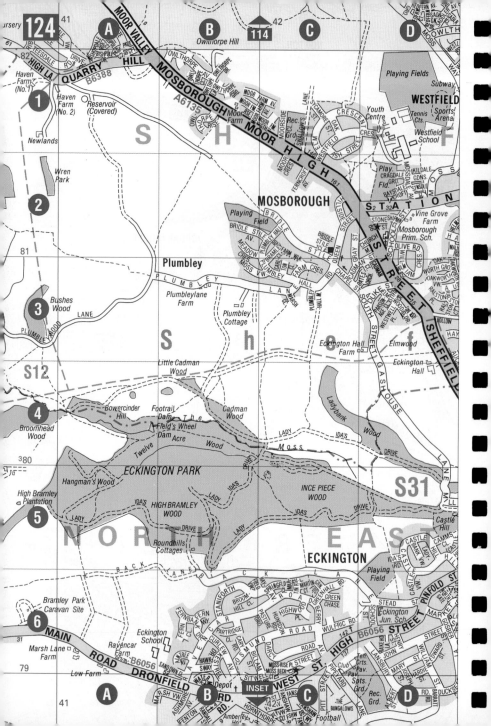

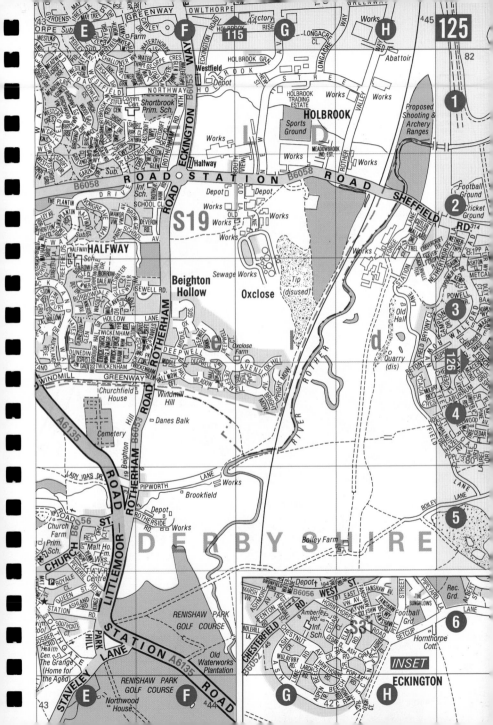

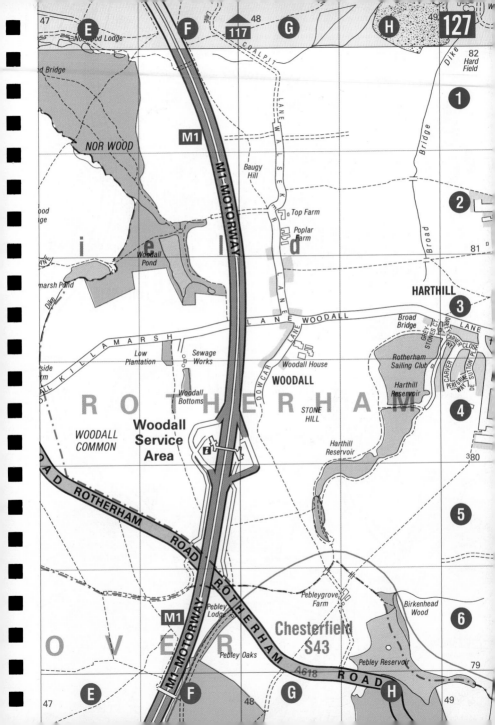

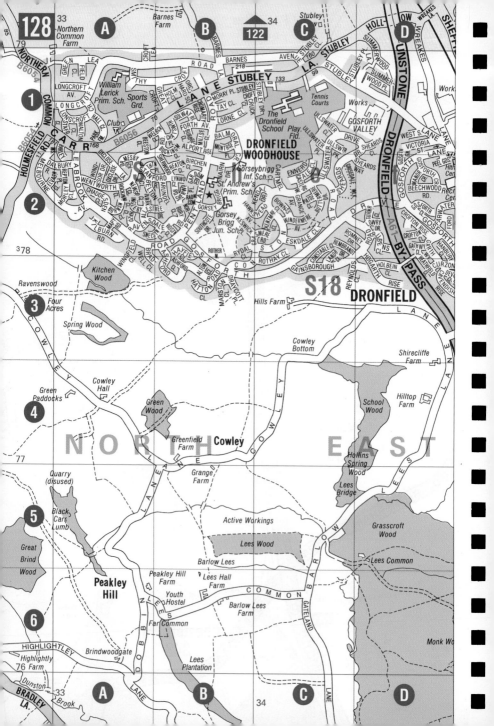

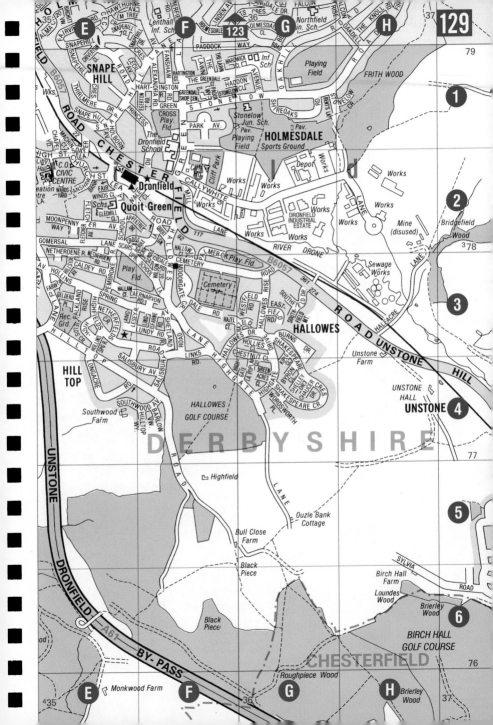

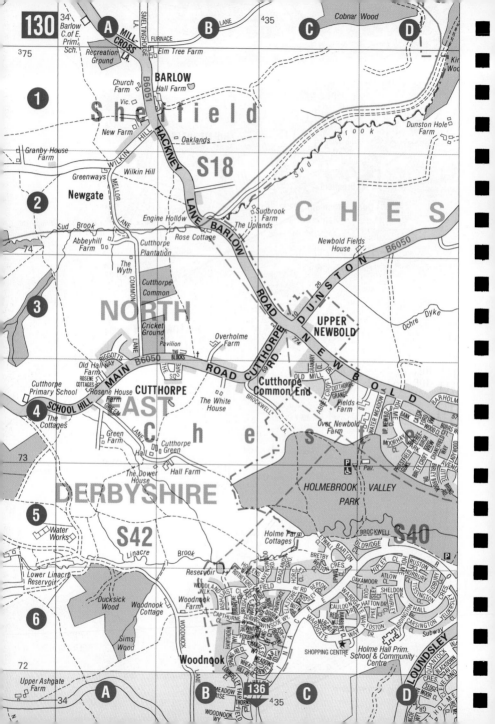

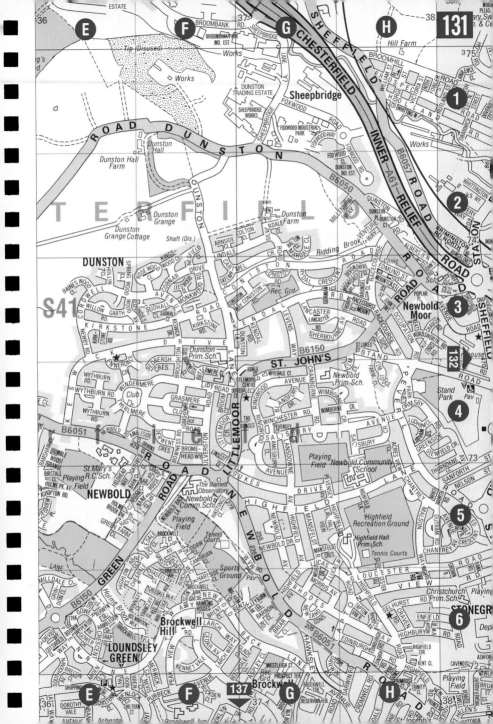

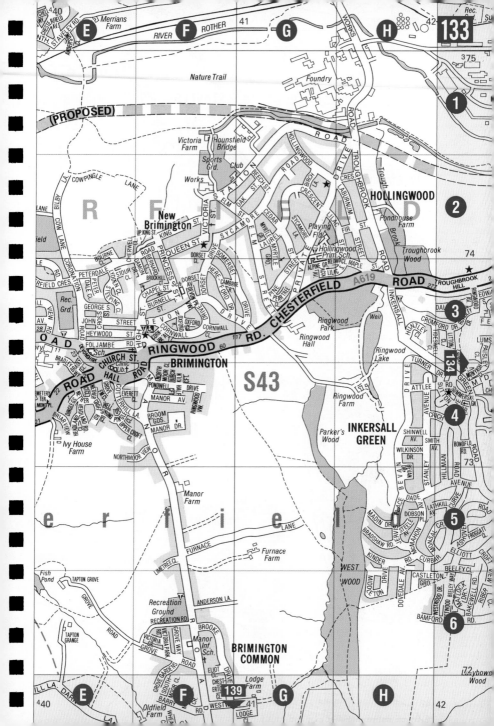

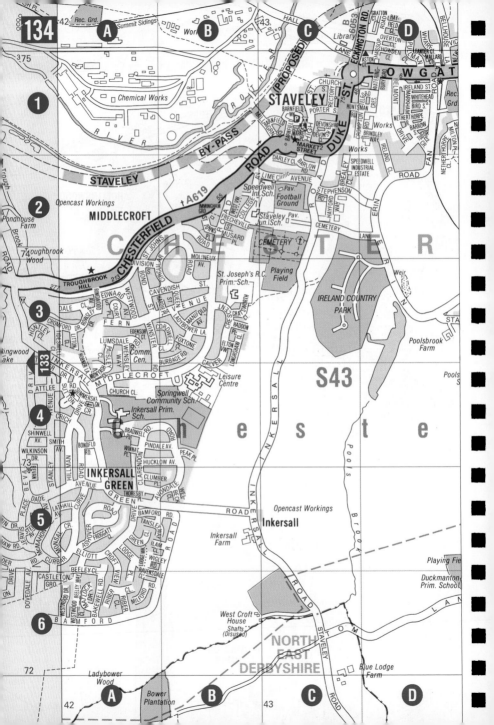

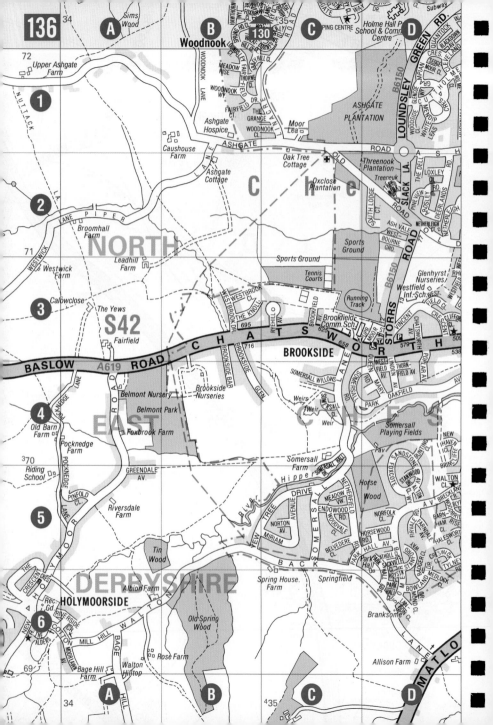

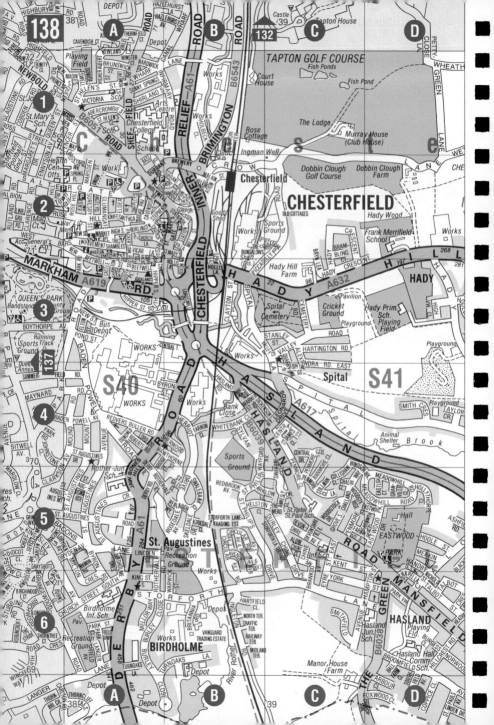

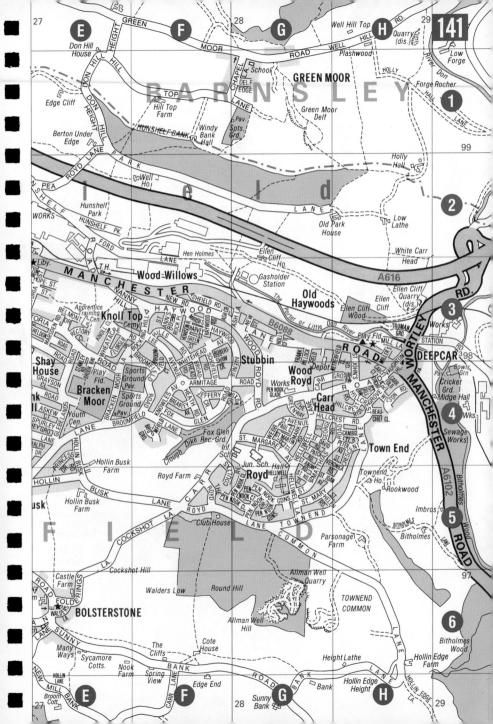

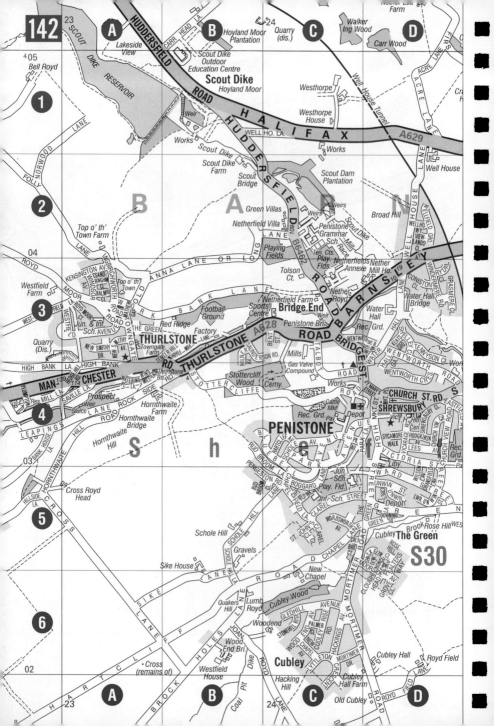

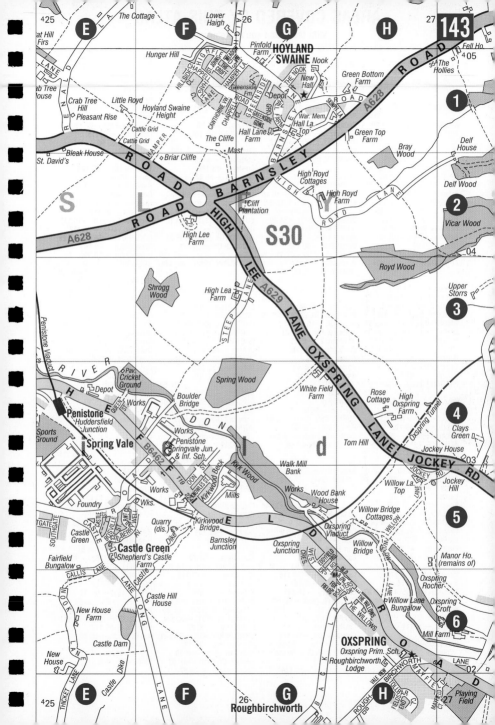

AREAS COVERED BY THIS ATLAS

with their map square reference

Names in this Index shown in CAPITAL LETTERS followed by their Postcode District(s), are Postal Addresses.

Sandhill. —1B **28**
(Thurnscoe)
Sandygate. —3E **97**
SCAWSBY. (DN5) —3G **31**
SCAWTHORPE. (DN5)
—1G **31**
SCHOLES. (S61) —3E **67**
Scout Dike. —1B **142**
Shaftholme. —2D **18**
SHAFTON. (S72) —2C **10**
Shafton Two Gates. —3D **10**
Sharrow. —6B **98**
Sharrow Head. —5C **98**
Sharrow Vale. —5B **98**
Shaw Lands. —6F **13**
Shay House. —3D **140**
Sheepbridge. —1G **131**
Sheffield Lane Top. —5G **75**
Sheffield Park. —4A **100**
SHEFFIELD. (S1 to S31)
—2E **99** (4E **5**)
Shirecliffe. —1C **86**
Shiregreen. —3A **76**
Slade Hooton. —4G **95**
Small Bridge. —1A **48**
Smithies. —3A **14**
Smithley. —6F **25**
Smithy Green. —2H **13**
Smithy Moor. —2B **140**
Snape Hill. —4E **27**
(Darfield)
Snape Hill. —1E **129**
(Dronfield)
SOTHALL. (S19) —5G **115**
South Anston. —3F **119**
Southey Green. —5C **74**
Spa Houses. —6H **91**
Spink Hall. —4D **140**
Spital. —3C **138**
Spring Vale. —4E **143**
SPROTBROUGH. (DN5)
—2D **44**
Sprotbrough Park. —2E **45**
STAINBOROUGH. (S75)
—5B **22**
Staincross. —3E **7**
STAIRFOOT. (S70 & S71)
—1E **25**
STANNINGTON. (S6) —5C **84**
STAVELEY. (S43) —1C **134**
Steel Bank. —6A **86**
Stephen Hill. —2F **97**
Sticking Hill. —4D **42**

Stockbridge. —5C **18**
STOCKSBRIDGE. (S30)
—3D **140**
Stonegravels. —6A **132**
Storrs. —4A **84**
Street. —3G **53**
Stubbin. —4F **141**
Stubbing. —6C **72**
Studfield Hill. —3F **85**
Stump Cross. —3F **53**
Stumperlowe. —5D **96**
Summerfield. —3A **98**
Sunnyfields. —2F **31**
Sunnyside. —5C **20**
(Kirk Sandall)
SUNNYSIDE. (S66) —3G **81**
(Rotherham)
SWAITHE. (S70) —4E **25**
Swallow Hill. —6E **7**
SWALLOWNEST. (S31)
—6A **104**
Swinton Bridge. —2C **56**
SWINTON. (S64) —2B **56**

TANKERSLEY. (S75) —1D **50**
Tapton. —5C **132**
Tapton Hill. —3G **97**
Templeborough. —6H **77**
The Brecks. —5B **80**
The Cross. —2G **75**
Thorn Hill. —1C **78**
Thorpe Common. —4B **66**
THORPE HESLEY. (S61)
—2B **66**
Throapham. —2F **107**
THRYBERGH. (S65) —4D **70**
THURCROFT. (S66) —4A **94**
THURLSTONE. (S30) —3A **142**
Thurnscoe East. —1G **29**
THURNSCOE. (S63) —1E **29**
Tiltshills. —1A **18**
TINSLEY. (S9) —1G **89**
TODWICK. (S31) —2A **118**
Tofts. —1C **96**
TOLL BAR. (DN5) —3A **18**
Totley Brook. —4E **121**
TOTLEY RISE. (S17) —4F **121**
TOTLEY. (S17) —5D **120**
Town End. —4H **141**
(Deepcar)
Town End. —6E **85**
(Stannington)

Town Fields. —5E **33**
Town Head. —2C **120**
(Dore)
Town Head. —6F **73**
(Worrall)
TREETON. (S60) —1E **103**
Tyers Hill. —1B **26**

ULLEY. (S31) —1C **104**
Underbank. —5B **84**
Under Tofts. —1D **96**
UNSTONE. (S18) —5H **129**
Upper Bradway. —4G **121**
Upper Crabtree. —2G **87**
Upper Cudworth. —5C **10**
Upper Gate. —6B **84**
Upper Haugh. —6D **54**
Upper Hoyland. —4G **37**
Upper Newbold. —3C **130**
Upper Tankersley. —2C **50**
Upperthorpe. —6C **86**
UPPER WHISTON. (S60)
—5B **92**

Wadsley. —1G **85**
Wadsley Bridge. —6A **74**
WADWORTH. (DN11)
—6H **61**
WALES BAR. (S31) —5D **116**
WALES. (S31) —5F **117**
Waleswood. —4B **116**
Walkley Bank. —6H **85**
WALKLEY. (S6) —5A **86**
WALTON. (S42) —5F **137**
Ward Green. —4H **23**
WARMSWORTH. (DN4)
—6E **45**
Warren. —5F **51**
Warren Vale. —5G **55**
WATERTHORPE. (S19)
—5E **115**
WATH UPON DEARNE. (S63)
—5F **41**
Wath Wood. —2E **55**
WENTWORTH. (S62) —4D **52**
Westfield. —5A **40**
(Brampton)
WESTFIELD. (S19) —1E **125**
(Sheffield)
West Green. —1F **15**
West Melton. —4D **40**

Westthorpe. —5B **126**
Westwood. —4B **50**
Wheatley. —3F **33**
Wheatley Hills. —2A **34**
Wheatley Park. —2H **33**
Whinney Hill. —5C **70**
Whirlow. —5E **109**
WHISTON. (S60) —2H **91**
Whiteley Wood Green.
—1B **108**
Whiteley Woods. —6F **97**
Whitley. —5D **64**
WHITTINGTON MOOR. (S41)
—3A **132**
WICKERSLEY. (S60 & S66)
—5F **81**
Wilthorpe. —3E **13**
WINCOBANK. (S9) —6B **76**
Windhill. —5G **43**
Wingfield. —5H **67**
Winsick. —6E **139**
Wisewood. —3G **85**
WOMBWELL. (S73) —6B **26**
WOODALL. (S31) —3G **127**
Woodhill. —3H **87**
WOODHOUSE MILL. (S13)
—5D **102**
WOODHOUSE. (S13)
—1B **114**
Woodlaithes. —2F **81**
WOODLANDS. (DN6) —3C **16**
Woodlands East. —3E **17**
Woodland View. —5F **85**
Wood Lea. —6G **83**
Woodnook. —6B **130**
Wood Royd. —4G **141**
Wood Seats. —4B **64**
Woodside. —5E **87**
WOODTHORPE. (S43)
—1G **135**
Wood Willows. —3F **141**
Workhouse Green. —1A **108**
WORRALL. (S30) —4D **72**
WORSBROUGH BRIDGE.
(S70) —6A **24**
WORSBROUGH COMMON.
(S70) —2H **23**
WORSBROUGH DALE. (S70)
—5C **24**
WORSBROUGH. (S70 & S75)
—5A **24**
Worsbrough Village. —1D **36**
Wybourn. —2A **100**

INDEX TO STREETS

HOW TO USE THIS INDEX

1. Each street name is followed by its Postal District (or, if outside the Sheffield Postal District, by its Posttown or Postal Locality), and then by its map reference; e.g. Abbey Brook Clo. S8 —6C **110** is in the Sheffield 8 Postal District and is to be found in square 6C on page **110**. The page number being shown in bold type.
   A strict alphabetical order is followed in which Av., Rd., St., etc. (though abbreviated) are read in full and as part of the street name; e.g. Ash Dale Rd. appears after Ashdale Clo. but before Ashdell.

2. Streets and a selection of Subsidiary names not shown on the Maps, appear in the index in *Italics* with the thoroughfare to which it is connected shown in brackets; e.g. *Archer Ho. Roth —2E* **79** *(off Wharncliffe Hill)*

3. The page references shown in brackets indicate those streets that appear on the large scale map pages 4 & 5; e.g. Abney St. S1 —2D **98** (3C **4**) appears in square 2D on page **98** and also appears in the enlarged section in square 3C on page **4**.

4. With the now general usage of Postcodes for addressing mail, it is not recommended that this index is used for such a purpose.

GENERAL ABBREVIATIONS

All : Alley	Clo : Close	Ind : Industrial	Pl : Place
App : Approach	Comn : Common	Junct : Junction	Rd : Road
Arc : Arcade	Cotts : Cottages	La : Lane	S : South
Av : Avenue	Ct : Court	Lit : Little	Sq : Square
Bk : Back	Cres : Crescent	Lwr : Lower	Sta : Station
Boulevd : Boulevard	Dri : Drive	Mnr : Manor	St : Street
Bri : Bridge	E : East	Mans : Mansions	Ter : Terrace
B'way : Broadway	Embkmt : Embankment	Mkt : Market	Up : Upper
Bldgs : Buildings	Est : Estate	M : Mews	Vs : Villas
Bus : Business	Gdns : Gardens	Mt : Mount	Wlk : Walk
Cen : Centre	Ga : Gate	N : North	W : West
Chu : Church	Gt : Great	Pal : Palace	Yd : Yard
Chyd : Churchyard	Grn : Green	Pde : Parade	
Circ : Circle	Gro : Grove	Pk : Park	
Cir : Circus	Ho : House	Pas : Passage	

POSTTOWN AND POSTAL LOCALITY ABBREVIATIONS

Ad S : Adwick-le-Street	Cal : Calow	Half : Halfway	Mas M : Mastin Moor
Ad D : Adwick-upon-Dearne	Can : Cantley	Han : Handsworth	Mex : Mexborough
Alv : Alverley	Carl : Carlton	Har : Harley	Mick : Micklebring
Ans : Anston	Cat : Catcliffe	Harl : Harlington	Monk B : Monk Bretton
Ard : Ardsley	Chap : Chapeltown	Hart : Harthill	Mor : Morthen
Arks : Arksey	Ches : Chesterfield	Has : Hasland	Mosb : Mosborough
Arm : Armthorpe	Coal A : Coal Aston	Heel : Heeley	New L : New Lodge
Ash : Ashgate	Con : Conisbrough	Hel : Hellaby	New R : New Rossington
Ast : Aston	Cub : Cubley	Hem : Hemingfield	New W : New Whittington
Auc : Auckley	Cud : Cudworth	H Grn : High Green	Nort : Norton
Aug : Aughton	Cus : Cusworth	Hghm : Higham	Old D : Old Denaby
Bal : Balby	Cut : Cutthorpe	Hghf : Highfields	Old E : Old Edlington
Barl : Barlow	Dal : Dalton	Holb : Holbrook	Old W : Old Whittington
Barnb : Barnburgh	Darf : Darfield	Holl : Hollingwood	Oug : Oughtibridge
B Dun Barnby Dun	Darn : Darnall	Holm : Holmesfield	Owl : Owlthorpe
Barn : Barnsley	Dart : Darton	Holy : Holymoorside	Oxs : Oxspring
Bar H : Barrow Hill	Deep : Deepcar	Hood G : Hood Green	Park : Parkgate
B Grn : Barugh Green	Den M : Denaby Main	Hool L : Hooton Levitt	Pen : Penistone
Beig : Beighton	Din : Dinnington	Hoo R : Hooton Roberts	Pick : Pickburn
Ben : Bentley	Dod : Dodworth	Hoy : Hoyland	Pool : Poolsbrook
Bes : Bessacarr	Don : Doncaster	Hoy S : Hoyland Swaine	Rav : Ravenfield
Bil : Billingley	Dore : Dore	H Pk : Hyde Park	Raw : Rawmarsh
Bird : Birdwell	Dron : Dronfield	Ing : Ingbirchworth	Ridg : Ridgeway
B Hill : Blacker Hill	Dron W : Dronfield Woodhouse	Ink : Inkersall	Riv : Rivelin
Bsvr : Bolsover	Duck : Duckmanton	Int : Intake	Ros : Rossington
Bols : Bolsterstone	Dunsv : Dunsville	Jump : Jump	Roth : Rotherham
Bolt D : Bolton-upon-Dearne	Ecc : Ecclesfield	Kil : Killamarsh	Roys : Royston
Brad : Bradfield	Eck : Eckington	Kiln : Kilnhurst	Scaws : Scawsby
Brdwy : Bradway	Eden : Edenthorpe	Kim : Kimberworth	Scawt : Scawthorpe
B'well : Braithwell	Edl : Edlington	King : Kingston	Scho : Scholes
Bram : Bramley	Els : Elsecar	Kirk S : Kirk Sandall	Shaf : Shafton
Brmp : Brampton	Flan : Flanderwell	Kiv P : Kiveton Park	Soth : Sothall
Brmp B : Brampton Bierlow	Gaw : Gawber	Kiv S : Kiveton Park Station	S Hien : South Hiendley
Brmp M :	Gold : Goldthorpe	Laug : Laughton	Spin : Spinkhill
Brampton-en-le-Morthen	Grea : Greasbrough	Laug C : Laughton Common	Spro : Sprotbrough
Bran : Branton	Gt H : Great Houghton	Lit H : Little Houghton	S'boro : Stainborough
Brier : Brierley	Grn M : Green Moor	Long S : Long Sandall	Stain : Stainton
Brim : Brimington	Grnhl : Greenhill	Low V : Low Valley	Stair : Stairfoot
Brin : Brinsworth	Gren : Grenoside	Lox : Loxley	Stann : Stannington
Brod : Brodsworth	Grime : Grimethorpe	Lun : Lundwood	Stav : Staveley
Burn : Burncross	Hack : Hackenthorpe	Malt : Maltby	Stoc : Stocksbridge
Cad : Cadeby	Haig : Haigh	Map : Mapplewell	Sun : Sunnyside

INDEX TO STREETS

Abbey Brook Clo. S8 —6C 110
Abbey Brook Ct. S8 —6C 110
Abbey Brook Dri. S8 —6C 110
Abbey Brook Gdns. S8
—6C 110
Abbey Clo. Laug —6F 95
Abbey Ct. S8 —6C 110
Abbey Cres. S7 —6H 109
Abbey Croft. S7 —6H 109
Abbey Croft. Ches —4C 130
Abbeydale Pk. Cres. S17
—3F 121
Abbeydale Pk. Rise. S17
—2E 121
Abbeydale Rd. S7 —4B 110
Abbeydale Rd. S. S17 & S7
—3F 121
Abbeyfield Rd. S4 —4F 87
Abbey Glen. Malt —2D 94
Abbey Grange. S7 —6H 109
Abbey Grn. Dod —3C 22
Abbey Gro. Lun —4E 15
Abbeyhill Clo. Ash —1B 136
Abbey La. S11, S7 & S8
—4G 109
Abbey La. Barn —6E 15
Abbey La. Laug —4G 95
Abbey Sq. Barn —3E 15
Abbey View Dri. S8 —4E 111
Abbey View Rd. S8 —4E 111
Abbey Wlk. Don —4G 31
Abbey Way. Ans —4B 106
Abbotsford Dri. Thurc —5A 94
Abbots La. Wool —1F 7
Abbots Meadow. Soth
—6G 115
Abbots Rd. Barn —3F 15
Abbott St. Don —1B 46
Abdy La. Swin —3E 55
Abdy Rd. Raw —4C 54
Abdy Rd. Roth —5F 67
Abell St. Thry —5C 70
Aberconway Cres. New R
—5C 62
Abercorn Rd. Don —5A 34
Abercrombie St. Ches —1A 138
Aberford Gro. Els —5D 38
Abingdon Gdns. Roth —4B 68
Abingdon Rd. Don —4H 33
Abney Clo. S14 —1G 111
Abney Clo. Ches —5E 131
Abney Dri. S14 —1G 111
Abney Rd. S14 —1G 111
Abney St. S1 —2D 98 (3C 4)
Abus Rd. Don —2E 31
Acacia Av. Bram —4G 81
Acacia Av. Chap —3D 64
Acacia Av. Holl —3G 133
Acacia Av. Malt —4D 82
Acacia Ct. Ben —5A 18
Acacia Cres. Kil —4H 125
Acacia Gro. Con —5C 58
Acacia Gro. Shaf —3C 10
Acacia Rd. S5 —5A 76
Acacia Rd. Don —3D 48
Acer Clo. Ans —4F 119

Acer Clo. Kil —4A 126
Ackworth Dri. S9 —2H 89
Acorn Croft. Roth —5B 68
Acorn Dri. Stann —5C 84
Acorn Hill. Stann —4D 84
Acorn St. S3 —6E 87
Acorn Way. Stann —5B 84
Acre Clo. Eden —5D 20
Acre Clo. Malt —2E 83
Acre Ga. H Grn —1B 64
Acre La. Pen —1D 142
Acre La. Whar S —1A 72
Acres Hill La. S9 —2D 100
Acres Hill Rd. S9 —1D 100
Acres View Clo. Ches —4H 131
Adastral Av. S12 —5C 112
Addison Rd. S5 —1H 87
Addison Rd. Malt —4D 82
Addison Rd. Mex —6F 43
Addison Sq. Din —4F 107
Addy Clo. S6 —6C 86
Addy Dri. S6 —6C 86
Addy St. S6 —6C 86
Adelaide Rd. S7 —1B 110
Adelaide St. Malt —6H 83
Adelphi St. S6 —6C 86
Adkins Dri. S5 —6C 74
Adkins Rd. S5 —6C 74
Adlard Rd. Don —3H 33
Adlington Cres. S5 —5D 74
Adlington Rd. S5 —5D 74
Admirals Crest. Scho —5D 66
Adrian Cres. S5 —5E 75
Adsetts St. S4 —2A 88
Adwick Av. Tol B —2H 17
Adwick Ct. Mex —1F 57
Adwick La. Ad S —1E 17
Adwick Rd. Mex —4D 42
Agden Rd. S7 —5C 98
Agnes Rd. Barn —1G 23
Agnes Rd. Dart —5C 6
Agnes Ter. Barn —1G 23
Ainsdale Av. Gold —5F 29
Ainsdale Clo. Roys —1D 8
Ainsdale Ct. Barn —2D 14
Ainsdale Rd. Roys —1D 8
Ainsley Rd. S10 —1A 98
Ainsty Rd. S7 —6D 98
Ainthorpe Rd. Tol B —2H 17
Aintree Av. Don —1B 48
Aintree Av. Eck —6B 124
Aintree Clo. Don —4F 31
Aintree Dri. Mex —5F 43
Aire Clo. Chap —1D 64
Airedale Rd. S6 —1G 85
Airedale Rd. Dart —5A 6
Aireton Clo. Flan —4E 81
Aireton Rd. Barn —5G 13
Air Mt. Clo. Wick —5E 81
Aisby Dri. Ros —3E 63
Aisthorpe Rd. S8 —4D 110
Aitken Rd. Kiln —5C 56
Aizlewood Rd. S8 —6D 98
(in two parts)
Akley Bank Clo. S17 —4F 121
Alan Rd. Dart —5B 6

Alba Clo. Darf —3C 26
Albanus Croft. Stann —5C 84
Albanus Ridge. Stann —5C 84
Albany Av. Chap —3F 65
Albany Clo. Wom —3G 25
Albany La. New R —4C 62
Albany Rd. S7 —6D 98
Albany Rd. Don —3A 46
Albany Rd. Kiln —4B 56
Albany Rd. Stoc —3D 140
Albany St. Roth —3E 79
Albert Av. New W —1D 132
Albert Cres. Lit H —2H 27
Albert Rd. S8 —1E 111
Albert Rd. Gold —4G 29
Albert Rd. Hack —4C 114
Albert Rd. Mex —6E 43
Albert Rd. Park —3F 69
Albert Rd. Wath D —4D 40
Albert St. Barn —6H 13
Albert St. Cud —4C 10
Albert St. Eck —6D 124
Albert St. Malt —5H 83
Albert St. Roth —3C 78
Albert St. Swin —1B 56
Albert St. Thurn —1E 29
Albert St. E. Barn —6H 13
Albert St. N. Ches —2H 131
Albert Ter. Rd. S6 —6C 86
Albion Dri. Thurn —2H 29
Albion Ho. Barn —1H 23
Albion Pl. Don —6E 33
Albion Rd. Barn —6E 9
Albion Rd. Ches —2H 137
Albion Rd. Roth —3E 79
Albion Row. Riv —1D 96
Albion St. S6 —1C 98
Albion Ter. Barn —1A 24
Albion Ter. Don —2B 46
Alcester Rd. S7 —6D 98
Aldam Clo. S17 —5E 121
Aldam Clo. Roth —2B 80
Aldam Croft. S17 —5E 121
Aldam Rd. S17 —5F 121
Aldam Rd. Don —5G 45
Aldam Way. S17 —5E 121
Aldbury Clo. Barn —1B 14
Aldcliffe Cres. Don —1F 61
Aldene Av. S6 —2F 85
Aldene Glade. S6 —2F 85
Aldene Rd. S6 —1F 85
Alder Clo. Map —4E 7
Alder Gro. Darf —5D 26
Alder Gro. Don —4A 46
Alder La. S9 —2G 101
Alder M. Hoy —6A 38
Alderney Rd. S2 —6E 99
Aldersgate Clo. New R —6E 63
Aldersgate Ct. Malt —4H 83
Alders Grn. Lox —2D 84
Alderson Av. Raw —6F 55
Alderson Dri. Barn —1A 14
Alderson Dri. Don —6F 33
Alderson Pl. S2 —5E 99
Alderson Rd. S2 —5E 99

Alderson Rd. N. S2 —5E 99
Alders, The. Holy —6A 136
Aldervale Clo. Swin —5B 56
Aldesworth Rd. Don —2C 48
Aldfield Way. S5 —2F 87
Aldham Corlts. Wom —4A 24
Aldham Cres. Wom —3G 25
Aldham Ho. La. Wom —5H 25
Aldham Ind. Est. Wom —4A 26
Aldine Ct. S1 —1F 99 (2F 5)
Aldred Clo. Kil —1C 126
Aldred Clo. Wick —4F 81
Aldred Rd. S10 —6A 86
Aldred St. Roth —4E 79
Aldrin Way. Malt —3E 83
Aldwarke La. Roth —4G 69
Aldwarke Rd. Park —4F 69
Alexander St. Ben —6B 18
Alexandra Cen. Park —5F 69
Alexandra Clo. Roth —1G 77
Alexandra Rd. S2 —6F 99
Alexandra Rd. Ad S —1F 17
Alexandra Rd. Ben —5B 18
Alexandra Rd. Don —3B 46
Alexandra Rd. Dron —1F 129
Alexandra Rd. Mex —6F 43
Alexandra Rd. Swal —5A 104
Alexandra Rd. E. Ches —3C 138
Alexandra Rd. W. Ches
—2H 137
Alexandra St. Malt —6H 83
Alexandra Ter. Barn —1F 25
Alford Av. Oug —2D 72
Alford Cl. Ches —2E 137
Alfred Rd. S9 —4B 88
(in two parts)
Alfred St. Roys —1G 9
Algar Clo. S2 —6A 100
Algar Cres. S2 —6B 100
Algar Dri. S2 —6A 100
Algar Pl. S2 —6A 100
Algar Rd. S2 —6A 100
Alhambra Shopping Cen. Barn
—6H 13
Alice Rd. Roth —2B 78
Alison Clo. Swal —6B 104
Alison Cres. S2 —4D 100
Alison Dri. Swal —6B 104
Allan St. Roth —3E 79
Allatt Clo. Barn —1H 23
Alldred Cres. Swin —4A 56
Allenby Clo. S8 —2C 122
Allenby Cres. New R —5C 62
Allenby Dri. S8 —2C 122
Allendale. Wors —4C 24
Allendale Ct. Wors —4C 24
Allendale Dri. Hoy —6H 37
Allendale Gdns. Don —6H 31
Allendale Rd. Barn —3G 13
Allendale Rd. Dart —5B 6
Allendale Rd. Don —6H 31
Allendale Rd. Hoy —6H 37
Allendale Rd. Roth —5A 68
Allende Way. S9 —5D 88
Allen Rd. Beig —5F 115
Allen St. S3 —1D 98 (1C 4)

Allerton St. Don —5D **32**
Allestree Dri. Dron W —2A **128**
All Hallows Dri. Malt —5E **83**
Alliance St. S4 —4H **87**
Alliss Rd. Bran —3H **49**
Allott Clo. Rav —1H **81**
Allott Cres. Jump —4C **38**
Allotts Ct. Bird —4C **36**
Allott St. Els —6C **38**
Allott St. Hoy —6F **37**
Allpits Rd. Cal —2F **139**
All Saints Clo. Wath D —5E **41**
All Saints Sq. Den M —1C **58**
All Saints Sq. Roth —3D **78**
All Saints Way. Ast —1C **116**
Allsopps Yd. B Hill —2H **37**
Allsops Pl. Ches —3H **131**
Allt St. Park —3F **69**
Alma Cres. Dron —6E **123**
Alma Rd. H Grn —6B **50**
Alma Rd. Roth —4D **78**
Alma Row. Whis —2A **92**
Alma St. S3 —6E **87**
Alma St. Barn —6F **13**
Alma St. Wom —1F **39**
Alma St. W. Ches —3G **137**
Almholme La. Arks —4E **19**
Almond Av. Arm —2F **35**
Almond Av. Cud —6B **10**
Almond Clo. Cal —2G **139**
Almond Clo. Malt —4E **83**
Almond Dri. Kil —4A **126**
Almond Glade. Wick —6G **81**
Almond Pl. Brim —4E **133**
Almond Pl. Wath D —6F **41**
Almond Rd. Don —3D **48**
Almond Tree Rd. Wal —5E **117**
Alms Hill Cres. S11 —4F **109**
Alms Hill Dri. S11 —4F **109**
Alms Hill Glade. S11 —4F **109**
Alms Hill Rd. S11 —4F **109**
Almshouses. Raw —3C **52**
Alney Pl. S6 —5A **74**
Alnwick Dri. S12 —2D **112**
Alnwick Rd. S12 —2C **112**
Alperton Clo. Barn —2F **15**
Alpha Rd. Roth —2H **79**
Alpha St. Tol B —2H **17**
Alpine Clo. Stoc —3C **140**
Alpine Gro. Holl —3G **133**
Alpine Rd. S6 —6B **86**
Alpine Rd. Stoc —3C **140**
Alport Av. S12 —3G **113**
Alport Dri. S12 —2G **113**
Alport Gro. S12 —2G **113**
Alport Pl. S12 —3G **113**
Alport Rise. Dron W —1B **128**
Alport Rd. S12 —2G **113**
Alric Dri. Barn —5E **15**
Alric Dri. Brin —2B **90**
Alsing Rd. S9 —6E **77**
Alston Clo. Don —4B **48**
Alston Rd. Don —5B **48**
Alton Clo. S11 —5G **109**
Alton Clo. Dron W —3B **128**
Alton Clo. Walt —5D **136**
Alton Way. Map —4E **7**
Alum Chine Clo. Ches —5C **138**
Alvaston Wlk. Den M —2C **58**
Alverley La. Don —1G **61**
Alverley View. Alv —2G **61**
Alwyn Av. Don —2G **31**
Amalfi Clo. Darf —4D **26**
Ambassador Gdns. Arm
—4G **35**
Amber Cres. Ches —4E **137**
Amberley Ct. S9 —4C **88**
Amberley St. S9 —3C **88**
Ambler Rise. Aug —6A **104**
Ambleside Clo. Brin —3A **90**

Ambleside Clo. Ches —4E **131**
Ambleside Clo. Half —3E **125**
Ambleside Cres. Spro —2C **44**
Ambleside Gro. Barn —1G **25**
Ambleside Wlk. Ans —1H **119**
Amen Corner. Roth —2C **78**
(in two parts)
America La. Raw —4B **54**
Amersall Cres. Don —1G **31**
Amersall Rd. Don —1G **31**
Amesbury Clo. Ches —4G **131**
Amory's Holt Clo. Malt —2E **83**
Amory's Holt Dri. Malt —2E **83**
Amory's Holt Rd. Malt —2E **83**
Amory's Holt Way. Malt
—3D **82**
Amos Rd. S9 —1D **88**
Amy Rd. Ben —4C **18**
Anchorage Cres. Don —5A **32**
Anchorage La. Don —5H **31**
Ancona Rise. Darf —4D **26**
Ancote Clo. Barn —6C **12**
Anderson Clo. New W —1E **133**
Anderson La. Brim —6F **133**
Andover Dri. S3 —5E **87**
Andover St. S3 —5F **87**
Andrew La. S3 —6F **87**
Andrew St. S3 —6F **87**
Anelay Rd. Don —4H **45**
Anfield Rd. Don —4C **48**
Angel La. Raw —5H **53**
Angel St. S3 —1F **99** (2F **5**)
Angel St. Bolt D —2B **42**
Angel Yd. Ches —2A **138**
Angerford Av. S8 —3E **111**
Anglesey Rd. Dron —3E **129**
Angleton Av. S2 —5E **101**
Angleton Clo. S2 —5E **101**
Angleton Gdns. S2 —5E **101**
Angleton Grn. S2 —5E **101**
Angram Rd. H Grn —5B **50**
Annan Clo. B Grn —2B **12**
Annat Pl. H Grn —6A **50**
Annesley Clo. S8 —2D **122**
Annesley Clo. Ches —5C **138**
Annesley Rd. S8 —1D **122**
Anne St. Din —2F **107**
Anns Rd. S2 —6E **99**
Anns Rd. N. S2 —6F **99**
Ann St. Park —4F **69**
Ansdell Rd. Ben —5B **18**
Ansell Rd. S11 —1G **109**
Anson Gro. Brin —3D **90**
Anson St. S2 —2G **99** (3H **5**)
Ansten Cres. Don —3C **48**
Anston Av. Kiv P —4A **118**
Anston Clo. Ans —1F **119**
Antrim Av. S10 —3B **98**
Anvil Clo. S6 —5E **85**
Anvil Cres. Ecc —1F **75**
Apley Rd. Don —1D **46**
Apollo St. Raw —6H **55**
Apostle Clo. Don —5G **45**
Appleby Clo. Dart —4D **6**
Appleby Rd. Don —5A **34**
Appleby Wlk. Ans —6F **107**
Applegarth Clo. S12 —1C **112**
Applegarth Dri. S12 —1C **112**
Applehaigh Gro. Roys —1C **8**
Applehaigh View. Roys —1C **8**
Appleton Way. Don —1H **31**
Appleton Way. Wors —4A **24**
Appletree Dri. Dron —2E **129**
April Clo. Barn —3D **14**
April Dri. Barn —3D **14**
Aqueduct St. Barn —4H **13**
Arbour Clo. Ches —6D **138**
Arbour Cres. Thurc —5B **94**
Arbour Dri. Thurc —5B **94**
Arbour La. Rav —4H **71**

Arbour Rd. Thurc —1A **106**
Arbourthorne. S2 —4A **100**
Arbourthorne Est. S2 —1A **112**
Arbourthorne Rd. S2 —6H **99**
Arcade, The. S9 —6E **77**
Arcade, The. Barn —6H **13**
Archdale Clo. S2 —5D **100**
Archdale Pl. S2 —5C **100**
Archdale Rd. S2 —4C **100**
Archer Ga. Lox —2D **84**
Archer Ho. Roth —2E **79**
(off Wharncliffe Hill)
Archer La. S7 —2B **110**
Archer Rd. S8 —4B **110**
Archery Clo. Wick —6F **81**
Archibald M. Don —1C **46**
Archibald Rd. S7 —1C **110**
Arcon Pl. Raw —1G **69**
Arcubus Av. Swal —5B **104**
Ardeen Rd. Don —5G **33**
Arden Clo. Ches —1E **137**
Arden Clo. Roth —1H **79**
Arden Ga. Don —1F **61**
Ardmore St. S9 —6C **88**
Ardsley Av. Ast —6C **104**
Ardsley Clo. Owl —5H **113**
Ardsley Dri. Owl —5H **113**
Ardsley Gro. Owl —5H **113**
Ardsley M. Barn —1G **25**
Ardsley Rd. Ches —2D **136**
Ardsley Rd. Wors —4C **24**
Argyle Clo. S8 —2F **111**
Argyle La. New R —4C **62**
Argyle Rd. S8 —2E **111**
Argyle St. Mex —6E **43**
Argyll Av. Don —4H **33**
Arklow Clo. Ches —5B **138**
Arklow Rd. Don —5G **33**
Arksey Comn. La. Arks —5E **19**
Arksey La. Ben —6B **18**
Arkwright Rd. Don —4H **31**
Arley St. S2 —4E **99**
Arlington Av. Ast —5D **104**
Arlott Way. Edl —2C **60**
Armer St. Roth —3C **78**
Armitage Dn. Deep —4F **141**
Armitage Rd. Don —4H **45**
Armroyd La. Els —1A **52**
Armstead Rd. Beig —4G **115**
Armstrong Wlk. Malt —3E **83**
Armthorpe La. B Dun —2E **21**
Armthorpe La. Don —4G **33**
Armthorpe Rd. S11 —5F **97**
Armthorpe Rd. Don —4G **33**
Armyne Gro. Barn —6E **15**
Army Row. Roys —1F **9**
Armytage Ind. Est. Whit M
—3C **132**
Arncliffe Dri. Barn —1D **22**
Arncliffe Dri. Chap —1D **64**
Arndale Precinct. Malt —4G **83**
Arnold Av. S12 —5C **112**
Arnold Av. Barn —6B **8**
Arnold Cres. Mex —5E **43**
Arnold Rd. Roth —1H **79**
Arnold St. S6 —4A **86**
Arnside Clo. Ches —2F **131**
Arnside Rd. S8 —2C **110**
Arnside Rd. Malt —3G **83**
Arnside Ter. S8 —2C **110**
Arran Hill. Thry —4D **70**
Arran Rd. S10 —2H **97**
Arras St. S9 —6B **88**
Arren Clo. B Dun —1H **21**
Arrowsmith Ho. Roth —2E **79**
(off Wharncliffe Hill)
Arthington St. S8 —1E **111**
Arthur Av. Ben —5B **18**
Arthur Pl. Ben —5B **18**

Arthur Rd. Stoc —3C **140**
Arthur St. Ben —5C **18**
Arthur St. Raw —6G **55**
Arthur St. Roth —2C **78**
Arthur St. Swal —6B **104**
Arthur St. Wors —4A **24**
Artisan View. S8 —1E **111**
Arundel Av. Dal —6B **70**
Arundel Av. Tree —1E **103**
Arundel Clo. Ches —3H **131**
Arundel Clo. Dron W —2B **128**
Arundel Cotts. Roth —1E **103**
Arundel Ct. S11 —3F **109**
Arundel Cres. Tree —1E **103**
Arundel Gdns. Don —1H **31**
Arundel Ga. S1 —3E **99** (5E **5**)
Arundel La. S1 —3F **99** (5F **5**)
Arundel Dri. Barn —2F **15**
Arundel Rd. Chap —1E **65**
Arundel Rd. Roth —4F **79**
Arundel Rd. Tree —1E **103**
Arundel St. S1 —3E **99** (6E **5**)
Arundel St. Tree —1E **103**
Arundel View. Jump —4C **38**
Ascension Clo. Malt —5H **83**
Ascot Av. Don —2B **48**
Ascot Clo. Mex —5F **43**
Ascot Dri. Don —3F **31**
Ascot St. S2 —4E **99**
Ashberry Clo. Thurn —1F **29**
Ashberry Gdns. S6 —6B **86**
Ashberry Rd. S6 —6B **86**
Ashbourne Clo. Ches —6C **130**
Ashbourne Gro. S13 —4H **101**
Ashbourne Gro. Oug —3E **73**
Ashbourne Rd. S13 —4H **101**
Ashburnham Gdns. Don
—6G **31**
Ashburton Clo. Ad S —1C **16**
Ashbury Dri. S8 —5G **111**
Ashbury La. S8 —5G **111**
Ashby Ct. Barn —1F **23**
Ash Clo. Kil —4A **126**
Ash Clo. Roth —5B **80**
Ash Cotts. Wom —3G **25**
Ash Ct. Malt —3D **82**
Ash Ct. Spro —2F **45**
Ash Cres. Deep —3F **141**
Ash Cres. Eck —6G **125**
Ash Cres. Mex —5C **42**
Ashcroft Clo. Edl —4A **60**
Ashcroft Dri. Ches —1B **132**
Ashdale Clo. Eden —6D **20**
Ash Dale Rd. War —1B **60**
Ashdell. S10 —3A **98**
Ashdell La. S10 —3A **98**
Ashdell Rd. S10 —3A **98**
Ashdene Ct. Swin —5B **56**
Ashdown Dri. Ches —4F **137**
Ashdown Gdns. Soth —4G **115**
Ashdown Pl. Don —1H **31**
Ash Dyke Clo. Dart —6B **6**
Asher Rd. S7 —5D **98**
Ashes La. Wen —5B **52**
Ashfield Clo. S12 —3B **112**
Ashfield Clo. Arm —4G **35**
Ashfield Clo. Barn —4E **13**
Ashfield Ct. Stair —1D **24**
Ashfield Dri. S12 —3B **112**
Ashfield Rd. Ches —5D **138**
Ashfield Rd. Deep —3F **141**
Ashfield Rd. Don —5A **46**
Ashford Clo. Dron W —3B **128**
Ashford Ct. Ches —6A **132**
Ashford Rd. S11 —5B **98**
Ashford Rd. Dron W —3B **128**
Ashfurlong Clo. S17 —2F **121**
Ashfurlong Dri. S17 —2F **121**
Ashfurlong Rd. S17 —2E **121**

Ballfield La. Dart —5A 6
Ballifield Av. S13 —4A 102
Ballifield Clo. S13 —4A 102
Ballifield Cres. S13 —4B 102
Ballifield Dri. S13 —4B 102
Ballifield Pl. S13 —4A 102
Ballifield Rise. S13 —4B 102
Ballifield Rd. S13 —4A 102
Ballifield Way. S13 —4A 102
Ball Rd. S6 —3H 85
Ball St. S3 —6D 86
Balmain Dri. S6 —2H 85
Balmain Rd. S6 —2H 85
Balmer Rise. Bram —2E 81
Balm Grn. S1 —2E 99 (3D 4)
Balmoak La. Ches —5C 132
Balmoral Clo. Thurl —3A 142
Balmoral Ct. S11 —3F 109
Balmoral Cres. Dron W
—1B 128
Balmoral Rd. S13 —1C 114
Balmoral Rd. Don —5F 33
Balmoral Way. Bram —3H 81
Baltic Rd. S9 —5B 88
Baltic Way. S9 —5B 88
Bamford Av. Barn —1A 14
Bamford Clo. Don —2A 22
Bamford Rd. Ink —6H 133
Bamforth St. S6 —4B 86
Bank Clo. S7 —1C 110
Bank Clo. Roth —6H 67
Bank Ct. Brim —3D 132
Bank End Av. Wors —4C 24
Bank End Rd. Wors —4B 24
Bankfield La. Stann —5C 84
Bankfield Rd. S6 —3G 85
Bank Ho. La. Thurl —4A 142
Bank Ho. Rd. S6 —6A 86
Bank La. Stoc —6G 141
Bank Rd. Ches —5A 132
Bank Sq. New R —5C 62
Bank St. S1 —1F 99 (2E 5)
Bank St. Ans —2F 119
Bank St. Barn —2H 23
Bank St. Brim —3D 132
Bank St. Ches —2G 137
Bank St. Cud —6B 10
Bank St. Don —2C 46
Bank St. Hoy —6H 37
Bank St. Mex —1E 57
Bank St. Stair —1E 25
Bank Ter. S10 —2A 98
(off Parker's La.)
Bank Top Rd. Roth —5B 80
Bank View. S12 —4C 114
Bank View. Whis —2H 91
Bankwood Clo. S14 —2H 111
Bankwood Cres. New R
—3B 62
Bankwood La. New R —2B 62
Bankwood Rd. S14 —2H 111
Banner Ct. S11 —1H 109
Banner Cross Dri. S11
—1H 109
Banner Cross Rd. S11
—2H 109
Bannerdale Clo. S11 —1A 110
Bannerdale Rd. S11 & S7
—1A 110
Bannerdale View. S11 —1A 110
Bannham Rd. S9 —1F 101
Bannister Ho. Don —3G 33
Bar Av. Map —5H 7
Barbados Way. Hel —4A 82
Barber Balk Clo. Roth —6H 67
Barber Balk Rd. Roth —1H 77
Barber Clo. Tod —2A 118
Barber Cres. S10 —1B 98
Barber Pl. S10 —1B 98

Barber Rd. S10 —1B 98
Barberry Way. Rav —1H 81
Barber's Av. Raw —2F 69
Barber's Cres. Raw —2G 69
Barber's La. Kil —1B 126
Barber's Path. Mex —6D 42
Barber St. Hoy —5A 38
Barber Wood Rd. Roth —2C 76
Barbon Clo. Ches —6G 131
Barbot Hall Ind. Est. Roth
—5D 68
Barbot Hill Rd. Roth —5C 68
Bar Croft. Ches —5F 131
Barden Cres. Brin —3C 90
Barden Dri. Barn —4D 12
Bardolf Rd. Don —2C 48
Bardon Rd. Eden —4D 20
Bard St. S2 —2G 99 (2H 5)
Bard St. Flats. S2 —2G 99
Bardwell Rd. S3 —5D 86
Barewell Hill. Brier —1G 11
Barfield Av. Whis —2G 91
Barfield Rd. Hoy —5A 38
Barholme Clo. Ches —4D 130
Barholm Rd. S10 —3F 97
Bari Clo. Darf —3C 26
Baring Rd. Roth —3D 76
Barkby Rd. S9 —5C 76
Barker Field. Ches —2F 137
Barker La. Ches —2F 137
Barkers Croft. Roth —4H 67
Barkers La. Con —4H 59
Barker's Pl. S6 —2A 86
Barker's Pool. S1
—2E 99 (4D 4)
Barker's Rd. S7 —1B 110
Barker St. Mex —1C 56
Bark Meadow. Dod —2C 22
Barkston Rd. Barn —1C 14
Bar La. Map —5H 7
Barlborough Rd. Wom —2G 39
Barlby Gro. S12 —4C 114
Barleycroft La. Din —5F 107
Barley La. Ash —6G 103
Barley M. Dron W —1A 128
Barley View. Thurn —2F 29
Barleywood Rd. S9 —5E 89
Barlow Dri. S6 —5G 85
Barlow Lees La. Dron —6C 128
Barlow Rd. S6 —5G 85
Barlow Rd. Ches —2B 130
Barlow Rd. Stav —2C 134
Barlow View. Dron —4F 129
Barmouth Rd. S7 —2C 110
Barnabas Wlk. Barn —4H 13
Barnard Av. Coal A —6H 123
Barnburgh Ho. Edl —2C 60
Barnburgh La. Gold —5G 29
Barnby Dun Rd. Don —2H 33
Barncliffe Clo. S10 —5C 96
Barncliffe Cres. S10 —4B 96
Barncliffe Dri. S10 —4B 96
Barncliffe Glen. S10 —5C 96
Barncliffe Rd. S10 —4B 96
Barnes Av. Dron W —1B 128
Barnes Ct. S2 —3F 99 (6G 5)
Barnes Ct. Swin —4A 56
(off Lawrence Dri.)
Barnes Grn. Gren —4B 64
Barnes Hall Rd. Burn —3B 64
Barnes La. Dron W —5H 121
Barnes Rd. Ches —4E 139
Barnet Av. S11 —2E 109
Barnet Rd. S11 —2E 109
Barnfield Av. S10 —2E 97
Barnfield Clo. S10 —2E 97
Barnfield Clo. Stav —1C 134

Barnfield Dri. S10 —3E 97
Barnfield Rd. S10 —2E 97
Barnfield Ter. Stav —1C 134
Barnfield Wlk. Stav —1C 134
Barnham Clo. Ches —5D 136
Barnsdale Av. Owl —5A 114
Barnside Clo. Pen —5D 142
Barnsley Av. Con —3C 58
Barnsley Bus. & Innovation Cen.
Barn —3D 12
Barnsley Rd. S4 & S5 —3F 87
Barnsley Rd. Brier —3E 11
Barnsley Rd. Cud —1G 15
Barnsley Rd. Darf —2D 26
Barnsley Rd. Dart & B Grn
—5C 6
Barnsley Rd. Dod —1B 22
Barnsley Rd. Gold —4D 28
Barnsley Rd. Hoy —3H 37
Barnsley Rd. Pen & Hoy S
—3C 142
Barnsley Rd. Scaws —2A 30
Barnsley Rd. Thor H —6A 52
Barnsley Rd. Wath D —3C 40
Barnsley Rd. Wom —4H 25
(in three parts)
Barnstone St. Don —2A 46
Barnwell Cres. Wom —4H 25
Baron St. S1 —4E 99
Barrack La. S6 —5C 86
Barracks Field Ter. Hoy
—6C 38
Barracks Sq. Ches —3A 138
Barratt Rd. Eck —6D 124
Barrel La. Don —5G 45
Barret Rd. Don —2D 48
Barretta St. S4 —2H 87
Barrie Cres. S5 —1D 86
Barrie Dri. S5 —6D 74
Barrie Gro. Hel —5B 82
Barrie Rd. S5 —6D 74
Barrowby Rd. Don —5B 46
Barrowby Rd. Hel —6G 79
Barrow Cottage. Raw —4B 52
Barrow Field La. Wen —3C 52
Barrowfield Rd. Hoy —4H 37
Barrow Hill. Harl —4A 52
Barrow Rd. S9 —5D 76
Barrow St. Stav —1D 134
Barrow, The. Bar H —4B 52
Barry Rd. Brim —1F 139
Bartholomew St. Wom —6A 26
Bartle Av. S12 —3B 112
Bartle Dri. S12 —3B 112
Bartle Rd. S12 —3B 112
Bartlett Clo. Stann —6C 84
Bartlett Rd. S5 —5D 74
Bartle Way. S12 —3B 112
Barton Av. Barn —4B 8
Barton Cres. Ches —5C 130
Barton La. Arm —3E 35
Barton Pl. Con —4D 58
Barton Rd. S8 —1E 111
Barugh Grn. Rd. B Grn & Barn
—2A 12
Barugh La. B Grn —2A 12
Basegreen Av. S12 —4D 112
Basegreen Clo. S12 —4D 112
Basegreen Cres. S12 —4D 112
Basegreen Dri. S12 —4D 112
Basegreen Pl. S12 —4D 112
Basegreen Rd. S12 —4D 112
Basegreen Way. S12 —4E 113
Basford Clo. S9 —5E 89
Basford Dri. S9 —6D 88
Basford Pl. S9 —6E 89
Basford St. S9 —6D 88
Basil Av. Arm —2C 34
Basil Clo. Ches —2A 138
Basildon Rd. Thurn —1E 29

Basil Griffith Ct. S3 —3F 87
(off Pitsmoor Rd.)
Baslow Cres. Dod —2A 22
Baslow Rd. S17 —6B 120
Baslow Rd. Barn —6D 8
Baslow Rd. Holy —4A 136
Bassett Pl. S2 —3H 99
Bassett Rd. S2 —3A 100
Bassey Rd. Bran —3H 49
Bassingthorpe La. Roth —6B 68
Bassledene Rd. S2 —5C 100
Bass Ter. Don —6E 33
Bastock Rd. S6 —2B 86
Bateman Clo. Cud —3E 9
Bateman Rd. Hel —5A 82
(in two parts)
Bateman Sq. Thurn —1E 29
Batemoor Clo. S8 —3E 123
Batemoor Dri. S8 —3E 123
Batemoor Pl. S8 —3E 123
Batemoor Rd. S8 —3E 123
Batemoor Wlk. S8 —3E 123
(off Batemoor Clo.)
Batesquire. Soth —5F 115
Bates St. S10 —6A 86
Bath St. S1 —3D 98 (6B 4)
Battison La. Wath D —1D 54
Batt St. S8 —5E 99
Batty Av. Cud —1G 15
Batworth Dri. S5 —3E 87
Batworth Rd. S5 —3E 87
Baulk Farm Clo. Roth —3B 68
Bawtry Ga. S9 —1G 89
Bawtry Rd. S9 —1G 89
Bawtry Rd. Brin —2A 90
Bawtry Rd. Don —1G 47
Bawtry Rd. Hel —4A 82
Bawtry Rd. Roth & Wick
—5C 80
Baxter Av. Don —5E 33
Baxter Clo. S6 —5A 74
Baxter Dri. S6 —5A 74
Baxter Ga. Don —6C 32
Baxter Rd. S6 —5A 74
Bayardo Wlk. New R —6D 62
Baycliff Clo. Barn —1D 14
Baycliff Dri. Ches —2E 137
Bay Ct. Kil —4A 126
Baysdale Croft. Mosb —2D 124
Bay Tree Av. Flan —3F 81
Bazley Rd. S2 —1B 112
Beacon Clo. S9 —1B 88
Beacon Croft. S9 —1B 88
Beacon Rd. S9 —1B 88
Beaconsfield Rd. Don —2A 46
Beaconsfield Rd. Roth —6G 79
Beaconsfield St. Barn —1G 23
Beaconsfield St. Mex —6D 42
Beacon View. Els —6C 38
Beacon Way. S9 —1B 88
Beale Way. Park —5F 69
Beancroft Clo. Wadw —6H 61
Bear Tree Clo. Park —3F 69
Bear Tree Rd. Park —3F 69
Bear Tree St. Park —4F 69
Beauchamp Rd. Roth —6H 67
Beauchief. S8 —1H 121
Beauchief Abbey La. S8
—1A 122
Beauchief Clo. Deep —4H 141
Beauchief Ct. S8 —6C 110
Beauchief Dri. S8 & S17
—2A 122
Beauchief Rise. S8 —6A 110
Beaufort Rd. S10 —2B 98
Beaufort Rd. Don —5H 33
Beaumont Av. S2 —3C 100
Beaumont Av. Barn —6D 12
Beaumont Av. Wdlnd —1B 16
Beaumont Clo. S2 —3D 100

Beaumont Cres. S2 —3C **100**
Beaumont Dri. Roth —4H **79**
Beaumont M. S2 —4D **100**
Beaumont Rd. Dart —6A **6**
Beaumont Rd. N. S2 —3C **100**
Beaumont St. Hoy —6F **37**
Beaumont Way. S2 —3C **100**
Beaver Av. S13 —5B **102**
Beaver Clo. S13 —5B **102**
Beaver Dri. S13 —5B **102**
Beaver Hill Rd. S13 —5B **102**
Beaver Pl. Ches —3F **137**
Beccles Way. Bram —1E **81**
Beck Clo. S5 —2A **76**
Beck Clo. Swin —4B **56**
Becket Av. S8 —3B **122**
Becket Cres. S8 —3C **122**
Becket Cres. Roth —5F **67**
Becket Rd. S8 —3C **122**
Beckett Hospital Ter. Barn
　　　　　　　　—1H **23**
Beckett Rd. Don —4E **33**
Beckett St. Barn —5H **13**
Becket Wlk. S8 —3B **122**
Beckfield Gro. Bolt D —6D **28**
Beckford La. S5 —1H **75**
Becknoll Rd. Brmp —3A **40**
Beck Rd. S5 —2H **75**
Beckton Av. Wat —5E **115**
Beckton Ct. Wat —5F **115**
Beckton Gro. Wat —5E **115**
Beckwith Rd. Din —3C **106**
Beckwith Rd. Roth —2B **80**
Bedale Rd. S8 —1D **110**
Bedale Rd. Don —2F **31**
Bedale Wlk. Shaf —2C **10**
Bedford Clo. Ans —6D **106**
Bedford Rd. Oug —1D **72**
Bedford St. S6 —6D **86**
Bedford St. Barn —2H **23**
Bedford St. Malt —5H **83**
Bedford Ter. Barn —2A **14**
Bedgebury Clo. Soth —6H **115**
Bedgrave Clo. Kil —1D **126**
Beecham Ct. Swin —4A **56**
Beech Av. Cud —5B **10**
Beech Av. Raw —2H **69**
Beech Av. Roth —5C **80**
Beech Clo. Brier —2G **11**
Beech Clo. Hem —3F **39**
Beech Clo. Malt —4D **82**
Beech Ct. Darf —4E **27**
Beech Cres. Eck —6G **125**
Beech Cres. Kil —4A **126**
Beech Cres. Mex —6C **42**
Beechcroft Rd. Don —5G **45**
Beechdale Clo. Ches —1F **137**
Beech Dri. Bran —2H **49**
Beeches Av. S2 —5G **99**
Beeches Dri. S2 —5G **99**
Beeches Gro. Beig —4G **115**
Beeches Rd. Wal —4F **117**
Beeches, The. Kirk S —3D **20**
Beeches, The. Swin —3A **56**
Beechfern Clo. H Grn —5B **50**
Beechfield Rd. Don —1D **46**
Beech Gro. Barn —2F **23**
Beech Gro. Ben —1B **32**
Beech Gro. Con —4D **58**
Beech Gro. Din —6F **107**
Beech Gro. War —5E **45**
Beech Gro. Wick —4G **81**
Beech Hill. Con —3E **59**
Beech Hill Rd. S10 —3A **98**
Beech Ho. Rd. Hem —3F **39**
Beech Rd. Arm —3F **35**
Beech Rd. Malt —4D **82**
Beech Rd. New R —5E **63**
Beech Rd. Shaf —3D **10**
Beech Rd. Wath D —5G **41**

Beech St. Barn —1H **23**
Beech St. Holl —2G **133**
Beech Tree Clo. Can —2F **49**
Beechville Av. Swin —4A **56**
Beech Way. Dron —6E **123**
Beech Way. Swal —5A **104**
Beechwood Clo. Eden —6E **21**
Beechwood Clo. Raw —6H **55**
Beechwood Clo. Wath D
　　　　　　　　—2F **55**
Beechwood Lodge Flats. Roth
　　　　　　　　—2F **79**
Beechwood Rd. S6 —3H **85**
Beechwood Rd. Dron —2D **128**
Beechwood Rd. H Grn —1C **64**
Beechwood Rd. Roth —5G **79**
Beechwood Rd. Stoc —4D **140**
Beechwood Wlk. Edl —4A **60**
　(off Broomvale Wlk.)
Beehive Rd. S10 —1B **98**
Beehive Yd. Ches —3F **137**
Beeley Clo. Ink —5A **134**
Beeley Rd. Oug —3E **73**
Beeley St. S2 —4D **98**
Beeley Way. Ink —6A **134**
Beeley Wood La. S6 —5G **73**
Beeley Wood Rd. S6 —6A **74**
Beeston Clo. Dron W —1A **128**
Beeston Sq. Barn —5B **8**
Beeton Rd. S8 —2D **110**
Beet St. S3 —2D **98** (3B 4)
Beetwell St. Ches —3A **138**
Beever La. Barn —4C **12**
Beeversleigh. Roth —3E **79**
　(off Clifton La.)
Beevers Rd. Roth —5F **67**
Beever St. Gold —4H **29**
Beevor Ct. Barn —6A **14**
Beevor St. Barn —6B **14**
Begonia Clo. Ans —3E **119**
Beighton Rd. S13 —1C **114**
Beighton Rd. Hack —4B **114**
Beighton Rd. Kiln —5C **56**
Beighton Rd. E. Wat —4D **114**
Belcourt Rd. Roth —5B **80**
Beldon Clo. S2 —6H **99**
Beldon Pl. S2 —6H **99**
Beldon Rd. S2 —6H **99**
Belford Clo. Bram —3G **81**
Belford Dri. Bram —3G **81**
Belfry Gdns. Don —4E **49**
Belfry Way. Din —6G **107**
Belgrave Dri. S10 —4D **96**
Belgrave Pl. Swal —6A **104**
Belgrave Rd. S10 —4E **97**
Belgrave Rd. Barn —6A **14**
Belgrave Sq. S2 —5E **99**
Belklane Dri. Kil —2C **126**
Bellamy Clo. Roth —4H **79**
Bell Bank View. Wors —4H **23**
Bellbank Way. Barn —5B **8**
Bellbrooke Av. Darf —2D **26**
Bellbrooke Pl. Darf —2D **26**
Bellefield St. S3 —1C **98**
Belle Grn. Clo. Cud —6C **10**
Belle Grn. Gdns. Cud —6C **10**
Belle Grn. La. Cud —6C **10**
Belle Vue Av. Don —1G **47**
Belle Vue Clo. Brim —3D **132**
Belle Vue Rd. Mex —6E **43**
Bellhagg Rd. S6 —5H **85**
Bellhouse La. Stav —1D **134**
Bellhouse Rd. S5 —6H **75**
Bellis Av. Don —3A **46**
Bellows Rd. Raw —2F **69**
Bellrope Acre. Arm —4F **35**
Bellscroft Av. Thry —5C **91**
Bells Sq. S1 —2E **99** (3D 4)
Bell St. Ast —6D **104**
Bellwood Cres. Hoy —6G **37**

Belmont Av. Barn —2B **14**
Belmont Av. Chap —2E **65**
Belmont Av. Don —2C **46**
Belmont Cres. Lit H —2A **28**
Belmont Dri. Stav —1D **134**
Belmont Dri. Stoc —3E **141**
Belmonte Gdns. S2
　　　　　—3G **99** (6H 5)
Belmont St. Ches —3A **132**
Belmont St. Mex —1D **56**
Belmont St. Roth —3A **78**
Belper Rd. S7 —1D **110**
Belsize Rd. S10 —5E **97**
Beltoft Way. Con —2G **59**
Belton Clo. Dron W —2A **128**
Belvedere. Don —5H **45**
Belvedere Av. Ches —5G **137**
Belvedere Clo. Ans —2H **119**
Belvedere Clo. Ches —5C **136**
Belvedere Clo. Shaf —3C **10**
Belvedere Dri. Darf —2D **26**
Belvedere Pde. Bram —2G **81**
Belvoir Av. Barnb —1G **43**
Ben Bank Rd. Dod —3A **22**
Bence Clo. Dart —6C **6**
Bence La. Dart —5A **6**
Ben Clo. S6 —2F **85**
Benita Av. Mex —1G **57**
Ben La. S6 —2F **85**
Benmore Dri. Soth —6H **115**
Bennett Clo. Raw —6H **55**
Bennetthorpe. Don —1E **47**
Bennett St. S2 —5D **98**
Bennett St. Roth —3G **77**
Bennimoor Way. Ches —5G **137**
Benson Rd. S2 —3A **100**
Bentfield Av. Roth —6A **80**
Bentham Dri. Barn —3D **14**
Bentham Rd. Ches —6G **131**
Bentham Way. Map —3E **7**
Bent Hills La. Whar S —1A **72**
Bentinck Clo. Don —1D **46**
Bentinck St. Con —3F **59**
Bent La. Stav —1E **135**
Bent Lathes Av. Roth —6A **80**
Bentley Av. Don —1A **46**
Bentley Clo. Barn —2E **15**
Bentley Comn. La. Don —1C **32**
Bentley Moor La. Ad S —1G **17**
Bentley Rd. S6 —6G **85**
Bentley Rd. Bram —2E **81**
Bentley Rd. Chap —4F **65**
Bentley Rd. Don —2A **32**
Bentley St. Roth —6D **78**
Benton Ct. Roth —2H **77**
Benton Ter. Swin —4B **56**
Benton Way. Roth —2H **77**
Bents Clo. S11 —2E **109**
Bents Clo. Chap —2E **65**
Bents Cres. S11 —3F **109**
Bents Cres. Dron —6G **123**
Bents Dri. S11 —2E **109**
Bents Grn. Av. S11 —1E **109**
Bents Grn. Pl. S11 —2E **109**
Bents Grn. Rd. S11 —1F **109**
Bents La. Dron —6G **123**
Bents Rd. S11 —2F **109**
Bents Rd. S17 —5C **120**
Bents Rd. Roth —6H **67**
Bent St. Pen —3C **142**
Bents View. S11 —2E **109**
Benty La. S10 —2F **97**
Beresford Rd. Malt —5H **83**
Beresford St. Ben —6C **18**
Berkeley Croft. Roys —1D **8**
Berkeley Precinct. S11 —5B **98**
Berkley Clo. Wors —4H **23**
Bernard Clo. Brim —3F **133**
Bernard Rd. S2 & S4 —1H **99**
Bernard Rd. Edl —4B **60**

Bernard St. S2 —2G **99**
Bernard St. Raw —6H **55**
Bernard St. Roth —4E **79**
Berners Clo. S2 —2A **112**
Berners Dri. S2 —1A **112**
Berners Pl. S2 —1A **112**
Berners Rd. S2 —1A **112**
Berneslai Clo. Barn —5G **13**
Bernshall Cres. S5 —1F **75**
Berresford Rd. S11 —5B **98**
Berrington Clo. Don —1G **61**
Berry Av. Eck —6C **124**
Berrydale. Wors —4B **24**
Berry Dri. Kiv P —4B **118**
Berry Holme Clo. Chap —2E **65**
Berry Holme Ct. Chap —2E **65**
Berry Holme Dri. Chap —2E **65**
Berrywell Av. Pen —5E **143**
Bertram Rd. Oug —3E **73**
Berwick Clo. Ches —6E **137**
Berwick Way. Don —4A **34**
Berwyn Clo. Ches —6E **131**
Bessacarr La. Don —5C **48**
Bessemer Pk. Roth —5B **78**
Bessemer Pl. S9 —6A **88**
Bessemer Rd. S9 —5A **88**
Bessemer Ter. Stoc —2D **140**
Bessemer Way. Roth —5A **78**
Bessingby Rd. S6 —4A **86**
Bethel Rd. Roth —1F **79**
Bethel Sq. Hoy —5B **38**
　(off Bethel St.)
Bethel St. Hoy —5B **38**
Bethel Wlk. S1 —2E **99** (4D 4)
Betjeman Gdns. S10 —4A **98**
Betony Clo. Kil —4H **125**
Beulah Rd. S6 —2B **86**
Bevan Av. New R —4D **62**
Bevan Clo. Els —5C **38**
Bevan Cres. Malt —3F **83**
Bevan Dri. Ink —5H **133**
Bevan Way. Chap —2D **64**
Bevercotes Rd. S5 —6H **75**
Beverley Av. Wors —4H **23**
Beverley Clo. Barn —6A **8**
Beverley Clo. Swal —6B **104**
Beverley Gdns. Don —4F **31**
Beverley Rd. Don —3G **33**
Beverleys Rd. S8 —3E **111**
Beverley St. S9 —5C **88**
Bevin Pl. Raw —1H **69**
Bevre Rd. Arm —1F **35**
Bewdley Ct. Roys —1F **9**
Bewicke Av. Don —3F **31**
Bhatia Clo. Mex —6E **43**
Bib La. Laug —4E **95**
Bickerton Rd. S6 —1A **86**
Bierlow Clo. Brmp —3A **40**
Bigby Way. Bram —2H **81**
Bignor Pl. S6 —4B **74**
Bignor Rd. S6 —4B **74**
Bilby La. Brim —2E **133**
Billam Pl. Roth —6G **67**
Billam St. Eck —6B **124**
Billingley Dri. Thurn —2E **29**
Billingley Grn. La. Bil —3B **28**
Billingley La. Lit H —2B **28**
Billingley View. Bolt D —1H **41**
Bilston St. S6 —4B **86**
Binders Rd. Roth —6G **67**
Binfield Rd. S8 —2D **110**
Bingham Ct. S10 —5G **97**
Bingham Pk. Cres. S11 —6G **97**
Bingham Pk. Rd. S11 —6G **97**
Bingham Rd. S8 —5D **110**
Bingley La. Stann —1A **96**
Bingley St. Barn —5F **13**
Binsted Av. S5 —6B **74**
Binsted Clo. S5 —6B **74**
Binsted Cres. S5 —6B **74**

Binsted Croft. S5 —6B **74**
Binsted Dri. S5 —6B **74**
Binsted Gdns. S5 —6B **74**
Binsted Glade. S5 —6B **74**
Binsted Gro. S5 —6B **74**
Binsted Rd. S5 —6B **74**
Binsted Way. S5 —6B **74**
Biram Wlk. Hoy —1D **52**
(off Forge La.)
Birchall Av. Whis —2H **91**
Birch Av. Chap —3E **65**
Birch Clo. Kil —4A **126**
Birch Clo. Spro —2F **45**
Birch Ct. Swin —2A **56**
Birch Cres. Wick —4G **81**
Birchdale Clo. Eden —6D **20**
Birchen Clo. Ches —6F **131**
Birchen Clo. Don —6C **48**
Birchen Clo. Dron W —2B **128**
Birches Fold. Coal A —5G **123**
Birches La. Coal A —5G **123**
Birch Farm Av. S8 —1E **123**
Birchfield Cres. Dod —1C **22**
Birchfield Rd. Malt —4H **83**
Birchfield Wlk. Barn —5D **12**
Birch Grn. Clo. Malt —3D **82**
Birch Gro. Con —3F **59**
Birch Gro. Oug —3E **73**
Birch Ho. Av. Oug —3D **72**
Birchitt Clo. S17 —4A **122**
Birchitt Pl. S17 —4A **122**
Birchitt Rd. S17 —4A **122**
Birchitt View. Dron —6E **123**
Birch Kiln Croft. Brim —4F **133**
Birchlands Dri. Kil —4B **126**
Birch La. Holl —2G **133**
Birch Pk. Ct. Roth —3A **78**
Birch Rd. S9 —5A **88**
Birch Rd. Barn —2D **24**
Birch Rd. Don —3D **48**
Birch Tree Clo. B Dun —1E **21**
Birch Tree Rd. Stoc —4D **140**
Birchtree Rd. Thor H —4B **66**
Birchvale Rd. S12 —4F **113**
Birchwood Av. Raw —1F **69**
Birchwood Clo. Malt —3D **82**
Birchwood Clo. W'fld —1E **125**
Birchwood Ct. Ches —6H **137**
Birchwood Ct. Don —6F **49**
Birchwood Cres. Ches —6H **137**
Birchwood Croft. W'fld
　　　　　　　　　　　　—1E **125**
Birchwood Dell. Don —6F **49**
Birchwood Dri. Rav —1H **81**
Birchwood Gdns. W'fld
　　　　　　　　　　　　—1E **125**
Birchwood Gro. W'fld —1E **125**
Birchwood Rise. W'fld —1E **125**
Birchwood View. W'fld —1E **125**
Birchwood Way. W'fld —1E **125**
Bircotes Wlk. Ros —4F **63**
Bird Av. Wom —1E **39**
Birdholme Cres. Ches —5A **138**
Bird St. Stav —1D **134**
Birdwell Comn. Bird —1D **36**
Birdwell Rd. S4 —2B **88**
Birdwell Rd. Dod —3D **22**
Birdwell Rd. Kiln —5B **56**
Birk Av. Barn —2C **24**
Birkbeck Ct. H Grn —5B **150**
Birk Cres. Barn —2C **24**
Birkdale Av. Din —5F **107**
Birkdale Clo. Cud —5C **10**
Birkdale Clo. Don —5F **49**
Birkdale Dri. Ches —5E **137**
Birkdale Rise. Swin —3B **56**
Birkdale Rd. Roys —1D **8**
Birkendale. S6 —6B **86**
Birkendale Rd. S6 —6B **86**
Birkendale View. S6 —6B **86**

Birk Grn. Barn —2D **24**
Birk Ho. La. Barn —2D **24**
Birklands Av. S13 —4G **101**
Birklands Clo. S13 —4G **101**
Birklands Dri. S13 —4G **101**
Birk Rd. Barn —2C **24**
Birks Av. S13 —1B **114**
Birks Holt Dri. Malt —6H **83**
Birks Rd. Roth —6G **67**
Birks Wood Dri. Oug —3D **72**
Birk Ter. Barn —2C **24**
Birley Brook Dri. Ches —5D **130**
Birley Croft. Ches —4D **130**
Birley La. S12 —5E **113**
Birley Moor Av. S12 —4G **113**
Birley Moor Clo. S12 —4G **113**
Birley Moor Cres. S12 —4G **113**
Birley Moor Dri. S12 —5G **113**
Birley Moor Pl. S12 —5G **113**
Birley Moor Rd. S12 —2E **113**
Birley Moor Way. S12 —5G **113**
Birley Rise Cres. S6 —5A **74**
Birley Rise Rd. S6 —5A **74**
Birley Spa La. S12 —4H **113**
Birley Spa Wlk. S12 —3B **114**
(off Carter Lodge Dri.)
Birley Vale Av. S12 —3E **113**
Birley Vale Clo. S12 —3E **113**
Birley View. Worr —4D **72**
Birthwaite Rd. Dart —4A **6**
Birtley St. Malt —4D **82**
Bisby Rd. Raw —1G **69**
Biscay Way. Wath D —5F **41**
Bishopdale Ct. Mosb —6A **114**
Bishopdale Dri. Mosb —1A **124**
Bishopdale Rise. Mosb
　　　　　　　　　　　—6A **114**
Bishop Gdns. S13 —1A **114**
Bishop Hill. S13 —1A **114**
Bishops Clo. S8 —2F **111**
Bishopscourt Rd. S8 —2E **111**
Bishopsgate La. New R —6E **63**
Bishopsholme Clo. S5 —1E **87**
Bishopsholme Rd. S5 —1E **87**
Bishopstoke Ct. Roth —2G **79**
Bishopston Wlk. Malt —3E **83**
Bishop St. S3 —3D **98** (6C **4**)
Bishops Way. Barn —4C **14**
Bisley Clo. Roys —2G **9**
Bismarck St. Barn —2H **23**
Bitholmes La. Deep —5H **141**
Bittern View. Thor H —1C **66**
Blacka Moor Cres. S17
　　　　　　　　　　　—3C **120**
Blacka Moor Rd. S17 —3C **120**
Blackamoor Rd. Swin —4E **55**
Blacka Moor View. S17
　　　　　　　　　　　—3C **120**
Blackberry Flats. Half —2E **125**
(off Halfway Dri.)
Blackbird Av. Brin —3D **90**
Blackbrook Av. S10 —4A **96**
Blackbrook Dri. S10 —4A **96**
Blackbrook Rd. S10 —4A **96**
Blackburn Cres. Chap —1C **64**
Blackburn Croft. Chap —1D **64**
Blackburn Dri. Chap —2C **64**
Blackburne St. S6 —4B **86**
Blackburn La. Barn —5F **13**
Blackburn La. Roth —3D **76**
Blackburn La. Wors —4A **24**
Blackburn Rd. Roth —4D **76**
Blackburn St. Wors —4A **24**
Black Carr Rd. Wick —5E **81**
Blackdown Av. Ches —6D **130**
Blackdown Clo. Wat —5D **114**
Blackdown Clo. Wat —5D **114**
Blacker Grange. Hoy —3H **37**
Blacker La. Bird —1E **37**
Blacker La. Shaf —2C **10**

Blacker Rd. Map —4G **7**
Blackheath Clo. Barn —6D **8**
Blackheath Rd. Barn —6D **8**
Blackheath Wlk. Barn —6D **8**
Black Hill Rd. Roth —5B **80**
Black La. Hoy —1D **50**
(in two parts)
Black La. Lox —4D **84**
Blackmoor Cres. Brin —2B **90**
Blackmore St. S4 —6H **87**
Blacksmith La. Cal —1G **139**
Blacksmith La. Gren —1A **74**
Blacksmith Sq. Hoy —1D **52**
(off Forge La.)
Blackstock Clo. S14 —5H **111**
Blackstock Cres. S14 —5H **111**
Blackstock Dri. S14 —5H **111**
Blackstock Rd. S14 —5H **111**
Black Swan Wlk. S1
　　　　　　　　—2E **99** (3E **5**)
Blackthorn Av. Bram —4G **81**
Blackthorn Clo. Has —5E **139**
Blackthorn Clo. H Grn —5B **50**
Blackthorne Clo. Edl —4A **60**
Blackwell Clo. S2 —2G **99**
Blackwell St. S2 —2G **99** (3H **5**)
Blackwell Pl. S2 —2G **99** (3H **5**)
Blackwood Av. Don —5H **45**
Blagden St. S2 —2G **99**
Blair Athol Rd. S11 —1H **109**
Blake Av. Don —3F **33**
Blake Av. Wath D —4C **40**
Blake Clo. Bram —6H **81**
Blake Gro. Rd. S6 —6C **86**
Blakeley Clo. Barn —6D **8**
Blakeney Rd. S10 —2A **98**
Blake St. S6 —6B **86**
Blandford Dri. Ches —4G **131**
Bland La. S6 —2F **85**
(in two parts)
Bland St. S4 —3A **88**
Blast La. S4 & S2
(in two parts) —1G **99** (2H **5**)
Blaxton Clo. Owl —5A **114**
Blayton Rd. S4 —3G **87**
Bleachcroft Way. Barn —2E **25**
Bleak Av. Shaf —3C **10**
Bleakley Clo. Shaf —3C **10**
Bleasdale Gro. Barn —1A **14**
Blenheim Av. Barn —1G **23**
Blenheim Clo. Bram —2G **81**
Blenheim Clo. Din —5E **107**
Blenheim Ct. Flan —3F **81**
Blenheim Cres. Mex —6D **42**
Blenheim Gdns. S11 —2G **109**
Blenheim Gro. Barn —1F **23**
Blenheim Rd. Barn —2F **23**
Blocks, The. Cut —3B **130**
Bloemfontein St. Cud —1G **15**
Blonk St. S1 —1F **99** (1G **5**)
Bloomfield Rise. Dart —4D **6**
Bloomfield St. Dart —4D **6**
Bloomhouse La. Dart —4C **6**
Blossom Cres. S12 —4D **112**
Blow Hall Cres. Edl —3C **60**
Blow Hall Riding. Edl —3C **60**
Blucher St. Barn —6G **13**
Bluebell Av. Pen —4C **142**
Bluebell Clo. S5 —6A **76**
Bluebell Rd. S5 —5B **76**
Bluebell Rd. Dart —2C **6**
Bluebird Hill. Ast —1C **116**
Blue Boy St. S3 —1D **98** (1C **4**)
Blundell Clo. Don —4C **48**
Blundell Ct. Barn —2D **14**
Blyde Rd. S5 —2G **87**
Bly Rd. Darf —3D **26**
Blyth Av. Raw —2F **69**
Blyth Clo. Ches —5D **136**
Blyth Clo. Whis —2B **92**

Blythe St. Wom —6A **26**
Blyth Rd. Malt —5F **83**
Boardman Av. Raw —5C **54**
Boat La. Spro —3D **44**
Bobbinmill La. Ches —3F **137**
Bochum Parkway. S8 —2E **123**
Bocking Clo. S8 —6B **110**
Bocking Hill. Deep —3F **141**
Bocking La. S8 —6B **110**
Bocking Rise. S8 —1C **122**
Boden La. S1 —2D **98** (3C **4**)
Boden Pl. S9 —6E **89**
Bodmin Ct. Barn —4E **13**
Bodmin St. S9 —5B **88**
Bodmin Way. Ches —6E **131**
Boggard La. Oug —3C **72**
Boggard La. Pen —6C **142**
Boiley La. Kil —5A **126**
Boland Rd. S8 —4B **122**
Bold St. S9 —4C **88**
Bole Clo. Low V —5D **26**
Bole Hill. S8 —5E **111**
Bole Hill. Cal —4G **139**
Bole Hill. Tree —6F **91**
Bole Hill La. S10 —1H **97**
Bolehill La. Eck —6G **125**
Bole Hill Rd. S6 —1F **97**
Bolehill View. S10 —6H **85**
Bolsover Rd. S5 —1H **87**
Bolsover Rd. Mas M —1H **135**
Bolsover Rd. E. S5 —2H **87**
Bolsover St. S3 —2C **98** (3A **4**)
Bolton Hill Rd. Don —5C **48**
Bolton Rd. Swin —2H **55**
Bolton Rd. Wath D —5A **42**
Bolton St. S3 —3D **98** (5B **4**)
Bolton St. Den M —1B **58**
Bond Clo. Don —1C **46**
Bondfield Av. New R —5E **63**
Bondfield Cres. Wom —1E **39**
Bondfield Rd. Ink —4A **134**
Bond Rd. Barn —4F **13**
Bond Sq. Eck —6C **124**
Bond St. New R —6D **62**
Bond St. Stav —3A **134**
Bond St. Wom —6B **26**
Bonet La. Brin —2A **90**
Bonington Rise. Malt —3E **83**
Bonville Gdns. S3
　　　　　　　　—1D **98** (1B **4**)
Booker Rd. S8 —5C **110**
Booker's La. Din —3B **106**
Bookers Way. Din —4B **106**
Booth Clo. Thurc —5C **94**
Booth Clo. Wat —5D **114**
Booth Croft. Wat —5D **114**
Booth Pl. Raw —6E **55**
Booth Rd. H Grn —6A **50**
Booth St. Hoy —5A **38**
Booth St. Roth —3B **68**
Bootle St. S9 —5C **88**
(off Worksop Rd.)
Borough Rd. S6 —3A **86**
Borrowdale Av. Half —3E **125**
Borrowdale Clo. Barn —1G **25**
Borrowdale Clo. Half —3E **125**
Borrowdale Cres. Ans —6F **107**
Borrowdale Dri. Half —3E **125**
Borrowdale Rd. Half —3E **125**
Boston Castle Gro. Roth
　　　　　　　　　　　—5E **79**
Boston Castle Ter. Roth
　　　　　　　　　　　—5E **79**
Boston St. S2 —4D **98**
Bosville Clo. Rav —4H **71**
Bosville Rd. S10 —2H **97**
Bosville St. Pen —5E **143**
Bosville St. Roth —1B **80**
Boswell Clo. H Grn —5A **50**
Boswell Clo. New R —5C **62**

A-Z Sheffield 153

Boswell Clo. Roys —1D **8**
Boswell Ct. Bes —4B **48**
Boswell Rd. Don —4A **48**
Boswell Rd. Wath D —1F **55**
Boswell St. Roth —4F **79**
Bosworth Rd. Ad S —1C **16**
Bosworth St. S10 —1H **97**
Botanical Rd. S11 —4A **98**
Botham St. S4 —3A **88**
Botsford St. S3 —5E **87**
Boulder Bri. Rd. Roys —3G **9**
Boulevard, The. Eden —5C **20**
Boulton Clo. Ches —6C **130**
Boulton Dri. Can —2F **49**
Boundary Av. Don —2A **34**
Boundary Clo. Edl —2C **60**
Boundary Clo. Stav —1E **135**
Boundary Dri. Brier —2G **11**
Boundary Rd. S2 —3H **99**
Boundary St. Barn —1B **24**
Boundary Wlk. Brin —3A **90**
Bourne Clo. Brim —2E **133**
Bourne Ct. Map —3G **7**
Bourne Rd. S5 —5G **75**
Bourne Rd. Wors —5H **23**
Bourne Wlk. Map —3G **7**
Bow Bri. Clo. Roth —5C **78**
Bowden Gro. Dod —2B **22**
Bowden Wood Av. S9 —3E **101**
Bowden Wood Clo. S9 —3E **101**
Bowden Wood Cres. S9
—3E **101**
Bowden Wood Dri. S9 —3E **101**
Bowden Wood Pl. S9 —3E **101**
Bowden Wood Rd. S9 —3E **101**
Bowdon St. S1 —3D **98** (5C **4**)
Bowen Dri. Thru —5D **70**
Bowen Rd. Roth —1F **79**
Bower Clo. Roth —6G **67**
Bower Farm Rd. Ches —1B **132**
Bower Ho. Gren —6A **64**
Bower La. Gren —6A **64**
Bower Rd. S10 —1B **98**
Bower Rd. Swin —1B **56**
Bowers Fold. Don —6D **32**
Bower Spring. S3
—1E **99** (1E **5**)
Bower St. S3 —1E **99** (1E **5**)
Bower Vale. Edl —4A **60**
Bowfell Clo. S5 —5H **75**
Bowfield Clo. S5 —5H **75**
Bowfield Rd. S5 —5G **75**
Bowland Clo. Don —1H **31**
Bowland Cres. Wors —5H **23**
Bowland Dri. Chap —2C **64**
Bowland Dri. Walt —6D **136**
Bowlease Gdns. Don —3C **48**
Bowling Grn. St. S3
—6E **87** (1D **4**)
Bowman Clo. S12 —5B **112**
Bowman Dri. S12 —5B **112**
Bowman Dri. Malt —3E **83**
Bowness Clo. Dron W —2C **128**
Bowness Dri. Bolt D —2A **42**
Bowness Rd. S6 —4A **86**
Bowness Rd. Ches —4F **131**
Bowood Rd. S11 —5B **98**
Bowshaw. Dron —6D **122**
Bowshaw Av. S8 —4E **123**
Bowshaw Clo. S8 —4E **123**
Bowshaw View. S8 —4E **123**
Bow St. Cud —6B **10**
Boyce St. S6 —6B **86**
Boyd Rd. Wath D —2F **55**
Boyland St. S3 —5D **86**
Boynton Cres. S5 —1E **87**
Boynton Rd. S5 —1E **87**
Boythorpe Av. Ches —3G **137**

Boythorpe Cres. Ches —4H **137**
Boythorpe Mt. Ches —3H **137**
Boythorpe Rise. Ches —3G **137**
Boythorpe Rd. Ches —3H **137**
Bracken Ct. Wick —6F **81**
Brackendale Clo. Brim —4D **132**
Brackenfield Gro. S12 —3F **113**
Bracken Hill. Burn —3B **64**
Bracken Moor La. Stoc
—4E **141**
Bracken Rd. S5 —6A **76**
(in two parts)
Brackley St. S3 —5F **87**
Bradberry Balk La. Wom
—5A **26**
Bradbury Clo. Ches —2G **137**
Bradbury's Clo. Park —4F **69**
Bradbury St. S8 —1E **111**
Bradfield Rd. S6 —3A **86**
Bradford Rd. Don —1A **34**
Bradford Row. Don —6D **32**
Bradgate Clo. Roth —2A **78**
Bradgate Ct. Roth —2H **77**
Bradgate Ho. Clo. Roth —2A **78**
Bradgate La. Roth —2H **77**
Bradgate Pl. Roth —1A **78**
Bradgate Rd. Roth —1A **78**
Bradlea Rise. Raw —6G **55**
Bradley Av. Wom —6A **26**
Bradley Clo. Brim —4E **133**
Bradley La. Barl —4A **128**
Bradley St. S10 —6H **85**
Bradley Way. Brim —4E **133**
Bradmarsh Way. Roth —5C **78**
Bradshaw Av. Tree —2F **103**
Bradshaw Clo. Barn —5C **12**
Bradshaw Rd. Ink —5H **133**
Bradshaw Way. Tree —2F **103**
Bradstone Rd. Roth —2A **80**
Bradway Clo. S17 —4H **121**
Bradway Dri. S17 —4H **121**
Bradway Grange Rd. S17
—4A **122**
Bradway Rd. S17 —4H **121**
Bradwell Av. Dod —3C **22**
Bradwell Clo. Dron W —2A **128**
Bradwell Pl. Ink —4A **134**
Bradwell St. S2 —1F **111**
Braemar Rd. Don —6G **33**
Braemore Rd. S6 —2G **85**
Brailsford Av. S5 —1E **75**
Brailsford Ct. S5 —1E **75**
Brailsford Rd. S5 —1E **75**
Brairfield Rd. S12 —4C **112**
Brairfields La. Worr —4C **72**
Braithwaite St. Map —4G **7**
Braithwaite Ct. Ben —4A **18**
Braithwaite Rd. Ben —5A **18**
Braithwaite Rd. Malt —4F **83**
Braithwell Rd. Rav —1H **81**
Braithwell Rd. Malt —5B **40**
Braithwell Way. Hel —3A **82**
Bramah St. Barn —4E **9**
Bramall La. S2 —4E **99**
Bramall La. Stoc —1B **140**
Bramble Clo. Wick —6F **81**
Bramble Way. Wath D —5B **40**
Brambling Ct. Ches —2C **138**
Bramblings, The. Don —5E **49**
Bramcote Av. Barn —5A **8**
Brameld Rd. Raw —2F **69**
Brameld Rd. Swin —2H **55**
Bramham Ct. S9 —6D **88**
(off Bramham Rd.)
Bramham Rd. S9 —6D **88**
Bramham Rd. Don —2D **48**
Bramley Av. S13 —5H **101**
Bramley Av. Ast —5C **104**
Bramley Clo. Mosb —2C **124**

Bramley Ct. S10 —2H **97**
Bramley Ct. Den M —2B **58**
Bramley Dri. S13 —4H **101**
Bramley Grange Cres. Bram
—1E **81**
Bramley Grange Dri. Bram
—1E **81**
Bramley Grange Rise. Bram
—1E **81**
Bramley Grange View. Bram
—1E **81**
Bramley Grange Way. Bram
—1E **81**
Bramley Hall Rd. S13 —5H **101**
Bramley La. S13 —4H **101**
Bramley La. Roth —1A **82**
Bramley Pk. Caravan Site. Eck
—6A **124**
Bramley Pk. Clo. S13 —4H **101**
Bramley Pk. Rd. S13 —4H **101**
Bramley Way. Hel —3A **82**
Brampton Av. Thurc —5H **93**
Brampton Clo. Arm —4E **35**
Brampton Ct. Owl —5A **114**
Brampton Cres. Wom —2H **39**
Brampton La. Arm —4E **35**
Brampton La. Ull —1F **105**
Brampton Meadows. Thurc
—5H **93**
Brampton Rd. Thurc —6G **93**
Brampton Rd. Wath D —4B **40**
Brampton Rd. Wom —2H **39**
Brampton St. Brmp —3B **40**
Brampton View. Wom —2H **39**
Bramshill Clo. Soth —6G **115**
Bramshill Ct. Soth —6G **115**
Bramshill Rise. Ches —4F **137**
Bramwell Gdns. S3
—1C **98** (2A **4**)
Bramwell St. S3 —1C **98** (2A **4**)
Bramwell St. Roth —2E **79**
Bramwith La. B Dun —1G **21**
Bramwith Rd. S11 —5F **97**
Bramworth Rd. Don —2H **45**
Brancroft Clo. Don —5B **48**
Brandene Clo. Cal —2G **139**
Brand La. Don —5B **30**
Brandon St. S3 —4F **87**
Brandreth Clo. S6 —6C **86**
Brandreth Rd. S6 —6C **86**
Brand's La. Din —6H **107**
Branksome Av. Barn —6E **13**
Branksome Chine Av. Ches
—6C **138**
Bransby St. S6 —6B **86**
Branstone Rd. Spro —1D **44**
Branton Clo. Ches —4H **137**
Branton Ga. Rd. Bran —1H **49**
Branton Ter. Bran —3H **49**
Brantwood Cres. Don —2D **48**
Brathay Clo. S4 —2B **88**
Brathay Rd. S4 —2B **88**
Bray St. S9 —6C **88**
Bray Wlk. Roth —5E **67**
Brealey Clo. Stav —2C **134**
Brearley Av. Deep —4F **141**
Brearley Av. New W —1D **132**
Brearley Cen., The. Stav —4F **89**
Breckland Rd. Ches —5D **136**
Brecklands. Roth —5A **80**
Brecklands. Wick —5E **81**
Breck La. Din —3F **107**
Brecks Cres. Roth —5C **80**
Brecks La. Kirk S —3D **20**
Brecks La. Roth —2B **80**
Brecon Clo. Ches —6E **131**
Brecon Clo. Soth —5G **115**
Brendon Av. Ches —1E **137**
Brendon Clo. Wom —3H **39**
Brent Clo. Ches —6F **131**

Brent La. Stav —1E **135**
Brentwood Av. S11 —1B **110**
Brentwood Clo. Hoy —1G **51**
Brentwood Rd. S11 —1B **110**
Bressingham Clo. S4 —5G **87**
Bressingham Rd. S4 —5G **87**
Bretby Clo. Don —4D **48**
Bretby Rd. Ches —5C **130**
Brett Clo. Raw —5C **54**
Bretton Clo. Dart —5A **6**
Bretton Gro. S12 —4F **113**
Bretton Ho. Don —1C **46**
(off St James St.)
Bretton Rd. Dart —5A **6**
Bretton View. Cud —2G **15**
Brewery Rd. Wath D —4F **41**
Brewery St. Ches —2B **138**
Breydon Av. Don —4G **31**
Briar Clo. Ches —6G **131**
Briar Ct. Wick —6F **81**
Briardene Clo. Ches —6B **130**
Briarfield Av. S12 —4C **112**
Briarfield Cres. S12 —4C **112**
Briarfield Rd. S12 —4C **112**
Briarfields La. Worr —4C **72**
Briar Gro. Brier —2G **11**
Briar Rise. Wors —5A **24**
Briar Rd. S7 —1C **110**
Briar Rd. Arm —1E **35**
Briars Clo. Kil —4B **126**
Briar View. Brim —4E **133**
Briary Av. H Grn —6B **50**
Briary Clo. Brin —4C **90**
Brickhouse La. S17 —1C **120**
Brickhouse Yd. Ches —2G **137**
Brick St. S10 —1H **97**
Brickyard, The. Shaf —4C **10**
Brickyard Wlk. Ches —2A **138**
Bridby St. S13 —1D **114**
Bridge Bank Clo. Ches —5F **131**
Bridge Gdns. Barn —4H **13**
Bridgegate. Roth —2D **78**
Bridge Gro. Don —4H **31**
Bridge Hill. Oug —2D **72**
Bridgehouses. S3 —6E **87**
Bridge Inn Rd. Chap —1E **65**
Bridge Rd. Don —3A **48**
Bridge Stile Clo. Mosb
—2C **124**
Bridge St. S3 —1E **99** (1E **5**)
Bridge St. Barn —5H **13**
Bridge St. Bolt D —6F **29**
Bridge St. Ches —4A **138**
Bridge St. Dart —4C **6**
Bridge St. Don —1B **46**
Bridge St. Kil —2B **126**
Bridge St. Pen —3C **142**
Bridge St. Roth —2D **78**
Bridge St. Swin —2C **56**
Bridle Clo. Chap —1E **65**
Bridle Cres. Chap —1E **65**
Bridle Rd. Mas M —2F **135**
Bridle Stile. Mosb —2C **124**
Bridle Stile Av. Mosb —2B **124**
Bridle Stile Clo. Mosb —2C **124**
Bridleway, The. Raw —6A **56**
Bridport Rd. S9 —6D **88**
Brier Clo. Wat —6D **114**
Brierfield Clo. Barn —5E **13**
Brierley Dri. Dal —6C **70**
Brierley Rd. Brier —1E **11**
Brierley Rd. Don —4B **48**
Brierley Rd. Grime —5F **11**
Brierley Rd. Shaf —3D **10**
Brier St. S6 —3A **86**
Briery Wlk. Roth —4B **68**
Briggs St. Barn —4E **9**
Bright Meadow. Half —4G **125**
Brightmore Dri. S3
—2C **98** (3A **4**)

Brighton St. S9 —3D **88**
Brighton St. Grime —6G **11**
Brighton Ter. Rd. S10 —1A **98**
Brightside La. S9 —4A **88**
Brimington Rd. N. Ches —1B **138**
Brimington Rd. N. Ches
(in two parts) —2A **132**
Brimmesfield Clo. S2 —6A **100**
Brimmesfield Dri. S2 —5A **100**
Brimmesfield Rd. S2 —6A **100**
Brinckman St. Barn —1H **23**
Brincliffe Clo. Ches —4D **136**
Brincliffe Cres. S11 —6A **98**
Brincliffe Edge Clo. S11
—1A **110**
Brincliffe Edge Rd. S11
—1H **109**
Brincliffe Gdns. S11 —6A **98**
Brincliffe Hill. S11 —6H **97**
Brindley Clo. S8 —3E **111**
Brindley Ct. Kil —3A **126**
Brindley Cres. S8 —3E **111**
Brindley Rd. Ches —5A **132**
Brindley Way. Stav —1D **134**
Brinkburn Clo. S17 —3F **121**
Brinkburn Ct. S17 —3F **121**
Brinkburn Dri. S17 —3F **121**
Brinkburn Vale Rd. S17
—3F **121**
Brinsford Rd. Brin —2C **90**
Brinsworth Hall Av. Brin
—3B **90**
Brinsworth Hall Cres. Brin
—3B **90**
Brinsworth Hall Dri. Brin
—3B **90**
Brinsworth Hall Gro. Brin
—4B **90**
Brinsworth La. Brin —3B **90**
Brinsworth Rd. Roth —3B **90**
(in three parts)
Brinsworth St. S9 —5B **88**
Brinsworth St. Roth —3C **78**
Bristol Gro. Don —3G **33**
Bristol Rd. S11 —4A **98**
Britain St. Mex —1D **56**
Britannia Clo. Barn —1H **23**
Britannia Ct. Chap —2E **65**
Britannia Ho. Barn —1H **23**
Britannia Rd. S9 —1E **101**
(in two parts)
Britannia Rd. Ches —6B **138**
Britland Clo. Barn —5C **12**
Britnall St. S9 —5C **88**
Briton St. Thurn —1G **29**
Brittain St. S1 —3F **99** (6F **5**)
Britten Ho. Don —3G **33**
Broachgate. Don —1G **31**
Broad Bri. Clo. Kiv P —5B **118**
Broadcroft Clo. Beig —4G **115**
Broad Dyke Clo. Kiv P —5B **118**
Broad Elms Clo. S11 —3F **109**
Broad Elms La. S11 —4E **109**
Broadfield Rd. S8 —1D **110**
Broadgorse Clo. Ches —6H **137**
Broadhead Rd. Deep —4F **141**
Broad Inge Cres. Chap —2C **64**
Broadlands. Bram —2E **81**
Broadlands Av. Owl —5A **114**
Broadlands Clo. Owl —5B **114**
Broadlands Cres. Bram —2E **81**
Broadlands Croft. Owl —5B **114**
Broadlands Rise. Owl —5B **114**
Broad La. S3 & S1
—2D **98** (3B **4**)
Broadley Rd. S13 —6E **101**
Broadoak Clo. Ches —2C **138**
Broad Oaks. S9 —6B **88**
Broadoaks Clo. Din —4E **107**
Broad Oaks La. S9 —1B **100**

Broadoaks Rd. Din —5E **107**
Broad Pavement. Ches
—2A **138**
Broad Riding. Edl —4D **60**
Broad St. S2 —1F **99** (2G **5**)
(in two parts)
Broad St. Hoy —5H **37**
Broad St. Park —4F **69**
Broad St. La. S2 —1G **99** (2H **5**)
Broadwater. Bolt D —1G **41**
Broadway. Barn —6D **12**
Broadway. Brin —4B **90**
Broadway. Map —4F **7**
Broadway. Roth —2H **79**
Broadway. Swin —3H **55**
Broadway Av. Chap —3F **65**
Broadway Clo. Swin —3H **55**
Broadway Ct. Barn —6D **12**
Broadway E. Roth —2H **79**
Broadway, The. Don —6H **45**
Brocco Bank. S11 —5A **98**
Brocco La. S3 —1D **98** (2C **4**)
Brocco St. S3 —1D **98** (2C **4**)
Brockfield Clo. Wors —4A **24**
Brockhill Ct. Brim —3F **133**
Brockhole Clo. Don —4D **48**
Brockholes La. Bran —4H **49**
Brock Holes La. Pen —6A **142**
Brockhurst Way. Thry —5D **70**
Brocklehurst Av. S8 —1G **123**
Brocklehurst Av. Barn —3D **24**
Brocklehurst Piece. Ches
—3F **137**
Brockwell Ct. Ches —5F **131**
Brockwell La. Ches —5D **130**
(in two parts)
Brockwell La. Cut —4B **130**
Brockwell Pl. Ches —1G **137**
Brockwell Ter. Ches —1G **137**
Brockwell Wlk. Ches —6F **131**
Brockwood Clo. S13 —6C **102**
Brodsworth Bus. Pk. Don
—3B **16**
Brodsworth Ho. Don —1C **46**
(off St James St.)
Bromehead Way. Ches —4F **131**
Bromfield Ct. Roys —1F **9**
Brompton Rd. S9 —4C **88**
Brompton Rd. Spro —2E **45**
Bromwich Rd. S8 —5C **110**
Bronte Av. Don —5H **45**
Bronte Clo. Barn —4B **14**
Bronte Gro. Mex —5F **43**
Bronte Pl. Raw —6H **55**
Brookbank Av. Ches —1F **137**
Brook Clo. Ast —6C **104**
Brook Clo. Gren —6A **64**
Brook Croft. Ans —2F **119**
Brookdale Rd. Chap —6D **50**
Brook Dri. S3 —1D **98** (2B **4**)
Brook Dri. Wath D —5D **40**
Brooke Dri. Brim —6F **133**
Brooke St. Don —4D **32**
Brooke St. Hoy —5H **37**
Brook Farm M. Wath D —4E **41**
Brookfield Av. Ches —3C **136**
Brookfield Av. Swin —3B **56**
Brookfield Clo. Arm —4F **35**
Brookfield Clo. Dal —6B **70**
Brookfield M. Arks —5E **19**
Brookfield Rd. S7 —6D **98**
Brookfield Ter. Barn —5E **9**
Brookhaven Way. Bram —2E **81**
Brook Hill. S3 —2C **98** (3A **4**)
Brook Hill. Thor H —3B **66**
Brookhill Rd. Dart —5A **6**
Brookhouse Clo. S12 —4B **114**
Brookhouse Ct. S12 —4B **114**
Brookhouse Hill. S10 —6C **96**
Brookhouse La. Laug —5E **95**

Brookhouse Rd. Ast —1B **116**
Brooklands. Malt —5D **82**
Brooklands Av. S10 —6B **96**
Brooklands Cres. S10 —6B **96**
Brooklands Dri. S10 —6B **96**
Brook La. S3 —2D **98** (3B **4**)
Brook La. Bram —3H **81**
Brook La. Gren —1A **74**
Brook La. Hack —4B **114**
Brook La. Oug —2C **72**
Brooklyn Dri. Ches —1F **137**
Brooklyn Pl. S8 —2E **111**
Brooklyn Rd. S8 —2E **111**
Brook Rd. S8 —2D **110**
Brook Rd. Con —3F **59**
Brook Rd. H Grn —1C **64**
Brook Rd. Roth —1H **79**
Brook Row. Stoc —4E **141**
Brookside. Con —4E **59**
Brookside. Roth —4A **80**
Brookside. Swin —4H **55**
Brookside Bar. Ches —3B **136**
Brookside Clo. S12 —4B **114**
Brookside Ct. Raw —5D **68**
Brookside Cres. Wath D
—6B **40**
Brookside Dri. Barn —3D **24**
Brookside Glen. Ches —3B **136**
Brookside La. S6 —5A **84**
Brook Sq. Con —6E **59**
Brook St. Park —4G **69**
Brook St. Whis —2H **91**
Brookvale. Barn —4D **14**
Brook Vale. Ches —3G **137**
Brookview Ct. Dron —6E **123**
Brook Way. Arks —6D **18**
Brook Yd. Ches —2G **137**
Broom Av. Roth —5H **79**
Broombank Pk. Ind. Est. Ches
—1F **131**
Broombank Rd. Ches —1F **131**
Broom Chase. Roth —5F **79**
Broom Clo. S2 —4D **98**
Broom Clo. Barn —3D **24**
Broom Clo. Bolt D —6D **28**
Broom Clo. Ches —4F **131**
Broom Clo. Wath D —1G **55**
Broom Ct. Roth —5G **79**
(Broom Rd.)
Broom Ct. Roth —5F **79**
(Wade Clo.)
Broom Cres. Roth —5F **79**
Broomcroft. Dod —3D **22**
Broom Dri. Roth —6H **79**
Broome Av. Swin —2B **56**
Broomfield Av. Ches —6D **138**
Broomfield Clo. Barn —1D **22**
Broomfield Ct. Stoc —3F **141**
Broomfield La. Stoc —4E **141**
Broomfield Rd. S10 —3B **98**
Broomfield Rd. Stoc —3F **141**
Broomfield Ter. Oug —4A **72**
Broom Gdns. Brim —4F **133**
Broom Grange. Roth —5G **79**
Broom Grn. S3 —3D **98** (5B **4**)
Broom Gro. Ans —4F **119**
Broom Gro. Roth —4F **79**
Broomgrove Cres. S10 —3B **98**
Broomgrove Hall. S10 —3B **98**
Broomgrove La. S10 —3B **98**
Broomgrove Rd. S10 —3B **98**
Broomhall Pl. S10
—3C **98** (6A **4**)
Broomhall Rd. S10
—4C **98** (6A **4**)
Broomhall St. S3
(in four parts) —3C **98** (6A **4**)
Broomhead Ct. Map —5F **7**

Broomhead Rd. Wom —2H **39**
Broomhill. Den M —1A **58**
Broomhill Clo. Eck —6B **124**
Broom Hill Dri. Don —4D **48**
Broomhill La. Bolt D —6G **27**
Broomhill Rd. Ches —1H **131**
Broomhill View. Bolt D —2H **41**
Broomhouse La. Edl & Don
—4B **60**
Broomhouse La. Ind. Est. Edl
—2D **60**
Broom La. Roth —5G **79**
Broom Riddings. Roth —5B **68**
Broom Rd. Roth —4F **79**
Broomroyd. Wors —5B **24**
Broomspring Clo. S3
—3C **98** (5A **4**)
Broomspring La. S10
(in four parts) —3C **98** (5A **4**)
Broom St. S10 —3C **98** (6A **4**)
Broom Ter. Roth —4F **79**
Broomvale Wlk. Edl —4A **60**
Broom Valley Rd. Roth —4E **79**
Broomville St. Swin —2C **56**
Broom Wlk. S3 —5B **4**
Broomwood Clo. Beig —4G **115**
Broomwood Gdns. Beig
—4G **115**
Brosley Av. B Dun —1H **21**
Brotherton St. S3 —5F **87**
Brough Grn. Dod —4D **22**
Broughton La. Don —2A **32**
Broughton La. S9 —3D **88**
Broughton Rd. S6 —2A **86**
Broughton Rd. Ches —4F **131**
Broughton Rd. Don —5B **48**
Brow Clo. Wors —3H **23**
Brow Cres. Half —2E **125**
Brow Hill Rd. Malt —3E **83**
Brownell St. S3 —1D **98** (2B **4**)
Brown Hills La. S10 —6A **96**
Browning Av. Don —5B **46**
Browning Clo. S6 —4B **74**
Browning Clo. Barn —2B **14**
Browning Dri. S6 —4B **74**
Browning Rd. B Dun —1H **21**
Browning Rd. S6 —4A **74**
Browning Rd. Mex —5E **43**
Browning Rd. Roth —3H **79**
Browning Rd. Wath D —4C **40**
Brown La. S1 —3E **99** (5E **5**)
Brown La. Coal A —6G **123**
Brownroyd Av. Roys —3E **9**
Brown St. S1 —3F **99** (5F **5**)
Brown St. Roth —2B **78**
Brow, The. Roth —5A **80**
Brow View. Bolt D —1H **41**
Broxbourne Gdns. Ben —6B **18**
Broxholme La. Don —5D **32**
Broxholme Rd. S8 —4D **110**
Bruce Av. Barn —2H **23**
Bruce Cres. Don —4H **33**
Bruce Rd. S11 —5B **98**
Brunel Rd. Don —4H **33**
Bruni Way. New R —6D **62**
Brunswick Clo. Barn —1H **13**
Brunswick Rd. S3 —6F **87**
Brunswick Rd. Roth —5F **79**
Brunswick St. S10
—2C **98** (4A **4**)
Brunswick St. Ches —1A **138**
Brunswick St. Thurn —1H **29**
Brunt Rd. Raw —1H **69**
Brushfield Gro. S12 —3F **113**
Brushfield Rd. Ches —6B **130**
Bryn Lea. Ches —3C **138**
Bryony Clo. Kil —3H **125**
Bubwith Rd. S9 —1D **88**
Buchanan Cres. S5 —4C **74**

Buchanan Dri. S5 —4C **74**
Buchanan Rd. S5 —4C **74**
Buckden Clo. Ches —1F **137**
Buckden Rd. Barn —5F **13**
Buckenham Dri. S4 —5G **87**
Buckenham St. S4 —5G **87**
Buckingham Clo. Dron W
   —1B **128**
Buckingham Rd. Con —2D **58**
Buckingham Rd. Don —5F **33**
Buckingham Way. Brin —3C **90**
Buckingham Way. Malt —3G **83**
Buckingham Way. Roys —1D **8**
Buckleigh Rd. Wath D —1E **55**
Buckley Ct. Barn —1H **23**
Buckley Ho. Barn —1H **23**
Buckthorn Clo. Swin —5A **56**
Buckwood View. S14 —2H **111**
Bude Ct. Barn —4C **14**
Bude Rd. Don —3B **46**
Bullen Rd. S6 —4A **74**
Bullfinch Clo. Brin —3D **90**
Bungalow Rd. Edl —3B **60**
Bungalows, The. Brmp —2F **137**
Bungalows, The. Ches —2B **138**
Bungalows, The. Ches —4G **131**
  (Dunston)
Bungalows, The. Eck —6H **125**
Bungalows, The. Kil —3A **126**
Bungalows, The. Tree —2E **103**
Bungalows, The. Whit M
   —3A **132**
Bunker's Hill. Kil —3C **126**
Bunting Clo. S8 —5F **111**
Bunting Clo. Walt —4D **136**
Bunting Nook. S8 —5F **111**
Burbage Clo. Dron W —1B **128**
Burbage Gro. S12 —2F **113**
Burbage Rd. Stav —3B **134**
Burcot Rd. S8 —2D **110**
Burcroft Clo. Hoy —6F **37**
Burcroft Hill. Con —2F **59**
Burden Clo. Don —1C **46**
Burford Av. Don —6G **45**
Burford Cres. Ast —6C **104**
Burgen Rd. Roth —6G **67**
Burgess Clo. Ches —6D **138**
Burgess Rd. S9 —5B **88**
Burgess St. S1 —2E **99** (4E 5)
Burghley Clo. Din —5E **107**
Burgoyne Clo. S6 —5B **86**
Burgoyne Rd. S6 —5B **86**
Burkett Dri. Wdthrp —1F **135**
Burkinshaw Av. Raw —5F **55**
Burleigh St. Barn —1H **23**
Burley Clo. Ches —6B **138**
Burlington Arc. Barn —6H 13
(off Eldon St.)
Burlington Clo. S17 —2E **121**
Burlington Ct. S6 —6C **86**
Burlington Glen. S17 —2E **121**
Burlington Gro. S17 —2E **121**
Burlington Rd. S17 —2E **121**
Burlington St. S6 —6C **86**
Burlington St. Ches —2A **138**
Burman Rd. Wath D —6F **41**
Burnaby Ct. S6 —4B **86**
Burnaby Cres. S6 —5B **86**
Burnaby Grn. S6 —4B **86**
Burnaby St. S6 —4B **86**
Burnaby St. Don —1C **46**
Burnaby Wlk. S6 —5B **86**
Burnaston Clo. Dron W
   —2A **128**
Burnaston Wlk. Den M —2C **58**
Burnbridge Rd. Ches —1B **132**
Burncross Rd. Burn & Chap
   —2C **64**
Burnell Rd. S6 —2A **86**
Burnell St. Brim —3F **133**

156 A-Z Sheffield

Burnett Clo. Pen —5E **143**
Burngreave Bank. S4 —5F **87**
Burngreave Rd. S3 —4F **87**
Burngreave St. S3 —5F **87**
Burn Gro. Chap —3G **65**
Burngrove Pl. S3 —4F **87**
Burnham Av. Map —4F **7**
Burnham Clo. Don —4H **47**
Burnham Gro. Don —1H **31**
Burnham Way. Darf —4D **26**
Burn Pl. Barn —6A **8**
Burnsall Cres. Brin —4C **90**
Burnsall Gro. Barn —3D **24**
Burns Clo. Ches —6H **137**
Burns Dri. Chap —2D **64**
Burns Dri. Dron —3G **129**
Burns Dri. Roth —3H **79**
Burnside. Thurn —1E **29**
Burnside Av. S8 —2E **111**
Burns Rd. S6 —1B **98**
Burns Rd. B Dun —1H **21**
Burns Rd. Din —5G **107**
Burns Rd. Don —5B **46**
Burns Rd. Malt —5G **83**
Burns Rd. Roth —3G **79**
Burns St. Ben —6B **18**
Burns Way. Wath D —4C **40**
Burnt Hill La. Oug —4A **72**
Burnt Stones Clo. S10 —3D **96**
Burnt Stones Dri. S10 —3D **96**
Burnt Stones Gro. S10 —3D **96**
Burnt Tree La. S3
   —1D **98** (1B 4)
Burntwood Clo. Thurn —2D **28**
Burntwood Cres. Tree —6E **91**
Burnt Wood La. Roth —1G **103**
Burntwood Rd. Grime —6H **11**
Burrell St. Roth —3D **78**
Burrowlee Rd. S6 —2A **86**
Burrows Dri. S5 —1E **87**
Burrows Gro. Wom —6H **25**
Burrs Wood Croft. Ches
   —4D **130**
Bursden Clo. Ches —2A **132**
Burton Av. Barn —3D **14**
Burton Av. Don —3B **46**
Burton Bank Rd. Barn —4A **14**
  (in two parts)
Burton Cres. Barn —2E **15**
Burton La. Oug —3C **72**
Burtonlees Ct. Don —4C **48**
Burton Rd. S3 —5D **86**
Burton Rd. Barn —4A **14**
Burton St. S6 —4B **86**
Burton St. Barn —4G **13**
Burton Ter. Barn —1B **24**
Burton Ter. Don —3B **46**
Burying La. Raw —2A **52**
Bushey Wood Rd. S17
   —3E **121**
Bushfield Rd. Wath D —5D **40**
Busk Knoll. S5 —1E **87**
Busk Meadow. S5 —1E **87**
Busk Pk. S5 —1E **87**
Busley Gdns. Ben —1A **32**
  (in two parts)
Butcher St. Thurn —1E **29**
Butchill Av. S5 —1E **75**
Bute St. S10 —2H **97**
Butler Rd. S6 —4G **85**
Butler Way. Kil —3A **126**
Butterbusk. Con —3G **59**
Buttercross Dri. Lit H —1G **27**
Butterfield Ct. Brmp —3A **40**
Butterill Dri. Arm —4H **35**
Butterley Dri. Barn —3D **24**
Butterleys. Dod —2C **22**
Buttermere Clo. Ans —6E **107**
Buttermere Clo. Bolt D —2A **42**
Buttermere Clo. Ches —4F **131**

Buttermere Clo. Mex —5G **43**
Buttermere Dri. Dron W
   —2C **128**
Buttermere Rd. S7 —3C **110**
Buttermere Way. Barn —1H **25**
Buttermilk La. Bsvr —6H **135**
Butterthwaite Cres. S5 —2A **76**
Butterthwaite La. Ecc —1G **75**
Butterthwaite Rd. S5 —1H **75**
Butterton Clo. Map —4G **7**
Butterton Dri. Ches —6C **130**
Butt Hole Rd. Con —3G **59**
Button Hill. S11 —3H **109**
Button Row. Stoc —3D **140**
Butts Hill. S17 —5D **120**
Buxton Rd. Barn —6C **8**
Byath La. Cud —1H **15**
Byford Rd. Malt —4C **82**
Byland Way. Barn —5D **14**
Byrley Rd. Roth —6G **67**
Byrne Clo. B Grn —3A **12**
Byron Av. Bal —5A **46**
Byron Av. Chap —3D **64**
Byron Av. Don —5H **31**
Byron Clo. Dron —4G **129**
Byron Cres. Wath D —4C **40**
Byron Dri. Barn —3B **14**
Byron Dri. Roth —3G **79**
Byron Rd. S7 —1C **110**
Byron Rd. Beig —5G **115**
Byron Rd. Ches —5A **138**
Byron Rd. Din —5G **107**
  (in two parts)
Byron Rd. Malt —5G **83**
Byron Rd. Mex —6F **43**
Byron St. Ches —4B **138**

Cadeby Av. Con —3C **58**
Cadeby Ho. Don —1C 46
(off St James St.)
Cadeby Rd. Spro —3C **44**
Cadman Ct. Mosb —3D **124**
Cadman La. S1 —2E **99** (4F 5)
Cadman Rd. S12 —2E **113**
Cadman St. S4 —1G **99**
Cadman St. Mosb —3C **124**
Cadman St. Wath D —5G **41**
Cadwell Clo. Cud —5C **10**
Caernarvon Clo. Ches —4E **137**
Caernarvon Cres. Bolt D
   —1H **41**
Caernarvon Dri. Barnb —1G **43**
Caernarvon Rd. Dron —3E **129**
Caine Gdns. Roth —3G **77**
Cairns Rd. S10 —3G **97**
Cairns Rd. Beig —3F **115**
Caister Av. Chap —2D **64**
Caistor Av. Barn —2E **23**
Cait La. S11 —4D **108**
Calcot Grn. Swin —3B **56**
Calcot Pk. Av. Swin —3B **56**
Caldbeck Gro. H Grn —5B **50**
Caldbeck Pl. Ans —6F **107**
Calder Av. Roys —2G **9**
Calder Ct. Roth —1E **91**
Calder Cres. Barn —2D **24**
Calder Rd. Bolt D —2B **42**
Calder Rd. Roth —5H **67**
Calder Ter. Con —2E **59**
Caldervale. Roys —1G **9**
Calder Way. S5 —1G **87**
Caldey Rd. Dron —3E **129**
California Cres. Barn —2H **23**
California Dri. Cat —6G **90**
California Dri. Chap —3E **65**
California Gdns. Barn —1H **23**
California St. Barn —2G **23**
California Ter. Barn —2G **23**
Calladine Way. Swin —4A **56**

Callis La. Pen —6E **143**
Callow Dri. S14 —2H **111**
Callow Mt. S14 —2G **111**
Callow Pl. S14 —2H **111**
Callow Rd. S14 —2G **111**
Callywhite La. Dron —2F **129**
Calner Croft. Soth —5H **115**
Calow Brook Dri. Has —5E **139**
Calow La. Ches & Cal —6D **138**
Calver Clo. Dod —4C **22**
Calver Cres. Stav —3B **134**
Calvert Rd. S9 —5E **89**
Calvert St. Hoy —6F **37**
Camborne Clo. S6 —4A **74**
Camborne Rd. S6 —4A **74**
Camborne Way. Barn —4B **14**
Cambourne Clo. Ad S —1D **16**
Cambria Dri. Don —5G **45**
Cambrian Clo. Ches —5F **131**
Cambrian Clo. Spro —2C **44**
Cambridge Clo. Harl —1F **43**
Cambridge Cres. Roth —2G **79**
Cambridge Pl. Roth —2G **79**
Cambridge Rd. S8 —1F **111**
Cambridge Rd. Brim —3F **133**
Cambridge Rd. Deep —4H **141**
Cambridge St. S1
   —2E **99** (4D 4)
Cambridge St. Mex —6C **42**
Cambridge St. New R —3C **62**
Cambridge St. Roth —3G **79**
Cambron Gdns. Bram —4H **81**
Camdale Rise. Ridg —6H **113**
Camdale View. Ridg —6A **114**
Camden Pl. Don —1C **46**
Camellia Clo. Con —4F **59**
Camellia Dri. Kirk S —4D **20**
Cammell Rd. S5 —1H **87**
Camms Clo. Eck —5D **124**
Camm St. S6 —5A **86**
Campbell Dri. Roth —4H **79**
Campbell St. Roth —3C **63**
Camping La. S8 —5C **110**
Campion Clo. Bolt D —6D **28**
Campion Dri. Kil —3A **126**
Campion Dri. Swin —4B **56**
Campo La. S1 —1E **99** (3D 4)
Campsall Dri. S10 —2G **97**
Campsall Field Clo. Wath D
   —1E **55**
Campsall Field Rd. Wath D
   —6E **41**
Canada St. S4 —4H **87**
Canada St. Barn —2G **23**
Canal Bri. Kil —3B **126**
Canal St. S4 —6H **87**
Canal St. Barn —4H **13**
Canal Way. Barn —4H **13**
Canal Wharf. Ches —1H **138**
Canberra Rise. Bolt D —1H **41**
Canklow Hill Rd. Roth —6D **78**
Canklow Meadows Ind. Est. Roth
   —3D **90**
Canklow Rd. Roth —6D **78**
Canning St. S1 —2D **98** (4C 4)
Cannock St. S6 —3A **86**
Cannon Hall Rd. S5 —2G **87**
Cannon Way. Barn —2B **12**
Canon Clo. Ros —4F **63**
Canons Way. Barn —4C **14**
Cantelo Ct. New R —6C **62**
Canterbury Av. S10 —5C **96**
Canterbury Clo. Don —3G **31**
Canterbury Cres. S10 —5C **96**
Canterbury Dri. S10 —5C **96**
Canterbury Rd. S8 —2F **111**
Canterbury Rd. Don —3F **33**
Cantilupe Cres. Ast —5B **104**
Cantley La. Don & DN3 —2A **48**
Cantley Mnr. Av. Don —4E **49**

Capel Rise. Brim —3D **132**
Capel St. S6 —4B **86**
(in two parts)
Caperns Rd. Ans —2H **119**
Capri Ct. Darf —3C **26**
Capthorne Clo. Ches —6B **130**
Caravan Site, The. Spro —3C **44**
Caraway Gro. Swin —5B **56**
Carbis Clo. Barn —4B **14**
Carbrook Hall Ind. Est. S9
　　　　　　　　　　—2D **88**
Carbrook Hall Rd. S9 —2D **88**
Carbrook St. S9 —3D **88**
Cardew Clo. Raw —2G **69**
Cardigan Rd. Don —4A **34**
Cardinal Clo. Ros —4F **63**
Cardoness Dri. S10 —3E **97**
Cardoness Rd. S10 —3F **97**
Cardwell Av. S13 —6H **101**
Cardwell Dri. S13 —6H **101**
Carey Av. Barn —6A **14**
Carfield Av. S8 —2F **111**
Carfield La. S8 —2G **111**
Carfield Rd. S8 —2F **111**
Carisbrooke Rd. Don —5G **33**
Carlby Rd. S6 —4G **85**
Carley Dri. W'fld —6F **115**
Carlingford Rd. Roth —6G **79**
Carlin St. S13 —1G **113**
Carlisle Pl. Roth —2E **79**
(off Nottingham St.)
Carlisle Rd. S4 —3A **88**
Carlisle Rd. Don —2H **33**
Carlisle St. S4 —6G **87**
Carlisle St. Kiln —4B **56**
Carlisle St. Roth —2E **79**
Carlisle St. E. S4 —5H **87**
Carlisle Ter. Din —4F **107**
Carlthorpe Gro. H Grn —6A **50**
Carlton Av. Roth —3F **79**
Carlton Clo. Mosb —3C **124**
Carlton Ho. Cud —6B **10**
Carlton Ho. Don —1C **46**
(off Bond Clo.)
Carlton Ind. Est. Carl —6E **9**
(in two parts)
Carlton Rd. S6 —1H **85**
Carlton Rd. Barn —2A **14**
Carlton Rd. Ches —6H **137**
Carlton Rd. Don —4E **33**
Carlton Rd. Raw —3F **69**
Carlton St. Barn —3G **13**
Carlton St. Cud —6B **10**
Carlton St. Grime —6G **11**
Carlton Ter. Barn —4G **9**
Carlyle Rd. Malt —5G **83**
Carlyle St. Mex —6E **43**
Carlyon Gdns. Ches —5H **137**
Carnaby Rd. S6 —4A **86**
Carnarvon St. S6 —6C **86**
Carnforth Rd. Barn —2D **14**
Carnley St. Wath D —4B **40**
Carnoustie Av. Ches —5E **137**
Carnoustie Clo. Swin —3C **56**
Carpenter Croft. S12 —1E **113**
Carpenter Gdns. S12 —1E **113**
Carpenter M. S12 —1E **113**
Carr Bank Clo. S11 —5F **97**
Carr Bank Dri. S11 —5E **97**
Carr Bank La. S11 —5E **97**
Carr Fold. Deep —4H **141**
Carrcroft Ct. Deep —4H **141**
Carrfield Clo. Dart —5B **6**
Carrfield Ct. S8 —1F **111**
Carrfield Dri. S8 —1F **111**
Carrfield La. S2 —1F **111**
Carr Field La. Bolt D —6D **28**
Carrfield Rd. S8 —1F **111**
Carrfield St. S8 —1F **111**
Carr Fold. Deep —4H **141**

Carr Forge Clo. S12 —3A **114**
Carr Forge La. S12 —3A **114**
Carr Forge Mt. S12 —3A **114**
Carr Forge Pl. S12 —3B **114**
Carr Forge Rd. S12 —3A **114**
Carr Forge Ter. S12 —3A **114**
Carr Forge View. S12 —3B **114**
Carr Forge Wlk. S12 —3B **114**
(off Carter Lodge Dri.)
Carr Grn. Bolt D —6E **29**
Carr Grn. Map —5G **7**
Carr Grn. La. Map —6G **7**
Carr Gro. Deep —4G **141**
Carr Head La. Bolt D —6B **28**
Carr Head La. Ing —1B **142**
Carr Hill. Don —3B **46**
Carr Ho. Rd. Don —2C **46**
Carriage Way, The. Ros —4F **63**
Carrill Dri. S6 —3A **74**
Carrill Rd. S6 —3A **74**
Carrington Av. Barn —3G **13**
Carrington Rd. S11 —5H **97**
Carrington St. Barn —4F **13**
Carrington St. Roth —4F **79**
Carrington Ter. Kiv P —5H **117**
Carr La. S1 —2D **98** (3C 4)
Carr La. Bes —6C **48**
Carr La. Bols —6F **141**
Carr La. Con —5F **59**
Carr La. Dron W —1A **128**
Carr La. Hoo L —6D **82**
Carr La. H Pk —2D **46**
Carr La. Roth —1E **71**
Carr La. Tank —1A **50**
Carr La. Thurc & Laug —2E **95**
Carr La. Ull —2D **104**
Carr La. Wadw —6H **61**
Carr Rd. S6 —3A **86**
Carr Rd. Deep —5F **141**
Carr Rd. Edl —4A **60**
Carr Rd. Wath D —5G **41**
Carrs La. Cud —2H **15**
Carr St. Barn —2D **14**
Carr View Av. Don —3B **46**
Carr View Rd. Roth —1F **77**
Carrville Dri. S6 —5B **74**
Carrville Rd. S6 —5B **74**
Carrville Rd. W. S6 —5A **74**
Carrwell La. S6 —6A **74**
Carrwood Rd. Barn —1E **25**
Carsick Gro. S10 —4D **96**
Carsick Hill Cres. S10 —4D **96**
Carsick Hill Dri. S10 —4E **97**
Carsick Hill Rd. S10 —4D **96**
Carsick Hill Way. S10 —4D **96**
Carsick View Rd. S10 —4D **96**
Carsington Clo. Ches —6D **130**
Carson Mt. S12 —4D **112**
Carson Rd. S10 —2H **97**
Carterhall La. S12 —5E **113**
Carterhall Rd. S12 —5D **112**
Carter Knowle Av. S11
　　　　　　　　　　—2H **109**
Carter Knowle Rd. S11 & S7
　　　　　　　　　　—2H **109**
Carter Lodge Av. S12 —3A **114**
Carter Lodge Dri. S12 —3B **114**
Carter Lodge Pl. S12 —3B **114**
Carter Lodge Rise. S12
　　　　　　　　　　—3B **114**
Carter Lodge Wlk. S12
　　　　　　　　　　—3B **114**
(off Carter Lodge Dri.)
Carter Pl. S8 —1F **111**
Carter Rd. S8 —1E **111**
Cartmel Clo. Dron W —2C **128**
Cartmel Clo. Malt —3G **83**
Cartmel Ct. Barn —6F **9**
Cartmel Cres. Ches —3F **131**
Cartmell Cres. S8 —4D **110**

Cartmell Rd. S8 —3C **110**
Cartmel Wlk. Din —6F **107**
Car Vale Dri. S13 —5E **101**
Car Vale View. S13 —5E **101**
Carver Clo. Hart —4H **127**
Carver Dri. Din —5E **107**
Carver La. S1 —2E **99** (3D 4)
Carver St. S1 —2E **99** (3D 4)
Carver Way. Hart —3H **127**
Carwood Clo. S4 —4H **87**
Carwood Grn. S4 —4H **87**
Carwood Gro. S4 —4H **87**
Carwood La. S4 —4H **87**
Carwood Rd. S4 —4H **87**
Carwood Way. S4 —4H **87**
Cary Rd. S2 —5B **100**
Cary Rd. Eck —6B **124**
Cascades Shopping Cen. Roth
　　　　　　　　　　—2D **78**
Castell Cres. Don —2C **48**
Castle Av. Con —3E **59**
Castle Av. Roth —6D **78**
Castlebeck Av. S2 —4D **100**
Castlebeck Ct. S2 —5D **100**
(off Castlebeck Av.)
Castlebeck Croft. S2 —4E **101**
Castlebeck Dri. S2 —5D **100**
Castle Clo. Dod —3C **22**
Castle Clo. Monk B —4B **14**
Castle Clo. Pen —5E **143**
Castle Clo. Spro —1G **45**
Castle Courts. S2 —1H **99**
Castle Cres. Con —2E **59**
Castledale Croft. S2 —5D **100**
Castledale Gro. S2 —5E **101**
Castledale Pl. S2 —5D **100**
Castledine Croft. S9 —6D **76**
Castledine Gdns. S9 —1C **88**
Castle Dri. Hood G —6A **22**
Castlegate. S3 —1F **99** (2G 5)
Castle Grn. S3 —1F **99** (2F 5)
Castle Grn. Laug —1D **106**
Castle Gro. Spro —2D **44**
Castle Gro. Ter. Con —2F **59**
Castle Hill. Con —3E **59**
Castle Hill. Eck —5D **124**
Castle Hill Av. Mex —1H **57**
Castle Hill Clo. Eck —5D **124**
Castle Hills Rd. Don —6G **17**
Castle La. Pen —5E **143**
Castle Mkt. S1 —1F **99** (2G 5)
Castlereagh St. Barn —6G **13**
Castlerigg Way. Dron W
　　　　　　　　　　—2C **128**
Castle Row. S17 —3H **121**
Castlerow Clo. S17 —3H **121**
Castlerow Dri. S17 —3H **121**
Castle Sq. S1 —3F **5**
Castle St. Barn —1G **23**
Castle St. Con —3E **59**
Castle St. Pen —5E **143**
Castleton Gro. Ink —6H **133**
Castle View. Bird —3C **36**
Castle View. Dod —1C **22**
Castle View. Eck —6D **124**
Castle View. Edl —4B **60**
Castle View. Hood G —6A **22**
Castlewood Ct. S10 —5C **96**
Castlewood Cres. S10 —5B **96**
Castlewood Dri. S10 —5C **96**
Castlewood Rd. S10 —5B **96**
Castle Yd. Ches —3A **138**
Castor Rd. S9 —4B **88**
Catania Rise. Darf —3C **26**
Catch Bar La. S6 —1A **86**
Catchford View. Ches —4D **130**
Catcliffe Rd. S9 —1E **101**
Catherine Av. Swal —6B **104**

Catherine Ct. Ches —2G **137**
Catherine Rd. S4 —5F **87**
Catherine St. S3 —5F **87**
Catherine St. Ches —2G **137**
Catherine St. Don —1D **46**
Catherine St. Mex —6D **42**
Catherine St. Roth —3E **79**
Cathill Rd. Bolt D —5G **27**
Cathill Roundabout. Lit H
　　　　　　　　　　—4H **27**
Cat La. S2 & S8 —1G **111**
Catley Rd. S9 —6E **89**
Catling La. B Dun —2H **21**
Cattal St. S9 —6C **88**
Catterick Clo. Den M —3A **58**
Cauldon Dri. Ches —6C **130**
Causeway Gdns. S17 —1C **120**
Causeway Glade. S17 —1C **120**
Causeway Head Rd. S17
　　　　　　　　　　—1C **120**
Causeway, The. S17 —2D **120**
Cavendish Av. S17 —2F **121**
Cavendish Av. Lox —2E **85**
Cavendish Clo. Roth —5B **80**
Cavendish Ct. S3
　　　　　　　　—3D **98** (5B 4)
Cavendish Ct. Ches —6A **132**
Cavendish Pl. Malt —3G **83**
Cavendish Rise. Dron —3D **128**
Cavendish Rd. S11 —6A **98**
Cavendish Rd. Barn —4G **13**
Cavendish Rd. Roth —3A **78**
Cavendish Rd. Tol B —3A **18**
Cavendish St. S3
　　　　　　　　—2D **98** (4B 4)
Cavendish St. Ches —2A **138**
Cavendish St. N. Ches —1A **132**
Cavendish Ter. Tol B —2A **18**
Cavill Rd. S8 —4E **111**
Cawdor Rd. S2 —1A **112**
Cawdor St. Ben —6B **18**
Cawdron Rise. Brin —4C **90**
Cawley Pl. Barn —3A **14**
Cawston Rd. S4 —3G **87**
Cawthorne Clo. S8 —4C **110**
Cawthorne Clo. Dod —3C **22**
Cawthorne Clo. Roth —2A **80**
Cawthorne Gro. S8 —4C **110**
Cawthorne La. Dart —6A **6**
Cawthorne Rd. B Grn —2A **12**
Cawthorne Rd. Roth —2A **80**
Cawthorne View. Hoy S
　　　　　　　　　　—1F **143**
Caxton Clo. New W —1D **132**
Caxton La. S10 —3H **97**
Caxton Rd. S10 —3A **98**
Caxton Rd. Wdlnd —2D **16**
Caxton St. Barn —4G **13**
Caythorpe Clo. Lun —2G **15**
Cayton Clo. Barn —6A **8**
Cecil Av. Dron —1E **129**
Cecil Av. War —6E **45**
Cecil Rd. Dron —6E **123**
Cecil Sq. S2 —5D **98**
Cedar Av. Ches —6F **131**
Cedar Av. Mex —5D **42**
Cedar Av. Wick —4G **81**
Cedar Clo. Don —6G **45**
Cedar Clo. Eck —6G **125**
Cedar Clo. Kil —4A **126**
Cedar Clo. Roys —1C **8**
Cedar Clo. Stoc —4D **140**
Cedar Cres. Barn —2B **24**
Cedar Dri. Malt —4D **82**
Cedar Gro. Con —5C **58**
Cedar Nook. Kiv P —5G **117**
Cedar Rd. Arm —2G **35**
Cedar Rd. Don —6G **45**
Cedar Rd. Stoc —4D **140**

Cedar St. Holl —2G **133**
Cedar Way. Chap —3D **64**
Cedric Av. Con —4C **58**
Cedric Cres. Thurc —5A **94**
Cedric Rd. Eden —5D **20**
Celandine Ct. S17 —4G **121**
Celandine Gdns. S17 —4G **121**
Celandine Gro. Darf —4E **27**
Celandine Rise. Swin —5A **56**
Cemetery Av. S11 —4B **98**
Cemetery La. Stav —2C **134**
Cemetery Rd. Barn —1A **24**
Cemetery Rd. Bolt D —2A **42**
Cemetery Rd. Ches —3C **138**
Cemetery Rd. Dron —3F **129**
Cemetery Rd. Grime —6G **11**
Cemetery Rd. Jump —4C **38**
Cemetery Rd. Mex —6E **43**
Cemetery Rd. Wath D —1E **55**
Cemetery Rd. Wom —6B **26**
Cemetery Rd. Wdlnd —3C **16**
Cemetery Ter. Brim —4E **133**
Centenary Way. Roth —4C **78**
Central Av. Ben —1B **32**
Central Av. Ches —3G **137**
Central Av. Din —5F **107**
Central Av. Grime —5G **11**
Central Av. Roth —2H **79**
Central Av. Sun —2F **81**
Central Av. Swin —3H **55**
Central Av. Wdlnd —3C **16**
Central Boulevd. Don —3H **33**
Central Dri. Cal —2F **139**
Central Dri. Has —4C **138**
Central Dri. New R —5C **62**
Central Dri. Raw —5C **54**
Central Dri. Roys —2E **9**
Central Dri. Thurc —5A **94**
Central Pavement. Ches
(off Market Pl.) —2A *138*
Central Rd. Roth —3D **78**
Central St. Ches —4C **138**
Central St. Gold —3G **29**
Central St. Hoy —6F **37**
Central Ter. Ches —3B **138**
Central Ter. Edl —3B **60**
Central Wlk. Brim —4D **132**
Centre Riding. Wadw —6F **61**
Centre, The. Bram —4H **81**
Centurion Way. Don —4B **32**
Century Ct. Edl —2C **60**
Century St. S9 —5D **88**
Century View. Brin —3A **90**
Chadbourne Clo. Arm —4E **35**
Chaddesden Clo. Dron W
—2A **128**
Chaddeson Wlk. Con —1D **58**
Chadwick Dri. Malt —3F **83**
Chadwick Rd. Don —4B **32**
Chadwick Rd. Wdlnd —3C **16**
Chaff Clo. Whis —2H **91**
Chaffinch Av. Brin —3D **90**
Chaff La. Roth —2H **91**
Chalfont Ct. Roth —3D **90**
Challands Clo. Ches —5C **138**
Challand Way. Ches —5C **138**
Challenger Dri. Spro —6G **31**
Challoner Grn. W'fld —1E **125**
Challoner Way. W'fld —1E **125**
Chalmers Dri. Don —6B **20**
Chamberlain Av. Don —3A **32**
Chamberlain Ct. Chap —1D **64**
Chambers Av. Con —3C **58**
Chambers La. S4 —2B **88**
Chambers Rd. Hoy —4H **37**
Chambers Rd. Roth —6H **67**
Chamossaire. New R —6C **62**
Champion Clo. S5 —3H **75**

Champion Rd. S5 —3H **75**
Chancel Way. Barn —4C **14**
Chancery Pl. Don —6C **32**
Chancet Wood. S8 —1D **122**
Chancet Wood Clo. S8
—1D **122**
Chancet Wood Dri. S8
—1D **122**
Chancet Wood Rise. S8
—1D **122**
Chancet Wood Rd. S8 —6D **110**
Chancet Wood View. S8
—1D **122**
Chandos Cres. Kil —3A **126**
Chandos St. S10 —3A **98**
Chaneyfield Way. Ches
—4D **130**
Channing Gdns. S6 —4B **86**
Channing St. S6 —4B **86**
Chantrey Av. Ches —5H **131**
Chantrey Rd. S8 —4D **110**
Chantry Bri. Roth —2D **78**
Chantry Clo. Don —4E **49**
Chantry Pl. Kiv P —4B **118**
Chantry View. Roth —3C **78**
Chapel Av. Brmp —3A **40**
Chapel Clo. S10 —4F **97**
Chapel Clo. Bird —4C **36**
Chapel Clo. Burn —2C **64**
Chapel Clo. Roth —3A **68**
Chapel Clo. Shaf —2C **10**
Chapel Clo. Thurc —4A **94**
Chapel Ct. Bird —4D **36**
Chapel Ct. Wath D —6E **41**
Chapelfield Cres. Thor H
—2B **66**
Chapelfield Dri. Thor H —2B **66**
Chapel Field La. Pen —5C **142**
Chapelfield La. Thor H —2B **66**
Chapelfield Mt. Thor H —2B **66**
Chapelfield Pl. Thor H —2B **66**
Chapelfield Rd. Thor H —1B **66**
Chapel Field Wlk. Pen —5C **142**
Chapelfield Way. Thor H
—2B **66**
Chapel Hill. B Hill —2H **37**
Chapel Hill. Swin —2A **56**
Chapel Hill. Whis —2H **91**
Chapel Ho. Raw —2F **69**
Chapel La. S9 —5C **88**
Chapel La. Barn —5E **9**
Chapel La. Bil —3B **28**
Chapel La. Bran —3H **49**
Chapel La. Con —4E **59**
Chapel La. Grn M —1G **141**
Chapel La. Lit H —1G **27**
Chapel La. Pen —5C **142**
Chapel La. Roth —4D **78**
Chapel La. Thurn —1H **29**
Chapel La. Tot —5D **120**
Chapel La. E. Ches —6D **138**
Chapel La. W. Ches —3E **137**
Chapel Pl. Barn —1F **25**
Chapel Rise. Ans —2F **119**
Chapel Rd. Burn & Chap
—3C **64**
Chapel Rd. H Grn —5C **50**
Chapel Rd. Tank —5A **36**
Chapel St. Barn —1F **25**
Chapel St. Ben —1B **32**
Chapel St. Bird —4C **36**
Chapel St. Bolt D —1A **42**
Chapel St. Brim —3F **133**
Chapel St. Ches —3A **132**
(in two parts)
Chapel St. Grea —3B **68**
Chapel St. Grime —6G **11**
Chapel St. Hoy —6F **37**
Chapel St. Mex —6C **42**
Chapel St. Mosb —3C **124**

Chapel St. Raw —2F **69**
Chapel St. Shaf —2C **10**
Chapel St. Thurn —1E **29**
Chapel St. Wath D —6E **41**
Chapel St. Wdhse —1B **114**
Chapel Ter. S10 —4F **97**
Chapeltown Rd. Ecc —5F **65**
Chapel View. Arm —2D **34**
Chapel Wlk. S1 —2E **99** (3E **5**)
Chapel Wlk. Ans —3F **119**
Chapel Wlk. Cat —6C **90**
Chapel Wlk. Mex —1E **57**
Chapel Wlk. Raw —6D **54**
Chapel Wlk. Roth —3C **78**
(in two parts)
Chapel Way. Raw —6D **54**
Chapelwood Rd. S9 —5D **88**
Chapel Yd. Dron —1E **129**
Chapman St. S9 —5D **76**
Chapman St. Thurn —1G **29**
Chappell Clo. Hoy S —1F **143**
Chappell Dri. Don —4C **32**
Chappell Rd. Hoy S —1F **143**
Chapter Way. Barn —4C **14**
Charity St. Barn —1F **15**
Charles Ashmore Rd. S8
—1D **122**
Charles Cres. Arm —2D **34**
Charles Cres. Flats. Arm
—2D **34**
Charles La. S1 —2E **99** (4E **5**)
(in two parts)
Charles Rd. Wath D —6G **41**
Charles Sq. H Grn —6B **50**
Charles St. S1 —2E **99** (4E **5**)
(in two parts)
Charles St. Barn —1G **23**
Charles St. Ches —2G **137**
Charles St. Cud —5C **10**
Charles St. Din —3F **107**
Charles St. Don —4E **33**
Charles St. Gold —4F **29**
Charles St. Kiln —6C **56**
Charles St. Lit H —2A **28**
Charles St. Raw —6H **55**
Charles St. Swin —3B **56**
Charles St. Thurc —4A **94**
Charles St. Wors —5A **24**
Charlotte La. S1 —2D **98** (4B **4**)
Charlotte Rd. S1 & S2 —4E **99**
Charlton Brook Cres. Chap
—2C **64**
Charlton Clough. Chap —2B **64**
Charlton Dri. H Grn —1C **64**
Charnell Av. Malt —4G **83**
Charnley Av. S11 —2A **110**
Charnley Clo. S11 —1H **109**
Charnley Dri. S11 —1A **110**
Charnley Rise. S11 —2A **110**
Charnock Av. S12 —5D **112**
Charnock Cres. S12 —4C **112**
Charnock Dale Rd. S12
—5C **112**
Charnock Dri. S12 —4D **112**
Charnock Dri. Cus —4H **31**
Charnock Gro. S12 —5D **112**
Charnock Hall Rd. S12
—5C **112**
Charnock View Rd. S12
—5C **112**
Charnock Wood Rd. S12
—5D **112**
Charnwood Ct. Soth —5G **115**
Charnwood Dri. Don —6H **45**
Charnwood Gro. Roth —2H **77**
Charnwood St. Swin —2B **56**
Charter Arc. Barn —6H **13**
Charter Dri. Scawt —1F **31**
Charter Row. S1 —3E **99** (6C **4**)
Charter Sq. S1 —3E **99** (5D **4**)

Chasecliff Clo. Ches —6F **131**
Chase Rd. Lox —3D **84**
Chase, The. S10 —4B 98
(off Clarkegrove Rd.)
Chase, The. Ast —2C **116**
Chatfield Rd. S8 —5C **110**
Chatham Ho. Roth —3E 79
(off Doncaster Ga.)
Chatham St. S3 —6E **87**
Chatham St. Roth —3E **79**
Chatsworth Av. Ches —3D **136**
Chatsworth Av. Mex —6H **43**
Chatsworth Clo. Ast —6D **104**
Chatsworth Ct. S11 —3F **109**
Chatsworth Ct. Stav —3B **134**
Chatsworth Cres. Don —1H **31**
Chatsworth Pk. Av. S12
—2C **112**
Chatsworth Pk. Dri. S12
—2C **112**
Chatsworth Pk. Gro. S12
—2C **112**
Chatsworth Pk. Rise. S12
—2C **112**
Chatsworth Pk. Rd. S12
—2C **112**
Chatsworth Pl. Dron W
—1B **128**
Chatsworth Rise. Brin —3D **90**
Chatsworth Rise. Dod —2A **22**
Chatsworth Rd. S17 —3E **121**
Chatsworth Rd. Barn —1A **14**
Chatsworth Rd. Ches —3B **136**
Chatsworth Rd. Roth —3B **78**
Chatterton Dri. Roth —5H **79**
Chaucer Clo. S5 —3B **74**
Chaucer Dri. Dron —4G **129**
Chaucer Ho. Roth —4H 79
(off Browning Rd.)
Chaucer Rd. S5 —4B **74**
Chaucer Rd. Ches —3H **131**
Chaucer Rd. Mex —5F **43**
Chaucer Rd. Roth —5H **79**
Cheadle St. S6 —3A **86**
Cheapside. Barn —6H **13**
Checkstone Av. Don —6C **48**
Chedworth Clo. Dart —6C **6**
Cheedale Clo. Ches —6E **131**
Cheedale Clo. Ches —5F **131**
Cheedale Wlk. Ches —6F **131**
Cheetham Dri. Malt —3G **83**
Chelmsford Av. Ast —5C **104**
Chelmsford Dri. Don —3F **33**
Chelsea Ct. S11 —6A **98**
Chelsea Rise. S11 —6A **98**
Chelsea Rd. S11 —1A **110**
Cheltenham Rise. Don —4F **31**
Cheltenham Rd. Don —4A **34**
Chemist La. Roth —2C **78**
Cheney Row. S1 —2E **99** (4E **5**)
Chepstow Clo. Ches —5H **137**
Chepstow Dri. Mex —5F **43**
Chepstow Gdns. Ches —6H **137**
Chepstow Gdns. Don —4F **31**
Chequer Av. Don —1E **47**
Chequer Rd. Don —6D **32**
Cheriton Av. Ad S —1C **16**
Cherry Bank Rd. S8 —4E **111**
Cherry Clo. Cud —5B **10**
Cherry Clo. Roys —1C **8**
Cherry Garth. Ben —4B **18**
Cherry Gro. Con —5B **58**
Cherry Gro. New R —5E **63**
Cherry Hills. Dart —4E **7**
Cherry La. Don —5B **32**
Cherrys Rd. Barn —5D **14**
Cherry St. S2 —5E **99**
Cherry St. S. S2 —5E **99**
Cherry Tree Clo. S11 —6B **98**
Cherry Tree Clo. Brin —3D **90**

Cherry Tree Clo. Map —4G 7
Cherry Tree Ct. S11 —6B 98
Cherry Tree Cres. Wick —4G 81
Cherry Tree Dell. S11 —6B 98
Cherry Tree Dri. S11 —6B 98
Cherry Tree Dri. Kil —4B 126
Cherry Tree Pl. Wath D —6F 41
Cherry Tree Rd. S11 —6B 98
Cherry Tree Rd. Arm —3F 35
Cherry Tree Rd. Don —1B 46
Cherry Tree Rd. Malt —4D 82
Cherry Tree Rd. Wal —5E 117
Cherry Tree St. Hoy & Els
　　　　　　　　—5B 38
Cherry Wlk. Chap —2E 65
Chertsey Clo. Ches —5H 137
Cherwell Clo. Brim —2E 133
Chesham Rd. Barn —6F 13
Cheshire Rd. Don —4E 33
Chessel Clo. S8 —3E 111
Chesterfield Av. New W
　　　　　　　　—1E 133
Chesterfield Inner Relief Rd.
　　　　　　Ches —1G 139
Chesterfield Rd. S8 —5D 110
Chesterfield Rd. Brim —4D 132
Chesterfield Rd. Cal —3E 139
Chesterfield Rd. Dron —2E 129
Chesterfield Rd. Eck —6G 125
Chesterfield Rd. Stav —3G 133
Chesterfield Rd. Swal —1H 115
(in two parts)
Chesterfield Rd. S. S8 —4E 123
Chesterfield Trading Est. Ches
　　　　　　　　—1E 131
Chesterhill Av. Dal —6C 70
Chester La. S1 —3D 98 (5C 4)
Chester Rd. Don —3F 33
Chester St. S1 —2D 98 (4C 4)
Chester St. Ches —2G 137
Chesterton Clo. Brim —1F 139
Chesterton Rd. Don —5C 46
Chesterton Rd. Roth —1F 79
Chesterton Way. Roth —6H 69
Chesterwood Dri. S10 —3H 97
Chestnut Av. S9 —2G 101
Chestnut Av. Arm —2F 35
Chestnut Av. Beig —2F 115
Chestnut Av. Brier —3F 11
Chestnut Av. Don —2H 33
Chestnut Av. Eck —6G 125
Chestnut Av. Kil —4A 126
Chestnut Av. Kiv P —4G 117
Chestnut Av. New R —5E 63
Chestnut Av. Roth —2H 79
Chestnut Av. Stoc —4D 140
Chestnut Av. Wath D —1F 55
Chestnut Clo. Dron —3G 129
Chestnut Clo. Flan —3F 81
Chestnut Ct. Barn —2H 23
Chestnut Ct. Ben —5A 18
Chestnut Cres. Barn —2B 24
Chestnut Dri. Chap —3C 64
Chestnut Gro. Con —4C 58
Chestnut Gro. Din —3F 107
Chestnut Gro. Malt —4D 82
Chestnut Gro. Mex —5D 42
Chestnut Gro. Spro —3D 44
Chestnut Gro. Thurn —2F 29
Chestnut Rd. Swal —5H 103
Chestnut Wlk. Hoo L —5E 83
Chevet Ho. Don —1C 46
(off Grove Pl.)
Chevet Rise. Roys —1D 8
Chevet View. Roys —1C 8
Cheviot Dri. Don —2H 31
Cheviot Wlk. Barn —5D 12
Cheviot Way. Ches —6E 131
Chevril Ct. Wick —5E 81
Chichester Rd. S10 —1H 97

Childers St. Don —2E 47
Chiltern Clo. Ches —1E 137
Chiltern Ct. Ches —1E 137
Chiltern Cres. Spro —2C 44
Chiltern Rise. Brin —4D 90
Chiltern Rd. S6 —3H 85
Chiltern Rd. Don —2H 31
Chiltern Wlk. Barn —5D 12
Chilton St. Barn —1A 24
Chilwell Clo. Barn —4B 8
Chilwell Gdns. Barn —4B 8
Chilwell M. Barn —4B 8
Chilwell Rd. Barn —4B 8
Chinley St. S9 —6C 88
Chippingham Pl. S9 —5B 88
Chippingham St. S9 —5C 88
Chippinghouse Rd. S7 & S8
　　　　　　　　—6D 98
Chiverton Clo. Dron —1E 129
Chorley Av. S10 —5C 96
Chorley Dri. S10 —5C 96
Chorley Pl. S10 —6C 96
Chorley Rd. S10 —6C 96
Christchurch Av. Ast —5C 104
Christ Chu. Rd. S3 —4F 87
Christ Chu. Rd. Don —5D 32
Christchurch Rd. Wath D
　　　　　　　　—4C 40
Christ Chu. Ter. Don —6E 33
Church Av. Raw —3E 69
Church Balk. Eden —4C 20
Church Balk Gdns. Eden
　　　　　　　　—4D 20
Church Clo. Dart —4C 6
Church Clo. Ink —4A 134
Church Clo. Malt —5F 83
Church Clo. Oug —2D 72
Church Clo. Rav —4G 71
Church Clo. Swin —2A 56
Church Clo. Wal —5F 117
Church Corner. Laug —6F 95
Church Cottage M. Don —4G 45
Church Ct. Ans —3G 119
Church Ct. Bes —4D 48
Church Croft. Eden —4C 20
Church Croft. Raw —3E 69
Churchdale Rd. S12 —3F 113
Church Dri. Brier —3F 11
Church Dri. Wen —4C 52
Churchfield. Barn —5G 13
Churchfield Av. Cud —1H 15
Churchfield Av. Dart —5A 6
Churchfield Clo. Ben —1A 32
Churchfield Clo. Dart —5A 6
Churchfield Ct. Barn —5G 13
Churchfield Ct. Dart —5B 6
Churchfield Cres. Cud —1H 15
Church Field Dri. Wick —5F 81
Churchfield La. Dart —5A 6
Church Field La. Wen —5C 52
Church Fields. Roth —2G 77
Churchfields Caravan Site. Ben
(off Church St.) —1A 32
Churchfields Clo. Barn —5G 13
Church Fields Rd. Ros —3E 63
Churchfield Ter. Cud —1H 15
Church Field View. Bal —4G 45
Church Fold. Barn —5G 13
Church Grn. Wath D —5E 41
Church Hill. Roys —2F 9
Church Hill. Whis —2A 92
Churchill Av. Don —3A 32
Churchill Av. Malt —3G 83
Churchill Ct. S1 —2E 99 (4D 4)
Churchill Rd. S10 —2A 98
Churchill Rd. Don —3E 33
Churchill Rd. Stoc —2B 140
Church La. S9 —5B 88
Church La. S12 —4C 114

Church La. Ad S —1E 17
Church La. Ast —1D 116
Church La. B Dun —1G 21
Church La. Barn —5G 13
Church La. Beig —4G 115
Church La. Bes —5C 48
Church La. Bram —4H 81
Church La. Cal —2F 139
Church La. Cat —5C 90
Church La. Ches —2A 138
Church La. Din —4D 106
Church La. Dore —3D 120
Church La. Harl —1G 43
Church La. Kil —3C 126
Church La. Malt —5F 83
Church La. Rav —4H 71
Church La. Tank —2C 50
Church La. Tree —1E 103
Church La. Wadw —6H 61
(in two parts)
Church La. War & Bal —4F 45
Church La. Wath D —5E 41
Church La. Wick —5F 81
Church La. Wdhse —1B 114
Church La. Wors —1D 36
Church La. M. Bram —3H 81
Church La. N. Ches —1A 132
Church Lea. Hoy —1A 52
Church Meadow Rd. Ros
　　　　　　　　—4F 63
Church Meadows. Cal —2F 139
Church M. Ben —1A 32
Church M. Bolt D —2A 42
Church M. Kil —2C 126
Church M. Mex —1G 57
Church M. Mosb —2D 124
Church Rein Clo. War —5E 45
Church Rd. B Dun —1G 21
Church Rd. Den M —1C 58
Church Rd. Edl —2B 60
Church Rd. Kirk S —3D 20
Church Rd. Wadw —6H 61
Churchside. Cal —2F 139
Churchside. Has —6D 138
Church St. S1 —2E 99 (3E 5)
Church St. Arm —3E 35
Church St. Barn —5G 13
Church St. Ben —1A 32
Church St. Bolt D —1A 42
Church St. Brier —2F 11
Church St. Brim —3E 133
Church St. Cal —1F 139
Church St. Carl —4F 9
Church St. Con —3E 59
Church St. Cud —1H 15
Church St. Darf —4F 27
Church St. Dart —5C 6
Church St. Don —5C 32
Church St. Dron —2E 129
Church St. Ecc —6F 65
Church St. Eck —5E 125
Church St. Els —6C 38
Church St. Gaw —4C 42
Church St. Grea —3A 68
Church St. Jump —4B 38
Church St. Kim —2G 77
Church St. Map —4G 7
Church St. Mex —1F 57
Church St. Oug —2C 72
Church St. Pen —4D 142
Church St. Raw —3E 69
Church St. Roth —3D 78
Church St. Roys —2E 9
Church St. Stann —6C 84
Church St. Stav —1C 134
Church St. Swin —2H 55
Church St. Thurc —5B 94
Church St. Thurn —1E 29
Church St. Wal —5F 117
Church St. Wath D —5E 41

Church St. Wom —1F 39
Church St. Clo. Thurn —1E 29
Church St. N. Ches —1A 132
Church St. S. Ches —6A 138
(in two parts)
Church St. W. Ches —3E 137
Church Ter. Dod —2A 22
Church View. Ast —6D 104
Church View. Barn —4E 13
Church View. Ches —3E 137
Church View. Cud —1H 15
Church View. Darf —4G 27
Church View. Don —5C 32
Church View. Edl —4A 60
Church View. Hoy —6F 37
Church View. Kil —2C 126
Church View. Swin —2A 56
Church View. Thry —4D 70
Church View. Tod —2B 118
Church View. Wadw —6H 61
Church View. Wick —5F 81
Church View. Wdhse —1C 114
Church View Cres. Pen
　　　　　　　　—4D 142
Church View Rd. Pen —4D 142
Church Wlk. Ches —2A 138
(off Stephenson Pl.)
Church Wlk. Den M —1C 58
Church Wlk. Thurn —1E 29
(off Church St.)
Church Way. Ches —2A 138
Church Way. Don —6C 32
Churston Rd. Ches —2F 137
Cinder Bri. Roth —3C 68
Cinder Bri. Rd. Roth —3C 68
Cinderhill La. S8 —1F 123
Cinder Hill La. Gren —1B 74
Cinderhill Rd. Roth —5G 67
Cinder Hills Way. Dod —2C 22
Cinder La. Kil —2D 126
Circle Clo. S2 —5D 100
Circle, The. S2 —4D 100
Circle, The. H Grn —6C 50
Circle, The. New R —4C 62
Circuit, The. Wdlnd —1B 16
Circular Rd. Ches —5B 138
Circular Rd. Stav —3B 134
City Plaza. S1 —2E 99 (3D 4)
City Rd. S2 & S12 —3H 99
Clanricarde St. Barn —3G 13
Clare Ct. Roth —2D 78
Clarehurst Rd. Darf —3E 27
Clarel Clo. Pen —5C 142
Clarell Gdns. Don —2C 48
Clarel St. Pen —5C 142
Claremont Cres. S10 —2B 98
Claremont Pl. S10 —2B 98
Claremont St. Roth —3H 77
Clarence Av. Don —3B 46
Clarence La. S3 —4D 98
Clarence Pl. Malt —3G 83
Clarence Rd. S6 —3H 85
Clarence Rd. Barn —3B 14
Clarence Rd. Ches —2H 137
Clarence Sq. Din —4G 107
Clarence St. Ches —2H 137
Clarence St. Din —4G 107
Clarence St. Wath D —4D 40
Clarence Ter. Thurn —1G 29
(off Clarke St.)
Clarendon Ct. S11 —5E 97
Clarendon Dri. S10 —5E 97
Clarendon Rd. S10 —6E 97
Clarendon Rd. Ink —5A 134
Clarendon Rd. Roth —2F 79
Clarendon St. Barn —6F 13
Clark Av. Don —1E 47
Clark Av. Edl —5B 60
Clarke Av. Thurc —5C 94
Clarke Ct. Din —3F 107

Clarke Dell. S10 —4B **98**
Clarke Dri. S10 —4B **98**
Clarkegrove Rd. S10 —4B **98**
Clarkehouse Rd. S10 —4A **98**
Clarke Sq. S2 —5D **98**
Clarke St. S10 —3C **98** (6A **4**)
Clarke St. Barn —4F **13**
Clarke St. Thurn —1G **29**
Clark Gro. Stann —5D **84**
Clarks Ct. Ad S —1D **16**
Clarkson Av. Ches —5H **137**
Clarkson St. S10 —2C **98**
Clarkson St. Wors —4C **24**
Clark St. Hoy —4H **37**
Clarney Av. Darf —3D **26**
Clarney Pl. Darf —3E **27**
Claycliffe Av. Barn —3B **12**
Claycliffe Bus. Pk. B Grn
—2B **12**
Claycliffe Rd. B Grn & Barn
—1B **12**
Claycliffe Ter. Barn —1F **23**
Claycliffe Ter. Gold —4G **29**
Clayfield Av. Mex —6H **43**
Clayfield Clo. Mex —6H **43**
Clayfield Ct. Mex —6H **43**
Clayfield La. Wen —4D **52**
Clayfield Rd. Hoy —3H **37**
Clayfield Rd. Mex —6H **43**
Clayfields. Don —6A **46**
Clayfield View. Mex —6H **43**
Clay Flat La. New R —5D **62**
Clay La. S1 —3E **99** (5E **5**)
Clay La. Don —6B **20**
(in two parts)
Clay La. W. Don —6A **20**
Clay Pit La. Raw —2G **69**
Clay Pits La. Stoc —2A **140**
Clayroyd. Wors —5B **24**
Clay St. S9 —4B **88**
(in two parts)
Clayton Av. Thurn —1D **28**
Clayton Cres. Wat —5E **115**
Clayton Dri. Thurn —1D **28**
Clayton Hollow. Wat —5E **115**
Clayton La. Thurn —1D **28**
Clayton St. Ches —3B **138**
Clay Wheels La. S6 —5H **73**
Claywood Dri. S2
—3G **99** (5H **5**)
Claywood Rd. S2
—3G **99** (5H **5**)
Clayworth Dri. Don —5H **47**
Clear View. Grime —5G **11**
Clearwell Croft. Cus —4H **31**
Cleeve Hill Gdns. Wat —5D **114**
Clematis Rd. S5 —6B **76**
Clement M. Roth —3G **77**
Clementson Rd. S10 —1A **98**
Clement St. S9 —5D **88**
Clement St. Roth —3G **77**
Clevedon Cres. Don —6H **17**
Clevedon Way. Malt —2H **83**
Clevedon Way. Roys —1D **8**
Cleveland Rd. Arm —3G **35**
Cleveland St. S6 —6C **86**
Cleveland St. Don —1C **46**
Cleveland Way. Ches —1D **136**
Cliff Clo. Brier —2F **11**
Cliff Ct. Den M —2B **58**
Cliff Cres. War —5E **45**
Cliff Dri. Darf —4G **27**
Cliffe Av. Wors —4B **24**
Cliffe Bank. Swin —2B **56**
Cliffe Ct. Barn —4C **14**
Cliffe Cres. Dod —2A **22**
Cliffedale Cres. Wors —3B **24**
Cliffe Farm Dri. S11 —6G **97**
Cliffe Field Rd. S8 —2D **110**
Cliffefield Rd. Swin —2B **56**

Cliffe Ho. Rd. S5 —5F **75**
Cliffe La. Barn —4C **14**
Cliffe Rd. Brmp —3A **40**
Cliffe Rd. Walk —5G **85**
Cliffe View Rd. S8 —2D **110**
Cliff Hill. Malt —4D **82**
Cliff Hills Clo. Malt —4E **83**
Cliff La. Brier —3E **11**
Cliff La. Con —6H **57**
Clifford Av. Thry —5E **71**
Clifford Clo. Ches —3D **136**
Clifford Lister Bus. Cen., The.
Wick —5E **81**
Clifford Rd. S11 —6B **98**
Clifford Rd. Hel —5A **82**
Clifford Rd. Roth —6G **67**
Clifford St. Cud —4C **8**
Clifford Wlk. Den M —2A **58**
Cliff Rd. Darf —4G **27**
Cliff Rd. Stann —5D **84**
Cliff St. S11 —4D **98**
Cliff St. Mex —1E **57**
Cliff Ter. Barn —6A **14**
Cliff View. Den M —1B **58**
Clifton Av. S9 —2G **101**
Clifton Av. Barn —5A **8**
Clifton Av. Roth —3G **79**
Clifton Bank. Roth —3E **79**
Clifton Clo. Barn —5A **8**
Clifton Cres. S9 —2G **101**
Clifton Cres. Barn —4B **8**
Clifton Cres. Don —3H **33**
Clifton Cres. N. Roth —3F **79**
Clifton Cres. S. Roth —3F **79**
Clifton Dri. Spro —1F **45**
Clifton Gdns. Brier —2E **11**
Clifton Gro. Roth —3F **79**
Clifton Hill. Con —6H **57**
Clifton La. S9 —3G **101**
Clifton La. Roth —3E **79**
Clifton Mt. Roth —3E **79**
Clifton Rise. Malt —3E **83**
Clifton Rd. Grime —6G **11**
Clifton St. S9 —3D **88**
Clifton St. Barn —1A **24**
Clifton St. Ches —2G **137**
Clifton Ter. Con —3F **59**
Clifton Ter. Roth —3E **79**
Clinton La. S10 —3C **98** (6A **4**)
Clinton Pl. S10 —3C **98** (6A **4**)
Clinton Wlk. S10 —6A **4**
Clipstone Av. Barn —5C **8**
Clipstone Gdns. S9 —5E **89**
Clipstone Rd. S9 —5E **89**
Clixby Rd. S9 —4B **88**
Cloisters, The. Don —4E **49**
Cloisters, The. Wors —1D **36**
Cloisters Way. Barn —4D **14**
Cloonmore Croft. S8 —6G **111**
Cloonmore Dri. S8 —6G **111**
Close, The. Barn —4E **15**
Close, The. Bran —3H **49**
Close, The. Carl —4E **9**
Cloudberry Way. Map —5H **7**
Clough Bank. S2 —5F **99**
Clough Bank. Roth —2B **78**
(in two parts)
Clough Fields. S10 —1F **97**
Clough Fields Rd. Hoy —6G **37**
Clough Grn. Roth —2C **78**
Clough Head. Pen —6D **142**
Clough La. S10 —2A **108**
Clough Rd. S1 & S2 —4E **99**
Clough Rd. Hoy —6H **37**
Clough Rd. Roth —2B **78**
(in two parts)
Clough St. Roth —2B **78**
Clough, The. Ches —4E **139**
Clough Wood View. Oug
—3D **72**

Clovelly Rd. Eden —5D **20**
Clover Ct. S8 —5H **111**
Clover Gdns. S5 —6A **76**
Clover Grn. Roth —5G **67**
Cloverlands Dri. Map —5G **7**
Clover Wlk. Bolt D —6D **28**
Club Garden Rd. S11 —5D **98**
(in two parts)
Club Garden Wlk. S11 —5D 98
(off Club Garden Rd.)
Club Mill Rd. S6 —2C **86**
Clubmill Ter. Ches —1G **137**
Club St. S11 —5D **98**
Club St. Hoy —6F **37**
Clumber Mt. Roth —1H **79**
Clumber Pl. Ink —5A **134**
Clumber Rise. Ast —1C **116**
Clumber Rd. S10 —4E **97**
Clumber Rd. Don —2F **47**
Clumber St. Barn —5E **13**
Clun Rd. S4 —5G **87**
Clun St. S4 —5G **87**
Clyde Rd. S8 —1D **110**
Clyde St. Barn —6A **14**
Coach Dri. Raw —4C **52**
Coach Ho. Dri. Cus —5F **31**
Coach Ho. La. Barn —3H **23**
Coach Rd. Roth —3B **68**
Coach Rd. Wen —5H **51**
Coalbrook Av. S13 —5D **102**
Coalbrook Cres. S13 —5E **103**
Coalbrook Gro. S13 —5D **102**
Coalbrook Rd. S13 —5D **102**
Coalby Wlk. Barn —5G 13
(off Prospect St.)
Coal Pit La. Shaf —3D **10**
Coal Pit La. Stoc —5D **140**
Coalpit La. Wal —6F **117**
Coal Pit La. Worr —4A **72**
Coalpit Rd. Den M —2A **58**
Coal Riding La. Roth —3D **80**
Coates St. S2 —3G **99**
Cobb Dri. Swin —4A **56**
(in two parts)
Cobcar Av. Els —6D **38**
Cobcar Clo. Els —5C **38**
Cobcar La. Els —5C **38**
Cobcar St. Els —6C **38**
Cobden Av. Mex —6F **43**
Cobden Pl. S10 —1A **98**
Cobden Rd. Ches —1H **137**
Cobden Ter. S10 —1A **98**
Cobden View Rd. S10 —1H **97**
Cobnar Av. S8 —5E **111**
Cobnar Dri. S8 —5E **111**
Cobnar Dri. Ches —3F **131**
Cobnar Gdns. S8 —5D **110**
Cobnar Rd. S8 —5D **110**
Cockayne Pl. S8 —2D **110**
Cockerham Av. Barn —4G **13**
Cockerham La. Barn —4G **13**
Cockshot La. Deep —5E **141**
Cockshot Pit La. Map —5E **7**
Cockshutt Av. S8 —1B **122**
Cockshutt Dri. S8 —1B **122**
Cockshutt Rd. S8 —1B **122**
Cockshutts La. Oug —1C **72**
Coisley Hill. S13 —1H **113**
Coisley Rd. S13 —2A **114**
Coke Hill. Roth —4D **78**
Coke La. Roth —4D **78**
Colbeck Clo. Arm —3E **35**
Colby Pl. S6 —6F **85**
Colchester Ct. Don —3G **31**
Colchester Rd. S10 —1H **97**
Coldstream Av. War —5F **45**
Coldwell Hill. Oug —2B **72**
Coldwell La. S10 —2E **97**
Coleford Rd. S9 —6F **89**

Coleman St. Park —4F **69**
Coleridge Av. Barn —3B **14**
Coleridge Gdns. S9 —5D **88**
Coleridge Rd. S9 —4C **88**
Coleridge Rd. B Dun —1H **21**
Coleridge Rd. Malt —5G **83**
Coleridge Rd. Roth —2F **79**
Coleridge Rd. Wath D —4C **40**
Coley La. Wen —4F **53**
Colister Dri. S9 —1E **101**
Colister Gdns. S9 —2D **100**
College Av. Stav —2B **134**
College Clo. S4 —3G **87**
College Ct. S4 —3G **87**
College La. Roth —3D 78
(off College St.)
College Pk. Clo. Roth —6E **79**
College Rd. Don —1C **46**
(in two parts)
College Rd. Mex —6F **43**
College Rd. Roth —3B **78**
(in two parts)
College St. S10 —3B **98**
College St. Roth —3D **78**
College Ter. Darf —4E **27**
Collegiate Cres. S10 —4B **98**
Colleridge Rd. Wath D —4C **40**
Colley Av. S5 —3E **75**
Colley Av. Barn —3C **24**
Colley Clo. S5 —3E **75**
Colley Cres. S5 —3F **75**
Colley Cres. Barn —2C **24**
Colley Dri. S5 —3F **75**
Colley Pl. Barn —2C **24**
Colley Rd. S5 —3E **75**
Colliers Clo. S13 —1B **114**
Colliery Rd. S4 —2C **88**
Colliery Rd. Kiv P —5H **117**
Colliery Yd. Tank —6B **36**
Collin Av. S6 —2G **85**
Collindridge Rd. Wom —1F **39**
Collingbourne Av. Soth
—6G **115**
Collingbourne Dri. Soth
—6G **115**
Collingham Rd. Swal —1A **116**
Collingwood. Roth —1H **79**
Collins Clo. Dod —2A **22**
Collinson Rd. S5 —5E **75**
Collishaw Clo. Ches —5C **138**
Colne Ct. Roth —1E **91**
Colonel Ward Dri. Swin —2C **56**
Colonnades, The. Don —6C 32
(off Cleveland St.)
Colster Clo. Barn —5C **12**
Coltfield. Bird —2D **36**
Coltishall Av. Bram —1E **81**
Colton Clo. Ches —2G **131**
Columbia St. Barn —2G **23**
Columbus Way. Malt —3E **83**
Colver Rd. S2 —5E **99**
(in two parts)
Colvin Clo. Arks —6E **19**
Colwall St. S9 —5B **88**
Commerce St. Chap —1F **65**
Commercial Rd. Bolt D —6D **28**
Commercial St. S1
—2F **99** (3G **5**)
Commercial St. Barn —1A **24**
Common Farm Clo. Rav
—1H **81**
Common La. S11 —1D **108**
Common La. Arks —2G **19**
Common La. Brmp M —6G **93**
Common La. Con —6F **59**
Common La. Cut —3A **130**
Common La. Dal —6A **70**
Common La. Deep —5G **141**
Common La. New R —6F **63**
Common La. Roth —1A **82**

Common La. Roys —1E **9**
Common La. Thurc —1B **106**
Common La. War —6F **45**
Common La. Wath D —5H **41**
Common Rd. Ans —4A **106**
Common Rd. Brier —3G **11**
Common Rd. Con —4G **59**
Common Rd. Din —3D **106**
Common Rd. Thurn —1D **28**
Commonside. S10 —1A **98**
Common, The. Ecc —6F **65**
Commonwealth View. Bolt D
—1H **41**
Compton St. S6 —5H **85**
Compton St. Ches —2H **137**
Conalan Av. S17 —4H **121**
Conan Rd. Con —3D **58**
Concord Rd. S5 —3A **76**
Concord View Rd. Roth —4E **77**
Conduit La. S10 —1A **98**
Conduit Rd. S10 —1A **98**
Conery Clo. Thry —5E **71**
Coney Rd. Tol B —3A **18**
Congress St. S1 —2D **98** (3C **4**)
Coningsburgh Rd. Eden
—5D **20**
Coningsby Ho. S10 —3D **96**
Coningsby Rd. S5 —2G **87**
Coniston Av. Dart —3E **7**
Coniston Clo. Ans —1H **119**
Coniston Clo. Pen —3D **142**
Coniston Ct. Mex —5H **43**
Coniston Dri. Bolt D —2A **42**
Coniston Pl. Don —1H **31**
Coniston Rd. S8 —2C **110**
Coniston Rd. Barn —6A **14**
Coniston Rd. Ches —3F **131**
Coniston Rd. Don —5A **34**
Coniston Rd. Dron W —3B **128**
Coniston Rd. Kirk S —3D **20**
Coniston Rd. Mex —5G **43**
Coniston Ter. S8 —2C **110**
Coniston Way. Ches —3F **131**
Connaught Dri. Kirk S —3D **20**
Connelly Ct. Ches —2G **137**
Conrad Dri. Malt —3E **83**
Constable Clo. S14 —5H **111**
Constable Clo. Dron —2C **128**
Constable Clo. Flan —3F **81**
Constable Dri. S14 —5H **111**
Constable La. Din —4F **107**
Constable Pl. S14 —5H **111**
Constable Pl. Wath D —5E **41**
Constable Rd. S14 —5H **111**
Constable Way. S14 —5H **111**
Constitution Hill. Cad —1F **59**
Convent Gro. Don —3B **48**
Convent Pl. S3 —2D **98** (4B **4**)
Convent Wlk. S3 —2D **98** (4B **4**)
Conway Cres. Roth —1A **80**
Conway Dri. Barnb —1G **43**
Conway Dri. Bran —3H **49**
Conway Pl. Wom —2H **39**
Conway St. S3 —2C **98** (4A **4**)
Conway Ter. Mex —5E **43**
Conyers Dri. Ast —5B **104**
Conyers Rd. Don —4B **32**
Coo Hill. S13 —1C **114**
Cook Av. Malt —3E **83**
Cooke St. Ben —1A **32**
Cookson Clo. S5 —5B **74**
Cookson Rd. S5 —6B **74**
Cookson St. Don —3B **46**
Cooks Rd. Beig —5G **115**
Cooks Wood Rd. S3 —4E **87**
Coombe Pl. S10 —2A **98**
Coombe Rd. S10 —2A **98**
Co-operative Cotts. Brier
—2F **11**

Co-operative Cotts. Pool
—4E **135**
Co-operative St. Cud —1G **15**
Co-operative St. Gold —4G **29**
Co-operative St. Wath D
—4D **40**
Cooper Rd. Dart —5A **6**
Cooper Row. Dod —3B 22
(off Stainborough Rd.)
Coopers Ter. Don —6D **32**
Cooper St. Don —2E **47**
Copeland Rd. Wom —1E **39**
Cope St. Barn —2H **23**
Copley Av. Con —3C **58**
Copley Cres. Don —3E **31**
Copley Pl. Roth —1A **78**
Copley Rd. Don —5D **32**
Copley St. S8 —1E **111**
Copper Beech Cres. Hoo L
—6E **83**
Copper Clo. Barn —1H **23**
Copper St. S3 —1E **99** (1D **4**)
Coppice Clo. Ches —6D **138**
Coppice Clo. Stoc —2B **140**
Coppice Gdns. Roth —5B **68**
Coppice La. S6 —1B **96**
Coppice Rd. S10 —2B **96**
Coppice Rd. Hghf —5D **16**
Coppice, The. Roth —5E **67**
Coppice View. S10 —2F **97**
Coppins Clo. Bram —3H **81**
Coppin Sq. S5 —2D **74**
Copse, The. Bram —3H **81**
Coquet Av. Bram —5H **81**
Coral Clo. Aug —3A **104**
Coral Dri. Aug —3A **104**
Coral Pl. Aug —3A **104**
Coral Way. Aug —3A **104**
Corby Rd. S4 —2B **88**
Corby St. S4 —5H **87**
Cordwell Av. Ches —3E **131**
Cordwell Clo. Stav —3B **134**
Corker Bottoms La. S2
—2B **100**
Corker Rd. S12 —1C **112**
Cork La. Swai —4E **25**
Cornfield Clo. Ash —6C **130**
Corn Hill. Con —4F **59**
Cornish St. S6 —6D **86**
Cornish Way. Park —5E **69**
Cornwall Av. Brim —3F **133**
Cornwall Clo. Barn —3B **14**
Cornwall Clo. Brim —3F **133**
Cornwall Dri. Brim —3F **133**
Cornwall Rd. Don —4H **33**
Cornwall Clo. Raw —5C **54**
Coronach Way. New R —5C **62**
Coronation Av. Din —3F **107**
Coronation Av. Kiv P —5G **55**
Coronation Av. Roys —1G **9**
Coronation Av. Shaf —2B **10**
Coronation Bri. Roth —3B **78**
Coronation Cotts. B Dun
—1G **21**
Coronation Ct. Mex —5E **43**
Coronation Cres. Bird —2D **36**
Coronation Dri. Bird —2D **36**
Coronation Dri. Bolt D —1H **41**
Coronation Gdns. War —5E **45**
Coronation Rd. B Grn —3A **12**
Coronation Rd. Brim —3E **133**
Coronation Rd. Don —4B **46**
Coronation Rd. Hoy —5H **37**
Coronation Rd. Raw —1A **70**
Coronation Rd. Stoc —3D **140**
Coronation Rd. Swin —2C **56**
Coronation Rd. Wath D —5G **41**
Coronation St. Barn —3C **14**
Coronation St. Darf —3F **27**
Coronation St. Thurn —2G **29**

Coronation Ter. Barn —1F **25**
Coronation Ter. Hem —3E **39**
Corporation St. S3
—1E **99** (1E **5**)
Corporation St. Barn —1A **24**
Corporation St. Ches —2B **138**
Corporation St. Roth —3D **78**
Cortina Rise. Darf —3C **26**
Cortonwah Ho. Don —1C 46
(off Bond Clo.)
Cortonwood Rd. Wom —5H **39**
Cortworth La. Wen —4F **53**
Cortworth Rd. S11 —3G **109**
Corve Way. Ches —6B **130**
Corwen Pl. S13 —1A **114**
Cossey Rd. S4 —5H **87**
Coterel Cres. Don —2D **48**
Cotleigh Av. S12 —4A **114**
Cotleigh Clo. S12 —4A **114**
Cotleigh Cres. S12 —4A **114**
Cotleigh Dri. S12 —4A **114**
Cotleigh Gdns. S12 —4A **114**
Cotleigh Pl. S12 —4A **114**
Cotleigh Rd. S12 —4A **114**
Cotleigh Way. S12 —4A **114**
Cotswold Av. Chap —2C **64**
Cotswold Clo. Barn —5D **12**
Cotswold Clo. Ches —6E **131**
Cotswold Cres. Whis —2A **92**
Cotswold Dri. Ast —6C **104**
Cotswold Dri. Spro —2C **64**
Cotswold Gdns. Don —2H **31**
Cotswold Rd. S6 —3H **85**
Cottage Clo. Pool —4E **133**
Cottage La. S11 —2C **108**
Cottam Clo. Whis —2A **92**
Cottam Rd. H Grn —6A **50**
Cottenham Rd. Roth —2F **79**
Cotterhill La. Brim —4E **133**
Cottesmore Clo. Barn —4E **13**
Cottingham St. S9 —1B **100**
Cotton Mill Hill. Holy —6A **136**
Cotton Mill Row. S3 —6E **87**
Cotton Mill Wlk. S3 —6E **87**
Cotton St. S3 —6E **87**
Coultas Av. Deep —5F **141**
Countess Rd. S1 —4E **99**
County Ct. Barn —5H **13**
County Way. Barn —5H **13**
(in two parts)
Coupe Rd. S3 —5F **87**
Coupland Rd. Roth —1A **80**
Court Clo. Don —3F **31**
Court Pl. Stav —3A **134**
Courtyard, The. Barn —6C **12**
Courtyard, The. Old D —2G **57**
Coventry Gro. Don —2H **33**
Coventry Rd. S9 —6E **89**
Cover Clo. Har —4H **51**
Coverdale Rd. S7 —2C **110**
Cover Dri. Darf —3F **27**
Coverleigh Rd. Wath D —1F **55**
Coward Dri. Oug —2D **72**
Cow Ho. La. Arm —3G **35**
Cow La. S11 —5G **97**
(Greystones)
Cow La. S11 —4G **109**
(Parkhead)
Cow La. Brim —2E **133**
Cowley Dri. Chap —3G **65**
Cowley Gdns. W'fld —1E **125**
Cowley Hill. Chap —3G **65**
Cowley La. Chap —2F **65**
Cowley La. Holm —3A **128**
Cowley Pl. Kirk S —3D **20**
Cowley Rd. Oug —3D **72**
Cowley View Rd. Chap —4E **65**
Cowlishaw Rd. S11 —5A **98**
Cowood St. Mex —1D **56**
Cowper Av. S6 —3B **74**

Cowper Cres. S6 —3B **74**
Cowper Dri. S6 —3B **74**
Cowper Dri. Roth —5H **79**
Cowper Rd. Mex —6F **43**
Cowpingle La. Brim —2E **133**
Cowrakes Clo. Whis —2A **92**
Cow Rakes La. Whis —2A **92**
Cox Pl. S6 —2F **85**
Cox Rd. S6 —2F **85**
Crabtree Av. S5 —3G **87**
Crabtree Clo. S5 —2G **87**
Crabtree Cres. S5 —2F **87**
Crabtree Dri. S5 —2G **87**
Crabtree La. S5 —2G **87**
Crabtree Pl. S5 —2G **87**
Crabtree Rd. S5 —2F **87**
Cradley Dri. Ast —6C **104**
Cradock Rd. S2 —6A **100**
Craganaur Pl. Den M —2B **58**
Cragdale Gro. Mosb —2D **124**
Craglands Gro. Ches —6C **130**
Crags Rd. Con —2D **58**
Crag View Clo. Oug —1D **72**
Crag View Cres. Oug —1D **72**
Craigholme Cres. Don —2A **34**
Craig Wlk. Bram —4H **81**
Craithie Rd. Don —5F **33**
Crakehall Rd. Ecc —4F **65**
Cramfit Clo. Ans —1F **119**
Cramfit Cres. Din —5D **106**
Cramfit Rd. Ans —6C **106**
Cramlands. Dod —2C **22**
Cranborne Dri. Dart —4D **6**
Cranborne Rd. Ches —4G **131**
Cranbrook Rd. Don —4E **33**
Cranbrook St. Barn —1F **23**
Crane Dri. Roth —2G **77**
Crane Moor Clo. Har —1G **43**
Crane Rd. Roth —5G **67**
Crane Well La. Bolt D —1C **42**
Cranfield Clo. Arm —4F **35**
Cranford Ct. Owl —5A **114**
Cranford Dri. Owl —4A **114**
Cranford Gdns. Roys —1D **8**
Cranleigh Gdns. Ad S —2C **16**
Cranleigh Rd. Wdthrp —1F **135**
Cranston Clo. Barn —3C **14**
Cranswick Way. Con —3G **59**
Cranwell Rd. Can —4F **49**
Cranworth Clo. Roth —2G **79**
Cranworth Pl. S3 —5F **87**
Cranworth Rd. S3 —5F **87**
Cranworth Rd. Roth —1F **79**
Craven Clo. S9 —6E **89**
Craven Clo. Don —3C **48**
Craven Clo. Roys —1D **8**
Craven Rd. Ches —6H **131**
Craven St. S3 —1D **98** (1B **4**)
Craven St. Park —4F **69**
Craven Wood Clo. Barn —4C **12**
Crawford Rd. S8 —3D **110**
Crawshaw Av. S8 —1B **122**
Crawshaw Gro. S8 —1B **122**
Crawshaw Rd. Don —1A **46**
Cream St. S2 —4F **99**
Crecy Av. Don —5A **34**
Creighton Av. Raw —2H **69**
Cresacre Av. Barnb —1G **43**
Crescent E., The. Sun —2G **81**
Crescent End, The. Thurc
—5B **94**
Crescent Rd. S7 —6C **98**
Crescent Rd. Holy —6A **136**
Crescent, The. S17 —4E **121**
Crescent, The. Arm —4G **35**
Crescent, The. Barn —3D **12**
Crescent, The. Bolt D —6F **29**
Crescent, The. Brim —4C **132**
Crescent, The. Con —3C **58**
Crescent, The. Cud —6B **10**

A-Z Sheffield 161

Crescent, The. Din —4G **107**
Crescent, The. Eden —5E **21**
Crescent, The. Edl —2B **60**
Crescent, The. Holy —6A **136**
Crescent, The. Hood G —6A **22**
Crescent, The. Roth —2E **79**
Crescent, The. Swin —3H **55**
Crescent, The. Thurc —5C **94**
Crescent, The. Wdlnd —3B **16**
Crescent W., The. Sun —2F **81**
Cresswell Rd. S9 —1E **101**
Cresswell Rd. Swin —1B **56**
Cresswell St. Barn —5E **13**
Crest Rd. S5 —5F **75**
Crestwood Ct. S5 —5G **75**
Crestwood Gdns. S5 —5G **75**
Creswell St. Mex —1D **56**
Creswick Av. S5 —2C **74**
Creswick Clo. Ches —5D **136**
Creswick Clo. Roth —1B **80**
Creswick Greave. Gren —2C **74**
Creswick Greave Clo. S5
                        —2C **74**
Creswick La. Gren —1C **74**
Creswick Rd. Roth —1B **80**
Creswick St. S6 —5B **86**
(in two parts)
Creswick Way. S6 —5B **86**
Crewe Hall. S10 —4A **98**
Crich Av. Barn —6C **8**
Crich Rd. Ink —4A **134**
Cricket Inn Cres. S2 —2A **100**
Cricket Inn Rd. S2 —1G **99**
(in two parts)
Cricket La. Ecc —1G **75**
Cricket View Rd. Har —4H **51**
Crimicar Av. S10 —5B **96**
Crimicar Clo. S10 —6C **96**
Crimicar Dri. S10 —5B **96**
Crimicar La. S10 —4B **96**
Crimpsall St. Don —1B **46**
Cripps Av. New R —4E **63**
Cripps Clo. Malt —5H **83**
Crispin Clo. S12 —3C **112**
Crispin Dri. S12 —3C **112**
Crispin Gdns. S12 —3C **112**
Crispin Rd. S12 —3C **112**
Crochley Clo. Don —2D **48**
Croft Av. Roys —2D **8**
Croft Bldgs. S1 —1E **99** (2D 4)
Croft Clo. S11 —4F **109**
Croft Clo. Laug —6F **95**
Croft Ct. Eden —4D **20**
Croft La. S11 —4F **109**
Croft Lea. Dron W —1A **128**
Crofton Av. S6 —1H **85**
Crofton Clo. Dron —2D **128**
Crofton Dri. Bolt D —6E **29**
Crofton Rise. Dron —2D **128**
Crofton Rise. H Grn —1B **64**
Croft Rd. S12 —2D **112**
Croft Rd. Barn —2C **24**
Croft Rd. Brin —2B **90**
Croft Rd. Don —6G **45**
Croft Rd. Hoy —4H **37**
Croft Rd. Stann —5D **84**
Crofts Dri. Thry —5C **70**
Crofts, The. Roth —3D **78**
Crofts, The. Wick —6F **81**
Croft St. Roth —4B **68**
Croft St. Wors —4A **24**
Croft, The. Arks —4E **19**
Croft, The. Barn —2A **12**
Croft, The. Cat —6C **90**
Croft, The. Con —4E **59**
Croft, The. Els —1C **52**
Croft, The. Hoy S —1F **143**
Croft, The. Swin —3H **55**
Croft View. Ink —5A **134**
Croft Way. Barn —2C **24**

Cromarty Rise. Dron W
                        —1B **128**
Cromer Clo. Raw —1F **69**
Cromer Rd. Don —5A **34**
Cromer St. Grime —6G **11**
Cromford Av. Barn —1B **14**
Cromford Clo. Don —5E **49**
Cromford Dri. Stav —3H **133**
Cromford St. S2 —4F **99**
Crompton Av. Barn —1F **23**
Crompton Av. Don —5H **31**
Crompton Rd. Don —1H **33**
Crompton Rd. Stav —1D **134**
Cromwell Dri. Don —1G **45**
Cromwell Ho. Don —4G **31**
Cromwell Mt. Wors —3G **23**
Cromwell Rd. Ches —1H **137**
Cromwell Rd. Don —4B **32**
Cromwell Rd. Mex —6E **43**
Cromwell St. S6 —6A **86**
Cronkhill La. Barn —4F **9**
Crooked La. Con —6H **57**
Crooke Ho. La. Barn —1D **26**
Crookes. S10 —1H **97**
Crookes La. Barn —4E **9**
Crookesmoor Dri. S6 —1B **98**
Crookesmoor Rd. S6 & S10
                        —1B **98**
Crookes Rd. S10 —2A **98**
Crookes Rd. Don —5B **46**
Crookes St. Barn —6F **13**
Crookes Valley Rd. S10 —1B **98**
Crookhill Rd. Con —3F **59**
Cropton Rd. Roys —2D **8**
Crosby Av. Bram —1E **81**
Crosby Ct. Barn —2D **14**
Crosby Rd. S8 —4D **110**
Crosby St. Cud —5B **10**
Cross Allen Rd. Beig —5F **115**
Cross Bank. Don —4B **46**
Cross Bedford St. S6 —6C **86**
Cross Burgess St. S1
                        —2E **99** (4E **5**)
Cross Butcher St. Thurn
                        —1E **29**
Cross Chantrey Rd. S8
                        —4E **111**
Crosscourt View. Bes —3A **48**
Cross Dri. S13 —1B **114**
Crossfield Dri. Wath D —6E **41**
Crossfield Gdns. H Grn —5B **50**
Cross Ga. Don —3A **32**
Crossgate. Map —4F **7**
Cross Ga. Mex —1G **57**
Crossgate. Thurn —2F **29**
Crossgates. Wadw —6H **61**
Cross Gilpin St. S6 —5C **86**
Cross Hill. Brier —2F **11**
Cross Hill. Ecc —2G **75**
Cross Hill Clo. S5 —2G **75**
Cross Ho. Rd. Gren —1A **74**
Cross Keys La. Hoy —5E **37**
Crossland Dri. S12 —4C **112**
Crossland Pl. S12 —3C **112**
Crossland St. Swin —3B **56**
Crossland Way. Don —2G **31**
Crossland Way Flats. Don
                        —2G **31**
Cross La. S10 —1H **97**
Cross La. S17 —1C **120**
Cross La. Coal A —6G **123**
Cross La. Coal A —4G **123**
(Dyche La.)
Cross La. Dron —2E **129**
Cross La. Pen —5A **142**
Cross La. Roys —2G **9**
Cross La. Stoc —2A **140**
Crossley Clo. Malt —3E **83**
Cross London St. New W
                        —1D **132**

Cross Myrtle Rd. S2 —6F **99**
Cross Pk. Rd. S8 —2E **111**
Cross Rd. Thurc —4A **94**
Cross Smithfield. S3
                        —1D **98** (1C **4**)
Cross S. St. Roth —4C **68**
Cross St. S13 —1B **114**
Cross St. Barn —4F **13**
Cross St. B Grn —3A **12**
Cross St. Ben —6B **18**
Cross St. Bram —4H **81**
Cross St. Brim —3E **133**
Cross St. Ches —1H **137**
Cross St. Don —4A **46**
Cross St. Edl —3B **60**
Cross St. Gold —4H **29**
Cross St. Grea —4C **68**
Cross St. Hoy —6F **37**
Cross St. Kil —2D **126**
Cross St. Kim —3A **78**
Cross St. Malt —4G **83**
Cross St. Monk B —3C **14**
Cross St. New R —5D **62**
Cross St. Park —4F **69**
Cross St. Thry —5C **70**
Cross St. Wath D —5E **41**
Cross St. Wom —1E **39**
Cross St. Wors —3B **24**
Cross Turner St. S2
                        —3F **99** (5G **5**)
Cross Wlk. S11 —4D **98**
(off Club Garden Rd.)
Crossway. Swin —3H **55**
Crossways. Bolt D —1A **42**
Crossways. Don —2H **33**
Crossways N. Don —2H **33**
Crossways S. Don —3H **33**
Crossways, The. S2 —5D **100**
Crowden Wlk. Barn —6C **12**
Crowder Av. S5 —5D **74**
Crowder Clo. S5 —6E **75**
Crowder Cres. S5 —6E **75**
Crowder Rd. S5 —5E **75**
Crowgate. Ans —4E **119**
Crowland Rd. S5 —5F **75**
Crow La. Ches —2B **138**
Crowley Dri. Wath D —1E **55**
Crown Av. Barn —2A **24**
Crown Clo. Barn —2A **24**
Crown Clo. Roth —1G **77**
Crown Hill Rd. Barn —6C **12**
Crownhill Rd. Brin —2A **90**
Crown Pl. S2 —2G **99** (3H **5**)
Crown Rd. Ches —6A **132**
Crown St. Barn —2A **24**
Crown St. Hoy —5H **37**
Crown St. Swin —3B **56**
Crowther Pl. S7 —5D **98**
Crow Tree La. Ad D —4D **42**
Croydon St. S11 —5D **98**
Cruck Clo. Dron W —1B **128**
Cruise Rd. S11 —5F **97**
Crummock Rd. S7 —2C **110**
Crummock Way. Barn —1H **25**
Crumpsall Dri. S5 —2D **86**
Crumpsall Rd. S5 —1D **86**
Crumwell Rd. Roth —5F **67**
Crusader Dri. Spro —6G **31**
Crystal Peaks Shopping Cen.
                        —5H **115**
Cubley Brook Ct. Pen —5C **142**
Cudley Rise Rd. Pen —6C **142**
Cudworth View. Grime —6G **11**
Cullabine Rd. S2 —6C **100**
Cull Row. Deep —4H **141**
Cumberland Av. Don —5H **33**
Cumberland Clo. Hoy —4A **38**
Cumberland Clo. Wors —4H **23**
Cumberland Cres. Chap —3F **65**
Cumberland Dri. Barn —1F **25**

Cumberland Pl. Den M —2B **58**
Cumberland Rd. Hoy —4A **38**
Cumberland St. S1
                        —3E **99** (6D **4**)
Cumberland Way. S1
                        —3E **99** (6D **4**)
Cumberland Way. Bolt D
                        —2A **42**
Cumbrian Wlk. Barn —5D **12**
Cumwell La. Hel —6A **82**
Cundy St. S6 —6A **86**
Cunliffe St. Coal A —5G **123**
Cunningham Rd. Don —1D **46**
Cupola. S3 —1E **99** (1D **4**)
Cupola La. Gren —6A **64**
Cupola Yd. Roth —3C **78**
Curbar Curve. Ink —5H **133**
Curlew Av. Eck —6B **124**
Curlew Ct. Ros —4E **63**
Curlew Ridge. S2 —3H **99**
Curlew Rise. Thor H —1C **66**
Curzen Cres. Kirk S —3E **21**
Curzon Av. Dron —3D **128**
Curzon Clo. Kil —3B **126**
Cusworth Ho. Don —1C **46**
(off Camden Pl.)
Cusworth La. Don —4F **31**
Cusworth Rd. Don —2A **32**
Cuthbert Bank Rd. S6 —4B **86**
Cuthbert Rd. S6 —4B **86**
Cutler Clo. Kil —2H **125**
Cutlers Av. Barn —1F **23**
Cutlers Wlk. S2 —6E **99**
Cuttholme Clo. Ches —1D **136**
Cuttholme Rd. Ches —1D **136**
Cuttholme Way. Ches —1E **137**
Cuttholme Way Flats. Ches
                        —1E **137**
Cutthorpe Grange. Ches
                        —4C **130**
Cutthorpe Rd. Ches —3C **130**
Cutts Av. Wath D —6D **40**
Cutts Ter. S8 —6D **98**
Cutty La. Barn —4F **13**
Cyclops St. S4 —3A **88**
Cypress Av. S8 —6G **111**
Cypress Clo. Kil —4A **126**
Cypress Ga. Chap —3D **64**
Cypress Gro. Con —5B **58**
Cypress Rd. Barn —2B **24**
Cyprus Rd. S8 —2E **111**
Cyprus Ter. S6 —5B **86**
(off Burgoyne Rd.)

Dade Av. Ink —5H **133**
Daffodil Rd. S5 —6B **76**
Dagnam Clo. S2 —1B **112**
Dagnam Cres. S2 —6B **100**
Dagnam Dri. S2 —6B **100**
Dagnam Pl. S2 —1C **112**
Dagnam Rd. S2 —6B **100**
Daisy Bank. S3 —1C **98** (2A **4**)
Daisy Wlk. S3 —1D **98** (2B **4**)
Daisy Wlk. Beig —4F **115**
Dalbury Rd. Dron W —2A **128**
Dalby Gdns. Soth —6G **115**
Dalby Gro. Soth —5H **115**
Dale Av. Roth —4A **80**
Dalebrook Ct. S10 —4E **97**
Dalebrook M. S10 —4E **97**
Dale Clo. Barn —6C **8**
Dale Clo. Stav —3A **134**
Dale Ct. Raw —2F **69**
Dale Grn. Rd. Wors —5H **23**
Dale Gro. Bolt D —2H **41**
Dale Hill Clo. Malt —3F **83**
Dale Hill Rd. Malt —3D **82**
Dale Rd. Con —3E **59**
Dale Rd. Dron —3F **129**

Dale Rd. Kil —3C **126**
Dale Rd. Raw —2F **69**
Dale Rd. Roth —5A **80**
Dale Rd. Wick —5E **81**
Dale Side. S10 —4H **97**
Dale St. Raw —1F **69**
Daleswood Av. Barn —6D **12**
Daleswood Dri. Wors —4D **24**
Dale, The. S8 —4D **110**
Daleview Rd. S8 —5B **110**
Dalewood Av. S8 —6A **110**
Dalewood Clo. Ches —4E **139**
Dalewood Dri. S8 —6H **109**
Dalewood Rd. S8 —6A **110**
Dalmore Rd. S7 —2A **110**
Dalton Ct. S8 —6D **98**
Dalton Ct. Den M —2B **58**
Dalton Ho. Roth —6H **79**
Dalton La. Roth —6B **70**
Dalton Ter. Barn —1A **24**
Damasel Clo. Whar S —1B **72**
Damer St. S10 —2B **98**
Dam Head. Roth —2B **68**
Dam Ings La. Ast —6E **105**
Damon Dri. Brim —3F **133**
Damsteads. Dod —2C **22**
Danby Av. Ches —1B **132**
Danby Rd. Kiv P —4B **118**
Danebrook Clo. S2 —4E **101**
Danebrook Ct. S2 —4E **101**
Danebrook Dri. S2 —4E **101**
Danesthorpe Clo. Don —3A **34**
Dane St. Thurn —1G **29**
Dane St. N. Thurn —1G **29**
Dane St. S. Thurn —1G **29**
Danesway. Don —6H **17**
Danethorpe Way. Con —5C **58**
Danewood Av. S2 —4E **101**
Danewood Croft. S2 —4E **101**
Danewood Gdns. S2 —4E **101**
Danewood Gro. S2 —4E **101**
Daniel Hill. S6 —6C **86**
Daniel Hill St. S6 —6B **86**
Daniel Hill St. S6 —6B **86**
Daniel Hill Ter. S6 —6C **86**
Daniel Hill Wlk. S6 —6C **86**
Daniel La. Raw —1B **68**
Daniels Dri. Aug —4A **104**
Dannemora Clo. S9 —4E **89**
Dannemora Dri. S9 —4E **89**
Danum Ct. Den M —2B **58**
Danum Dri. Roth —2F **79**
Danum Retail Pk. Don —4A **32**
Danum Rd. Don —1F **47**
Dara St. S9 —5D **76**
Darcliffe Lodge. S10 —5G **97**
Darcy Clo. Swal —5B **104**
Darcy Rd. Eck —6C **124**
Daresbury Clo. S2 —1H **111**
Daresbury Dri. S2 —1H **111**
Daresbury Pl. S2 —1H **111**
Daresbury Rd. S2 —1H **111**
Daresbury View. S2 —1H **111**
Darfield Av. Owl —5H **113**
Darfield Clo. Owl —5H **113**
Darfield Clo. Ros —4F **63**
Darfield Ho. Don —1C *46*
(off St James St.)
Darfield Rd. Cud —2H **15**
Dargle Av. Don —4G **33**
Darhaven. Darf —3E **27**
Dark La. Barn —2D **22**
Dark La. Brim —1E **139**
Dark La. Cal —3F **139**
Dark La. Wors —6B **24**
Darley. Wors —4C **24**
Darley Av. Barn —1A **14**
Darley Av. Wors —3G **23**
Darley Cliff Cotts. Wors —4B **24**
Darley Clo. Barn —6C **8**

Darley Clo. Hart —3H **127**
Darley Clo. Stav —2C **134**
Darley Gro. Stann —4D **84**
Darley Gro. Wors —4C **24**
Darley Ter. Barn —5F **13**
Darley Yd. Wors —4B **24**
Darnall Dri. S9 —6D **88**
Darnall Rd. S9 —5C **88**
Darrington Dri. War —6F **45**
Darrington Pl. Barn —4E **15**
Dartmouth Rd. Don —5F **49**
Darton Hall Clo. Dart —4D **6**
Darton Hall Dri. Dart —4D **6**
Darton La. Dart —5D **6**
Darton St. Barn —1D **24**
Dartree Wlk. Darf —3D **26**
Dart Sq. S3 —1C **98**
Darwall Clo. H Grn —5B **50**
Darwent Rd. Ches —5C **132**
Darwin Av. Ches —6G **131**
Darwin Clo. S10 —3F **97**
Darwin La. S10 —3F **97**
Darwin Rd. S6 —1H **85**
Darwin Rd. Ches —1H **137**
*Darwin Yd. Hoy —1D *52**
(off Forge La.)
Darwynn Av. Swin —2G **55**
Davian Way. Ches —5G **137**
David Clo. S13 —6D **102**
David La. S10 —6A **96**
Davies Dri. Swin —4B **56**
Davis St. Roth —2G **79**
Davy Dri. Malt —3F **83**
Davy Rd. Den M —2A **58**
Dawber La. Kil —2D **126**
Daw Croft Av. Wors —4A **24**
Dawlands Clo. S2 —3D **100**
Dawlands Dri. S2 —4D **100**
Daw La. Ben —5B **18**
Dawson Av. Raw —5C **54**
Dawson Croft. Grea —3A **68**
Dawson La. Wath D —1E **55**
Dawson Ter. Kiv P —5H **117**
Daw Wood. Ben —4C **18**
Dayhouse La. Barn —2D **12**
Daykin Clo. Barn —5B **6**
Daylands Av. Con —4C **58**
Day St. Barn —1G **23**
Deacon Clo. Ros —4F **63**
Deacon Cres. Malt —5G **83**
Deacon Cres. New R —4C **62**
Deacons Way. Barn —4C **14**
Deadman's Hole La. S9 —5G **77**
Deadman's Hole La. Roth
—4A **78**
Deakins Wlk. S10 —4F **97**
Dean Clo. Ros —4F **63**
Dean Clo. Spro —1F **45**
Deane Field View. Wat
—5D **114**
Deanhead Ct. Owl —5A **114**
Deanhead Dri. Owl —5H **113**
Dean La. Roth —3C **80**
Deansfield Clo. Arm —4F **35**
Dean St. Barn —6F **13**
Deans Way. Barn —3C **14**
Dearden Ct. Ecc —1F **75**
Dearne Clo. Wom —2H **39**
Dearne Ct. S9 —1C **88**
Dearne Hall Rd. B Grn —1B **12**
Dearne Rd. Brmp —3A **40**
Dearne Rd. Wath D —3G **41**
Dearne St. S9 —1C **88**
Dearne St. Con —2F **59**
Dearne St. Dart —4D **6**
Dearne Valley Parkway. Wom
—2A **40**
Dearne View. Gold —4G **29**
Dearneway. Wath D —5F **41**

Dearnley View. Barn —3F **13**
Deben Clo. Ches —5E **137**
Decoy Bank. (North) Don
—2D **46**
Decoy Bank. (South) Don
—3D **46**
Deepdale Rd. Roth —3G **77**
Deep La. S5 —2A **76**
Deepwell Av. Half —3F **125**
Deepwell Bank. Half —3F **125**
Deepwell Ct. Half —3F **125**
Deepwell View. Half —3F **125**
Deerlands Av. S5 —3C **74**
Deerlands Clo. S5 —3C **74**
Deerlands Rd. Ches —2D **136**
Deerlands Mt. S5 —3C **74**
Deer Leap Dri. Thry —5E **71**
Deer Pk. Clo. S6 —5E **85**
Deer Pk. Pl. S6 —5E **85**
Deer Pk. Rd. S6 —5E **85**
Deer Pk. Rd. Thry —4E **71**
Deer Pk. View. S6 —5E **85**
Deer Pk. Way. S6 —5F **85**
De Houton Clo. Tod —2A **118**
Deightonby St. Thurn —1G **29**
De Lacy Dri. Wors —4A **24**
Delamere Clo. Soth —5G **115**
Delf Edge. Grn M —1G **141**
Delf St. S2 —6F **99**
Della Av. Barn —1F **23**
Dell Av. Grime —5G **11**
Dell Cres. Don —2H **45**
Dell, The. Ches —2D **136**
Delmar Way. Flan —3F **81**
Delph Bank. Ches —5G **137**
Delph Ho. Rd. S10 —2F **97**
Delta Pl. Roth —2H **79**
Delta Way. Malt —3H **83**
Delves Av. S12 —3C **114**
Delves Clo. S12 —3C **114**
Delves Clo. Ches —4F **137**
Delves Dri. S12 —4C **114**
Delves La. Wal —4B **116**
Delves Pl. S12 —4B **114**
Delves Rd. S12 —4B **114**
Delves Rd. Kil —3A **126**
Delves Ter. S12 —4C **114**
Denaby Av. Con —4B **58**
Denaby La. Old D —6E **57**
Denaby La. Ind. Est. Den M
(in two parts) —2A **58**
Den Bank Av. S10 —2E **97**
Den Bank Clo. S10 —2F **97**
Den Bank Cres. S10 —2E **97**
Den Bank Dri. S10 —2E **97**
Denbrook La. Con —5F **59**
Denby Rd. Barn —6B **8**
Denby St. S2 —4D **98**
Denby St. Ben —5A **18**
Denby Way. Hel —4A **82**
Dene Clo. Wick —5G **81**
Dene Cres. Roth —1H **79**
Denehall Rd. Kirk S —4E **21**
Dene La. S1 —3D **98** (6B **4**)
Dene Rd. Roth —1H **79**
Denham Rd. S11 —4C **98**
Denholme Clo. S3 —6F **87**
Denison Rd. Don —1B **46**
Denman Rd. Wath D —5D **40**
Denman St. Roth —1E **79**
Denmark Rd. S2 —1F **111**
Dennison Dri. Malt —3F **83**
Denson Clo. S2 —1F **111**
Dent La. S12 —5H **113**
Dentons Grn. La. Kirk S —3D **20**
Denton St. Barn —5H **13**
Derby Pl. S2 —1G **111**
Derby Rd. Ches —6A **138**
Derby Rd. Don —1A **34**
Derbyshire Ct. S8 —4F **111**

Derbyshire La. S8 —2D **110**
Derby St. S2 —1F **111**
Derby St. Barn —6F **13**
Derby Ter. S2 —1G **111**
Derriman Av. S11 —3H **109**
Derriman Clo. S11 —3H **109**
Derriman Dri. S11 —3H **109**
Derriman Glen. S11 —3G **109**
Derriman Gro. S11 —3H **109**
Derry Gro. Thurn —2E **29**
Derwent Clo. Ans —6F **107**
Derwent Clo. Barn —6D **8**
Derwent Clo. Dron —6F **123**
Derwent Ct. S17 —4G **121**
Derwent Ct. Roth —1F **91**
Derwent Cres. Barn —6D **8**
Derwent Cres. Brin —4B **90**
Derwent Cres. Ches —4F **131**
Derwent Dri. Chap —2C **64**
Derwent Dri. Kirk S —4D **20**
Derwent Dri. Mex —5G **43**
Derwent Dri. Raw —3F **69**
Derwent Gdns. Gold —5G **29**
Derwent Pl. Spro —2C **44**
Derwent Pl. Wom —3H **39**
Derwent Rd. Barn —6C **8**
Derwent Rd. Dron —6F **123**
Derwent Rd. Mex —5G **43**
Derwent Rd. Roth —4A **68**
Derwent St. S2 —1H **99**
Derwent Ter. Mex —5E **43**
Derwent Way. Wath D —3B **40**
De Sutton Pl. Hart —4H **127**
Deveron Rd. Half —2F **125**
Devizes Clo. Ches —5H **137**
Devon Ct. Den M —3B **58**
Devon Dri. Brim —3F **133**
Devon Pk. View. Brim —3F **133**
Devon Rd. S4 —3G **87**
Devonshire Av. E. Ches
—5C **138**
Devonshire Clo. S17 —3F **121**
Devonshire Clo. Ches —3H **131**
Devonshire Clo. Dron —3D **128**
Devonshire Clo. Stav —1C **134**
Devonshire Cotts. Holl
—1H **133**
Devonshire Ct. S17 —3F **121**
Devonshire Ct. Brim —4D **132**
Devonshire Dri. S17 —2E **121**
Devonshire Dri. Ans —5E **107**
Devonshire Dri. Barn —3F **13**
Devonshire Glen. S17 —3E **121**
Devonshire Gro. S17 —3E **121**
Devonshire La. S1
—2D **98** (4C **4**)
Devonshire Rd. S17 —2E **121**
Devonshire Rd. Don —4H **33**
Devonshire Rd. Malt —3G **83**
Devonshire Rd. E. Ches
—5C **138**
Devonshire Rd. N. New W
—1D **132**
Devonshire St. S3
—2D **98** (4B **4**)
Devonshire St. Brim —3E **133**
Devonshire St. Ches —2A **138**
Devonshire St. Roth —3B **78**
Devonshire St. Stav —1C **134**
Devonshire Ter. Rd. S17
—2D **120**
Dewar Dri. S7 —3A **110**
Dewhill Av. Whis —2H **91**
Dial Clo. S5 —5G **75**
Dial Ho. Rd. S6 —3G **85**
Dial, The. S5 —5H **75**
Dial Way. S5 —5H **75**
Diamond St. Wom —6B **26**
Dickan Gdns. Arm —4H **35**
Dickenson Ct. Chap —2D **64**

Dickenson Rd. Ches —4B **138**
Dickens Rd. Raw —6H **55**
Dickey La. S6 —4G **73**
Dickinson Pl. Barn —2H **23**
Dickinson Rd. S5 —2H **75**
Dickinson Rd. Barn —2H **23**
Didcot Clo. Ches —5H **137**
Digby Clo. Roth —1G **77**
Dike Hill. Har —4A **52**
Dikelands Mt. H Grn —1B **64**
Dillington Rd. Barn —2H **23**
Dillington Sq. Barn —2H **23**
Dillington Ter. Barn —2H **23**
Dingle Bank. Cal —4E **139**
Dingle Gdns. Brim —4E **133**
Dingle La. Cal —4E **139**
Dinmore Clo. Don —1G **61**
Dinnington Rd. S8 —3D **110**
Dinnington Rd. Tod —1B **118**
Dirleton Dri. War —5F **45**
Discovery Way. Malt —3D **82**
Disraeli Gro. Malt —3E **83**
Distillery Side. Els —1D **52**
Ditchingham St. S4 —5G **87**
Division La. S1 —2E **99** (4D **4**)
Division St. S1 —2D **98** (4C **4**)
Division St. Stav —3A **134**
Dixon Cres. Don —4H **45**
Dixon La. S1 —1F **99** (2G **5**)
Dixon Rd. S6 —2H **85**
Dixon Rd. Ches —3B **138**
Dixon Rd. Edl —4A **60**
Dixon St. S6 —6D **86**
Dixon St. Roth —2E **79**
Dobbin Hill. S11 —1G **109**
Dobbin La. Barl —6A **128**
Dobcroft Av. S7 —5H **109**
Dobcroft Clo. S11 —3G **109**
Dobcroft Rd. S11 & S7
　　　　　　　—3G **109**
Dobie St. Barn —1H **23**
Dobroyd Ter. Jump —4B **38**
Dobson Pl. Ink —5H **133**
Dobsyke Clo. Wors —4D **24**
Dockin Hill Rd. Don —5D **32**
Dock Wlk. Ches —3G **137**
Doctor La. S9 —5D **88**
Dodds Clo. Roth —5C **78**
Dodd St. S6 —4A **86**
Dodson Dri. S13 —3H **101**
Dodsworth St. Mex —1D **56**
Dodworth Bus. Pk. Dod
　　　　　　　—1A **22**
Dodworth Rd. Barn —6C **12**
Doe La. Wors —6G **23**
Doe Quarry La. Din —3F **107**
Doe Quarry Pl. Din —4G **107**
Doe Quarry Ter. Din —4G **107**
Doe Royd Cres. S5 —4C **74**
Doe Royd Dri. S5 —4C **74**
Doe Royd La. S5 —4B **74**
Dog Croft La. Arks —6G **19**
Dog Hill. Shaf —2B **10**
Dog Hill Dri. Shaf —2B **10**
Dog Kennels Hill. Kiv S
　　　　　　　—5D **118**
Dog Kennels La. Kiv S
　　　　　　　—5D **118**
Dog La. Barn —6G **13**
Dolcliffe Clo. Mex —6D **42**
Dolcliffe Rd. Mex —6E **43**
Doles Av. Roys —2D **8**
Doles Cres. Roys —2D **8**
Doles La. Whis —3A **92**
Doleswood Dri. Laug —1E **107**
Domine La. Roth —3D **78**
Dominoe Gro. S12 —2F **113**
Don Av. S6 —6G **73**
Donavon Rd. S5 —6C **74**
Doncaster Ga. Roth —3E **79**

Doncaster La. Ad S —2E **17**
Doncaster Pl. Roth —2G **79**
Doncaster Rd. Arm —3D **34**
Doncaster Rd. Barnb —1H **43**
Doncaster Rd. Barn —1A **24**
Doncaster Rd. Bran —3F **49**
Doncaster Rd. Con —3F **59**
Doncaster Rd. Dal & Thry
　　　　　　　—6A **70**
Doncaster Rd. Darf & Bil
　　　　　　　—3F **27**
Doncaster Rd. Don —3A **16**
Doncaster Rd. Gold —4G **29**
Doncaster Rd. Harl —1F **43**
Doncaster Rd. Kirk S —5B **20**
Doncaster Rd. Mex —1F **57**
Doncaster Rd. Roth —3E **79**
Doncaster Rd. Spro —5A **44**
Doncaster Rd. Tol B —2H **17**
Doncaster Rd. Wath D —5G **41**
Doncaster St. S3
　　　　　　　—1D **98** (1C **4**)
Don Dri. Barn —2D **24**
Donetsk Way. S12 —5B **114**
Don Hill Height. Stoc —1E **141**
Donnington Rd. S2 —4H **99**
Donnington Rd. Mex —5H **43**
Donovan Clo. S5 —6C **74**
Donovan Rd. S5 —6C **74**
Don Rd. S9 —4B **88**
Don St. Con —2F **59**
Don St. Don —4D **32**
Don St. Pen —5F **143**
Don St. Roth —4D **78**
Don View. Don —3E **31**
Don View Row. Mex —6H **43**
Dorchester Pl. Wors —4H **23**
Dore Clo. S17 —2G **121**
Dore Hall Croft. S17 —2D **120**
Dore Rd. S17 —2D **120**
Dorking St. S4 —6G **87**
Dorothy Rd. S6 —2H **85**
Dorothy Vale. Ches —1E **137**
Dorset Av. Brim —3F **133**
Dorset Clo. Brim —2F **133**
Dorset Cres. Don —4A **34**
Dorset Dri. Brim —3F **133**
Dorset St. S10 —3C **98**
Douglas Rd. S3 —5D **86**
Douglas Rd. Ches —5C **132**
Douglas Rd. Don —4G **45**
Douglas St. Roth —3E **79**
Douse Croft La. S10 —1A **108**
Dovecliffe Rd. Wom —6E **25**
Dove Clo. Bolt D —1B **42**
Dove Clo. Wom —2H **39**
Dovecote La. Rav —4G **71**
Dovecott Lea. Soth —4H **115**
Dovedale. Wors —5B **24**
Dovedale Av. Ink —6H **133**
Dovedale Ct. Ches —4G **131**
Dovedale Pl. Wors —5B **24**
Dovedale Rd. S7 —2B **110**
Dovedale Rd. Roth —5A **80**
Dove Hill. Roys —1F **9**
Dove La. Ast —1C **116**
Dovercourt Rd. S2 —4A **100**
Dovercourt Rd. Roth —2A **78**
Dover Gdns. S3 —1D **98** (1B **4**)
Doveridge Clo. Ches —1A **132**
Dove Rd. Wom —2H **39**
Dover Rd. S11 —4A **98**
Dover St. S3 —1D **98** (1B **4**)
Doveside Dri. Darf —5D **26**
Dove Valley Trail. Dod —4A **22**
Dowcar La. Wdll —3G **127**
Dowdeswell St. Ches —1A **138**
Dowfin. H Grn —6B **50**
Dowland Av. H Grn —5B **50**
Dowland Clo. H Grn —5C **50**

Dowland Ct. H Grn —5B **50**
Dowland Gdns. H Grn —5C **50**
Downes Cres. Barn —4D **12**
Downgate Dri. S4 —3B **88**
Downham Rd. S6 —6G **75**
Downing La. S3 —6D **86**
Downing Rd. S8 —1C **122**
Downing Sq. Pen —5D **142**
Downland Clo. Don —1F **61**
Downlands. Brim —4D **132**
Down's Row. Roth —3D **78**
Dragoon Ct. S6 —4B **86**
Drake Clo. Burn —2C **64**
Drake Head La. Con —3G **59**
Drakehouse Cres. Wat —4D **114**
Drakehouse La. Beig —4F **115**
Drake Ho. La. W. Beig —4F **115**
Drake Rd. Don —3E **33**
*Drake Rd. Malt —4H **83***
(off Seymour Rd.)
Drake Ter. Brim —3C **132**
Dransfield Av. Pen —5D **142**
Dransfield Clo. S10 —3F **97**
Dransfield Rd. S10 —3E **97**
Draycott Pl. Dron W —3B **128**
Driver St. S13 —5D **102**
Drive, The. S6 —1H **85**
Drive, The. Eden —5E **21**
Dronfield Ind. Est. Dron
　　　　　　　—2G **129**
Dronfield Rd. Eck —6G **125**
Droppingwell Rd. Roth —3D **76**
Drover Clo. H Grn —1C **64**
Drummond Av. Don —2E **31**
Drummond Cres. S5 —4F **75**
Drummond Rd. S5 —4F **75**
Drummond St. Roth —2D **78**
(in two parts)
Drury Farm Ct. Barn —6C **12**
Drury La. Coal A —6G **123**
Drury La. Dore —2D **120**
Dryden Av. S5 —5C **74**
Dryden Av. Ches —5A **138**
Dryden Dri. S5 —5C **74**
Dryden Rd. S5 —5C **74**
Dryden Rd. Barn —5A **14**
Dryden Rd. Don —5C **46**
Dryden Rd. Mex —6F **43**
Dryden Rd. Roth —5H **79**
Dryden Rd. Wath D —4C **40**
Dryden Way. S5 —6C **74**
Dublin Rd. Don —4G **33**
Duchess Rd. S2 —4F **99**
Duckham Dri. Ast —1C **116**
Duckmanton Rd. Duck —6E **135**
Ducksett La. Eck —6D **124**
Dudley Rd. S6 —1H **85**
Dudley Rd. Don —6H **33**
Dudley St. Park —4F **69**
Duftons Clo. Con —2F **59**
Dugdale Dri. S5 —2D **74**
Dugdale Rd. S5 —2D **74**
Duke Av. Malt —5H **83**
Duke Av. New R —4C **62**
Duke Cres. Barn —1H **23**
Duke Cres. Roth —6G **67**
Duke La. S1 —3E **99** (6E **5**)
Duke's Cres. Edl —2B **60**
Dukeries Dri. Ans —6E **107**
Dukes La. Roth —1F **77**
Dukes Pl. Roth —5H **79**
Duke St. S2 —2G **99** (3H **5**)
Duke St. Barn —1H **23**
(in two parts)
Duke St. Ches —3A **132**
(in two parts)
Duke St. Din —3F **107**
Duke St. Don —6C **32**
Duke St. Hoy —5A **38**

Duke St. Mosb —3D **124**
Duke St. Stav —1C **134**
Duke St. Swin —1B **56**
Duke St. Flats. S2
　　　　　　　—2G **99** (3H **5**)
Dumbleton Rd. Kil —4C **126**
Dumble Wood Grange. Ches
　　　　　　　—5E **131**
Dumfries Row. Barn —2A **24**
Duncan Rd. S10 —1H **97**
Duncan St. Brin —2C **90**
Duncombe St. S6 —6A **86**
Dundas Rd. S9 —6G **77**
Dundas Rd. Don —3F **33**
Dundonald Rd. Ches —4A **138**
Dunedin Glen. Half —3E **125**
Dunedin Gro. Half —3E **125**
Dunella Dri. S6 —2H **85**
Dunella Pl. S6 —2G **85**
Dunella Rd. S6 —2H **85**
Dun Fields. S3 —6D **86**
Dunkeld Rd. S11 —2H **109**
Dunkerley Rd. Lox —2D **84**
Dun La. S3 —6D **86**
Dunleary Rd. Don —5G **33**
Dunlin Clo. Thor H —1B **66**
Dunlop St. S9 —2D **88**
Dunmere Clo. Barn —2A **14**
Dunmow Rd. S4 —2A **88**
Dunninc Rd. S5 —2H **75**
Dunninc Ter. S5 —2H **75**
Dunniwood Av. Don —6C **48**
Dunniwood Reach. Bes —5D **48**
Dunns Dale. Malt —4H **83**
Dunscroft Gro. Ros —4F **63**
Dunstan Rd. Malt —5E **83**
Dunston Ind. Est. Ches
　　　　　　　—1H **131**
Dunston La. Ches —2F **131**
Dunston Rd. Ches —3C **130**
Dun St. S3 —6D **86**
Dun St. Swin —2C **56**
Durham Av. New W —1C **132**
Durham Clo. New W —1D **132**
Durham La. S10 —2C **98**
Durham Pl. Roth —5H **79**
Durham Rd. S10 —2B **98**
Durham Rd. Don —2F **33**
Durham St. Malt —5H **83**
Durley Chine Dri. Ches
　　　　　　　—5C **138**
Durlstone Clo. S12 —2C **112**
Durlstone Cres. S12 —2C **112**
Durlstone Dri. S12 —2C **112**
Durlstone Gro. S12 —2C **112**
Durmast Gro. Stann —5C **84**
Durnan Gro. Raw —5C **54**
Durnford Rd. Don —4E **33**
Durrant Rd. Ches —2A **138**
Durvale Ct. S17 —3E **121**
Dutton Rd. S6 —2B **86**
Duxford Ct. Don —5E **49**
Dyche Clo. S8 —3F **123**
Dyche Dri. S8 —3F **123**
Dyche La. S8 & Coal A
　　　　　　　—2E **123**
Dyche Pl. S8 —3F **123**
Dyche Rd. S8 —3F **123**
Dycott Rd. Roth —2H **77**
Dyer Rd. Jump —4C **38**
Dykes Hall Gdns. S6 —3H **85**
Dykes Hall Pl. S6 —2H **85**
Dykes Hall Rd. S6 —2G **85**
Dykes La. S6 —3G **85**
Dyke Vale Av. S12 —3A **114**
Dyke Vale Clo. S12 —3A **114**
Dyke Vale Pl. S12 —3A **114**
Dyke Vale Rd. S12 —2H **113**
Dyke Vale Way. S12 —3A **114**
Dykewood Dri. S6 —6F **73**

Farnworth Rd. Roth —2A **80**
Far Pl. Roth —2H **79**
Farquhar Rd. Malt —4H **83**
Farrand St. Bird —4C **36**
Farrar Rd. S7 —6D **98**
Farrar St. Barn —6F **13**
Farrier Ga. H Grn —1C **64**
Farringdon Dri. New R —6E **63**
Farrow Clo. Dod —2C **22**
Farthing Gale M. Don —4H **31**
Far Townend. Dod —2C **22**
Far View Rd. S5 —5F **75**
Far View Ter. Barn —2G **23**
Farwater Clo. Dron —3E **129**
Farwater La. Dron —2D **128**
Favell Rd. S3 —2C **98** (3A **4**)
Favell Rd. Roth —2B **80**
Fawcett St. S3 —1C **98**
Fearn Ho. Cres. Hoy —6G **37**
Fearnley Rd. Hoy —6G **37**
Fearnville Gro. Roys —2E **9**
Felkin St. Ches —2B **138**
Felkirk View. Shaf —2B **10**
Fellbrigg Rd. S2 —6H **99**
Fellowsfield Way. Roth —2G **77**
Fell Rd. S9 —4C **88**
Fell St. S9 —3B **88**
Fenland Way. Ches —5G **137**
Fennel Gdns. Swin —5B **56**
Fenney La. S11 —5E **109**
Fenn Rd. Tank —6D **36**
Fensome Way. Darf —3E **27**
Fenton Clo. Arm —4F **35**
Fenton Croft. Roth —1A **78**
Fenton Fields. Roth —1A **78**
Fenton Rd. Roth —6A **68**
Fenton St. Eck —6G **125**
Fenton St. Roth —2H **77**
Fentonville St. S11 —5C **98**
Fenton Way. Roth —5B **68**
Feoffees Rd. Ecc —1F **75**
Ferguson St. S9 —5B **88**
Ferham Clo. Roth —3A **78**
Ferham Pk. Av. Roth —3A **78**
Ferham Rd. Roth —3A **78**
Fern Av. Beig —3F **115**
Fern Av. Don —2A **32**
Fern Av. Stav —3A **134**
Fern Bank. Ad S —1D **16**
Fernbank. Kim —2G **77**
Fernbank Clo. Wors —3H **23**
Fernbank Dri. Arm —1F **35**
Fernbank Dri. Eck —6B **124**
Fern Clo. Darf —5E **27**
Fern Clo. Don —3A **34**
Fern Clo. Eck —6B **124**
Ferncroft Av. Mosb —2C **124**
Ferndale Clo. Coal A —6H **123**
Ferndale Dri. Bram —3G **81**
Ferndale Rise. Coal A —6H **123**
Ferndale Rd. Coal A —6H **123**
Ferndale Rd. Con —3D **58**
Ferndale View. Don —4G **31**
Fernhall Clo. Kirk S —4E **21**
Fern Hollow. Wick —6G **81**
Fernhurst Rd. Don —3A **34**
Fernlea Clo. Cus —4H **31**
Fern Lea Gro. Bolt D —1H **41**
Fern Lea Gro. Ecc —1F **75**
Fernleigh Dri. Brin —1B **90**
Fern Rd. S6 —5H **85**
Fernvale Wlk. Swin —5B **56**
Fern Way. Eck —6B **124**
Fernwood Clo. Ches —6E **139**
Ferrara Clo. Darf —3C **26**
Ferrars Clo. S9 —1H **89**
Ferrars Dri. S9 —2H **89**
Ferrars Rd. S9 —6G **77**
Ferrars Way. S9 —2H **89**

Ferrers Rd. Don —4F **33**
Ferriby Rd. S6 —1H **85**
Ferry Boat La. Mex & Old D
 (in two parts) —1G **57**
Ferry La. Con —2E **59**
Ferry Moor La. Cud —6D **10**
Ferrymoor Ho. Don —1C **46**
 (off St James St.)
Ferry Ter. Con —2E **59**
Fersfield St. S4 —5H **87**
Festival Clo. Kiv P —5G **117**
Festival Rd. Wath D —6F **41**
Field Clo. Darf —3E **27**
Field Clo. Dron W —1A **128**
Field Dri. Cud —2H **133**
Fielders Way. Edl —2C **60**
Field Ga. Ros —3E **63**
Fieldhead Rd. S8 —6E **99**
Field Head Rd. Hoy —6A **38**
Fieldhead Way. Ches —5E **131**
Field Ho. Rd. Spro —3D **44**
Fieldhouse Way. S4 —4H **87**
Fielding Dri. Bram —4H **81**
Fielding Gro. Raw —6F **55**
Fielding Rd. S6 —1A **86**
Field La. Barn —2E **25**
Field La. Kil —3H **125**
Field La. Roth —4D **92**
Fields End. Oxs —4H **143**
Fieldsend Gdns. Ecc —1F **75**
Fieldside. Eden —6D **20**
Field View. Brin —2C **90**
Field View. Ches —6A **138**
Field Way. Roth —1D **78**
Fife Clo. S9 —5C **76**
Fife Gdns. S9 —5C **76**
Fife St. S9 —5C **76**
Fife St. Barn —1F **23**
Fife Way. S9 —5C **76**
Fifth Av. Wdlnd —4D **16**
Fig Tree La. S1 —1E **99** (2E **5**)
Filby Rd. Don —4G **31**
Filey Av. Roys —1F **9**
Filey La. S3 —3C **98** (5A **4**)
Filey St. S10 —2C **98** (4A **4**)
Finch Clo. Thry —5D **70**
Finch Rise. Ast —1C **116**
Finch Rd. Don —5H **45**
Finchwell Clo. S13 —3H **101**
Finchwell Cres. S13 —3H **101**
Finchwell Rd. S13 —3H **101**
Findon Cres. S6 —3G **85**
Findon Pl. S6 —3G **85**
Findon Rd. S6 —3G **85**
Findon St. S6 —3H **85**
Finkle St. Ben —1B **32**
Finlay Rd. Roth —1G **79**
Finlay St. S3 —1C **98**
Finningley Lodge. Kiv P
 —5H **117**
Firbeck Av. Laug —1E **107**
Firbeck Ho. Don —1C **46**
 (off Camden Pl.)
Firbeck La. Laug —6G **95**
Firbeck Rd. S8 —4C **110**
Firbeck Rd. Don —1F **47**
Firbeck Way. Ros —3F **63**
Fir Clo. Wath D —6F **41**
Fircroft Av. S5 —4H **75**
Fircroft Rd. S5 —4A **76**
Firham Clo. Roys —1C **8**
Fir Pl. S6 —6A **86**
Fir Pl. Kil —4A **126**
Fir Rd. Eck —6H **125**
Firsby La. Con —6A **58**
Firshill Av. S4 —3F **87**
Firshill Clo. S4 —3F **87**
Firshill Cres. S4 —3E **87**
Firshill Croft. S4 —3E **87**
Firshill Gdns. S4 —3E **87**

Firshill Glade. S4 —3E **87**
Firshill Rise. S4 —3F **87**
Firshill Rd. S4 —3F **87**
Firshill Wlk. S4 —3E **87**
Firshill Way. S4 —3E **87**
Firs La. Hoy S —1D **142**
First Av. Roth —2G **79**
First Av. Roys —1F **9**
First Av. Wdlnd —3E **17**
First Av. Barn —3C **24**
Firs, The. Roys —1C **8**
First La. Ans —4G **119**
First La. Wick —6G **81**
Fir St. S6 —6A **86**
Fir St. Holl —2H **133**
Firth Av. Cud —1G **15**
Firth Cres. Malt —5G **83**
Firth Cres. New R —4C **62**
Firth Dri. S5 —5H **87**
Firth Pk. Av. S5 —6A **76**
Firth Pk. Cres. S5 —5H **75**
Firth Pk. Rd. S5 —2H **87**
Firth Rd. Wath D —5B **40**
Firth's Homes. S11 —5F **97**
Firth St. Barn —5H **13**
Firth St. Don —2B **46**
Firth St. Roth —4C **68**
Firthwood Av. Coal A —6H **123**
Firthwood Clo. Coal A —6H **123**
Firthwood Rd. Coal A —6H **123**
Fir Tree Dri. Wal —5E **117**
Firtree Rise. Chap —3E **65**
Fir Vale Pl. S5 —2G **87**
Fir Vale Rd. S5 —2G **87**
Firvale Rd. Walt —5D **136**
Fir View Gdns. S4 —3H **87**
Fir Wlk. Malt —4C **82**
Fish Dam La. Barn —2D **14**
Fisher Clo. Ches —1H **137**
Fisher Clo. Roth —3C **78**
Fisher La. S9 —6E **89**
Fisher Rd. Malt —5H **83**
Fisher St. Ben —5B **18**
Fisher Ter. Don —4A **32**
Fish Pond La. Malt —1H **83**
Fishponds Rd. S13 —5E **101**
Fishponds Rd. W. S13 —5E **101**
Fitzalan Rd. S13 —4H **101**
Fitzalan Sq. S1 —2F **99** (3F **5**)
Fitzgerald Rd. S10 —1H **97**
Fitzhubert Rd. S2 —5C **100**
Fitzmaurice Rd. S9 —5D **88**
Fitzroy Rd. S2 —1F **111**
Fitzwalter Rd. S2 —3H **99**
Fitzwilliam Av. Con —3C **58**
Fitzwilliam Av. Wath D —6E **41**
Fitzwilliam Ct. Raw —3F **69**
Fitzwilliam Dri. Harl —2G **43**
Fitzwilliam Ga. S1
 —3E **99** (6C **4**)
Fitzwilliam Rd. Darf & Lit H
 —3G **27**
Fitzwilliam Rd. Roth —2E **79**
Fitzwilliam Sq. Hoy —1D **52**
 (off Forge La.)
Fitzwilliam Sq. Roth —3B **68**
Fitzwilliam St. S1 —2D **98** (4B **4**)
Fitzwilliam St. Barn —6G **13**
Fitzwilliam St. Els —6C **38**
Fitzwilliam St. Hem —4D **58**
Fitzwilliam St. Hoy —6F **37**
Fitzwilliam St. Park —4F **69**
Fitzwilliam St. Swin —2A **56**
Fitzwilliam St. Wath D —6E **41**
Five Oaks. Arks —4E **19**
Five Trees Av. S17 —3G **121**
Five Trees Clo. S17 —3G **121**
Five Trees Dri. S17 —3G **121**
Fixby Ho. Don —1C **46**
 (off Grove Pl.)

Flamsteed Cres. Ches —5A **132**
Flanders Ct. Thor H —2B **66**
Flanderwell Av. Bram —4G **81**
Flanderwell Ct. Bram —3G **81**
Flanderwell Gdns. Bram
 —3G **81**
Flanderwell La. Sun & Bram
 —2F **81**
Flash La. Bram —2E **81**
Flask View. Stann —4C **84**
Flat La. Lit H —4A **28**
Flat La. Whis —2H **91**
Flats, The. Wom —1E **39**
 (in two parts)
Flat St. S1 —2F **99** (3F **5**)
Flatts Clo. Tree —6E **91**
Flatts La. Tree —6E **91**
Flatts La. Wath D —5D **40**
Flaxby Rd. S9 —6D **88**
Flax Lea. Wors —4A **24**
Fleet Clo. Brmp B —4B **40**
Fleethill Cres. Barn —2A **14**
Fleet La. Worr —5E **73**
Fleet St. S9 —3B **88**
Fleet St. Barn —1H **23**
Fleetwood Av. Barn —2C **14**
Fleming Pl. Barn —1G **23**
Fleming Sq. Wath D —5E **41**
Fleming Way. Flan —4E **61**
Fletcher Av. Dron —2E **129**
Fletcher Ho. Don —2E **79**
 (off Wharncliffe Hill)
Fleury Clo. S14 —3A **112**
Fleury Cres. S14 —3A **112**
Fleury Pl. S14 —3A **112**
Fleury Rise. S14 —3A **112**
Fleury Rd. S14 —3A **112**
Flint Rd. Don —3A **34**
Flintway. Wath D —2F **55**
Flockton Av. S13 —5C **102**
Flockton Ct. S1 —2D **98** (4C **4**)
Flockton Cres. S13 —5B **102**
Flockton Dri. S13 —5C **102**
Flockton Rd. S13 —5B **102**
Flodden St. S10 —1H **97**
Floodgate Dri. Ecc —1F **75**
Flora St. S6 —5C **86**
Florence Av. Don —3A **46**
Florence Av. Swal —6B **104**
Florence Clo. Ches —6H **137**
Florence Rise. Darf —4D **26**
Florence Rd. S8 —5C **110**
Florence Rd. Don —3B **78**
Flower St. Gold —4H **29**
Flowitt St. Don —1B **46**
Flowitt St. Mex —6D **42**
Folderings La. Bols —6E **141**
Folder La. Spro —2C **44**
Folds Cres. S8 —6A **110**
Folds La. S8 —6A **110**
Folds Dri. S8 —6A **110**
Fold, The. Roth —1B **80**
Foley Av. Wom —1E **39**
Foley St. S4 —6H **87**
Foljambe Av. Ches —5F **137**
Foljambe Cres. New R —4B **62**
Foljambe Dri. Dal —6C **70**
Foljambe Rd. Brim —3E **133**
Foljambe Rd. Ches —2H **137**
Foljambe Rd. Roth —1H **79**
Foljambe St. Park —3F **69**
Follett Rd. S5 —4G **75**
Folly La. Thurl —2A **142**
Fonteyn Ho. Don —3F **33**
Fontwell Dri. Mex —5F **43**
Foolow Av. Ches —4H **137**
Footgate Clo. Oug —2D **72**
Forbes Rd. S6 —4A **86**
Ford Clo. Dron —2D **128**
Ford La. Stoc —2E **141**

Fordoles Head La. Malt —1C **82**
Ford Rd. S11 —1H **109**
Fordstead La. Arks & B Dun
—2F **19**
Fore Hill Av. Don —5B **48**
Foremark Rd. S5 —5H **75**
Fore's Rd. Arm —4G **35**
Forest Edge. S11 —6G **109**
Forest Rise. Don —6G **45**
Forest Rd. Barn —5B **8**
Forge Hill. Oug —2D **72**
Forge La. Els —1D **52**
Forge La. Kil —2H **125**
Forge La. Oug —2D **72**
Forge La. Roth —3D **78**
Forge Rd. Wal —4F **117**
Formby Ct. Barn —1D **14**
Forncett St. S4 —5H **87**
Fornham St. S2 —3F **99** (6F **5**)
Forres Av. S10 —2G **97**
Forres Rd. S10 —2G **97**
Forrester Clo. Flan —3F **81**
Forrester's La. Coal A —5G **123**
Forster Rd. Don —5B **46**
Forth Av. Dron W —1B **128**
Fort Hill Rd. S9 —6B **76**
Fortway Rd. Brin —1C **90**
Fossard Clo. Don —2G **33**
Fossard Way. Scawt —6H **17**
Fossdale Rd. S7 —2B **110**
Foster Rd. Wick —4F **81**
Foster's Clo. Swin —2A **56**
Fosters, The. H Grn —6B **50**
Foster St. Barn —1D **24**
Foster Way. H Grn —5B **50**
Foston Dri. Ches —6D **130**
Foulstone Row. Wom —1G **39**
Foundry Ct. S3 —4F **87**
Foundry Rd. Don —2B **46**
Foundry St. Barn —1G **23**
(in two parts)
Foundry St. Ches —3A **132**
Foundry St. Els —6C **38**
Foundry St. Park —4F **69**
Fountain Clo. Dart —4C **6**
Fountain Ct. Barn —4A **8**
Fountain Precinct. S1
—2E **99** (3E **5**)
Fountain Sq. Dart —4C **6**
Fountains Way. Barn —4D **14**
Fountside. S7 —1B **110**
Fourth Av. Wdlnd —4D **16**
Fourwells Dri. S12 —3A **114**
Fowler Bri. Rd. Don —1C **32**
Fowler Cres. New R —4C **62**
Fowler St. Ches —1H **131**
Foxbrook Clo. Ash —6B **130**
Fox Clo. Roth —5F **67**
Foxcote Lea. Thry —5E **71**
Foxcote Way. Walt —5D **136**
Fox Ct. Swin —4B **56**
Foxcovert Clo. Gold —5E **29**
Foxcroft Chase. Kil —3A **126**
Foxcroft Dri. Kil —3A **126**
Foxcroft Gro. Kil —3A **126**
Foxdale Av. S12 —2D **112**
Fox Fields. Oxs —6G **143**
Foxfield Wlk. Barn —3D **24**
Fox Glen Rd. Deep —4F **141**
Foxglove Clo. Cal —2G **139**
Foxglove Rd. S5 —5A **76**
Fox Gro. War —5F **45**
Foxhall La. S10 —1A **108**
Fox Hill. S3 —5F **87**
Fox Hill Av. S6 —4A **74**
Fox Hill Clo. S6 —4A **74**
Fox Hill Cres. S6 —4A **74**
Fox Hill Dri. S6 —4A **74**
Fox Hill Pl. S6 —3A **74**
Fox Hill Rd. S6 —5A **74**

Fox Hill Way. S6 —3A **74**
Foxland Av. Swin —3G **55**
Fox La. S12 —5E **113**
Fox La. Barnb —1G **43**
Fox La. Brdwy —3B **122**
Fox Rd. S6 —5C **86**
Foxroyd Clo. Barn —1F **25**
Fox's Pl. Ches —3F **137**
Fox St. S3 —5F **87**
Fox St. Roth —3G **77**
Foxtone Clo. Ink —3B **134**
Fox Wlk. S6 —5B **86**
Foxwood Av. S12 —1D **112**
Foxwood Clo. Ches —1H **131**
Foxwood Clo. Has —6D **138**
Foxwood Dri. S12 —1D **112**
Foxwood Gro. S12 —2D **112**
Foxwood Ind. Pk. Ches
—1G **112**
Foxwood Rd. S12 —1D **112**
Foxwood Rd. Ches —1G **131**
Foxwood Way. Ches —1G **131**
Framlingham Pl. S2 —6H **99**
Framlingham Rd. S2 —6H **99**
France Rd. Lox —2D **84**
Frances St. Don —6D **32**
France St. Park —4F **69**
Francis Clo. Brim —4D **132**
Francis Cres. N. Roth —6B **80**
Francis Cres. S. Roth —6B **80**
Francis Dri. Roth —6B **80**
Francis Gro. H Grn —6B **50**
Francis St. Roth —4E **79**
Frankel Vs. Roth —3E **79**
Frank Hillock Field. Deep
—3G **141**
Franklin Cres. Don —6F **33**
Franklyn Rd. Ches —1G **137**
Frank Pl. S9 —4C **88**
Frank Rd. Don —3B **32**
Fraser Clo. S8 —4C **110**
Fraser Cres. S8 —4C **110**
Fraser Dri. S8 —4D **110**
Fraser Rd. S8 —4C **110**
Fraser Rd. Roth —4F **79**
Fraser Wlk. S8 —5D **110**
Frecheville St. Stav —2B **134**
Frederick Av. Barn —1F **23**
Frederick Dri. Gren —6A **64**
Frederick Rd. S7 —6D **98**
Frederick St. S9 —6D **88**
Frederick St. Cat —6C **90**
Frederick St. Gold —4G **29**
Frederick St. Mex —1D **56**
Frederick St. Roth —2D **78**
Frederick St. Wath D —4D **40**
Frederick St. Wom —4A **26**
Frederic Pl. Barn —2H **23**
Freebirch View. Ches —4D **130**
Freedom Ct. S6 —4B **86**
Freedom Rd. S6 —5A **86**
Freeman Gdns. H Grn —1B **64**
Freeman Rd. Wick —4F **81**
Freeman St. Barn —1H **23**
Freemans Yd. Barn —6H **13**
Freesia Clo. Ans —3E **119**
Freeston Pl. S9 —4C **88**
French Ga. Don —5C **32**
(in two parts)
Frenchgate Shopping Cen. Don
(off French Ga.) —6C **32**
French St. Ben —5B **18**
Fretson Rd. S2 —5C **100**
Fretwell Clo. Malt —2E **83**
Fretwell Rd. Malt —4B **82**
Fretwell Rd. Roth —1A **80**
Freydon Way. Cal —2G **139**
Friar Clo. Stann —5D **84**
Friars Ga. Don —5C **32**
Friar's Rd. Barn —4E **15**

Frickley Bri. La. Brier —1E **11**
Frickley Rd. S11 —5F **97**
Friers Croft. Wen —4D **52**
Frinton Clo. Ches —6H **137**
Frithbeck Clo. Arm —3F **35**
Frith Clo. S12 —2D **112**
Frith Rd. S12 —2D **112**
Frobisher Gro. Malt —3E **83**
Froggatt Clo. Ink —5A **134**
Froggatt La. S1 —3E **99** (5E **5**)
Frogmore Clo. Bram —3H **81**
Frog Wlk. S11 —5C **98**
Front St. Tree —1E **103**
Frostings Clo. Gren —6A **64**
(in two parts)
Frostings, The. Gren —6A **64**
Fulford Clo. S9 —6E **89**
Fulford Clo. Ches —5E **137**
Fulford Clo. Dart —4E **7**
Fulford Pl. S9 —6E **89**
Fulford Way. Con —2G **59**
Fuller Dri. Ches —5C **132**
Fuller Gro. Swin —4B **56**
Fullerton Av. Con —3C **58**
Fullerton Cres. Thry —4C **70**
Fullerton Dri. Brin —3B **90**
Fullerton Rd. Roth —5C **78**
Fulmar Way. Thor H —1C **66**
Fulmer Clo. Barn —1B **14**
Fulmere Cres. S5 —3C **74**
Fulmere Rd. S5 —3C **74**
Fulmer Rd. S11 —6A **98**
Fulney Rd. S11 —5F **97**
Fulton Rd. S6 —6A **86**
Fulwood Dri. Don —1H **61**
Fulwood La. S10 —3A **108**
Fulwood Rd. S10 —6D **96**
Funival Rd. S4 —1G **99** (1H **5**)
Furlong Ct. Gold —6F **29**
Furlong Rd. Bolt D —1B **42**
Furlong Rd. Harl —2E **43**
Furlong View. Harl —1F **43**
(in two parts)
Furnace Hill. S3 —1E **99** (1D **4**)
Furnace Hill Works. Ches
—3G **137**
Furnace La. S13 —6E **103**
Furnace La. Barl —1B **130**
Furnace La. Brim —5F **133**
Furnace Yd. Hoy —1D 52
(off Forge La.)
Furnace Yd. Wors —5A **24**
Furness Clo. Din —6F **107**
Furness Clo. Stann —4D **84**
Furness Dene. Barn —2D **14**
Furness Rd. H Grn —6A **50**
Furniss Av. S17 —4D **120**
Furniss M. S17 —3F **121**
Furnival Clo. Tod —2A **118**
Furnival Ga. S1 —3E **99** (5D **4**)
Furnival Rd. S4 —1F **99** (2G **5**)
Furnival Rd. Don —3A **46**
Furnival Rd. Tod —2A **118**
Furnival Sq. S1 —3E **99** (5E **5**)
Furnival St. S1 —3E **99** (5E **5**)
Furnival Way. Whis —2B **92**
Fylde Clo. Barn —1D **14**

Gainsborough Clo. Flan
—4F **81**
Gainsborough Rd. S11 —6B **98**
Gainsborough Rd. Dron
—3C **128**
Gainsborough Way. Barn
—3B **14**
Gainsford Rd. S9 —1E **101**
Gaitskell Clo. Gold —6F **29**
Gaitskell Clo. Malt —5H **83**
Galley Dri. Wat —6D **114**

Gallow Tree Rd. Roth —5B **80**
Galsworthy Av. S5 —6D **74**
Galsworthy Clo. Don —6H **45**
Galsworthy Rd. S5 —1C **86**
Galway Clo. Raw —1G **69**
Gamston Rd. S8 —6D **98**
Gannow Clo. Kil —2D **126**
Ganton Pl. Barn —6A **8**
Ganton Rd. S6 —1H **85**
Garbroads Cres. Thry —5C **70**
Garbutt St. Bolt D —2B **42**
Garden Clo. New W —1D **132**
Garden Cres. Roth —1G **91**
Garden Dri. Brmp —3A **40**
Garden Gro. Hem —3E **39**
Garden Ho. Clo. Barn —2C **14**
Gardenia Rd. Kirk S —4C **20**
Garden La. Don —2H **45**
Garden La. Rav —4H **71**
Garden La. Roth —2C 78
(off Amen Corner)
Gardens La. Con —3D **58**
Gardens, The. S7 —5C **98**
Gardens, The. Don —4B **48**
Garden St. S1 —1D **98** (2C **4**)
Garden St. Barn —1H **23**
Garden St. Darf —4E **27**
Garden St. Gold —4H **29**
Garden St. Mex —1E **57**
Garden St. Roth —2B **78**
Garden St. Thurn —1F **29**
Garden St. Wath D —4D **40**
Garden Ter. Ben —1B **32**
Garden Wlk. Beig —4G **115**
Garden Wlk. Roth —1G **91**
Gardom Clo. Dron W —2B **128**
Garfield Mt. Roth —4E **79**
Garland Clo. W'fld —1E **125**
Garland Croft. W'fld —2E **125**
Garland Dri. Lox —2E **85**
Garland Mt. W'fld —1E **125**
Garland Way. W'fld —2E **125**
Garry Rd. S6 —2H **85**
Garter St. S4 —4H **87**
Garth Clo. S9 —6C **88**
Garth Way. Dron —2D **128**
Garth Way Clo. Dron —2D **128**
Gartrice Gdns. Half —4G **125**
Gashouse La. Eck —4D **124**
Gate Cres. Dod —1B **22**
Gatefield Clo. Ches —4F **131**
Gatefield Rd. S7 —1C **110**
Gateland La. Barl —6C **128**
Gate, The. Dod —1B **22**
Gateway Clo. Park —6E **69**
Gateway Ct. Park —5E **69**
Gateway Ind. Est., The. Park
—5E **69**
Gateway Pl. Raw —6E **69**
Gateway, The. Park —5E **69**
Gate Wood La. Can —1G **49**
Gattison La. New R —5D **62**
Gatty Rd. S5 —2H **75**
Gaunt Clo. S14 —4H **111**
Gaunt Clo. Bram —3H **81**
Gaunt Clo. Kil —3A **126**
Gaunt Dri. S14 —4H **111**
Gaunt Dri. Bram —3H **81**
Gaunt Pl. S14 —3H **111**
Gaunt Rd. S14 —4H **111**
Gaunt Rd. Bram —3H **81**
Gaunt Way. S14 —4H **111**
Gawber Rd. Barn —4E **13**
Gawtress Row. Wath D —5E **41**
Gayle Ct. Barn —5F **13**
Gayton Clo. Don —6A **46**
Gayton Ct. Don —6A **46**
Gayton Rd. S4 —3G **87**
Gelderd Pl. Dron —3E **129**
Gell St. S3 —2C **98** (4A **4**)

Genefax Ho. S10 —4G **97**
Genn La. Barn —3F **23**
Genoa Clo. Darf —2C **26**
Genoa St. Mex —6F **43**
George Pl. Mex —6G **43**
George Pl. Raw —2G **69**
George Sq. Barn —6G **13**
George St. S1 —2F **99** (3F 5)
George St. Arm —2D **34**
George St. Barn —6G **13**
George St. Ben —5A **18**
George St. Brim —3E **133**
George St. Ches —1H **131**
George St. Cud —5C **10**
George St. Gold —4E **29**
George St. Hoy —6A **38**
George St. Lit H —2H **27**
George St. Low V —5D **26**
George St. Map —4F **7**
George St. Roth —2D **78**
(in two parts)
George St. Thurn —2H **29**
George St. Wom —1F **39**
George St. Wors B —5A **24**
George St. Wors D —5C **24**
George Woofindin Almshouses.
S11 —5A **98**
George Yd. Barn —6H **13**
Gerald Clo. Barn —2C **24**
Gerald Cres. Barn —1C **24**
Gerald Pl. Barn —2C **24**
Gerald Rd. Barn —2C **24**
Gerald St. S9 —4C **88**
Gerald Wlk. Barn —2C **24**
Gerard Av. Thry —5E **71**
Gerard Clo. S8 —1F **111**
Gerard Clo. Ches —4E **137**
Gerard Rd. Roth —4E **79**
Gerard St. S8 —1F **111**
Gertrude St. S6 —5C **86**
Gervase Av. S8 —3C **122**
Gervase Dri. S8 —3C **122**
Gervase Pl. S8 —3C **122**
Gervase Rd. S8 —3C **122**
Gervase Wlk. S8 —4C **122**
Gibbing Greaves Rd. Roth
—5C **80**
Gibbons Dri. S14 —5A **112**
Gibbons Wlk. S14 —5A 112
(off Gibbons Dri.)
Gibraltar St. S3 —1E **99** (1D 4)
Gibson La. Stoc —2D **140**
Gibson Wlk. Swin —4B 56
(off Haythorne Way)
Gifford Dri. War —5F **45**
Gifford Rd. S8 —6E **99**
Gig La. Hoy —3F **37**
Gilbert Av. Ches —5F **137**
Gilbert Clo. Barn —1D **24**
Gilberthorpe Dri. Roth —3F **79**
Gilberthorpe Rd. Don —4H **45**
Gilberthorpe St. Roth —3F **79**
Gilbert Row. S2 —2G **99** (3H 5)
Gilbert St. S2 —2G **99** (3G 5)
Giles Av. Wath D —5C **40**
Gill Clo. Wick —6G **81**
Gill Croft. Stann —5C **84**
Gilleyfield Av. Dore —2E **121**
Gill Meadows. Stann —5C **84**
Gillott Dell. Wick —6F **81**
Gillott Ind. Est. Barn —5F **13**
Gillott La. Wick —6F **81**
(in two parts)
Gillott Rd. S6 —5A **74**
Gill St. Don —1D **46**
Gill St. Hoy —6B **38**
Gilpin La. S6 —6C **86**
Gilpin St. S6 —5C **86**
Gilroyd La. Dod —4C **22**
Ginhouse La. Roth —1C **78**

Gipsy Grn. La. Wath D —1F **55**
Gipsy La. Ches —2B **132**
Gisborne Rd. S11 —1H **109**
Glade Clo. Ches —6G **131**
Glade Croft. S12 —3C **112**
Glade Lea. S12 —3C **112**
Glade, The. S10 —4H **97**
Glade, The. Ches —2F **137**
Glade View. Kirk S —3D **20**
Gladstone M. S10 —4E **97**
Gladstone Pl. Mex —6C **42**
Gladstone Rd. S10 —4F **97**
Gladstone Rd. Ches —1H **137**
Gladstone Rd. Don —2A **46**
Gladstone Rd. Malt —3E **83**
Gladwin Gdns. Ches —5F **137**
Gladys St. Roth —3G **79**
Glaisdale Clo. Din —2C **106**
Glamis Rd. Don —6G **33**
Glasshouse La. Kiln —6C **56**
Glasshouse St. Roth —2C **78**
Glastonbury Ga. Don —4F **31**
Gleadless Av. S12 —3B **112**
Gleadless Bank. S12 —3B **112**
Gleadless Comn. S12 —1B **112**
Gleadless Ct. S2 —1F **111**
Gleadless Cres. S12 —2B **112**
Gleadless Dri. S12 —3B **112**
Gleadless Mt. S12 —4C **112**
Gleadless Rd. S2, S14 & S12
—6E **99**
Glebe Clo. Swin —4A **56**
Glebe Ct. Ches —1A **132**
Glebe Cres. Thry —6C **70**
Glebe Farm Clo. Arm —2E **35**
Glebeland Clo. Raw —6E **55**
Glebelands Rd. Stoc —4E **141**
Glebe Rd. S10 —1A **98**
Glebe Rd. Swin —4A **56**
Glebe St. War —5F **45**
Glebe, The. Ches —1A 132
(off Glebe Way, The.)
Glebe Way, The. Ches —1A **132**
Gledhill Av. Pen —6C **142**
Gledhill Clo. Dron —2E **129**
Glenalmond Rd. S11 —6H **97**
Glencairn Clo. Malt —4H 83
(off Tickhill Rd.)
Glencoe Clo. S2 —3G **99**
Glencoe Pl. S2 —3G **99**
Glencoe Rd. S2 —3G **99**
Glencoe Way. Ches —1D **136**
Glencroft. S11 —6G **97**
Glendale Clo. Barn —5D **12**
Glendale Rd. Spro —2D **44**
Gleneagles Clo. Ches —5E **137**
Gleneagles Dri. Don —5F **49**
Gleneagles Rise. Swin —3B **56**
Gleneagles Rd. Din —5F **107**
Glen Field Av. Don —2A **46**
Glenfield Cres. Ches —4H **131**
Glenholme Dri. S13 —6G **101**
Glenholme Pl. S13 —6H **101**
Glenholme Rd. S13 —6H **101**
Glenholme Way. S13 —5G **101**
Glenmoor Av. Barn —1D **22**
Glenmore Croft. S12 —1E **113**
Glenmore Rise. Wom —2G **39**
Glenorchy Rd. S7 —2B **110**
Glen Rd. S7 —1C **110**
Glen Rd. Bran —3H **49**
Glen, The. S10 —4H **97**
Glenthorne Clo. Ches —3E **137**
Glentilt Rd. S7 —2B **110**
Glen View. S11 —5F **97**
Glen View Rd. S8 —1C **122**
Glenville Clo. Hoy —6H **37**
Glenwood Cres. Chap —2F **65**
Gliwice Way. Don —2H **47**
Glossop La. S10 —2C **98**

Glossop Rd. S10 —3A **98** (4A **4**)
Glossop Row. Oug —2D **72**
Glossop's Croft. Ches —1B **132**
Gloucester Av. Ches —5H **131**
Gloucester Cres. S10 —3C **98**
Gloucester Rd. Ches —6H **131**
Gloucester Rd. Don —4G **33**
Gloucester Rd. Roth —6H **67**
Gloucester St. S10 —3C **98**
Glover Rd. S8 —6E **99**
Glover Rd. Tot R —5F **121**
Glumangate. Ches —2A **138**
Glyn Av. Don —5E **33**
Goathland Clo. S13 —6D **102**
Goathland Dri. S13 —6D **102**
Goathland Pl. S13. —6D **102**
Goathland Rd. S13 —6D **102**
Goddard Av. Stoc —2B **140**
Goddard Hall Rd. S5 —2G **87**
Godley Clo. Roys —1F **9**
Godley St. Roys —1F **9**
Godric Dri. Brin —2B **90**
Godric Grn. Brin —2B **90**
Godric Rd. S5 —2G **75**
Godstone Rd. Roth —4E **79**
Goldcrest Wlk. Thor H —2C **66**
Gold Croft. Barn —1A **24**
Golden Oak Dell. Stann —4C **84**
Golden Smithies La. Swin &
Wath D —2H **55**
Goldsborough Rd. Don —6G **33**
Goldsmith Dri. Roth —3H **79**
Goldsmith Rd. Don —5C **46**
Goldsmith Rd. Roth —3H **79**
Gold St. Barn —1A **24**
Goldthorpe Grn. Gold —5F **29**
Goldthorpe Ind. Est. Gold
—5E **29**
Goldthorpe Rd. Gold —5G **29**
Gomersal La. Dron —2C **128**
Gomersall Av. Con —3B **58**
Gooder Av. Roys —2E **9**
Goodison Boulevd. Don —3C **48**
Goodison Ct. Bes —3C **48**
Goodison Cres. S6 —5F **85**
Goodison Rd. S6 —5F **85**
Goodwin Av. Raw —1F **69**
Goodwin Cres. Swin —1A **56**
Goodwin Rd. S8 —1E **111**
Goodwin Rd. Roth —3A **68**
Goodwin Way. Roth —3A **68**
Goodwood Gdns. Don —1B **48**
Goodyear Cres. Wom —1F **39**
Goore Av. S9 —3D **100**
Goore Dri. S9 —3D **100**
Goore Rd. S9 —3D **100**
Gooseacre Av. Thurn —1E **29**
Goosebutt Ct. Park —3F **69**
Goosebutt St. Park —3F **69**
Goose Carr La. Tod —6H **105**
Goosecroft Av. Thry —5C **70**
Goose La. Wick —5G **81**
Gordon Av. S8 —5E **111**
Gordon Rd. S11 —5B **98**
Gordon Rd. Edl —3B **60**
Gordon St. Barn —1E **25**
Gordon St. Don —6C **32**
Gordon Ter. Roth —3F **79**
Gorman Clo. Ches —3G **131**
Gorse Dri. Kil —4B **126**
Gorseland Ct. Wick —5E **81**
Gorse La. S10 —4A **96**
Gorse, The. Roth —4A **80**
Gorse, The. Wick —6F **81**
Gorse Valley Rd. Ches —6E **139**
Gorse Valley Way. Ches
—6E **139**
Gorsey Brigg. Dron W —2B **128**
Gosber Rd. Eck —6E **125**
Gosber St. Eck —6D **124**

Gosforth Clo. Dron —2D **128**
Gosforth Cres. Dron —2D **128**
Gosforth Dri. Dron W —2B **128**
Gosforth Grn. Dron —2D **128**
Gosforth La. Dron —2D **128**
Gosling Ga. Rd. Gold —4G **29**
Gotham Rd. Brin —1C **90**
Gough Clo. Roth —5A **80**
Gough St. Roth —2D **78**
Goulding St. Mex —1D **56**
Gowdall Grn. Ben —4A **18**
Gower Cres. Ches —6E **131**
Gower St. S4 —5G **87**
Gower St. Wom —1G **39**
Goy Cres. Stoc —2D **140**
Goyt Side Rd. Ches —3F **137**
Grace Rd. Edl —2C **60**
Grace St. Barn —1F **15**
Graftdyke Clo. Ros —4F **63**
Grafton St. S2 —3G **99**
Grafton St. Barn —6F **13**
Grafton Way. Roth —2E **79**
Graham Av. Brin —4D **90**
Graham Ct. S10 —5F **97**
Graham Knoll. S10 —5F **97**
Graham Rise. S10 —5F **97**
Graham Rd. S10 —5E **97**
Graham Rd. Kirk S —4D **20**
Graham's Orchard. Barn
—6G **13**
Grainger Clo. Edl —4A **60**
Grainger Ct. S10 —4E **97**
Grammar St. S6 —4B **86**
Grampian Clo. Barn —5D **12**
Grampian Clo. Don —4G **31**
Grampian Cres. Ches —1D **136**
Granary Clo. Ches —4C **130**
Granby Cres. Don —1F **47**
Granby La. New R —3B **62**
Granby Rd. S5 —1H **87**
Granby Rd. Edl —3C **60**
Grange Av. Aug —4A **104**
Grange Av. Don —4A **46**
Grange Av. Dron W —2C **128**
Grange Cliffe Clo. S11 —3H **109**
Grange Clo. Brmp M —6H **93**
Grange Clo. Brier —2F **11**
Grange Clo. Don —5D **48**
Grange Ct. Bes —5D **48**
Grange Ct. Don —3B **32**
Grange Ct. Wick —6F **81**
Grange Cres. S11 —5C **98**
Grange Cres. Barn —5E **15**
Grange Cres. Thurn —1G **29**
Grange Cres. Rd. S11 —5C **98**
Grange Dri. Hel —5B **82**
Grange Dri. Roth —6F **67**
Grange Farm Dri. Worr —5D **72**
Grangefield Av. New R —4D **62**
Grangefield Cres. New R
—4D **62**
Grangefield Ter. New R —4D **62**
Grange Gdns. Tod —6H **105**
Grange La. S13 —5A **102**
Grange La. Alv —1F **61**
(in two parts)
Grange La. Barn —6E **15**
Grange La. Harl —1H **43**
Grange La. Kim —1H **55**
Grange La. Malt —4G **83**
Grange La. New R —5B **62**
Grange La. Roth —6A **78**
Grange La. Ind. Est. Barn
—6E **15**
Grange Mill La. S5 & S9
—1B **76**
Grange Pk. Kirk S —2E **21**
Grange Pk. Av. Brim —1F **139**
Grange Rd. S11 —5C **98**

Grange Rd. Ad S —4E **17**
Grange Rd. Beig —4F **115**
Grange Rd. Brier —2F **11**
Grange Rd. Don —5D **48**
Grange Rd. New R —5C **62**
Grange Rd. Raw —6G **55**
Grange Rd. Roth —1H **91**
Grange Rd. Roys —2C **8**
Grange Rd. Swin —3H **55**
Grange Rd. Tol B —3A **18**
Grange Rd. Wath D —6D **40**
Grange St. Thurn —1G **29**
Grange Ter. Thurn —1G 29
(off Chapman St.)
Grange, The. Ash —1B **136**
Grange, The. Scho —5E **67**
Grange View. B Hill —2H **37**
Grange View Cres. Roth
—1F **77**
Grange View Rd. Roth —1F **77**
Grange Way. Den M —2B **58**
Grangewood Rd. Ches
—6H **137**
Grangewood Rd. Laug —1E **107**
Gransden Way. Ches —5E **137**
Grantham St. New R —4C **62**
Grantley Clo. Wom —3H **39**
Granton Pl. Barn —6A **8**
Granville Clo. Ches —5D **138**
Granville Rd. S2 —3F **99** (6G **5**)
Granville Sq. S2 —3F **99** (6G **5**)
Granville St. S2 —3F **99** (6G **5**)
Granville St. Barn —4F **13**
Granville Ter. Roth —3F **79**
Grasby Ct. Bram —2H **81**
Grasmere Av. Don —5A **34**
Grasmere Clo. Ans —1H **119**
Grasmere Clo. Bolt D —2A **42**
Grasmere Clo. Ches —4F **131**
Grasmere Clo. Mex —1H **43**
Grasmere Clo. Pen —3D **142**
Grasmere Cres. Dart —3E **7**
Grasmere Rd. S8 —2C **110**
Grasmere Rd. Barn —6A **14**
Grasmere Rd. Con —3D **58**
Grasmere Rd. Dron W —2B **128**
Grasscroft Clo. Ches —5F **131**
Grassdale View. S12 —4H **113**
Grassington Clo. S12 —4B **114**
Grassington Dri. S12 —4B **114**
Grassington Way. Chap —1D **64**
Grassmoor Clo. S12 —2B **112**
Grassthorpe Rd. S12 —3D **112**
Grattan St. Roth —3G **77**
Gratton Ct. Stav —1D **134**
Graven Clo. Gren —1H **73**
Graves Trust Homes. S8
—1E **123**
Graves Trust Homes. S12
—2C **112**
Gray Av. Swal —5B **104**
Gray Gdns. Don —5B **46**
Grays Ct. Den M —1C **58**
Grayshott Wlk. Ches —5H **137**
Grayson Clo. Rav —1H **81**
Grayson Clo. Stoc —4E **141**
Grayson Rd. Roth —3A **68**
Gray's Rd. Barn —4E **9**
Gray St. S3 —5F **87**
Gray St. Els —6C **38**
Gray St. Mosb —2C **124**
Greasbro Rd. S9 —1F **89**
Greasbrough La. Raw —2D **68**
Greasbrough Rd. Park —4D **68**
Greasbrough Rd. Roth —5C **68**
(in two parts)
Greasbrough St. Roth —2C **78**
Gt. Bank Rd. Roth —5A **80**
Gt. Central Av. Don —3B **46**
Gt. Croft. Dron W —1B **128**

Gt. Eastern Way. Park —4F **69**
Gt. North Rd. Ad S & Scaw
—1B **16**
Gt. North Rd. Ros —2G **63**
Gt. Park Rd. Roth —1G **77**
Greaves Clo. Stann —5C **84**
Greaves Fold. Barn —5D **12**
Greaves La. H Grn —3B **50**
Greaves La. Stann —5C **84**
Greaves Rd. S5 —1E **75**
Greaves Rd. Roth —2A **78**
Greaves Sike La. Mick —1B **82**
Greaves St. S6 —4B **86**
Green Acres. Hoy —6A **38**
Green Acres. Raw —2G **69**
Greenacres Clo. Dron —4G **129**
Green Arbour Rd. Thurc
—5A **94**
Green Bank. Barn —4B **8**
Greenbank Dri. Ches —1E **137**
Greenbank Wlk. Grime —6F **11**
Green Boulvd. Bes —3C **48**
Green Chase. Eck —6C **124**
Green Clo. Ink —5A **134**
Green Comn. Arm —4F **35**
Green Cross. Dron —1F **129**
Greendale Av. Holy —5A **136**
Greendale Ct. Dron —1F **129**
Greendale Shopping Cen. Dron
—1F **129**
Green Farm Clo. Ches —5E **131**
Greenfield. Raw —2F **69**
Greenfield Clo. S8 —2D **122**
Greenfield Clo. Roth —1B **80**
Greenfield Cotts. Barn —5E **9**
Greenfield Ct. Flan —3F **81**
Greenfield Dri. S8 —2D **122**
Greenfield Gdns. Barn —5E **121**
Greenfield Gdns. Don —4E **49**
Greenfield Gdns. Flan —3F **81**
Greenfield La. Don —2A **46**
Greenfield Rd. S8 —2D **122**
Greenfield Rd. Hoy —5A **38**
Greenfield Rd. Roth —1B **80**
Greenfields. Eck —6C **124**
Greenfinch Clo. Brin —3D **90**
Greenfoot Clo. Barn —4F **13**
Greenfoot La. Barn —3F **13**
(in two parts)
Greengate Clo. S13 —1D **114**
Greengate Ga. Clo. Bolt D —6F **29**
Greengate Clo. Ches —3E **137**
Greengate La. S13 —1C **114**
Greengate La. H Grn —1B **64**
Greengate Rd. S13 —1D **114**
Green Glen. Ches —3D **136**
Greenhall Rd. Eck —6C **124**
Greenhead Gdns. Chap —2E **65**
Greenhead La. Chap —2E **65**
Greenhill Av. S8 —1C **122**
Greenhill Av. Barn —4H **13**
Greenhill Av. Hel —5B **82**
Greenhill Main Rd. S8 —2C **122**
Greenhill Parkway. S8 —4A **122**
Greenhill Rd. S8 —5D **110**
Green Ho. Rd. Don —3H **33**
Greenhow St. S6 —6A **86**
Green Ings La. Wath D —4G **41**
Greenland. Hoy —2H **37**
Greenland Av. Malt —3G **83**
(in two parts)
Greenland Clo. S9 —5E **89**
Greenland Clo. Ans —1F **119**
Greenland Ct. S9 —5E **89**
Greenland Dri. S9 —5E **89**
Greenland Rd. S9 —4E **89**
Greenland Rd. Ind. & Bus. Pk.
S9 —4E **89**

Greenlands Av. Ros —3E **63**
Greenland View. S9 —6E **89**
Greenland View. Wors —5H **23**
Greenland Wlk. S9 —5E **89**
Greenland Way. S9 —4E **89**
(in two parts)
Greenland Way. Malt —2G **83**
Green La. S3 —6D **86**
Green La. Ad S —3C **16**
Green La. Ast —6E **105**
Green La. Barn —4E **23**
Green La. Brin —4B **90**
Green La. Can —2F **49**
Green La. Ches —1D **138**
Green La. Cut —4A **130**
Green La. Dod —3C **22**
Green La. Dron —2F **129**
Green La. Ecc —1G **75**
Green La. Hoy —6E **37**
Green La. Kil —5A **126**
Green La. Kim —2E **77**
Green La. Malt —3E **83**
Green La. Oug —1B **72**
(in two parts)
Green La. Pen —5D **142**
Green La. Raw —2F **69**
Green La. Roth —1G **91**
Green La. Scawt —5A **16**
Green La. Stoc —3A **140**
Green La. Thurc —2H **93**
Green La. Ull —1B **104**
Green La. Wadw —6G **61**
Green La. Wath D —2D **54**
Green La. Wick —4E **81**
Green Lea. Dron W —1A **128**
Greenleafe Av. Don —2A **34**
Green Moor Rd. Grn M
—1F **91**
Green Oak Av. S17 —5E **121**
Green Oak Cres. S17 —5E **121**
Green Oak Dri. S17 —5E **121**
Green Oak Dri. Wal —5E **117**
Green Oak Gro. S17 —5E **121**
Green Oak Rd. S17 —6E **121**
Green Oak View. S17 —5E **121**
Greenock St. S6 —3H **85**
Greenpiece Cotts. Raw —5D **54**
Green Rise. Raw —6D **54**
Green Rd. Dod —3A **22**
Green Rd. Pen —5D **142**
Greenset View. Barn —4A **8**
Greenside. Hoy S —1G **143**
Greenside. Map —4G **7**
Greenside. Roth —4B **68**
Greenside. Shaf —1B **10**
Greenside Av. Ches —4H **131**
Greenside Av. Kiv P —5G **117**
Greenside Av. Map —4G **7**
Greenside Gdns. Hoy S
—1G **143**
Greenside Ho. Dart —4G **7**
Greenside La. Hoy —5A **38**
Greenside M. S12 —4B **114**
Greenside Pl. Map —4G **7**
Green Spring Av. Bird —3D **36**
Greens Rd. Roth —3H **79**
Green St. Ches —1A **132**
Green St. Deep —3F **141**
Green St. Don —5H **45**
Green St. Hoy —5A **38**
Green St. Roth —3B **68**
Green St. Wors —4C **24**
Green, The. S17 —5D **120**
Green, The. Ans —1F **119**
Green, The. Barnb —1H **43**
Green, The. Bolt D —6E **29**
Green, The. Darn —1E **101**
Green, The. Has —6D **138**
Green, The. Hem —4E **39**
Green, The. Hood G —6A **22**

Green, The. Old D —2G **57**
Green, The. Pen —5D **142**
Green, The. Roth —6F **79**
Green, The. Roys —2E **9**
Green, The. Shaf —2B **10**
Green, The. Swin —3H **55**
Green, The. Thurl —3A **142**
Green, The. Wal B —4H **55**
Green, The. Whis —3H **91**
Green View, The. Shaf —1B **10**
Greenways. Ches —5E **137**
Greenway, The. S8 —1D **122**
Greenway, The. Deep —4G **141**
Greenwich Ct. Roth —1H **79**
Greenwood Av. S9 —2D **100**
Greenwood Av. Wors —4B **24**
Greenwood Clo. S9 —2D **100**
Greenwood Cres. S9 —2C **100**
Greenwood Cres. Roys —1D **8**
Greenwood Cres. Wick —4G **81**
Greenwood Dri. S9 —2C **100**
Greenwood La. S13 —6D **102**
Greenwood Rd. S9 —2D **100**
Greenwood Rd. H Grn —6D **50**
Greenwood Rd. Kiln —6C **56**
Greenwood Ter. Barn —5G **13**
Greenwood Way. S9 —2C **100**
Greeton Dri. Oug —3E **73**
Gregg Ho. Cres. S5 —4H **75**
Gregg Ho. Rd. S5 —3H **75**
Gregory Clo. Brim —3D **132**
Gregory La. Brim —2D **132**
Gregory Rd. S8 —1E **111**
Grenfell Av. Mex —6F **43**
Grenfolds Rd. Gren —1B **74**
Grenobank Rd. Gren —1B **74**
Greno Cres. Gren —1B **74**
Greno Ga. Gren —6A **64**
Greno Ho. Gren —6A **64**
Grenomoor Clo. Gren —2A **74**
Greno Rd. Swin —3B **56**
Greno View. Hood G —6A **22**
Greno View. Hoy —6G **37**
Greno View Rd. H Grn —6C **50**
Greno Wood Ct. Gren —6A **64**
Grenville Pl. Barn —4E **13**
Grenville Rd. Don —6G **45**
Gresham Av. Brin —2C **90**
Gresham Rd. S6 —5A **86**
Gresley Rd. S8 —4C **122**
Gresley Rd. Bal —2B **46**
Gresley Wlk. S8 —4C **122**
Greyfriars. S11 —6G **97**
Greyfriars Rd. Don —5C **32**
Greystock St. S4 —6H **87**
(in two parts)
Greystones Av. S11 —5H **97**
Greystones Av. Wors —5H **23**
Greystones Clo. S11 —6G **97**
Greystones Ct. S11 —6G **97**
Greystones Ct. Hart —3H **127**
Greystones Cres. S11 —6G **97**
Greystones Dri. S11 —6G **97**
Greystones Grange. S11
—6G **97**
Greystones Grange Cres. S11
—6G **97**
Greystones Grange Rd. S11
—6G **97**
Greystones Hall Rd. S11
—5G **97**
Greystones Rise. S11 —6G **97**
Greystones Rd. S11 —6F **97**
Greystones Rd. Whis —2B **92**
Grice Clo. Don —1D **48**
Griffin Rd. Swin —2H **55**
Griffiths Clo. Park —3F **69**
Griffiths Rd. H Grn —1C **64**
Grimesthorpe Rd. S4 —5G **87**
(in three parts)

Grimesthorpe Rd. S. S4
—5G **87**
Grimsell Clo. S6 —2B **74**
Grimsell Cres. S6 —2B **74**
Grimsell Dri. S6 —2B **74**
Grimsell Wlk. S6 —3B **74**
Grinders Hill. S1 —3F **99** (5F **5**)
Grinders Wlk. S6 —2F **85**
Grindlow Av. Ches —4H **137**
Grindlow Clo. S14 —1G **111**
Grindlow Dri. S14 —1G **111**
Grindon Clo. Ches —6E **131**
Grinton Wlk. Ches —5H **137**
Grisedale Wlk. Dron W
—2C **128**
Grizedale Av. Soth —5G **115**
Grizedale Clo. Soth —5G **115**
Grosvenor Cres. Arks —5D **18**
Grosvenor Cres. War —5F **45**
Grosvenor Dri. Barn —6E **13**
Grosvenor Rd. Roth —1F **79**
Grosvenor Rd. Wdlnd —2D **16**
Grosvenor Sq. S2 —5D **98**
Grosvenor Ter. War —5G **45**
Grouse Croft. S6 —5B **86**
Grouse St. S6 —4A **86**
Grove Av. S6 —1G **85**
Grove Av. Don —4A **32**
Grove Av. Tot —5D **120**
Grove Clo. Pen —6D **142**
Grove Clo. Wath D —3C **40**
*Grove Ct. Malt —4D **82***
(off Leslie Av.)
Grove Farm Clo. Brim —4E **133**
Grove Gdns. Brim —1F **139**
Grove Hall Clo. Eden —5E **21**
Grove Hill Rd. Don —2A **34**
Grove Ho. Ct. S17 —4E **121**
Grove Pl. Don —1C **46**
Grove Rd. S7 —4A **110**
Grove Rd. Brim —6F **133**
Grove Rd. Ches —4A **132**
Grove Rd. Deep —4H **141**
Grove Rd. Map —4E **7**
Grove Rd. Roth —4D **78**
Grove Rd. Tot —4E **121**
Grove Rd. Wath D —3C **40**
Grove Sq. S6 —4C **86**
Grove St. Barn —6A **14**
Grove St. Ches —5C **138**
Grove St. Wors —4C **24**
Grove Ter. Malt —4D **82**
Grove, The. S17 —4D **120**
Grove, The. B Dun —1G **21**
Grove, The. Cud —4B **10**
Grove, The. Don —4G **33**
(in two parts)
Grove, The. Lox —3E **85**
Grove, The. Pool —3E **135**
Grove, The. Raw —2G **69**
Grove, The. Roth —2H **79**
Grove, The. Wick —5F **81**
Grove Vale. Don —2A **34**
*Grove Wlk. S17 —4E **121***
(off Grove Rd.)
Grove Way. Brim —6F **133**
Guernsey Rd. S2 —6E **99**
Guest La. War —4F **45**
Guest Pl. Hoy —4A **38**
Guest Pl. Roth —5F **79**
Guest Rd. S11 —5A **98**
Guest Rd. Barn —4F **13**
Guest Rd. Roth —5F **79**
Guest St. Hoy —4A **38**
Guilbert Av. Thurc —6A **94**
Guildford Av. S2 —5H **99**
Guildford Av. Ches —5F **137**
Guildford Clo. S2 —5H **99**
Guildford Dri. S2 —5H **99**
Guildford Rise. S2 —5A **100**

Guildford Rd. Don —2H **33**
Guildford Rd. Roys —1D **8**
Guildford View. S2 —6A **100**
Guildford Wlk. S2 —5A **100**
Guildford Way. S2 —5H **99**
Guildhall Ind. Est. Eden —4C **20**
Guild Rd. Roth —3H **79**
Guildway. Tod —2A **118**
Guilthwaite Comn. La. Roth
—6A **92**
Guilthwaite Cres. Whis —2G **91**
Guilthwaite Hill. Whis —3H **91**
Gullane Dri. War —5F **45**
Gulling Wood Dri. Thry —5E **71**
Gunhills La. Arm —2G **35**
Gunhills La. Ind. Est. Arm
—2G **35**
Gun La. S3 —1F **99** (1G **5**)
Gurney Rd. Don —5B **46**
Gurth Av. Eden —5E **21**
Gurth Av. Caravan Site. Eden
—5E **21**
Gurth Dri. Thurc —6A **94**
Gypsy La. Wom —2G **39**

Habershon Ct. Chap —2E **65**
Habershon Dri. Chap —1D **64**
Habershon Rd. Roth —6H **67**
Hackings Av. Pen —6C **142**
Hackness La. Brin —2B **90**
Hackney La. Barl —1B **130**
Hackthorn Rd. S8 —4D **110**
Haddon Clo. Ches —3E **137**
Haddon Clo. Dod —2A **22**
Haddon Clo. Dron —1F **129**
Haddon Pl. Stav —3B **134**
Haddon Rise. Mex —5H **43**
Haddon Rd. Barn —1B **14**
Haddon St. S3 —5D **86**
Haddon Way. Ast —6D **104**
Haden St. S6 —3A **86**
Hadfield St. S6 —6A **86**
Hadfield St. Wom —2F **39**
Hadleigh Clo. Raw —3F **69**
Hadrian Rd. Brin —1C **90**
Hadrians Clo. Ros —6E **63**
Hady Cres. Ches —3C **138**
Hady Hill. Ches —3B **138**
Hady La. Ches —3D **138**
Haggard Rd. S6 —3B **86**
Hagg Hill. S6 —4H **73**
(Midhurst Rd.)
Hagg Hill. S6 —6F **85**
(Rivelin Valley Rd.)
Hagg La. S10 —2E **97**
(in two parts)
Hagg La. Cotts. S10 —2D **96**
Haggstones Dri. Oug —3C **72**
Haggstones Rd. Oug —3C **72**
Hague Av. Raw —6E **55**
Hague La. H Grn —6A **50**
Hague La. Raw —1D **66**
Hague Row. S2 —2G **99** (4H **5**)
Haids Clo. Malt —2F **83**
Haids La. Malt —2F **83**
Haids Rd. Malt —2E **83**
Haig Cres. New R —5C **62**
Haigh Clo. Hoy S —1F **143**
Haigh Croft. Roys —1D **8**
Haigh La. Haig —1A **6**
Haigh La. Hoy S —1G **143**
Haigh Moor Clo. S13 —5G **101**
Haigh Moor Rd. S13 —5H **101**
Haigh Moor Wlk. S13 —5G **101**
Haigh Moor Way. Roys —1E **9**
Haigh Rd. Don —4A **46**
Hail Mary Dri. S13 —5D **102**
Haisemount. Dart —4E **7**
Hakehill Clo. Don —5B **48**

Halcyon Clo. S12 —4H **113**
Haldane Clo. Brier —2F **11**
Haldane Rd. Roth —1G **79**
Haldene. Wors —5B **24**
Haldynby Gdns. Arm —3H **35**
Hale St. S8 —1D **110**
Halesworth Clo. Ches —5D **136**
Halesworth Rd. S13 —3G **101**
Halfacre La. Uns —3H **129**
Half Croft. Brim —4F **133**
Halfway Cen. Half —2E **125**
Halfway Dri. Half —2E **125**
Halfway Gdns. Half —2E **125**
Halifax Av. Con —3C **58**
Halifax Cres. Don —3H **31**
Halifax Hall. S10 —4A **98**
Halifax Rd. S6 & Gren —5B **74**
Halifax Rd. Pen —1C **142**
Halifax St. Barn —3G **13**
Hallam Chase. S10 —4H **97**
(Endcliffe)
Hallam Chase. S10 —3D **96**
(Sandygate)
Hallam Clo. Aug —4A **104**
Hallam Clo. Don —4A **48**
*Hallam Ct. S10 —4B **98***
(off Clarke Dri.)
Hallam Ct. Bolt D —2H **41**
Hallam Ct. Dron —3E **129**
Hallam Dale Ct. Raw —6G **55**
Hallamgate Rd. S10 —2H **97**
Hallam Grange Clo. S10
—5C **96**
Hallam Grange Cres. S10
—4C **96**
Hallam Grange Croft. S10
—4C **96**
Hallam Grange Rise. S10
—4C **96**
Hallam Grange Rd. S10 —4C **96**
Hallam La. S1 —3E **99** (6E **5**)
Hallam Pl. Raw —2G **69**
Hallam Rd. Roth —1F **91**
Hallam Rock. S5 —2F **87**
Hallamshire Bus. Pk. S11
—4C **98**
Hallamshire Clo. S10 —5B **96**
Hallamshire Ct. Chap —2E **65**
Hallamshire Dri. S10 —5B **96**
Hallamshire Rd. S10 —5B **96**
Hallam Way. Ecc —1F **75**
Hallcar St. S4 —6A **88**
Hall Clo. Ans —1F **119**
Hall Clo. Brmp B —4B **40**
Hall Clo. Dron W —1A **128**
Hall Clo. Wors —1E **37**
Hall Clo. Av. Whis —2A **92**
Hall Cotts. Thurc —4F **93**
Hall Ct. Rav —3G **71**
Hall Cres. Roth —1H **91**
Hall Croft. Wick —5G **81**
Hallcroft Dri. Arm —5G **35**
Hall Croft Rise. Roys —2D **8**
Hall Cross Hill. Don —1E **47**
Hall Dri. Wath D —6D **40**
Hall Farm Clo. Aug —3B **104**
Hall Farm Clo. Has —6D **138**
Hall Farm Croft. Din —5F **107**
Hall Farm Dri. Thurn —2F **29**
Hall Farm Gro. Hoy S —1G **143**
Hall Farm Rise. Thurn —2F **29**
Hallflash La. Cal —5G **139**
Hall Flat La. Don —4A **46**
Hall Ga. Don —6D **32**

Hall Ga. Mex —1G **57**
Hall Ga. Pen —3D **142**
Hallgate. Thurn —2F **29**
Hallgate Rd. S10 —2G **97**
Hall Gro. Map —4G **7**
Hall Gro. Roth —4E **79**
Halliwell Clo. S5 —6B **74**
Halliwell Cres. S5 —6B **74**
Hall La. Stav —1C **134**
Hall Meadow Croft. Half
—4F **125**
Hall Meadow Dri. Half —4F **125**
Hall Meadow Gro. Half —4F **125**
Hallowes Ct. Dron —2F **129**
Hallowes Dri. Dron —3F **129**
Hallowes La. Dron —2F **129**
Hallowes Rise. Dron —3G **129**
Hallowmoor Rd. S6 —2F **85**
Hall Pk. Head. S6 —6D **84**
Hall Pk. Hill. S6 —6E **85**
Hall Pk. Mt. S6 —6E **85**
Hall Pl. Barn —3C **14**
Hall Rd. S9 —2G **101**
Hall Rd. Aug —4B **104**
Hall Rd. Brim —4E **133**
Hall Rd. Han —3H **101**
Hall Rd. Malt —4C **82**
Hall Rd. Roth —4E **79**
Hallside Ct. Can —2F **49**
Hall St. Gold —5G **29**
Hall St. Hoy —5A **38**
Hall St. Roth —3C **78**
Hall St. Wom —1G **39**
Hallsworth Av. Hem —4D **38**
Hall View. Chap —1E **65**
Hall View Rd. Ros —6E **63**
Hall Villa La. Tol B —2A **18**
Hall Wood Rd. Chap —2A **64**
Hallyburton Clo. S2 —1G **111**
Hallyburton Dri. S2 —1G **111**
Hallyburton Rd. S2 —1G **111**
Halmshaw Ter. Ben —1A **32**
Halsall Av. S9 —2E **101**
Halsall Dri. S9 —2D **100**
Halsall Rd. S9 —2E **101**
Halsbury Rd. Roth —1G **79**
Halstead Gro. Map —3E **7**
Halsteads. S13 —4G **101**
Halton Clo. Ches —2G **131**
Halton Ct. S12 —4C **114**
Hamble Ct. Map —5G **7**
Hambledon Clo. Ches —6E **131**
Hambleton Clo. Barn —5D **12**
Hambleton Clo. Els —5D **38**
Hameline Rd. Con —3D **58**
Hamer Wlk. Roth —2A **80**
Hamilton Clo. Don —2F **47**
Hamilton Clo. Mex —5G **43**
Hamilton Pk. Rd. Don —3F **31**
Hamilton Rd. S5 —1H **87**
Hamilton Rd. Don —2F **47**
Hamilton Rd. Gold —3H **29**
Hamilton Rd. Malt —5H **83**
Hammerton Clo. S6 —4A **86**
Hammerton Rd. S6 —4A **86**
Hammond St. S3 —1C **98**
Hampden Rd. Mex —6E **43**
Hamper La. Hoy S —1F **143**
(in two parts)
Hampstead Grn. Roth —6G **67**
Hampton Rd. S5 —2G **87**
Hampton Rd. Don —6F **33**
Hampton St. Ches —6D **138**
Hanbury Clo. Barn —3D **14**
Hanbury Clo. Ches —6C **130**
Hanbury Clo. Don —1G **61**
Hanbury Clo. Dron —2D **128**
Handby St. Ches —5D **138**
Handley St. S3 —6F **87**

Hands Rd. S10 —1A **98**
Handsworth Av. S9 —2F **101**
Handsworth Cres. S9 —2F **101**
Handsworth Gdns. Arm —3G **35**
Handsworth Grange Clo. S13
—5A **102**
Handsworth Grange Cres. S13
—4A **102**
Handsworth Grange Dri. S13
—4B **102**
Handsworth Grange Rd. S13
—4A **102**
Handsworth Grange Way. S13
—4B **102**
Handsworth Rd. S9 & S13
—2G **101**
Hangingwater Clo. S11 —5F **97**
Hangingwater Rd. S11 —6F **97**
Hangram La. S11 —3B **108**
Hangsman La. Din —2C **106**
Hangthwaite La. Ad S —4E **17**
Hangthwaite Rd. Ad S —1F **17**
Hanley Clo. S12 —3B **114**
Hanmoor Rd. Stann —5C **84**
Hannah Rd. S13 —6D **102**
Hannas Royd. Dod —2C **22**
Hanover Ct. S3 —3C **98** (6A **4**)
Hanover Ct. Wors —4A **24**
Hanover Sq. S3 —3D **98** (6B **4**)
Hanover Sq. Thurn —1G **29**
Hanover St. S3 —3D **98** (6A **4**)
(in two parts)
Hanover St. Thurn —1G **29**
Hanover Way. S3
—3C **98** (5A **4**)
Hanslope View. Kirk S —2C **20**
Hanson Rd. Lox —3D **84**
Hanson St. Barn —5H **13**
Harbord Rd. S8 —5C **110**
Harborough Av. S2 —2B **100**
Harborough Clo. S2 —3C **100**
Harborough Dri. S2 —3C **100**
Harborough Hill Rd. Barn
—6H **13**
Harborough Rise. S2 —3C **100**
Harborough Rd. S2 —3C **100**
Harborough Way. S2 —4C **100**
Harbury St. S13 —5E **103**
Harcourt Clo. Don —4A **48**
Harcourt Cres. S10 —1B **98**
Harcourt Rise. Chap —3F **65**
Harcourt Rd. S10 —2B **98**
Harcourt Ter. Roth —3F **79**
Hardcastle Dri. S13 —6A **102**
Hardcastle Gdns. S13 —6A **102**
Hardcastle Rd. S13 —1A **114**
Harden Clo. Barn —5C **12**
Harden Clo. Pen —5D **142**
Hardie Clo. Malt —5H **83**
Hardie Pl. Raw —1F **69**
Hardie Pl. Stav —3B **134**
Hardie St. Eck —6D **124**
Harding Av. Raw —5D **54**
Harding Clo. Raw —6D **54**
Harding Ct. Raw —6D **54**
Harding St. S9 —5D **88**
Hard La. Kiv P —6A **118**
Hardwick Av. New W —1D **132**
Hardwick Clo. Ast —6D **104**
Hardwick Clo. Dron —1F **129**
Hardwick Clo. Wors —5A **24**
Hardwick Cres. S11 —5A **98**
Hardwick Cres. Barn —6C **8**
Hardwicke Rd. Roth —1E **79**
Hardwick Gro. Dod —3B **22**
Hardwick La. Ast —5G **105**
Hardwick St. Ches —1A **138**
Hardwick St. Roth —1B **80**
Hardwicks Yd. Ches —3G **137**
Hardy Pl. S6 —5B **86**

Hardy Rd. Don —3E **33**
Hardy St. Roth —2C **78**
Haredon Clo. Map —3E **7**
Harefield Rd. S11 —5B **98**
Harehill Rd. Ches —6H **137**
Harehills Rd. Roth —4E **79**
Harewood Av. Barn —6D **12**
Harewood Av. Kirk S —3D **20**
Harewood Av. Wdlnd —2B **16**
Harewood Gro. Bram —3H **81**
Harewood Rd. Don —6G **33**
Harewood Way. S11 —5G **109**
Hargrave Pl. Thry —5D **70**
Harland Rd. S11 —4C **98**
Harleston St. S4 —5H **87**
Harley Clo. Chap —1D **64**
Harley Rd. S11 —2F **109**
Harley Rd. Har —4H **51**
Harlington Ct. Den M —2C **58**
Harlington Rd. Ad D —3D **42**
Harlington Rd. Mex —6F **43**
Harmer La. S1 —2F **99** (4F **5**)
Harmony Way. Cat —5C **90**
Harney Clo. S9 —6E **89**
Harold Av. Barn —3E **15**
Harold Av. Wdlnd —2C **16**
Harold Croft. Roth —3C **68**
Harold Lambert Ct. S2 —1G **99**
Harold St. S6 —5B **98**
Harperhill Clo. Ches —6H **137**
Harriet Clo. Barn —2A **24**
Harrington Ct. Barn —3E **15**
Harrington Rd. S2 —6E **99**
Harrington St. Don —5D **32**
Harrison La. S10 —6A **96**
Harrison Rd. S6 —4H **85**
Harrison St. Roth —3A **78**
Harris Rd. S6 —1H **85**
Harrogate Dri. Den M —2A **58**
Harrogate Rd. Swal —1A **116**
Harrop Dri. Swin —4A **56**
Harrowden Ct. S9 —1G **89**
Harrowden Rd. S9 —1G **89**
Harrowden Rd. Don —3E **33**
Harrow Rd. Arm —2G **35**
Harrow St. S11 —4D **98**
Harry Firth Clo. S9 —6C **88**
Harry Rd. Barn —4D **12**
Hartcliff Av. Pen —4C **142**
Hartcliff Rd. Pen —6A **142**
Hartfield Clo. Ches —6B **138**
Hartford Clo. S8 —4E **111**
Hartford Rd. S8 —4E **111**
Hart Hill. Raw —5D **54**
Harthill Rd. S13 —6D **100**
Harthill Rd. Con —4C **58**
Hartington Av. S7 —4A **110**
Hartington Clo. Roth —3A **78**
Hartington Ct. Dron —1F **129**
Hartington Dri. Barn —3H **13**
Hartington Rd. S7 —4A **110**
Hartington Rd. Ches —3C **138**
Hartington Rd. Dron —1F **129**
Hartington Rd. Roth —3A **78**
Hartland Av. Soth —5G **115**
Hartland Ct. Soth —5G **115**
Hartland Cres. Eden —5D **20**
Hartland Dri. Soth —5G **115**
Hartland Way. Ches —2A **132**
Hartley Brook Av. S5 —3G **75**
Hartley Brook Rd. S5 —3G **75**
Hartley La. Roth —2C **78**
Hartley St. S2 —6E **99**
Hartley St. Mex —1D **56**
Hartopp Av. S2 —1G **111**
Hartopp Clo. S2 —1G **111**
Hartopp Dri. S2 —1H **111**
Hartopp Rd. S2 —1H **111**
Harts Head. S1 —1F **99** (2E **5**)
Hartside Clo. Ches —6F **131**

Harvest Clo. Eden —4E **21**
Harvest Clo. Malt —5C **82**
Harvest Clo. Wors —5A **24**
Harvest La. S3 —6E **87**
Harvest Rd. Wick —4F **81**
Harvest Way. Ash —6B **130**
Harvey Clough M. S8 —4F **111**
Harvey Clough Rd. S8 —4E **111**
Harvey Rd. Chap —2E **65**
Harvey Rd. Ches —3E **139**
Harvey St. Barn —1F **23**
Harvey St. Deep —3F **141**
Harwell Rd. S8 —6D **98**
Harwich Rd. S2 —4A **100**
Harwood Clo. S2 —5E **99**
Harwood Dri. Wat —6D **114**
Harwood Gdns. Wat —6E **115**
Harwood St. S2 —5E **99**
Harwood Ter. Barn —5E **15**
Haslam Cres. S8 —3B **122**
Haslam Pl. Malt —3H **83**
Hasland By-Pass. Ches
—4B **138**
Hasland La. Cal —5G **139**
Hasland Rd. Ches —4B **138**
(in two parts)
Haslehurst Rd. S2 —3A **100**
Haslemere Gro. Don —3A **32**
Hassocky La. Cal —6H **139**
Hassop Rd. Stav —1D **134**
Hastilar Clo. S2 —5D **100**
Hastilar Rd. S2 —5D **100**
Hastilar Rd. S. S13 —5E **101**
Hastings Clo. Ches —5F **131**
Hastings Mt. S7 —3A **110**
Hastings Rd. S7 —3A **110**
Hastings St. Grime —6G **11**
Hatchell Dri. Don —6E **49**
Hatchell Wood View. Don
—6F **49**
Hatfield Clo. Barn —6A **8**
Hatfield Cres. Din —3C **106**
Hatfield Gdns. Roys —1D **8**
Hatfield Ho. Don —1C **46**
(off Grove Pl.)
Hatfield Ho. Ct. S5 —4H **75**
Hatfield Ho. Croft. S5 —4H **75**
Hatfield Ho. La. S5 —5G **75**
Hatfield La. Arm —2G **35**
Hatfield La. B Dun —2H **21**
Hatherley Rd. S9 —6G **77**
Hatherley Rd. Roth —1E **79**
Hatherley Rd. Swin —6B **42**
Hathern Clo. Brim —1F **139**
Hathersage Rd. Dore —1A **120**
Hatter Dri. Edl —5B **60**
Hatton Clo. Dron W —3B **128**
Hatton Dri. Ches —6D **130**
Hatton Rd. S6 —4B **86**
Haugh La. S11 —2F **109**
Haugh Rd. Raw —5C **54**
Haughton Rd. S8 —5D **110**
Havelock Rd. Don —2C **46**
Havelock Rd. S10 —3C **98**
Havelock St. Barn —1F **23**
Havelock St. Darf —4E **27**
Havenfield. Darf —3E **27**
Havens, The. Ches —2F **137**
Havercroft Pl. Kil —3H **125**
Havercroft Rd. S8 —3C **110**
Havercroft Rd. Roth —6A **80**
Havercroft Ter. Kil —2H **125**
Haverdale Rise. Barn —5F **13**
Haverlands La. Wors —5F **13**
Haverlands Ridge. Wors
—5H **23**
Hawes Clo. Mex —5G **43**
Hawfield Clo. Don —2A **46**
Hawke Clo. Raw —6C **54**

Hawke Rd. Don —3F **33**
Hawke St. S9 —3C **88**
Hawk Hill La. Thurc —1H **105**
Hawkhurst Ridge. Roth —1H **79**
Hawking Houses. Ches
—6F **131**
Hawkins Av. Burn —2C **64**
Hawkshead Av. Dron W
—2B **128**
Hawkshead Cres. Ans —1H **119**
Hawkshead Rd. S4 —2B **88**
Hawksley Av. S6 —3A **86**
Hawksley Av. Ches —6G **131**
Hawksley M. S6 —3A **86**
Hawksley Rise. Oug —3D **72**
Hawksley Rd. S6 —3A **86**
Hawksway. Eck —6B **124**
Hawksworth Clo. Roth —2A **80**
Hawksworth Rd. S6 —5B **86**
Hawksworth Rd. Roth —2A **80**
Hawley Clo. S1 —1E **99** (2D **4**)
Hawley St. Raw —2F **69**
Haworth Bank. Roth —2F **91**
Haworth Clo. Barn —4B **14**
Haworth Cres. Roth —2F **91**
Hawshaw La. Hoy —5G **37**
Hawson St. Wom —1G **39**
Hawthorn Av. Arm —1F **35**
Hawthorn Av. Malt —4D **82**
Hawthorn Av. Wat —6D **114**
Hawthorn Clo. Kil —4B **126**
Hawthorn Ct. Roth —2H **79**
Hawthorne Av. Ans —4F **119**
Hawthorne Av. Dron —6E **123**
Hawthorne Av. Raw —2G **69**
Hawthorne Av. Stoc —2B **140**
Hawthorne Cres. Dod —1A **22**
Hawthorne Cres. Mex —6C **42**
Hawthorne Flats. Thurn —1F **29**
Hawthorne Gro. Ben —5B **12**
Hawthorne Rd. Eck —6G **125**
Hawthorne Rd. Wath D —6G **41**
Hawthorne St. S6 —5H **85**
Hawthorne St. Barn —1G **23**
Hawthorne St. Ches —4B **138**
Hawthorne St. Shaf —2C **10**
Hawthorne Way. Shaf —2C **10**
Hawthorn Gro. Con —5C **58**
Hawthorn Rd. S6 —3H **85**
Hawthorn Rd. H Grn —6C **50**
Hawthorns, The. Beig —3F **115**
Hawthorn Ter. S10 —2A **98**
(off Parker's La.)
Hawthorn Way. Ash —6B **130**
Haxby Clo. S13 —1G **113**
Haxby Pl. S13 —1G **113**
Haxby St. S13 —1G **113**
Haybrook Ct. S17 —4E **121**
Haydn Rd. Malt —5H **83**
Haydock Clo. Mex —5F **43**
Haydon Gro. Flan —3F **81**
Hayes Ct. Half —3E **125**
Hayes Croft. Barn —6H **13**
Hayes Dri. Half —3D **124**
Hayfield Clo. B Dun —1E **21**
Hayfield Clo. Dod —2A **22**
Hayfield Clo. Dron W —2B **128**
Hayfield Clo. Stav —1D **134**
Hayfield Cres. S12 —4F **113**
Hayfield Dri. S12 —4F **113**
Hayfield La. Auc —2G **63**
Hayfield Pl. S12 —4F **113**
Hayfield View. Eck —6B **124**
Hayfield Wlk. Roth —6G **67**
(off Byrley Rd.)
Hayford Way. Stav —2C **134**
Hay Grn. La. Bird —4D **36**
Hayhurst Cres. Malt —5G **83**
Hayland St. S9 —1D **88**
Haylock Clo. Hghm —4A **12**

Haymarket. S1 —1F 99 (2F 5)
Haythorne Way. Swin —4B 56
Haywagon Mobile Home Pk.
Ad S —1F 17
Haywood Av. Deep —3F 141
Haywood Clo. Roth —2A 80
Haywood La. Deep —3F 141
Hazel Av. Kil —4A 126
Hazelbadge Cres. S12 —4G 113
Hazel Clo. Dron —3G 129
Hazel Ct. Dron —3F 129
Hazel Ct. Rav —1H 81
Hazel Dri. Ches —5F 137
Hazel Gro. Arm —2G 35
Hazel Gro. Chap —3E 65
Hazel Gro. Con —4D 58
Hazel Gro. New R —5D 62
Hazel Gro. Wick —4G 81
Hazelhurst. S8 —3F 123
(off Jordanthorpe Cen.)
Hazel Rd. Eck —6H 125
Hazel Rd. Edl —3B 60
Hazel Rd. Malt —4D 82
Hazelshaw. Dod —3C 22
Hazelshaw Gdns. H Grn —6B 50
Hazelwood Clo. Dron W
—2A 128
Hazelwood Dri. Swin —5B 56
Hazlebarrow Clo. S8 —3F 123
Hazlebarrow Ct. S8 —2F 123
Hazlebarrow Cres. S8 —3F 123
Hazlebarrow Dri. S8 —2F 123
Hazlebarrow Gro. S8 —2G 123
Hazlebarrow Rd. S8 —3F 123
Hazledene Cres. Shaf —4D 10
Hazledene Rd. Shaf —4C 10
Hazlehurst Av. Ches —6B 132
Hazlehurst La. Ches —6A 132
Headford Gdns. S3
—3D 98 (5B 4)
Headford Gro. S3
—3D 98 (5B 4)
Headford Pde. S3 —5B 4
Headford St. S3 —3D 98 (5B 4)
Headingley Way. Edl —2C 60
Headland Clo. Brim —4E 133
Headland Dri. S10 —2G 97
Headland Rd. S10 —2G 97
Headland Rd. Brim —4E 133
Headlands Rd. Hoy —5H 37
Heads La. Bols —6B 140
Healaugh Way. Ches —5B 138
Heath Av. Kil —4B 126
Heath Bank Rd. Don —2A 34
Heathcote Dri. Ches —5E 139
Heathcote St. S4 —2H 87
Heatherbank Rd. Don —4C 48
Heather Clo. Cal —2G 139
Heather Clo. Roth —5E 79
Heather Ct. Bram —5H 81
Heatherdale Rd. Malt —4H 83
Heather Gdns. Ches —6E 139
Heather Knowle. Dod —2C 22
Heather Lea Av. S17 —2C 120
Heather Lea Pl. S17 —2C 120
Heather Rd. S5 —6A 76
Heather Vale Clo. Ches
—6E 139
Heather Vale Rd. Ches —6D 138
Heather Wlk. Bolt D —6D 28
Heatherwood Clo. Don —3A 34
Heathfield Av. Ches —2F 137
Heathfield Clo. B Dun —1E 21
Heathfield Clo. Dron —3D 128
Heathfield Rd. S12 —3F 113
Heath Gro. Bolt D —2H 41
Heath Ho. Don —1C 46
(off Grove Pl.)
Heath Rd. S6 —5B 74
Heath Rd. Deep —4F 141

Heaton Clo. Dron W —2B 128
Heatons Bank. Raw —1G 69
Heaton St. Ches —3E 137
Heavens Wlk. Don —2D 46
Heavygate Av. S10 —5H 85
Heavygate Rd. S10 —5A 86
Hedge Hill Rd. Thurl —4A 142
Hedge La. Dart —6B 6
Hedgerows, The. Ad D —3E 43
Hedley Dri. Brim —3C 132
Heeley Bank Rd. S2 —6F 99
Heeley Grn. S2 —1F 111
Heelis St. Barn —1H 23
Heighton View. Aug —4B 104
Helena Clo. Barn —1F 23
Helena St. Mex —6E 43
Helensburgh Clo. Barn —6E 13
Hellaby Euroway Ind. Est. Malt
—4A 82
Hellaby Hall Rd. Hel —5B 82
Hellaby La. Hel —4B 82
(in two parts)
Hellaby View. Rav —2H 81
Helliwell Ct. Deep —5G 141
Helliwell La. Deep —5G 141
Helmsley Av. Half —2D 124
Helmsley Clo. Swal —1A 116
Helmton Dri. S8 —5E 111
Helmton Rd. S8 —5D 110
Helston Clo. Ches —5B 138
Helston Cres. Barn —4B 14
Helston Rise. S7 —3A 110
Hemingfield Rd. Hem —2D 38
Hemper Gro. S8 —2B 122
Hemper La. S8 —3B 122
Hemp Pits Rd. Arks —6D 18
Hemsworth By-Pass. Brier
—1H 11
Hemsworth Rd. S8 —5E 111
Henderson Glen. Roys —2C 8
Hendon St. S13 —4H 101
Hengist Rd. Don —1H 45
Henley Av. S8 —1F 123
Henley Gro. Rd. Roth —2B 78
(in two parts)
Henley La. Roth —1A 78
Henley Rise. Roth —2B 78
Henley Rd. Don —4A 34
Henley Way. Roth —1A 78
Hennings Clo. Don —4H 47
Hennings La. Don —3H 47
Hennings Rd. Bes —6A 48
Henry Clo. Shaf —2C 10
Henry La. New R —3B 62
Henry Pl. Mex —6G 43
Henry Rd. Wath D —5G 41
Henry St. S3 —6D 86
Henry St. Ches —3B 132
Henry St. Eck —6D 124
Henry St. H Grn —6A 50
Henry St. Park —4F 69
Henry St. Roth —2E 79
(in two parts)
Henry St. Wom —5D 26
Henshall St. Barn —1A 24
Henson St. S9 —5D 88
Heppenstall La. S9 —5B 88
Heptinstall St. Wors —4B 24
Hepworth Dri. Swal —6B 104
Hepworth Rd. Don —4H 45
Herbert Clo. Barn —4A 32
Herbert Rd. S7 —1C 110
Herbert Rd. Don —4A 32
Herbert St. Mex —6F 43
Herbert St. Roth —2G 77
Herbert Ter. Barn —2H 23
Herdings Ct. S12 —4C 112
Herdings Rd. S12 —4C 112
Herdings View. S12 —4C 112
Hereford Dri. Brim —3F 133

Hereford Rd. Don —2H 33
Hereford St. S1 —4E 99 (6D 4)
(in three parts)
Hereward Ct. Con —3G 59
Hereward Rd. S5 —5F 75
Hereward's Rd. S8 —6H 111
Hermitage St. S2 —4D 98
Hermit Hill La. Tank —5A 36
Hermit La. Hghm —5A 12
Heron Hill. Ast —1C 116
Heron Mt. S2 —3A 100
Herons Way. Bird —3D 36
Herrick Gdns. Don —5C 46
Herrick Rd. B Dun —1H 21
Herries Av. S5 —1E 87
Herries Dri. S5 —1E 87
Herries Pl. S5 —1E 87
Herries Rd. S5 & S6 —1B 86
Herries Rd. S. S6 —1B 86
Herringthorpe Av. Roth —5H 79
Herringthorpe Clo. Roth
—4H 79
Herringthorpe Gro. Roth
—5A 80
Herringthorpe La. Roth —4A 80
Herringthorpe Valley Rd. Roth
—1A 80
Herriot Dri. Ches —4B 138
Herschell Rd. S7 —6D 98
(in two parts)
Herten Way. Don —3H 47
Hesketh Dri. Kirk S —3E 21
Hesley Bar. Thor H —3A 66
Hesley Ct. Den M —2B 58
Hesley Grange. Scho —5D 66
Hesley Gro. Chap —3G 65
Hesley La. Thor H —3A 66
Hesley Rd. S5 —2H 75
Hesley New R —5D 62
Hesley Ter. S5 —2H 75
Heslow Gro. Thor H —2A 66
Hessey St. S13 —1H 113
Hessle Rd. S6 —1H 85
Hethersett Way. New R —6C 62
Hewitt St. Mex —6G 43
Hexthorpe Bus. Pk. Don
—2B 46
Hexthorpe Rd. Don —1B 46
Heyhouse Dri. Chap —6E 51
Heyhouse Way. Chap —6D 50
Heysham Grn. Barn —1D 14
Heywood St. Brim —3E 133
Hibberd Pl. S6 —3G 85
Hibberd Rd. S6 —3G 85
(in two parts)
Hibbert Ter. Barn —2H 23
Hickleton St. Thurn —2E 29
Hickleton St. Den M —2B 58
Hickleton Ter. Thurn —2G 29
Hickmott Rd. S11 —5B 98
Hickson Dri. Barn —3E 15
Hicks St. S3 —5E 87
Hide St. S9 —3D 88
High Alder Rd. Bes —3A 48
Higham Comn. Rd. Hghm &
B Grn —4A 12
Higham La. Hghm & Dod
—5A 12
Higham View. Dart —6B 6
High Ash Dri. Ans —4F 119
High Bank. Thurl —4A 142
High Bank La. Thurl —4A 142
Highbury Av. Don —3C 48
Highbury Cres. Don —3C 48
Highbury Rd. Ches —6H 131
Highbury Vale. Edl —4A 60
Highcliffe Ct. S11 —6G 97
Highcliffe Dri. Swin —2B 56
Highcliffe Dri. S11 —1F 109
Highcliffe Dri. Oug —3C 72

Highcliffe Dri. Swin —2B 56
Highcliffe Pl. S11 —1F 109
Highcliffe Rd. S11 —6F 97
Highcliffe Ter. Barn —1A 24
(off Gold St.)
High Clo. Dart —4B 6
High Ct. S1 —1F 99 (2F 5)
High Croft. Hoy —6A 38
High Croft Dri. Barn —5B 8
Higher Albert St. Ches —1A 138
Highfield. Wath D —5F 41
Highfield Av. Barn —1A 14
Highfield Av. Ches —6G 131
Highfield Av. Gold —4F 29
Highfield Av. Kiv P —4A 118
Highfield Av. Wors —3H 23
Highfield Clo. B Dun —1E 21
Highfield Ct. Swin —2A 56
Highfield Gro. Wath D —4A 40
Highfield La. S13 & Tree
—3B 102
Highfield La. Ches —5G 131
Highfield Pl. S2 —5E 99
Highfield Range. Darf —2E 27
Highfield Rise. Stann —5B 84
Highfield Rd. Ches —6H 131
Highfield Rd. Con —3F 59
Highfield Rd. Darf —3E 27
Highfield Rd. Don —5E 33
Highfield Rd. Roth —5C 68
Highfield Rd. Swin —2H 55
Highfields. Hoy S —1F 143
Highfields Cres. Dron —3E 129
Highfields Rd. Dart —5A 6
Highfields Rd. Dron —3E 129
Highfield Ter. Ches —6H 131
Highfield View. Cat —5C 90
Highfield View Rd. Ches
(in two parts) —6H 131
High Fisher Ga. Don —5D 32
Highgate. S9 —1G 89
(in two parts)
Highgate Clo. New R —6E 63
Highgate Ct. Gold —5E 29
Highgate Dri. Dron —4G 129
Highgate La. Bolt D —6E 29
Highgate La. Dron —4F 129
Highgreave. S5 —2G 75
High Greave Av. S5 —2F 75
High Greave Pl. Roth —2A 80
High Greave Rd. Roth —1A 80
Highgrove Ct. Don —5E 49
High Hazel Cres. Cat —5C 90
High Hazels Clo. S9 —1F 101
High Hazels Mead. S9 —1F 101
High Hazels Pk. S9 —1F 101
High Hooton Rd. Laug & Malt
—3G 95
High Ho. Farm Ct. Wal —5F 117
High Ho. Ter. S6 —4B 86
High La. Ridg —6G 113
High La. Thurc —3F 105
High Lee La. Hoy S —2F 143
Highlightley La. Barl —6A 128
Highlow Clo. Ches —6E 131
Highlow View. Brin —2C 90
High Matlock Av. Stann
—5D 84
High Matlock Rd. Stann
—4D 84
Highmill Av. Swin —2G 55
Highmoor Av. Kiv P —5G 117
Highnam Cres. Rd. S10 —2A 98
High Nook Rd. Din —5G 107
High Ridge. Wors —4H 23
High Rd. Bal —4A 46
High Rd. Edl —4B 60
High Rd. War —5E 45
High Royd Av. Cud —1H 15

High Royd La. Hoy S —2G **143**
Highroyds. Wors —3H **23**
Highstone Av. Barn —2G **23**
Highstone Corner. Wors
—3H **23**
Highstone Cres. Barn —2G **23**
Highstone La. Wors —3H **23**
Highstone Rd. Barn —2H **23**
Highstone Vale. Barn —2G **23**
High Storrs Clo. S11 —1G **109**
High Storrs Cres. S11 —6G **97**
High Storrs Dri. S11 —1F **109**
High Storrs Rise. S11 —6G **97**
High Storrs Rd. S11 —1F **109**
High St. Dore, Dore —2D **120**
High St. Anston, Ans —3F **119**
High St. Arksey, Arks —5D **18**
High St. Barnby Dun, B Dun
—2G **21**
High St. Beighton, Beig
—3G **115**
High St. Bentley, Ben —2A **32**
High St. Billingley, Bil —3B **28**
High St. Bolton-upon-Dearne,
Bolt D —1A **42**
High St. Brimington, Brim
—3F **133**
High St. Chesterfield, Ches
—2A **138**
High St. Conisbrough, Con
—3E **59**
High St. Darton, Dart —3E **7**
High St. Dodworth, Dod
—2B **22**
High St. Doncaster, Don
—6C **32**
High St. Dronfield, Dron
—2E **129**
High St. Dunsville, Dunsv
—4G **21**
High St. Ecclesfield, Ecc —1F **75**
High St. Eckington, Eck
—6C **124**
High St. Goldthorpe, Gold
—4G **29**
High St. Grimethorpe, Grime
—6F **11**
High St. Hoyland, Hoy —5A **38**
High St. Killamarsh, Kil
—3B **126**
High St. Kimberworth, Kim
—2G **77**
High St. La. S2 —2G **99** (3H **5**)
High St. Laughton, Laug
—6F **95**
High St. Maltby, Malt —4G **83**
High St. Meadowhall Shopping
Mall, S9 —1E **89**
High St. Mexborough, Mex
—1E **57**
High St. Monk Bretton, Monk B
—3C **14**
High St. Mosborough, Mosb
—2C **124**
High St. Old Whittington, Old W
—1A **132**
High St. Penistone, Pen
—4D **142**
High St. Rawmarsh, Raw
—3F **69**
High St. Rotherham, Roth
3D **78**
High St. Royston, Roys —2C **8**
High St. Shafton, Shaf —2C **10**
High St. Sheffield, S1
—2F **99** (3E **5**)
High St. Staveley, Stav
—1C **134**
High St. Swallownest, Swal
—6A **104**

High St. Thurnscoe, Thurn
—1E **29**
High St. Wadworth, Wadw
—6H **61**
High St. Wath upon Dearne,
Wath D —5F **41**
High St. Whiston, Whis —2H **91**
High St. Wombwell, Wom
—6B **26**
High St. Worsbrough, Wors
—4B **24**
Highthorn Rd. Kiln —4B **56**
Highthorn Way. Kiv P —4B **118**
Highton St. S6 —5A **86**
High Trees. Dore —2D **120**
High Trees. Roth —6H **79**
High View. Roys —2D **8**
High View Clo. Ches —3D **138**
High View Clo. Darf —3F **27**
Highwood Clo. Dart —5A **6**
Highwood Pl. Eck —6C **124**
Highwoods Cres. Mex —6C **42**
Highwoods Rd. Mex —6C **42**
High Wray Clo. S11 —3H **109**
Hilary Way. Swal —6B **104**
Hilda Ter. Grime —6F **11**
Hillary Ho. Don —3G **33**
Hill Clo. Roth —5C **80**
Hill Clo. Stann —5C **84**
Hillcote Clo. S10 —4D **96**
Hillcote Dri. S10 —4D **96**
Hillcote M. S10 —4D **96**
Hillcote Rise. S10 —4D **96**
Hill Crest. Hoy —6G **37**
Hillcrest. Thurn —2E **29**
Hillcrest Dri. Ans —4F **119**
Hillcrest Dri. Oug —3C **72**
Hillcrest Rise. Deep —4H **141**
Hill Crest Rd. Chap —2D **64**
Hillcrest Rd. Ches —6D **138**
Hillcrest Rd. Deep —4H **141**
Hillcrest Rd. Don —3G **33**
Hill Crest Rd. Roth —2H **79**
Hill End Rd. Map —6G **7**
Hill Farm Clo. Thurn —2D **28**
Hillfoot Rd. S3 —5C **86**
Hillfoot Rd. Tot —4C **120**
Hillhouse La. S11 —2G **109**
Hillman Dri. Ink —5A **134**
Hillsborough Arc., The. S6
—3A **86**
Hillsborough Barracks Bus. &
Shopping Cen. S6 —3B **86**
Hillsborough Pl. S6 —3A **86**
Hillsborough Rd. S6 —3A **86**
Hillsborough Rd. Don —3C **48**
Hills Clo. Spro —1G **45**
Hillside. Ans —1F **119**
Hillside. Barn —1G **25**
Hillside. Mosb —2C **124**
Hill Side. Thor H —3B **66**
Hill Side. Whis —2H **91**
Hillside Av. S5 —3F **75**
Hillside Av. Dron —3E **129**
Hillside Clo. Hoy S —1F **143**
Hillside Ct. Roth —6D **68**
Hillside Cres. Brier —3G **11**
Hillside Dri. Ches —3F **137**
Hillside Dri. Edl —4A **60**
Hillside Dri. Hoy —6B **38**
Hillside Gro. Brier —3F **11**
Hill Side La. Pen —5A **142**
Hillside Mt. Brier —3G **11**
Hillside Rd. Don —2A **34**
Hillside Rd. Deep —3F **141**
Hill St. S2 —4D **98**
Hill St. Barn —1E **25**
Hill St. Darf —4E **27**
Hill St. Els —6C **38**
Hilltop. Brier —2F **11**

Hilltop Av. Barn —4A **8**
Hill Top Clo. Brin —2B **90**
Hill Top Clo. Kim —3F **77**
Hill Top Clo. Malt —3D **82**
Hill Top Cres. Don —2A **34**
Hill Top Cres. Edl —5B **60**
Hill Top Cres. Wat —6D **114**
Hilltop Dri. Oug —1B **72**
Hilltop Gdns. Den M —3B **58**
Hill Top La. Barn —4D **12**
Hill Top La. Flan —2D **80**
Hill Top La. Roth —3F **77**
Hill Top La. Stoc —1E **141**
Hill Top Rise. Gren —2B **74**
Hill Top Rd. Bird —3D **36**
Hill Top Rd. Den M —2A **58**
Hilltop Rd. Dron —3E **129**
Hill Top Rd. Gren —2B **74**
Hill Top Smithies. Barn —1H **13**
Hilltop Way. Dron —4F **129**
Hill Turrets Clo. S11 —3F **109**
Hill View E. Roth —1F **77**
Hill View Rd. Brim —3E **133**
Hill View Rd. Roth —1F **77**
Hilton Dri. Ecc —1F **75**
Hilton St. Barn —5F **13**
Hindburn Clo. Don —4A **48**
Hinde Ho. Cres. S4 —1A **88**
Hinde Ho. Croft. S4 —1A **88**
Hinde Ho. La. S4 —2H **87**
Hinde St. S4 —2A **88**
Hindewood Clo. S4 —1A **88**
Hindle St. Barn —6F **13**
Hind Rd. Whis —1A **92**
Hipley Clo. Ches —5D **130**
Hipper St. Ches —3A **138**
Hipper St. S. Ches —3A **138**
Hipper St. W. Ches —3G **137**
Hirst Comn. La. S6 —3H **73**
Hirst Dri. Roth —2B **80**
Hirst Ga. Mex —1G **57**
Hobart St. S11 —5D **98**
Hobner La. Ink —3A **134**
Hobson Av. S6 —4C **86**
Hobson Pl. S6 —4C **86**
Hodder Ct. Chap —1D **64**
Hodgkinson Av. Pen —4D **142**
Hodgson St. S3 —3D **98** (6C **4**)
Hodroyd Clo. Shaf —4D **10**
Hodroyd Cotts. Brier —3F **11**
Hogarth Rise. Dron —3D **128**
Holbeach Dri. Ches —5G **137**
Holbeck Clo. Ches —1B **138**
Holbein Clo. Dron —3D **128**
Holberry Clo. S10
—3C **98** (5A **4**)
Holberry Gdns. S10 —3C **98**
Holborn Av. Dron —1E **129**
Holbourne Gro. H Grn —4B **50**
Holbrook Av. Holb —1F **125**
Holbrook Clo. Ches —5E **137**
Holbrook Dri. S13 —1D **112**
Holbrook Grn. Holb —1G **125**
Holbrook Rise. Holb —6F **115**
Holbrook Rd. S13 —6D **100**
Holbrook Trading Est. Half
—1G **125**
Holderness Dri. Swal —5B **104**
Holdings Rd. S2 —4H **99**
Holdroyds Yd. Dod —3B **22**
Holdworth La. Brad —6A **72**
Hole Ho. La. Stoc —3D **140**
Holgate. Wom —4H **25**
Holgate Av. S5 —4D **74**
Holgate Clo. S5 —3D **74**
Holgate Cres. S5 —3E **75**
Holgate Dri. S5 —3E **75**
Holgate Mt. Wors —3H **23**
Holgate Rd. S5 —3E **75**

Holgate View. Brier —2G **11**
Holiwell Clo. Malt —3H **83**
Holkham Rise. S11 —5F **109**
Holland Clo. Raw —6F **55**
Holland Pl. S2 —5E **99**
Holland Rd. S2 —5E **99**
Holland Rd. Ches —1H **131**
Holland Rd. H Grn —6B **50**
Holland St. S1 —2D **98** (3C **4**)
Hollens Way. Ches —5B **130**
Hollies Clo. Dron —3G **129**
Hollinberry La. H Grn —4A **50**
Hollin Busk La. Deep —5E **141**
Hollin Busk Rd. Deep —4E **141**
Hollin Clo. Ches —3E **131**
Hollin Clo. Ros —3F **63**
Hollincroft. Dod —1C **22**
Hollindale Dri. S12 —2E **113**
Hollin Edge La. Deep —6H **141**
Holling Croft. Deep —3G **141**
Holling Hill La. Wick —5D **80**
Holling Moor La. Wick —5E **81**
Holling's La. Thry —5D **70**
Hollingwood Cres. Holl
—1G **133**
Hollingworth Clo. Mex —5H **43**
Hollin Ho. La. Lox —1A **84**
Hollin La. Stoc —6E **141**
Hollin Rd. Oug —3C **72**
Hollins Clo. S6 —6F **85**
Hollins Ct. S6 —5F **85**
Hollins Dri. S6 —6G **85**
Hollinsend Av. S12 —2E **113**
Hollinsend Pl. S12 —2E **113**
Hollinsend Rd. S12 —3C **112**
Hollins La. S6 —5F **85**
Hollins Spring Av. Dron
—3E **129**
Hollins Spring Rd. Dron
—3E **129**
Hollins, The. Dod —3C **22**
Hollis Clo. Raw —5D **54**
Hollis Croft. S1 —1D **98** (2C **4**)
Hollis Croft. Wdhse —1A **114**
Hollis La. Ches —3B **138**
(in two parts)
Hollowdene. Barn —4D **12**
Hollowgate. Barnb —1F **43**
Hollow Ga. Burn —2B **64**
Hollowgate. Roth —4E **79**
Hollow Ga. Whis —2H **91**
Hollowgate Av. Wath D —3C **40**
Hollow La. Mosb —3D **124**
Hollows, The. Don —5C **48**
Holly Av. Don —2A **32**
Hollybank Av. S12 —1E **113**
Hollybank Clo. S12 —1E **113**
Hollybank Cres. S12 —1E **113**
Hollybank Dri. S12 —1E **113**
Hollybank Rd. S12 —1E **113**
Hollybank Way. S12 —1F **113**
Holly Barn Fold. Hoo R —1G **71**
Holly Bush Dri. Thurn —1F **29**
Holly Bush La. Eden —4D **20**
Hollybush St. Park —4F **69**
Holly Clo. Chap —3D **64**
Holly Clo. Ches —1A **132**
Holly Clo. Kil —4A **126**
Holly Ct. S10 —4H **97**
Holly Ct. Barn —2H **23**
Holly Cres. Sun —3G **81**
Hollycroft Av. Roys —2D **8**
Holly Dene. Arm —1F **35**
Holly Dri. Ben —5B **18**
Holly Gdns. S12 —1E **113**
Holly Ga. Wors —4C **24**
Holly Gro. Brier —2G **11**
Holly Gro. Ros —3E **63**
Holly Gro. Wath D —1F **55**
Holly Hall La. Stoc —1H **141**

Holly Ho. La. Gren —1G **73**
Holly La. S1 —2E **99** (3D 4)
Holly Mt. Wick —5G **81**
Holly St. S1 —2E **99** (3D 4)
(in two parts)
Holly St. Don —2C **46**
Holly Ter. Don —4H **45**
Holly Ter. Swal —5A **104**
Hollythorpe Clo. Ches —5D **138**
Hollythorpe Cres. S8 —3E **111**
Hollythorpe Rise. S8 —3F **111**
Hollythorpe Rd. S8 —3F **111**
Hollytree Av. Malt —3D **82**
Hollywell Rd. Kiln —4B **56**
Holmbrook Wlk. Ches —6E **131**
Holm Clo. Dron W —1B **128**
Holmedale Clo. Ches —1G **137**
Holmebank E. Ches —1G **137**
Holmebank View. Ches
—1G **137**
Holmebank W. Ches —1G **137**
Holme Clo. S6 —3A **86**
Holme Ct. Gold —5E **29**
Holme Ct. Roth —1E **91**
Holme Hall Cres. Ches
—5B **130**
Holme La. S6 —4H **85**
Holme La. Gren —2B **74**
Holme Oak Way. Stann —4C **84**
Holme Pk. Av. Ches —4D **130**
Holme Rd. Ches —5A **132**
Holmeroyd Rd. Ad S —1G **17**
Holmes Carr Cres. New R
—4B **62**
Holmes Carr Rd. Don —5B **48**
Holmes Carr Rd. New R
—4B **62**
Holmes Cres. Tree —1E **103**
Holmesdale Clo. Dron —6G **123**
Holmesdale Rd. Dron —6F **123**
Holmesfield. Roth —3A 78
(off Rosebery St.)
Holmesfield Rd. Dron W
—2A **128**
Holmesfield Rd. Oug —3D **72**
Holmes La. Hoo R —6G **57**
Holmes La. Roth —3A **78**
Holmes Mkt. Don —5E 33
(off Athron St.)
Holmes Rd. Bram —5H **81**
Holmes, The. Don —5E **33**
Holme View Rd. Dart —5A **6**
Holme Wood Gdns. Don
—4C **48**
Holme Wood La. Arm —3H **35**
Holmfield Clo. Arm —4G **35**
Holm Flatt St. Park —4E **69**
Holmhirst Clo. S8 —5C **110**
Holmhirst Dri. S8 —4C **110**
Holmhirst Rd. S8 —4C **110**
Holmhirst Way. S8 —4C **110**
Holmley Bank. Dron —6E **123**
Holmley La. Dron —6E **123**
Holmoak Clo. Swin —4B **56**
Holmshaw Dri. S13 —5G **101**
Holmshaw Gro. S13 —5G **101**
Holtwood Rd. S4 —4F **87**
Holwick Ct. Barn —6G **13**
Holy Grn. S1 —3E **99** (6D 4)
Holymoor Rd. Holy —6A **136**
Holyoake Av. S13 —5G **101**
Holyrood Rise. Bram —3H **81**
Holyrood Rd. Don —6G **33**
Holywell La. B'well —1G **83**
Holywell La. Con —4E **59**
Holywell Pl. Roth —2E 79
(off Nottingham St.)
Holywell Rd. S4 & S9 —2B **88**
Holywell St. Ches —2A **138**

Homecroft Rd. Gold —4F **29**
Homefield Cres. Don —1G **31**
Homeport M. Ches —1A **138**
Homestead Clo. S5 —4H **75**
Homestead Dri. Brin —2B **90**
Homestead Dri. Raw —6F **55**
Homestead Rd. S5 —4G **75**
Homestead, The. Ben —6B **18**
Honeysuckle Clo. Darf —4E **27**
Honeysuckle Rd. S5 —6B **76**
Honeywell Clo. Barn —4H **13**
Honeywell Gro. Barn —3H **13**
Honeywell La. Barn —4G **13**
Honeywell Pl. Barn —4G **13**
Honeywell St. Barn —4H **13**
Honister Clo. Brmp B —4A **40**
Hoober Av. S11 —2F **109**
Hoober Ct. Raw —5D **54**
Hoober Field Rd. Raw —4A **54**
Hoober Hall La. Raw & Wath D
—2G **53**
Hoober La. Raw —4A **54**
Hoober Rd. S11 —2G **109**
Hoober St. Wath D —4B **40**
Hoober View. Raw —5D **54**
Hoober View. Wom —2H **39**
Hood Grn. Rd. Hood G —6A **22**
Hoole La. S10 —3A **98**
Hoole Rd. S10 —2A **98**
Hoole St. S6 —3A **86**
Hoole St. Ches —5D **138**
Hooley Rd. S13 —1D **114**
Hooton Clo. Laug —6G **95**
Hooton La. Laug —6G **95**
Hooton La. Malt —5E **83**
Hooton La. Rav —4G **71**
Hooton Rd. Kiln —6C **56**
Hope Av. Gold —4F **29**
Hopedale Rd. S12 —3F **113**
Hopefield Av. S12 —3F **113**
Hope Rd. Oug —3E **73**
Hope Sq. S9 —3B **88**
Hope St. Barn —5F **13**
Hope St. Ches —2G **137**
Hope St. Low V —5D **26**
Hope St. Map —5G **7**
Hope St. Mex —1E **57**
Hope St. Monk B —1F **15**
Hope St. Roth —2C **78**
Hope St. Stoc —3E **141**
Hope St. Wom —1G **39**
Hope St. Ind. Est. Roth —1C **78**
Hopewell St. Barn —1D **24**
Hopwood La. S6 —1B **96**
Hopwood St. Barn —5G **13**
Horace St. Roth —4E **79**
Horbiry End. Tod —2A **118**
Horbury La. Burn —3C **64**
Horbury Rd. Cud —5B **10**
Hornbeam Clo. Chap —3D **64**
Hornbeam Rd. Flan —3F **81**
Hornby Ct. S11 —6G **97**
Hornby St. Barn —2H **23**
(in two parts)
Horndean Rd. S5 —2H **87**
Horner Clo. Stoc —3D **140**
Horner Rd. S7 —6D **98**
Hornes La. Map —4G **7**
Horninglow Clo. S5 —6G **75**
Horninglow Don. Don —4E **49**
Horninglow Mt. S5 —6G **75**
Horninglow Rd. S5 —6G **75**
Hornsby Rd. Arm —4G **35**
Hornthorpe Rd. Eck —6G **125**
Hornthwaite Hill Rd. Thurl
—5A **142**
Horse Carr View. Barn —1G **25**
Horse Croft La. Whar S —1B **72**
Horsehills La. Arm —4E **35**

Horsemoor Rd. Thurn —1D **28**
Horseshoe Clo. Wal —4G **117**
Horseshoe Gdns. Wal —4F **117**
Horsewood Clo. Barn —1D **22**
Horsewood Rd. S13 —5D **102**
Horsewood Rd. Walt —5D **136**
Horsley Clo. Ches —6C **130**
Horton Clo. Half —2E **125**
Horton Dri. Half —2E **125**
Horton View. Kirk S —2C **20**
Hough La. Wom —1E **39**
Houghton Rd. Ans —5B **106**
Houghton Rd. Thurn —1C **28**
Houldsworth Dri. Ches
—3D **138**
Hound Hill La. Mex —4B **42**
Hound Hill La. Wors —5F **23**
Houndkirk Rd. S11 —4A **108**
Hounsfield Cres. Roth —2B **80**
Hounsfield La. S3
—2C **98** (4A 4)
Hounsfield Rd. S3
—2C **98** (3A 4)
Hounsfield Rd. Roth —2B **80**
Housley La. Chap —2D **64**
Housley Pk. Chap —1C **64**
Houstead Rd. S9 —2F **101**
Hoveringham Ct. Swal —1A **116**
Howard Dri. Ches —1A **132**
Howard La. S1 —3F **99** (5F 5)
Howard Rd. S6 —6A **86**
Howard Rd. Bram —4H **81**
Howard Rd. Malt —4H **83**
Howards Clo. Thurc —5C **94**
Howard St. S1 —3F **99** (5F 5)
Howard St. Barn —2H **23**
Howard St. Darf —4G **27**
Howard St. Din —4G **107**
Howard St. Roth —2D **78**
(in two parts)
Howarth La. Whis —3E **91**
Howbeck Clo. Edl —4A **60**
Howbeck Dri. Edl —4A **60**
Howbrook Clo. H Grn —5A **50**
Howden Clo. Dart —4D **6**
Howden Clo. Don —5A **48**
Howden Clo. Stav —1D **134**
Howden Rd. S9 —4C **88**
Howdike Rd. Barn —6F **57**
Howe La. Laug —3G **95**
Howlett Clo. Whis —2B **92**
Howlett Dri. Brin —4C **90**
Howse St. Els —5D **38**
Howson Rd. Deep —3F **141**
Hoylake Av. Ches —6E **137**
Hoylake Rd. Swin —4B **56**
Hoyland Rd. S3 —4C **86**
Hoyland Rd. Hoy —6F **37**
Hoyland St. Malt —5H **83**
Hoyland St. Wom —1F **39**
Hoy La. Mex —4C **42**
Hoyle Croft La. B'well —1E **83**
Hoyle Mill La. Pen —3B **142**
Hoyle Mill Rd. Barn —1D **24**
Hoyle St. S3 —1D **98** (1C 4)
Hucklow Av. Ches —5H **137**
Hucklow Av. Ink —4A **134**
Hucklow Dri. S5 —6H **75**
Hucklow Rd. S5 —1H **87**
Hucknall Av. Ches —1E **137**
Huddersfield Rd. Barn —3E **13**
Huddersfield Rd. Dart —4A **6**
Huddersfield Rd. Ing & Pen
—1A **142**
Hudson Haven. Wom —6H **25**
Hudson Rd. S13 —5E **103**
Hudson Rd. Roth —5G **67**
Hudson's M. Don —6C **32**
Humberside Way. Barn —1D **14**

Humphrey Rd. S8 —1C **122**
Humphries Av. Raw —6D **54**
Hungerhill Clo. Roth —1F **77**
Hungerhill La. Eden —5B **20**
Hungerhill Rd. Wike —6F **67**
Hunloke Av. Ches —4F **137**
Hunloke Cres. Ches —4G **137**
Hunningley Clo. Barn —2D **24**
Hunningley La. Barn —4D **24**
Hunsdon Rd. Eck —6C **124**
Hunshelf Pk. Stoc —2E **141**
Hunshelf Rd. Chap —2D **64**
Hunshelf Rd. Stoc —1B **140**
(in two parts)
Hunsley St. S4 —3A **88**
Hunster Clo. Don —4D **48**
Hunster Flat La. New R
—6D **62**
Hunster Gro. New R —5D **62**
Hunstone Av. S8 —2E **123**
Hunt Clo. Barn —3C **14**
Hunter Ct. S11 —6H **97**
Hunter Hill Rd. S11 —5A **98**
Hunter Ho. Rd. S11 —5A **98**
Hunter Rd. S6 —3H **85**
Hunter's Av. Barn —1C **22**
Hunters Bar. S11 —5A **98**
Hunters Chase. Din —2F **107**
Hunters Clo. Din —2F **107**
Hunters Ct. Din —2F **107**
Hunters Dri. Din —2F **107**
Hunters Gdns. Din —2F **107**
Hunters Gdns. Lox —2D **84**
Hunters Grn. Din —2F **107**
Hunters La. S13 —1E **113**
Hunters Pk. Din —2F **107**
Hunters Rise. Barn —6C **12**
Hunters Way. Din —2F **107**
Huntingdon Cres. S11 —5C **98**
Huntingdon Rd. Don —4A **34**
Huntington St. Ben —5A **18**
Huntington Way. Malt —2E **83**
Huntingtower Rd. S11 —6H **97**
Hunt La. Don —4B **32**
Huntley Clo. Ink —3H **133**
Huntley Gro. S11 —1F **109**
Huntley Rd. S11 —1G **109**
Huntsman Rd. S9 —1F **101**
Huntsman Rd. Stav —1C **134**
Hunt St. Hoy —6F **37**
Hurl Dri. S12 —2B **112**
Hurley Croft. Brmp B —4A **40**
Hurlfield Av. S12 —2B **112**
Hurlfield Ct. S12 —1C **112**
Hurlfield Dri. S12 —1B **112**
Hurlfield Dri. Rav —2H **81**
Hurlfield Rd. S12 —2A **112**
Hurlfield View. S12 —1B **112**
Hurlingham Clo. S11 —2A **110**
Hursley Clo. Soth —6G **115**
Hursley Dri. Soth —6G **115**
Hurst Grn. H Grn —6B **50**
Hurst La. Auc —4H **63**
Hutchinson Ct. Roth —4E **79**
Hutchinson La. S7 —4B **110**
Hutchinson Rd. S7 —4B **110**
Hutchinson Rd. Raw —1G **69**
Hutcliffe Dri. S8 —4B **110**
Hutcliffe Wood Rd. S8
—5B **110**
Hut La. Kil —5C **126**
Hutton Croft. S12 —4B **114**
Hutton Rd. Roth —6H **67**
Hyacinth Clo. S5 —6B **76**
Hyacinth Rd. S5 —6B **76**
Hyde Pk. Ind. Est. Don —3E **47**
Hyde Pk. Ter. S2 —2G **99**
Hyde Pk. Wlk. S2 —2G **99**

Hyman Clo. War —4F **45**
Hyperion Way. New R —5C **62**

Ians Way. Ches —1E **137**
Ibberson Av. Map —5F **7**
Ibbotson Rd. S6 —5A **86**
Ibsen Cres. B Dun —1H **21**
Ickles Way. Roth —5B **78**
Icknield Way. Brin —3C **90**
Ida Gro. Malt —3D **82**
Ida's Rd. Eck —5D **124**
Idsworth Rd. S5 —1H **87**
Ilam Clo. Ink —5A **134**
Ilkley Cres. Swal —1A **116**
Ilkley Rd. S5 —5H **75**
Illsley Rd. Darf —3E **27**
Immingham Gro. Stav —2B **134**
Imperial Bldgs. Roth —3D **78**
Imperial Cres. Don —5F **33**
Imperial St. Barn —2H **23**
Industry Rd. S9 —6D **88**
Industry Rd. Carl —6E **9**
Industry St. S6 —5A **86**
(in two parts)
Infield La. S9 —1F **101**
Infirmary Rd. S6 —5C **86**
Infirmary Rd. Ches —1B **138**
Infirmary Rd. Park —4G **69**
Ingbirchworth Rd. Thurl
—3A **142**
Ingelow Av. S5 —4F **75**
Ingfield Av. S9 —1G **89**
Ingleborough Croft. Chap
—1D **64**
Ingleborough Dri. Don —1G **45**
Ingleby Clo. Dron W —2A **128**
Ingledene M. B Dun —2H **21**
Ingle Gro. Don —1G **45**
Ingleton Rd. Ches —6B **138**
Ingleton Wlk. Barn —5F **13**
Inglewood. Dart —4E **7**
Inglewood Av. Soth —6G **115**
Inglewood Ct. Soth —6G **115**
Inglewood Dell. Soth —6G **115**
Ingram Ct. S2 —3H **99**
Ingram Rd. S2 —3H **99**
Ingsfield La. Bolt D —1G **41**
Ingshead Av. Raw —2F **69**
Ingshead Ho. Raw —2F **69**
Ings La. Arks —5E **19**
(in two parts)
Ings La. Lit H —2F **27**
Ings Rd. Don —4B **32**
Ings Rd. Wom —5D **26**
Ings Way. Arks —5D **18**
Inkerman Rd. Darf —4E **27**
Inkersall Dri. W'fld —1E **125**
Inkersall Grn. Rd. Ink —3H **133**
Inkersall Rd. Stav —5B **134**
Innovation Way. Barn —3E **13**
Insley Gdns. Don —4C **48**
Intake Cres. Dod —3B **22**
Intake La. Barn —4D **12**
Intake La. Cud —5C **10**
Ireland Clo. Stav —1D **134**
Ireland St. Stav —1D **134**
Irongate. Ches —2A **138**
(off High St.)
Ironside Clo. S14 —5H **111**
Ironside Pl. S14 —4A **112**
Ironside Rd. S14 —5H **111**
Ironside Wlk. S14 —5H **111**
Ironworks Pl. Hoy —1D **52**
(off Forge La.)
Ironworks Row. Hoy —1D **52**
(off Forge La.)
Irving St. S9 —1E **101**
Irwell Gdns. Don —1B **48**
Islay St. S10 —2H **97**

Issott St. Barn —4H **13**
Ivanbrook Clo. Dron W
—2A **128**
Ivanhoe Av. Kiv P —4A **118**
Ivanhoe Clo. Don —5H **31**
Ivanhoe M. Swal —5A **104**
Ivanhoe Rd. S6 —5G **85**
Ivanhoe Rd. Con —3D **58**
Ivanhoe Rd. Don —5G **45**
Ivanhoe Rd. Eden —6D **20**
Ivanhoe Rd. Edl —4B **60**
Ivanhoe Rd. Thurc —5A **94**
Ivanhoe Way. Don —5H **31**
Ivor Gro. Don —3A **46**
Ivy Clo. Ches —1A **132**
Ivy Clo. Ros —3E **63**
Ivy Cottage La. S11 —1C **108**
Ivy Cotts. Roys —1F **9**
Ivy Ct. Old D —2H **57**
Ivy Farm Clo. Barn —4F **9**
Ivy Farm Croft. Dal —6B **70**
Ivy Gro. S10 —1B **98**
Ivy Hall Rd. S5 —3A **76**
Ivy La. Beig —3G **115**
Ivy Pk. Ct. S10 —4E **97**
Ivy Pk. Rd. S10 —3E **97**
Ivy Side Clo. Kil —3B **126**
Ivy Side Gdns. Kil —3B **126**
Ivy Ter. Barn —1A **24**

Jack Close Orchard. Roys
—1E **9**
Jackey La. Whar S —2B **72**
Jackson Cres. Raw —6E **55**
Jackson St. Cud —1G **15**
Jackson St. Gold —4G **29**
Jacobs Clo. S5 —5A **76**
Jacobs Dri. S5 —5A **76**
Jacobs Hall Ct. Dart —5A **6**
Jacques Pl. Barn —5D **14**
Jamaica St. S4 —4H **87**
James Andrew Clo. S8
—2D **122**
James Andrew Cres. S8
—2C **122**
James Andrew Croft. S8
—2D **122**
James St. S9 —2E **101**
James St. Barn —5H **13**
James St. Ches —5A **132**
James St. Mex —6H **43**
James St. Roth —2C **78**
(in two parts)
James St. Wors D —4C **24**
Janet's Wlk. Wom —5G **25**
Janson St. S9 —3C **88**
Jardine Clo. S9 —5C **76**
Jardine St. S9 —5D **76**
Jardine St. Wom —1F **39**
Jarratt St. Don —1D **46**
Jarrow Rd. S11 —5B **98**
Jasmine Av. Beig —4F **115**
Jasmine Clo. Con —4F **59**
Jaunty Av. S12 —4D **112**
Jaunty Clo. S12 —4D **112**
Jaunty Cres. S12 —3D **112**
Jaunty Dri. S12 —4D **112**
Jaunty La. S12 —3D **112**
Jaunty Mt. S12 —4E **113**
Jaunty Pl. S12 —4D **112**
Jaunty Rd. S12 —4E **113**
Jaunty View. S12 —4E **113**
Jaunty Way. S12 —3D **112**
Jaw Bones Hill. Ches —5A **138**
Jay La. Ast —1C **116**
Jedburgh Dri. S9 —5C **76**
Jedburgh St. S9 —5C **76**
Jeffcock Pl. H Grn —6C **50**
Jeffcock Rd. S9 —1E **101**

Jeffcock Rd. H Grn —6C **50**
Jefferson Av. Don —6B **20**
Jeffery Cres. Deep —4F **141**
Jeffrey Grn. S10 —6A **96**
Jeffrey St. S2 —1F **111**
Jenkin Av. S9 —1C **88**
Jenkin Clo. S9 —6C **76**
Jenkin Dri. S9 —1C **88**
Jenkin Rd. S9 —6C **76**
Jenny La. Cud —1H **15**
Jepson Rd. S5 —5B **76**
Jericho St. S3 —1C **98** (1B **4**)
Jermyn Av. S12 —3G **113**
Jermyn Clo. S12 —4H **113**
Jermyn Cres. S12 —4H **113**
Jermyn Croft. Dod —2B **22**
Jermyn Dri. S12 —4H **113**
Jermyn Sq. S12 —4H **113**
Jermyn Way. S12 —4G **113**
Jersey Rd. S2 —6E **99**
Jervis Pl. Ink —5H **133**
Jesmond Av. Roys —2D **8**
Jessamine Rd. S5 —5A **76**
Jessell St. S9 —6B **88**
Jessop Ct. Din —3F **107**
Jessop St. S1 —3E **99** (6D **4**)
Jewitt Rd. Roth —5G **67**
Jew La. S1 —2F **99** (3G **5**)
Joan La. Hoo L —5E **83**
Joan Royd La. Pen —6B **142**,
Joan's Wlk. Jump —4B **38**
Jockel Dri. Raw —2F **69**
Jockey Rd. Pen —5H **143**
John Calvert Rd. Wdhse
—1D **114**
John Eaton's Almshouses. S8
—5F **111**
John Hartop Pl. Hoy —1D **52**
(off Forge La.)
John La. New R —4C **62**
Johnson Ct. Edl —2C **60**
Johnson Ct. Roth —4F **79**
(off Johnson St.)
Johnson La. S3 —1F **99** (1F **5**)
Johnson La. Ecc —6F **65**
Johnson St. S3 —6F **87**
Johnson St. Barn —5F **13**
Johnson St. Roth —4F **79**
Johnson St. Stoc —3D **140**
Johnstone Clo. Ches —4H **137**
John St. S2 —4D **98**
John St. Barn —1H **23**
John St. Brim —3E **133**
John St. Ches —2G **137**
John St. Eck —6D **124**
John St. Gt H —1B **28**
John St. Lit H —2A **28**
John St. Mex —1E **57**
John St. Roth —3C **78**
John St. Thurc —4A **94**
John St. Thurn —1F **29**
John St. Wom —6A **26**
John St. Wors —5F **24**
John Trickett Ho. Chap —2D **64**
(off Lansbury Av.)
John Ward St. S13 —6D **102**
John West St. Stoc —4D **140**
Joiner St. S3 —1F **99** (1F **5**)
Jones Av. Wom —6H **25**
Jordan Cres. Roth —4G **77**
Jordanthorpe Cen. S8 —3F **123**
Jordanthorpe Grn. S8 —3G **123**
Jordanthorpe Parkway. S8
—2F **123**
Jordanthorpe View. S8
—3G **123**
Joseph Ct. Barn —1H **23**
Josephine Rd. Roth —3A **78**
Joseph Rd. S6 —6A **86**
Joseph St. Barn —1H **23**

Joseph St. Eck —6D **124**
Joseph St. Grime —6G **11**
Joseph St. Roth —2C **78**
Joshua Rd. S7 —1C **110**
Josselin Ct. Chap —2D **64**
Jossey La. Don —1F **31**
Jowitt Clo. Malt —6H **83**
Jowitt Rd. S11 —1H **109**
Jubb Clo. Roth —5B **80**
Jubilee Cotts. Brin —2B **90**
Jubilee Cotts. Cal —4G **139**
Jubilee Ct. Don —3A **34**
Jubilee Cres. Kil —2C **126**
Jubilee Rd. S9 —5D **88**
Jubilee Rd. Don —4E **33**
Jubilee St. Roth —5D **78**
Jubilee Ter. Barn —1B **24**
Judith Rd. Ast —1B **116**
Judy Row. Barn —3C **14**
Julian Rd. S9 —6D **76**
Julian Way. S9 —6D **76**
Jumble La. Ecc —6H **65**
Jumble Rd. S11 —6A **108**
Junction 34 Ind. Est. S9
—2G **89**
Junction Clo. Wom —2A **40**
Junction Rd. S11 —5A **98**
Junction Rd. New R —5C **62**
Junction Rd. Wdhse —6D **102**
Junction St. Barn —1B **24**
Junction St. Wom —2H **39**
Junction Ter. Barn —1B **24**
June Rd. Wdhse —6D **102**
Juniper Rise. Kil —4A **126**

Kashmir Gdns. S9 —6D **88**
Katherine Rd. Thurc —4A **94**
Katherine St. Thurc —5B **94**
Kathleen Gro. Gold —3H **29**
Kathleen St. Gold —3H **29**
Kay Cres. Raw —5C **54**
Kaye Pl. S10 —1B **98**
Kaye St. Barn —5H **13**
Kay's Ter. Barn —2E **25**
Kay St. Hoy —6F **37**
Kearsley La. Con —5D **58**
Kearsley Rd. S2 —5E **99**
Keats Dri. Din —5H **107**
Keats Gro. Pen —3D **142**
Keats Rd. S6 —3B **74**
Keats Rd. Ches —3H **131**
Keats Rd. Don —5B **46**
Keble Martin Way. Wath D
—5D **40**
Keeper La. Wool —1H **7**
Keepers Clo. Ros —3F **63**
Keeton Hall Rd. Kiv P —4B **118**
Keeton's Hill. S2 —5D **98**
Keighley Wlk. Con —4B **58**
Keilder Ct. Ches —4F **137**
Keir Pl. Raw —1H **69**
Keir St. Barn —5F **13**
Keir Ter. Barn —5F **13**
Kelburn Av. Ches —4E **137**
Kelham Ct. Don —2C **46**
Kelham Island. S3 —6E **87**
Kelham St. Don —2C **46**
Kelly St. Gold —4G **29**
Kelsey Gdns. Don —6C **48**
Kelsey Ter. Barn —2H **23**
Kelso Dri. War —4F **45**
Kelvin Gro. Wom —1G **39**
Kelvin St. Dal —6B **70**
Kelvin St. Mex —6E **43**
Kemp Clo. Kil —3A **126**
Kempton Gdns. Mex —5G **43**
Kempton Pk. Rd. Don —3F **31**
Kempton St. Don —1B **48**
Kempwell Dri. Raw —5F **55**

Kenbourne Gro. S7 —6C **98**
Kenbourne Rd. S7 —6C **98**
Kendal Av. Ans —1H **119**
Kendal Clo. Spro —2C **44**
Kendal Cres. Con —4F **59**
Kendal Cres. Wors —5A **24**
Kendal Dri. Bolt D —2A **42**
Kendal Dri. Dron W —2C **128**
Kendal Grn. Wors —5G **23**
Kendal Grn. Rd. Wors —5G **23**
Kendal Gro. Barn —1G **25**
Kendal Pl. S6 —3H **85**
Kendal Rd. S6 —3H **85**
Kendal Rd. Ches —3G **131**
Kendal Rd. Don —2A **32**
Kendal Vale. Wors B —6A **24**
Kendray St. Barn —6H **13**
Kenilworth Clo. Don —3F **31**
Kenilworth Ct. S11 —3F **109**
Kenilworth Pl. S11 —5A **98**
Kenilworth Rd. Don —4G **45**
Kenmare Cres. Don —4G **33**
Kennedy Ct. S10 —2H **97**
Kennedy Dri. Gold —6F **29**
Kennedy Rd. S8 —5C **110**
Kenneth St. Roth —2E **79**
Kennet Vale. Ches —6F **131**
Kenninghall Clo. S2 —6H **99**
Kenninghall Dri. S2 —6H **99**
Kenninghall Mt. S2 —6H **99**
Kenninghall Pl. S2 —6H **99**
Kenninghall Rd. S2 —6H **99**
Kennington Av. Wdlnd —2B **16**
Kenrock Clo. Arks —6E **19**
Kensington Av. Thurl —3A **142**
Kensington Rd. Barn —4F **13**
Kent Av. Raw —6E **55**
Kent Clo. Ches —6H **131**
Kentmere Clo. Dron W —2C **128**
Kent Rd. S8 —2F **111**
Kent Rd. Don —5B **46**
Kent Rd. Roth —6G **67**
Kent St. Ches —5C **138**
Kenwell Dri. S17 —4H **121**
Kenwood Av. S7 —6C **98**
Kenwood Bank. S7 —5C **98**
Kenwood Chase. S7 —5C **98**
(off Wostenholm Rd.)
Kenwood Clo. Barn —1D **24**
Kenwood Pk. Rd. S7 —6C **98**
Kenwood Rise. Bram —3G **81**
Kenwood Rd. S7 —6B **98**
Kenworthy Rd. Barn —2H **23**
Kenworthy Rd. Stoc —4D **140**
Kenyon All. S3 —1D **98** (2B **4**)
Kenyon Rd. Ches —4E **139**
Kenyon St. S1 —1D **98** (2C **4**)
Keppel Dri. Scho —5D **66**
Keppel Heights. Scho —5D **66**
Keppel Pl. S5 —3B **76**
Keppel Rd. S5 —3B **76**
Keppel Rd. Scho —5D **66**
Keppels View. Roth —6H **67**
Keppel View Rd. Roth —1F **77**
Kepple Clo. New R —6D **62**
Keresforth Clo. Barn —1E **23**
Keresforth Hall Dri. Barn
—2E **23**
Keresforth Hall Rd. Barn
—2F **23**
Keresforth Hill Rd. Barn
—3D **22**
Keresforth Rd. Dod —3D **22**
Kerwin Clo. S17 —1C **120**
Kerwin Dri. S17 —1C **120**
Kerwin Rd. S17 —1C **120**
Kestrel Av. Thor H —2C **66**
Kestrel Clo. Kil —2H **125**
Kestrel Dri. Ad S —1D **16**
Kestrel Dri. Eck —6B **124**

Kestrel Dri. Ros —4E **63**
Kestrel Grn. S2 —3A **100**
Kestrel Rise. Bird —3D **36**
Keswick Clo. Don —1A **32**
Keswick Clo. Lox —3E **85**
Keswick Cres. Brin —4B **90**
Keswick Dri. Ches —4E **131**
Keswick Pl. Dron W —2B **128**
Keswick Rd. S7 —3C **110**
Keswick Rd. Dart —2E **7**
Keswick Wlk. Barn —1G **25**
Keswick Way. Ans —1H **119**
Ket Hill La. Brier —2F **11**
Kettlebridge Rd. S9 —2C **100**
Ketton Av. S8 —4F **111**
Ketton Wlk. Barn —4E **13**
Kevin Gro. Hel —5B **82**
Kew Cres. S12 —5B **112**
Kexbrough Dri. Dart —5B **6**
Key Av. Hoy —5B **38**
Keyworth Pl. S13 —1A **114**
Keyworth Rd. S6 —2A **86**
Khartoum Rd. S11 —4B **98**
Kibroyd Dri. Dart —6A **6**
Kidsley Clo. Ches —6A **130**
Kier Hardie Av. New R —5E **63**
Kilburn Rd. Dron W —2A **128**
Kildale Gdns. Mosb —2D **124**
Kildonan Gro. S12 —4E **113**
Killamarsh La. Wdll —4E **127**
Kilner Way. S6 —6B **74**
Kiln Hill. Coal A —6G **123**
Kiln Rd. Roth —1H **77**
Kilnsea Wlk. Barn —6G **13**
(off Fitzwilliam St.)
Kilton Hill. S3 —5F **87**
Kilton Pl. S3 —5F **87**
Kilvington Av. S13 —6D **100**
Kilvington Cres. S13 —1D **112**
Kilvington Rd. S13 —1D **112**
Kimberley St. S9 —5B **88**
Kimberworth Pk. Rd. Roth
(in two parts) —5F **67**
Kimberworth Rd. Roth —2H **77**
Kinder Rd. Ink —5H **133**
King Av. Malt —5H **83**
King Av. New R —4C **62**
King Ecgbert Rd. Tot R
—4E **121**
King Edward Rd. Don —3B **46**
King Edwards Gdns. Barn
—1G **23**
King Edward St. Barn —1D **14**
Kingfield Ct. S11 —6B **98**
Kingfield Rd. S11 —6B **98**
Kingfisher Clo. Don —2H **33**
Kingfisher Ct. Ros —4E **63**
Kingfisher Rise. Thor H —1C **66**
Kingfisher Rd. Ad S —1D **16**
King Georges Clo. New R
—5B **62**
King George Sq. Kirk S —3D **20**
King George's Rd. New R
—3B **62**
King George Ter. Barn —1B **24**
King James St. S6 —5B **86**
Kingsclere Wlk. Ches —6H **137**
Kings Coppice. Dore —3D **120**
Kings Cft. Wors —4C **24**
King's Cres. Edl —2B **60**
Kingscroft Clo. S17 —1E **121**
Kingsforth La. Thurc —3A **94**
Kingsforth Rd. Thurc —4A **94**
Kingsgate. Don —6D **32**
Kingsgate Flats. Don —6D **32**
(off Kingsgate)

Kingsland Ct. Roys —1F **9**
Kingsley Av. Ches —5H **137**
Kingsley Av. Don —5H **31**
Kingsley Clo. Barn —1A **14**
Kingsley Cres. Arm —3G **35**
Kingsley Pk. Av. S7 —3H **109**
Kingsley Pk. Gro. S11 —3H **109**
Kingsley Rd. Ad S —2C **16**
Kingsmead Dri. Bran —3H **49**
Kingsmede Av. Ches —4F **137**
Kings M. Eck —6E **125**
King's Rd. Cud —4C **10**
King's Rd. Don —5E **33**
King's Rd. Mex —6F **43**
Kings Rd. Wom —1G **39**
King's Stocks. Lit H —3A **28**
King's St. Grime —6G **11**
Kingstone Pl. Barn —2F **23**
Kingston Rd. Don —5H **33**
Kingston St. S4 —4H **87**
King St. S3 —1F **99** (2F **5**)
King St. Arm —2D **34**
King St. Barn —1H **23**
King St. Brim —2F **133**
King St. Chap —1E **65**
King St. Don —6D **32**
King St. Gold —4G **29**
King St. Hoy —5A **38**
King St. Swal —5A **104**
King St. Swin —2B **56**
King St. Thurn —2G **29**
King St. N. Ches —4A **132**
King St. S. Ches —6A **138**
Kingsway. Map —4E **7**
Kingsway. Roth —1G **91**
Kingsway. Thurn —1E **29**
Kingsway. Wom —1F **39**
Kingsway Gro. Thurn —1E **29**
Kingswood Av. Laug —1E **107**
Kingswood Clo. Ches —3F **131**
Kingswood Clo. Owl —5A **114**
Kingswood Cres. Hoy —4A **38**
Kingswood Croft. Owl —5A **114**
Kingswood Gro. Owl —5A **114**
Kingwell Cres. Wors —3H **24**
Kingwell Croft. Wors —4A **24**
Kingwell Rd. Wors —4H **23**
Kinharvie Rd. S5 —6D **74**
Kinnaird Av. S5 —4G **75**
Kinnaird Pl. S5 —4G **75**
Kinnaird Rd. S5 —4G **75**
Kinsey Rd. H Grn —6A **50**
Kipling Av. Don —3B **46**
Kipling Clo. Dron —4G **129**
Kipling Rd. S5 —5H **45**
Kipling Rd. B Dun —1H **21**
Kipling Rd. Ches —3H **131**
Kirby Clo. S9 —1E **101**
Kirby La. Chap —5H **51**
Kirby St. Mex —6E **43**
Kirk Balk. Hoy —5H **37**
Kirkby Av. S12 —3C **112**
Kirkby Av. Barn —5C **8**
Kirkby Av. Don —3B **32**
Kirkby Dri. S12 —3C **112**
Kirkby Rd. S12 —3C **112**
Kirkby View. S12 —3C **112**
Kirkby Way. S12 —4C **112**
Kirkcroft Av. Kil —2B **126**
Kirkcroft Av. Thor H —2C **66**
Kirkcroft Clo. Thor H —2B **66**
Kirkcroft Dri. Kil —3B **126**
Kirkcroft La. Kil —3B **126**
Kirk Croft Rd. Laug —1E **107**
Kirk Cross Cres. Roys —5C **8**
Kirkdale Cres. S13 —5B **138**
Kirkdale Cres. S13 —4B **102**
Kirkdale Dri. S13 —4B **102**

Kirk Edge Av. Worr —5D **72**
Kirk Edge Dri. Worr —5C **72**
Kirk Edge Rd. Worr —4A **72**
Kirkfield Way. Roys —3E **9**
Kirkham Clo. Barn —4C **14**
Kirkham Pl. Barn —6F **9**
Kirkhill Clo. Arm —4G **35**
Kirklands Dri. Raw —1E **69**
Kirk Sandall Ind. Est. Kirk S
(in two parts) —3B **20**
Kirkstall Clo. Ans —4F **119**
Kirkstall Clo. Brin —2A **90**
Kirkstall Clo. Don —4F **31**
Kirkstall Rd. S11 —5A **98**
Kirkstall Rd. Barn —6A **8**
Kirkstead Abbey M. Thor H
—5C **66**
Kirkstead Rd. Roth —2C **76**
Kirkstone Clo. Don —2A **32**
Kirkstone Rd. S6 —4A **86**
Kirkstone Rd. Ches —3E **131**
Kirk St. S4 —5G **87**
Kirk St. Don —1B **46**
Kirk View. Hoy —5H **37**
Kirk Way. Barn —4D **14**
Kirton Rd. S4 —4G **87**
Kitchen Rd. Wom —6H **25**
Kitson Dri. Barn —4D **14**
Kiveton Gdns. Kiv P —4B **118**
Kiveton La. Tod —2B **118**
Knab Clo. S7 —2A **110**
Knab Croft. S7 —2A **110**
Knab Rise. S7 —2A **110**
Knab Rd. S7 —2A **110**
Knapton Av. Raw —1E **69**
Knaresborough Clo. Swal
—6A **104**
Knaresborough Rd. S7
—4A **110**
Knaresborough Rd. Con
—4B **58**
Knavesmire Gdns. Don —1B **48**
Knifesmithgate. Ches —2A **138**
Knightwood Pl. Roth —1H **79**
Knollbeck Av. Brmp —3A **40**
Knoll Beck Clo. Gold —5E **29**
Knollbeck Cres. Brmp —3A **40**
Knollbeck La. Brmp —3A **40**
Knoll Clo. Stoc —3E **141**
Knoll, The. Ches —3B **136**
Knoll, The. Dron —6H **123**
Knowle Clo. Stann —5C **84**
Knowle Ct. S11 —2H **109**
Knowle Croft. S11 —2G **109**
Knowle La. S11 —2F **109**
Knowle Rd. S5 —3F **75**
Knowle Rd. Barn —3B **24**
Knowles Av. Deep —4F **141**
Knowles St. Pen —5F **143**
Knowle Top. Half —2E **125**
Knowsley St. Barn —6F **13**
Knutton Cres. S5 —3C **74**
Knutton Rise. S5 —2C **74**
Knutton Rd. S5 —3C **74**
Kyle Clo. S5 —5C **74**
Kyle Cres. S5 —5C **74**
Kynance Cres. Brin —4B **90**

Laburnum Av. Sun —3F **81**
Laburnum Clo. Ans —3F **119**
Laburnum Clo. Chap —3E **65**
Laburnum Ct. Cal —2G **139**
Laburnum Dri. Arm —2G **35**
Laburnum Gro. Con —4C **58**
Laburnum Gro. Kil —4A **126**
Laburnum Gro. Stoc —4D **140**
Laburnum Gro. Wors —5C **24**
Laburnum Pde. Malt —4D **82**
Laburnum Pl. Ben —5B **18**

Laburnum Rd. Don —5H 45
Laburnum Rd. Malt —4D 82
Laburnum Rd. Mex —5D 42
Laburnum St. Holl —2H 133
Laceby Clo. Bram —2H 81
Laceby Ct. Barn —2E 23
Ladies Spring Dri. S17
—2G 121
Ladies Spring Gro. S17
—2G 121
Ladock Clo. Barn —4B 14
Lady Bank Dri. Don —2E 47
Ladybank Rd. Mosb —3D 124
Ladybank View. Eck —5D 124
Ladybower Ct. S17 —4G 121
Ladybower La. Stav —3B 134
Ladycroft. Bolt D —1A 42
Lady Croft. Wath D —5E 41
Lady Croft La. Hem —4E 39
Ladycroft Rd. Arm —5F 35
Lady Field Rd. Kiv S —6D 118
Lady Ida's Dri. Eck —5A 124
Lady Oak Rd. Roth —6A 70
Lady's Bri. S3 —1F 99 (1F 5)
Ladysmith Av. S7 —1B 110
Ladywood Dri. Ches —4D 130
Ladywood Rd. Grime —6H 11
Laithe Croft. Dod —2B 22
Laithes Clo. Barn —6D 8
Laithes Cres. Barn —6B 8
Laithes La. Barn —6B 8
Lake Clo. Edl —4A 60
Lake Ct. Wdlnd —3E 17
Lakeen Rd. Don —5G 33
Lakeland Clo. Cud —2H 15
Lakeland Dri. Ans —1G 119
Lake Rd. Wdlnd —4E 17
Lake View Av. Ches —4E 137
Lambcote Way. Malt —3H 83
Lambcroft La. S13 —1C 114
Lambcroft View. Wdhse
—1C 114
Lamb Dri. S5 —6B 74
Lambe Flatt. Dart —5A 6
Lambert Fold. Dod —2C 22
Lambert Rd. Barn —2C 24
Lamberts La. Thry —4D 70
Lambert St. S3 —1E 99 (2D 4)
Lambert Wlk. Barn —1C 24
Lambeth Rd. Don —4B 46
Lambeth Rd. Caravan Pk. Don
—4B 46
Lamb Hill Clo. S13 —6F 101
Lamb La. Barn —2C 14
Lambra Rd. Barn —6H 13
Lambrell Av. Kiv P —5G 117
Lambrell Grn. Kiv P —5G 117
Lamb Rd. S5 —6B 74
Lanark Dri. Mex —4G 43
Lanark Gdns. Don —4A 34
Lancaster Av. Don —5A 34
Lancaster Av. Kirk S —3D 20
Lancaster Ga. Barn —6G 13
Lancaster Rd. Ches —3G 131
Lancaster Rd. Stoc —3D 140
Lancaster St. S3 —6D 86
Lancaster St. Barn —6F 13
Lancaster St. Thurn —1G 29
Lancelot Clo. Ches —5F 137
Lancing Rd. S2 —5E 99
(in two parts)
Landon Clo. Walt —6D 136
Landseer Clo. S14 —5H 111
Landseer Clo. Dron —2C 128
Landseer Ct. Flan —3F 81
Landseer Dri. S14 —5A 112
Landseer Pl. S14 —5A 112

Landseer Wlk. S14 —5A 112
Lane Cotts. Roys —2E 9
Lane End. Chap —6D 50
Lane End Rd. Roth —6G 79
Laneham Clo. Don —5B 48
Lane Head. Gren —1H 73
Lane Head Clo. Map —3E 7
Lane Head Rd. Raw —1G 69
Lane Head Rise. Map —3E 7
Lane Head Rd. S17 —5C 120
Laneside Clo. Don —2A 46
Lanes, The. Roth —2H 79
Langar Clo. Tol B —3A 18
Lang Av. Barn —5E 15
Langcliff Clo. Map —3E 7
Lang Cres. Barn —5E 15
Langdale Clo. Ches —6C 130
Langdale Dri. Don —1H 31
Langdale Dri. Dron —6G 123
Langdale Rd. S8 —2C 110
Langdale Rd. Barn —6A 14
Langdale Rd. B Grn —2A 12
Langdale Sq. Brim —3D 132
Langdale Way. Din —6F 107
Langdon Rd. Roth —1G 77
Langdon St. S11 —5D 98
Langdon Wlk. Barn —5F 13
Langdon Wlk. Roth —1G 77
Langer Field Av. Ches —6A 138
Langer La. Ches —6H 137
Langer St. Don —2A 46
Langford Clo. Dod —2B 22
Langhurst Rd. Ches —1F 137
Langley Clo. Ches —6C 130
Langley Clo. Roth —2B 80
Langsett Av. S6 —1G 85
Langsett Clo. S6 —4B 86
Langsett Ct. Barn —6A 8
Langsett Cres. S6 —4B 86
Langsett Gro. S6 —5B 86
Langsett Rise. S6 —4B 86
Langsett Rd. S6 —3A 86
Langsett Rd. Barn —6A 8
Langsett Rd. N. Oug —1C 72
Langsett Rd. S. Oug —2D 72
Langsett Wlk. S6 —4B 86
Langthwaite La. Scawt —5F 17
Langthwaite Rd. Don —6F 17
Langtree Av. Ches —2A 132
Lansbury Av. Chap —2D 64
Lansbury Av. Malt —5H 83
Lansbury Av. New R —4E 63
Lansbury Pl. Raw —1A 70
Lansbury Rd. Eck —6D 124
Lansdowne Av. Ches —4G 131
Lansdowne Clo. Thurn —1E 29
Lansdowne Cres. Dart —6B 6
Lansdowne Cres. Swin —3B 56
Lansdowne Rd. S11 —4D 98
Lansdowne Rd. Brim —4D 132
Lansdowne Rd. Don —4A 34
Lanyon Way. Barn —4B 14
Lapwater Rd. Roth —4H 67
Lapwater Wlk. Roth —4H 67
Lapwing Vale. Thor H —1C 66
Larch Av. Kil —4A 126
Larch Av. Wick —4F 81
Larch Dri. Arm —3F 35
Larches, The. Swin —2A 56
Larchfield Pl. Barn —2D 14
Larchfield Rd. Don —4H 45
Larch Gro. Chap —3E 65
Larch Gro. Con —5C 58
Larch Hill. S9 —2G 101
Larch Pl. Barn —3C 24
Larch Rd. Eck —6G 125
Larch Rd. Malt —3D 82
Larch Way. Ches —6F 131
Lark Av. Brin —3D 90
Larkhill Clo. Park —4F 69

Larkspur Clo. Eden —6D 20
Larkspur Clo. Swin —5A 56
Lark St. S6 —5H 85
Larwood Gro. Edl —2C 60
Latham Sq. S11 —2E 109
Latham Sq. Kirk S —2E 21
Lathe Rd. Roth —1A 92
Lathkill Av. Ink —5A 134
Lathkill Clo. S13 —6E 101
Lathkill Rd. S13 —6E 101
Latimer Clo. Kiv P —5B 118
Latin Gdns. Don —2E 31
Lauder Rd. Don —3A 32
Lauder St. S4 —1A 88
Laudsdale Clo. Roth —2B 80
Laudsdale Rd. Roth —1A 80
Laughton Comn. Rd. Thurc
—1A 106
Laughton Rd. S9 —1D 88
Laughton Rd. Din —5F 107
Laughton Rd. Don —1B 46
Laughton Rd. Thurc —5B 94
Launce Rd. S5 —5D 74
Laurel Av. Barn —2D 24
Laurel Av. Bram —4H 81
Laurel Av. Don —4G 31
Laurel Clo. Ans —4F 119
Laurel Clo. Eck —6H 125
Laurel Cres. Holl —2G 133
Laurel Dri. Kil —4A 126
Laurel Garth Clo. Ches
—1B 132
Laurel Rd. Arm —2F 35
Laurel Ter. Don —4A 46
Lavender Clo. Con —4F 59
Laverack Clo. S13 —4H 101
Laverack St. S13 —4H 101
Laverdene Av. S17 —5F 121
Laverdene Clo. S17 —5E 121
Laverdene Dri. S17 —5F 121
Laverdene Rd. S17 —5E 121
Laverdene Way. S17 —5F 121
Laverock Way. S5 —4H 75
Lavinia Rd. Gren —1C 74
Lawn Av. Don —6E 33
Lawn Av. Wdlnd —1B 16
Lawndale Fold. Dart —4D 6
Lawn Garth. Don —2A 32
Lawn Rd. Don —6E 33
Lawns, The. S11 —1H 109
Lawnswood Ct. Bes —3A 48
Lawn, The. Dron —1F 129
(in two parts)
Lawn Vs. Cal —2G 139
Lawrence Clo. Ches —1A 132
Lawrence Clo. Flan —4F 81
Lawrence Clo. Hghm —3A 12
Lawrence Ct. Swin —4A 56
Lawrence Dri. Swin —4A 56
Lawrence St. S9 —5B 88
Lawson Rd. S10 —3H 97
Lawton La. Roth —6E 79
Lawton Ter. S6 —3H 85
Laxey Rd. S6 —6E 85
Laxfield Clo. Ches —5E 137
Laxton Rd. Barn —5B 8
Laycock Av. Ast —6C 104
Layton Dri. Ches —2B 132
Lea Brook La. Raw —2G 53
Leabrook Rd. Dron W —2A 128
Leach La. Mex —1F 57
Leadbeater Dri. S12 —2B 112
Leadbeater Rd. S12 —3B 112
Leader Ct. S6 —2H 85
Leader Rd. S6 —2H 85
Leadley St. Gold —4G 29
Leadmill Rd. S1 & S2
—3F 99 (6F 5)
Leadmill St. S1 —3F 99 (6F 5)
Leaf Clo. Malt —3H 83

Leake Rd. S6 —1A 86
Leamington Gdns. Don —4H 33
Leamington St. S10 —1A 98
Leander Ct. Stav —1D 134
Leapings La. Thurl —4A 142
Lea Rd. Barn —6D 8
Lea Rd. Dron —2E 129
Lease Ga. Rd. Whis —2H 91
Leas, The. Cus —4H 31
Lea, The. Swin —3H 55
Lea, The. Wat —5D 114
Leaton Clo. Lox —2D 84
Leavy Greave. S3
—2C 98 (4A 4)
Leavy Greave Rd. S3
(in two parts) —2C 98 (3A 4)
Leawood Pl. Stann —5D 84
Ledbury Gdns. Don —4F 31
Ledbury Rd. Barn —1H 13
Ledger Clo. Kiv P —5G 117
Ledsham Ct. Els —4D 38
Ledsham Rd. Roth —6G 79
Ledstone Rd. S8 —3C 110
Lee Av. Deep —3F 141
Lee Croft. S1 —1E 99 (2E 5)
Lee Croft. Malt —6H 83
Leedham Clo. S5 —5B 76
Leedham Rd. S5 —5B 76
Leeds Av. Ans —6E 107
Leeds Dri. Kiv P —4C 118
Leeds Rd. S9 —5C 88
Lee Ho. La. Stoc —4B 140
Lee La. Roys —3H 7
Lee Moor La. S6 —4A 84
Lee Rd. Ches —3E 139
Lee Rd. Lox —2D 84
Lees Av. Pen —4D 142
Lees Comn. Barl —6B 128
Lees Hall Av. S8 —2F 111
Lees Hall Pl. S8 —2F 111
Lees Hall Rd. S8 —2F 111
Lees Ho. Ct. S8 —3E 111
Lees Nook. S8 —3E 111
Lees, The. S8 —4E 111
Lees, The. Ard —1H 25
Leeswood Clo. Ches —3F 131
Leger Ct. Don —1E 47
Leger Way. Don —1G 47
Legion Dri. Ast —6C 104
Leicester Av. Don —5G 33
Leicester Rd. Din —4G 107
Leicester Wlk. S3
—1D 98 (2B 4)
Leigh St. S9 —4C 88
Leighton Clo. Barn —4H 13
Leighton Dri. S14 —4B 112
Leighton Pl. S14 —4B 112
Leighton Rd. S14 —2A 112
Leinster Av. Don —4G 33
Lemont Rd. S17 —5E 121
Lengdale Ct. Raw —2F 69
Lennox Rd. S6 —2H 85
Lennox Rd. Don —4H 33
Lenthall's Bk. Row. Ches
—2F 137
Lenton St. S2 —4F 99
Leonard Clo. S2 —6C 100
Leopold Av. Din —5F 107
Leopold St. S1 —2E 99 (3E 5)
Leopold St. Barn —1F 23
Leopold St. Din —4F 107
Leppings La. S6 —1A 86
Lepton Gdns. Barn —3D 24
Lescar La. S11 —5A 98
Lesley Av. Con —3C 58
Leslie Av. Malt —4D 82
Leslie Rd. S6 —2H 85
Leslie Rd. Barn —1D 24

Lesmond Cres. Lit H —3A 28
Lestermoor Av. Kiv P —5G 117
Letard Dri. Brin —2C 90
Levens Way. Ches —3G 131
Leverick Dri. Raw —6A 56
Leverton Dri. S11 —4D 98
Leverton Gdns. S11 —4D 98
Leverton Way. Dal —6C 70
Leveson St. S4 —6H 87
Levet Rd. Don —2D 48
Lewdendale. Wors —5A 24
Lewes Rd. Con —4D 58
Lewis Rd. S13 —6E 101
Lewis Rd. Barn —3E 15
Lewyns Dri. Don —2D 48
Leybourne Rd. Roth —6G 67
Leyburn Clo. Ches —6G 131
Leyburn Clo. Don —4D 48
Leyburn Dri. Swal —5A 104
Leyburn Gro. Chap —1E 65
Leyburn Rd. S8 —1D 110
(in two parts)
Ley End. Wors —5H 23
Leyfield Ct. Arm —4G 35
Leyfield Rd. S17 —2D 120
Leys Clo. Don —1F 61
Leys La. Din —4H 107
Liberty Clo. S6 —6E 85
Liberty Dri. S6 —6E 85
Liberty Hill. S6 —6E 85
Liberty Pl. S6 —6E 85
Liberty Rd. S6 —6E 85
Library Clo. Roth —4A 68
Lichen Clo. Eden —6D 20
Lichfield Gdns. Edl —4A 60
Lichfield Rd. Ches —5E 137
Lichfield Rd. Don —3F 33
Lichfield Way. Brin —3D 90
Lichford Rd. S2 —1G 111
Lidgate La. Shaf —2B 10
Lidget Clo. Don —4C 48
Lidget La. Bram —3H 81
Lidget La. Thurn —2G 29
Lidget La. Ind. Est. Thurn
—1H 29
Lidgett Clo. Din —5F 107
Lidgett La. Din —5F 107
Lidgett La. Tank —6B 36
Lidster La. Ans —3G 119
Liffey Av. Don —4G 33
Lifford Pl. Els —6D 38
Lifford Rd. Don —4F 33
Lifford St. S9 —6G 77
Lightwood La. S8 —6A 112
Lilac Av. Stoc —4D 140
Lilac Clo. Ans —3F 119
Lilac Cres. Edl —4B 60
Lilac Cres. Hoy —4A 38
Lilac Farm Clo. Wick —5F 81
Lilac Gro. Bram —4G 81
Lilac Gro. Con —4C 58
Lilac Gro. Don —3D 48
Lilac Gro. Malt —4D 82
Lilac Rd. S5 —6A 76
Lilac Rd. Arm —2G 35
Lilac Rd. Beig —4F 115
Lilacs, The. Roys —1G 9
Lilac St. Holl —2G 133
Lilian St. Roth —4E 79
Lilian St. S. Roth —4E 79
Lillford Rd. Bran —3H 49
Lilly Hall Clo. Malt —3D 82
Lilly Hall Rd. Malt —3D 82
Lilydene Av. Grime —6F 11
Lily Ter. Jump —4B 38
Limb La. Dore —1D 120
Limbreck Ct. Barn —6A 18
Limbrick Clo. S6 —4A 86
Limbrick Rd. S6 —4A 86
Lime Av. Stav —2C 134

Lime Clo. Cal —2G 139
Lime Clo. Rav —5H 71
Lime Ct. Spro —2F 45
Limedale View. B Dun —1E 21
Lime Gro. Barn —4E 9
Lime Gro. Chap —3E 65
Lime Gro. Malt —4H 83
Lime Gro. Roth —5G 79
Lime Gro. Stoc —4D 140
Lime Gro. Swin —3B 56
Limekilns. Ans —1F 119
Limelands Rd. Din —4E 107
Lime Rd. Eck —6G 125
Limes Av. Barn —4D 12
Limes Av. Map —3G 7
Limes Clo. Map —3G 7
Limestone Cottage La. S6
—5H 73
Lime St. S6 —5C 86
Lime St. Beig —3F 115
Limesway. Barn —4D 12
Limesway. Malt —4F 83
Lime Tree Av. Arm —2F 35
Lime Tree Av. Don —1E 47
Lime Tree Av. Kil —4A 126
Limetree Av. Thurc —5B 94
Limetree Clo. Brim —5F 133
Lime Tree Clo. Cud —6B 10
Lime Tree Ct. Don —2F 47
Lime Tree Cres. New R —5E 63
Lime Tree Cres. Raw —1H 69
Lime Tree Wlk. Den M —1B 58
Limpool Clo. Don —4D 48
Limpsfield Rd. S9 —1C 88
Linacre Rd. Ash & Ches
—1C 136
Linaker Rd. S6 —5G 85
Linburn Clo. Roys —1C 8
Linburn Rd. S8 —5D 110
Linby Rd. Barn —5B 8
Lincoln Clo. Den M —3B 58
Lincoln Gdns. Gold —4F 29
Lincoln Rd. Don —3F 33
Lincoln St. S9 —1D 88
Lincoln St. Ches —5A 138
Lincoln St. Malt —5G 83
Lincoln St. New R —3C 62
Lincoln St. Roth —1D 78
Lincroft Dri. Park —4F 69
Lindale Clo. Ans —2H 119
Lindale Gdns. Gold —5H 29
Lindale Rd. Ches —2F 131
Lindales, The. Barn —5E 13
Linden Av. S8 —5C 110
Linden Av. Ches —4D 136
Linden Av. Dron —6F 123
Linden Av. Wick —3G 81
Linden Ct. S10 —4H 97
Linden Cres. Stoc —3D 140
Linden Dri. Ches —6D 138
Linden Gro. Edl —4B 60
Linden Gro. Malt —4D 82
Linden Rd. Ecc —6F 65
Linden Rd. Wath D —5B 40
Linden Wlk. Tol B —3A 18
Lindholme Dri. Ros —3F 63
Lindholme Gdns. Owl —5C 114
Lindhurst Lodge. Barn —5B 8
Lindhurst Rd. Barn —5A 8
Lindisfarne Ct. Ches —4E 137
Lindisfarne Rd. Dron —3F 123
Lindley Cres. Thurn —2F 29
Lindley Rd. S5 —1H 87
Lindley's Croft. Tod —2B 118
Lindley St. Roth —1E 79
Lindrick Av. Swin —3C 56
Lindrick Clo. Con —2G 59
Lindrick Clo. Cud —4C 10

Lindrick Clo. Don —5A 48
Lindrick Dri. Arm —4F 35
Lindrick Gdns. Ches —5E 137
Lindsay Av. S5 —5F 75
Lindsay Clo. S5 —5F 75
Lindsay Cres. S5 —4F 75
Lindsay Dri. S5 —5F 75
Lindsay Rd. S5 —5F 75
Lindsey Clo. Don —6B 48
Lindum Dri. Wick —5G 81
Lindum St. Don —1B 46
Lindum Ter. Roth —3E 79
(off Doncaster Rd.)
Lindum Ter. Roth —3E 79
(off Walker La.)
Lingamoor Leys. Thurn —1F 29
Lingard Ct. Barn —5F 13
Lingard La. Worr —4D 72
Lingard St. Barn —4F 13
Lingfield Dri. Don —4F 31
Lingfield Wlk. Mex —5G 43
Lingfoot Av. S8 —3F 123
Lingfoot Clo. S8 —3F 123
Lingfoot Cres. S8 —3F 123
Lingfoot Dri. S8 —3F 123
Lingfoot Pl. S8 —3F 123
Lingfoot Wlk. S8 —3G 123
Lingmoor Clo. Don —5G 45
Lingodell Clo. Laug —1F 107
Ling Rd. Ches —5F 137
Lings La. Wick —5G 81
Lings, The. Arm —4H 35
Lings, The. Bram —5H 81
Link Rd. Thry —5E 71
Links Rd. Dron —3F 129
Links View. Map —3F 7
Linkswood Av. Don —2A 34
Link, The. Dod —3C 22
Linkthwaite. Dod —2C 22
Linkway. Don —3H 33
Linley La. S12 & S13 —2F 113
Linnet Mt. Thor H —2B 66
Linsay Cres. S5 —4E 75
Linscott Clo. Ches —4F 131
Linscott Rd. S8 —5C 110
Linthwaite La. Els & Wen
—1E 53
Linton Clo. Barn —1D 22
Linton Rd. Ches —5E 137
Lipp Av. Kil —2A 126
Liskeard Pl. Ad S —2C 16
Lisle Rd. Roth —5G 79
Lismore Rd. S8 —2F 111
Lister Av. S12 —3D 112
Lister Av. Don —3B 46
Lister Av. Raw —6E 55
Lister Clo. S12 —4D 112
Lister Ct. Don —4G 33
Lister Cres. S12 —4C 112
Listerdale Shopping Cen. Roth
—5C 80
Lister Dri. S12 —4D 112
Lister Pl. S12 —4D 112
Lister Rd. S6 —4A 86
Lister St. S9 —1E 101
Lister St. Roth —3F 79
Lister Way. S12 —4D 112
Lit. Brind Rd. Ches —5D 130
Lit. Cockhill La. Edl —6B 60
Lit. Common La. S11 —4F 109
Lit. Common La. Kim —2F 77
(in two parts)
Lit. Common La. Roth —2C 92
Littledale Rd. S9 —3E 101
Lit. Field La. Wom —6B 26
(in two parts)
Littlefield Rd. Din —5E 107
Lit. Haynooking La. Malt
—4F 83

Littlehey Clo. Malt —3D 82
Lit. Houghton La. Darf —3F 27
Lit. John Copse. Stann —4C 84
Little La. S4 —2A 88
Little La. S12 —1D 112
Little La. Don —6A 20
Little La. Scho —3D 66
Little La. Spro —5C 30
Little La. Thor H —1A 66
Little La. Ind. Est. Don —6A 20
Lit. Leeds. Hoy —5A 38
Lit. London Pl. S8 —1D 110
Lit. London Rd. S8 —3C 110
Lit. Matlock Gdns. Stann
—5D 84
Lit. Matlock Way. Stann
—5D 84
Littlemoor. Ches —5F 131
Littlemoor. Eck —6E 125
Littlemoor Av. Kiv P —5G 117
Littlemoor Cen. Ches —4G 131
Littlemoor Cres. Ches —4F 131
Littlemoor La. Don —2B 46
Littlemoor St. Don —2B 46
Lit. Norton Av. S8 —2E 123
Lit. Norton Dri. S8 —1E 123
Lit. Norton La. S8 —1E 123
Lit. Norton Way. S8 —2E 123
Littlewood Dri. S12 —4C 112
Littlewood La. S12 —4B 112
Littlewood Rd. S12 —4C 112
Littlewood Rd. Don —1B 46
Littlewood Way. Malt —3H 83
Littleworth Clo. Ros —4F 63
Littleworth La. Barn —3D 14
Littleworth La. Ros —3F 63
Littleworth M. Ros —3F 63
Litton Clo. Shaf —2C 10
Litton Clo. Stav —3A 134
Litton Wlk. Barn —5F 13
Litton Wlk. Shaf —2C 10
Liverpool Av. Don —3F 33
Liverpool Pl. S9 —4B 88
Liverpool St. S9 —4B 88
Livesey St. S6 —3B 86
Livingstone Av. Don —6B 20
Livingstone Cres. Barn —2B 14
Livingstone Rd. S9 —5A 88
Livingstone Rd. Chap —2C 64
Livingstone Ter. Barn —1G 23
Lloyd St. S4 —2H 87
Lloyd St. Park —4F 69
Loakfield Dri. S5 —2D 74
Lobelia Ct. Ans —3F 119
Lobelia Cres. Kirk S —4D 20
Lobwood. Wors —4A 24
Lobwood La. Wors —4B 24
Lockeaflash Cres. Barn —2D 24
Locke Av. Barn —1G 23
Locke Av. Wors —3H 23
Locke Rd. Dod —3C 22
Lockesley Av. Con —3C 58
Locke St. Barn —2F 23
Lockhouse Rd. S9 —2E 89
Locking Dri. Arm —4G 35
Lockoford La. Ches —5A 132
(in two parts)
Locksley Av. Eden —5D 20
Locksley Dri. Thurc —5A 94
Lock St. S6 —5C 86
Lockton Clo. H Grn —5A 50
Lockton Way. Con —2F 59
Lockwood Av. Ans —4F 119
Lockwood Clo. Roth —2A 80
Lockwood La. Barn —2H 23
Lockwood Rd. Don —4E 33
Lockwood Rd. Gold —4G 29
Lockwood Rd. Roth —2A 80
Lodge Clo. Roth —1G 139
Lodge Dri. Har —4H 51

Lodge Farm Clo. Ans —1F **119**
Lodge Farm M. Ans —1F **119**
Lodge Hill Dri. Kiv P —5F **117**
Lodge La. S6 & S10 —2A **96**
Lodge La. Ast —1B **116**
Lodge La. Din —4H **107**
Lodge La. Thor H —4B **66**
Lodge Moor Rd. S10 —5A **96**
Lodge Pl. Ink —5A **134**
Lodge, The. S11 —2G **109**
Lodge Wlk. Ink —5A **134**
Lodge Way. Brin —2C **90**
Logan Rd. S9 —1F **101**
Loicher La. Ecc —6G **65**
Lomas Clo. Stann —4C **84**
Lomas Lea. Stann —5B **84**
Lombard Clo. Barn —4G **13**
Lombard Cres. Darf —4C **26**
London Rd. S2 —4D **98**
London Way. Thor H —3A **66**
Longacre Clo. Holb —6G **115**
Longacre Rd. Dron —4E **129**
Longacre Way. Holb —1G **125**
Long Balk. Barn —2A **12**
Longcar La. Barn —1F **23**
Long Causeway. Barn —5C **14**
Long Clo. Don —6B **48**
Long Croft. Map —4F **7**
Longcroft Av. Dron W —1A **128**
Longcroft Ct. Ches —6H **137**
Longcroft Cres. Dron W
—1A **128**
Longcroft Rd. Dron W —1A **128**
Long Edge La. Don —6G **17**
Longfellow Dri. Roth —4H **79**
Longfellow Rd. Don —5C **46**
Longfield Clo. Wom —5H **25**
Longfield Dri. Don —5B **48**
Longfield Dri. Eden —4F **21**
Longfield Dri. Map —4F **7**
Longfield Dri. Rav —1H **81**
Longfield Rd. S10 —6H **85**
Longfield Rd. Eden —4E **21**
Longfields Cres. Hoy —5H **37**
Long Fold. Wath D —5C **40**
Longford Clo. S17 —4G **121**
Longford Cres. S17 —4G **121**
Longford Dri. S17 —5F **121**
Longford Rd. S17 —5F **121**
Longford Spinney. S17
—5F **121**
Long Henry Row. S2
—2G **99** (4H **5**)
Longlands Av. Kiv P —5G **117**
Longlands Dri. Map —5F **7**
Longlands Dri. Thry —4E **71**
Long Lands La. Brod —3A **16**
Long La. S6 —2C **84**
Long La. S10 —1E **97**
Long La. Kil —3C **126**
Long La. Pen —6F **143**
Long La. Roth —3F **91**
Long La. Stann —6D **84**
Long La. Stoc —4A **140**
Long La. Thurl —3A **142**
Long La. Worr —2B **72**
Longley Av. W. S5 —1C **86**
Longley Clo. S5 —1F **87**
Longley Clo. B Grn —3A **12**
Longley Cres. S5 —6F **75**
Longley Dri. S5 —1F **87**
Longley Est. S5 —6F **75**
Longley Hall Gro. S5 —1F **87**
Longley Hall Rise. S5 —6F **75**
Longley Hall Rd. S5 —1F **87**
Longley Hall Way. S5 —1G **87**
Longley La. S5 —1F **87**
Longley St. B Grn —3A **12**
Long Line. S11 —5A **108**

Longman Rd. Barn —4G **13**
Long Plantation. Eden —5E **21**
Longridge Rd. Barn —1D **14**
Long Rd. Thurc —2H **105**
Long Sandall Bri. Long S
—4B **20**
Long Shambles. Ches —2A **138**
(off Shambles, The)
Longshaw Clo. Stav —3B **134**
Longside Way. Barn —5C **12**
Longsight Rd. Map —4E **7**
Long Steps. S2 —1G **99**
Longstone Cres. S12 —3F **113**
Longthwaite Clo. Laug —1E **107**
Longton Rd. Kirk S —3E **21**
Long Wlk. S10 —1G **97**
Lonsdale Av. Barn —1H **25**
Lonsdale Av. Don —6H **33**
Lonsdale Clo. Ans —1H **119**
Lonsdale Ho. Don —4A **34**
Lonsdale Rd. S6 —4A **86**
Loosemore Dri. S12 —2B **112**
Lopham St. S3 —5F **87**
(in two parts)
Lorcher La. Ecc —6H **65**
Lordens Hill. Din —4G **107**
Lord Roberts Rd. Ches
—4A **138**
Lords Clo. Edl —2C **60**
Lord's Head La. War & Edl
—6E **45**
Lordsmill St. Ches —3B **138**
Lord St. Barn —5C **14**
Lord St. Roth —2G **79**
Loretta Cotts. Hoy —5H **37**
Lorna Rd. Mex —6E **43**
Lorne Clo. Dron W —1B **128**
Lorne Rd. Thurn —1D **28**
Lothian Rd. Don —4A **34**
Louden Clo. Scho —5D **66**
Louden Rd. Scho —5D **66**
Lounde Clo. Spro —2E **45**
Loundes Wood Av. Ches
—3E **131**
Lound Rd. S9 —2F **101**
Lound Side. Chap —1E **65**
Loundsley Ct. Ash —1B **136**
Loundsley Grn. Rd. Ches
—1D **136**
Lousy Busk La. Mex —5C **42**
Louth Rd. S11 —6H **97**
Lovell St. S4 —6H **87**
Loversall Clo. Don —6B **46**
Love St. S3 —1E **99** (1E **5**)
Lovetot Av. Ast —5B **104**
Lovetot Rd. Roth —5G **67**
Lovetot St. S9 —6A **88**
(in two parts)
Lowburn Rd. S13 —6E **101**
Low Cronkhill La. Roys —3G **9**
Low Cudworth. Cud —2H **15**
Low Cudworth Grn. Cud
—2H **15**
Low Edges. S8 —3E **123**
Lowedges Cres. S8 —3D **122**
Lowedges Dri. S8 —3D **122**
Lowedges Pl. S8 —3E **123**
Lowedges Rd. S8 —4B **122**
Lowe La. S'boro —6A **22**
Lowell Av. Don —5B **46**
Lwr. Boundary Rd. Arks
—1G **19**
Lwr. Castlereagh St. Barn
—6G **13**
Lwr. Dolcliffe Rd. Mex —6D **42**
Lwr. Grove Rd. Ches —2H **137**
Lwr. High Royds. Dart —5E **7**
Lwr. Malton Rd. Don —2G **31**
Lwr. Mill Clo. Gold —5E **29**
Lwr. Thomas St. Barn —1G **23**

Lwr. Unwin St. Pen —5D **142**
Lwr. York St. Wom —6B **26**
Lowfield Av. S12 —6G **113**
Lowfield Av. Roth —4C **68**
Lowfield Clo. B Dun —1F **21**
Lowfield Ct. S2 —6E **99**
Lowfield Rd. Bolt D —1B **42**
Lowfield Rd. Don —2A **34**
Lowfields. Stav —1E **135**
Lowfield Wlk. Den M —1B **58**
Low Fisher Ga. Don —5D **32**
Lowgate. Don —2G **31**
Lowgates. Stav —1D **134**
Low Grange Rd. Thurn —1E **29**
Low Grange Sq. Thurn —1E **29**
Lowgreave. Roth —1A **80**
Lowhouse Rd. S5 —2A **76**
Low Laithes View. Wom
—5H **25**
Lowlands Clo. Barn —2D **14**
Low Lands Clo. Ben —4B **18**
Low La. Bes —5A **48**
Low La. Malt —1E **95**
Low La. Roth —1A **78**
Low Matlock La. Lox —4D **84**
Low Pastures Clo. Dod —2C **22**
Low Pavement. Ches —2A **138**
Low Rd. S6 —5G **85**
Low Rd. Con —2E **59**
Low Rd. Don —4A **46**
Low Rd. Oug —2D **72**
Low Rd. E. War —5F **45**
(in two parts)
Low Rd. W. War —6E **45**
Low Row. Dart —2C **6**
Lowry Dri. Dron —2D **128**
Low St. Dod —3D **22**
Low St. Wadw —6H **61**
Lowther Rd. S6 —2B **86**
Lowther Rd. Don —4E **33**
Lowton Way. Hel —4A **82**
Low Valley Ind. Est. Wom
—5D **26**
Low View. Dod —2A **22**
Loxley Av. Wom —1E **39**
Loxley Clo. Ches —2D **136**
Loxley Ct. S6 —4A **86**
Loxley Ct. Roth —1F **91**
Loxley New Rd. S6 —4H **85**
Loxley Rd. S6 —1A **84**
Loxley Rd. Barn —4F **15**
Loxley View Rd. S10 —6H **85**
Loy Clo. Roth —4A **68**
Lucas Rd. Ches —5G **131**
Lucas St. S4 —4G **87**
Lucknow Ct. S7 —1C **110**
Ludgate Clo. New R —6E **63**
Ludham Clo. Ches —4H **131**
Ludham Gdns. Ches —4H **131**
Ludwell Clo. Barnb —1H **43**
Ludwell Hill. Don —1H **43**
Lugano Gro. Darf —3C **26**
Luke La. S6 —2F **85**
Lulworth Clo. Barn —1B **24**
Lumb La. Whar S —1A **72**
Lumley Clo. Malt —4H **83**
Lumley Cres. Malt —5H **83**
Lumley Dri. Din —3C **106**
Lumley Dri. Malt —5H **83**
Lumley St. S4 —1H **99**
Lumley St. S9 —1B **100**
Lump La. Gren —6A **64**
Lumsdale Rd. Stav —3A **134**
Luna Croft. S12 —5B **112**
Lunbreck Rd. War —6E **45**
Lund Av. Barn —4F **15**
Lund Clo. Barn —4F **15**
Lund Cres. Barn —4F **15**
Lundhill Clo. Wom —2G **39**
Lundhill Gro. Wom —2G **39**

Lund Hill La. Roys —1G **9**
Lundhill Rd. Wom —3G **39**
Lund Rd. Worr —4D **72**
Lundwood Clo. Owl —5C **114**
Lundwood Dri. Owl —5C **114**
Lundwood Gro. Owl —5C **114**
Lundwood Ho. Don —1C **46**
(off Bond Clo.)
Lundy Rd. Dron —3F **129**
Lunn Rd. Cud —1H **15**
Lupin Way. Cal —2G **139**
Lupton Cres. S8 —3D **122**
Lupton Dri. S8 —3D **122**
Lupton Rd. S8 —3D **122**
Lupton Wlk. S8 —3E **123**
Luterel Dri. Swal —5B **104**
Lutterworth Dri. Ad S —1C **16**
Lych Ga. Clo. Don —4E **49**
Lydden Clo. Brim —3E **133**
Lydford Av. Ches —2B **132**
Lydgate Ct. S10 —2H **97**
Lydgate Hall Cres. S10 —2G **97**
Lydgate La. S10 —2G **97**
Lyme St. Roth —3C **78**
Lyminster Rd. S6 —4A **74**
Lymister Av. Roth —1F **91**
Lyncroft Clo. Brin —3D **90**
Lyndale Av. Eden —6C **20**
Lynden Av. Ad S —2C **16**
Lyndhurst Clo. S11 —1A **110**
Lyndhurst Cres. Eden —4C **20**
Lyndhurst Rd. S11 —1A **110**
Lynmouth Rd. S7 —2C **110**
Lynton Av. Roth —6G **79**
Lynton Dri. Eden —5C **20**
Lynton Pl. Dart —5B **6**
Lynton Rd. S11 —5B **98**
Lynwood Clo. Dron W —2B **128**
Lynwood Dri. Barn —4E **9**
Lyons Clo. S4 —4G **87**
Lyons Rd. S4 —4G **87**
Lyons St. S4 —4G **87**
Lytham Av. Barn —1D **14**
Lytham Av. Din —6F **107**
Lytham Clo. Don —5F **49**
Lyttleton Cres. Pen —6C **142**
Lytton Av. S5 —4C **74**
Lytton Clo. Don —5B **46**
Lytton Cres. S5 —4C **74**
Lytton Dri. S5 —4C **74**
Lytton Rd. S5 —4C **74**

Mabel St. Roth —4F **79**
Macaulay Cres. Arm —3G **35**
McConnel Cres. New R —4B **62**
Machin Ct. Dron —1E **129**
Machin Dri. Raw —5D **54**
Machin La. Stoc —3A **140**
Machon Bank. S7 —1C **110**
Machon Bank Rd. S7 —1B **110**
McIntyre Rd. Stoc —3D **140**
Mackenzie Cres. S10 —3C **98**
Mackenzie Cres. Burn —3C **64**
Mackenzie St. S11 —5C **98**
Mackey Cres. Brier —2E **11**
Mackey La. Brier —2E **11**
McLaren Cres. Malt —5G **83**
McLintock Way. Barn —6F **13**
McMahon Av. Ink —5H **133**
McManus Av. Raw —5F **55**
Macnaughton Rd. Tank —6D **36**
Macro Rd. Wom —1G **39**
Madam La. B Dun —1G **21**
Madehurst Gdns. S2 —6F **99**
Madehurst Rise. S2 —6F **99**
Madehurst Rd. S2 —6F **99**
Madehurst View. S2 —6F **99**
Madin Dri. Ink —5H **133**
Madingley Clo. Don —6A **46**

Madin St. Ches —1A **138**
Mafeking Pl. Chap —1E **65**
Magellan Rd. Malt —3E **83**
Magna Clo. Flan —3F **81**
Magna Cres. Flan —3E **81**
Magna La. Dal —6B **70**
Magnolia Clo. Ans —4F **119**
Magnolia Clo. Kirk S —4D **20**
Magnolia Clo. Shaf —3D **10**
Magnolia Ct. S10 —5E **97**
Magpie Gro. S2 —3A **100**
Mahon Av. Raw —1F **69**
Maidstone Rd. S6 —5B **74**
Maidwell Way. Kirk S —3C **20**
Main Av. Edl —2B **60**
Main Av. Tot R —5E **121**
Main Rd. S9 —6E **89**
Main Rd. Cut —4A **130**
Main Rd. Eck —6A **124**
Main Rd. Ridg —6G **113**
Main St. S12 —3B **114**
Main St. Ans —2F **119**
Main St. Aug —4A **104**
Main St. Bram —4H **81**
Main St. Can —2F **49**
Main St. Cat —6D **90**
Main St. Gold —4G **29**
Main St. Grea —3C **68**
Main St. Gren —6A **64**
Main St. Mex —6D **42**
Main St. Rav —4H **71**
Main St. Raw —1G **69**
Main St. Roth —3C **78**
Main St. Spro —3D **44**
Main St. Swal —6A **104**
Main St. Ull —1C **104**
Main St. Wadw —6H **61**
Main St. Wen —4C **52**
Main St. Wom —6A **26**
Main St. Shopping Cen. Bram
—4H **81**

Majuba St. S6 —5B **86**
Makin St. Mex —1G **57**
Malcolm Clo. Barn —1D **24**
Malham Clo. Ches —6F **131**
Malham Clo. Shaf —2C **10**
Malham Ct. Barn —5F **13**
Malham Gdns. Half —2D **124**
Malham Gro. Half —2E **125**
Malham Pl. Chap —1D **64**
Malia Rd. Ches —5C **132**
Malinda St. S3 —6D **86**
Malin Rd. S6 —4G **85**
Malin Rd. Roth —1B **80**
Malkin St. Ches —2B **138**
Mallard Av. B Dun —1D **20**
Mallard Clo. Don —5H **45**
Mallard Clo. Thor H —1C **66**
Mallard Ct. Stav —1D **134**
Mallard Dri. Kil —2H **125**
Mallinder Clo. Kil —3B **126**
Mallin Dri. Edl —5B **60**
Mallory Av. Raw —1E **69**
Mallory Dri. Mex —5H **43**
Mallory Rd. Roth —1A **80**
Mallory Way. Cud —6C **10**
Malson Way. Ches —5H **131**
Maltas Ct. Wors —4C **24**
*Maltby Ho. Don —1C **46***
(off Burden Clo.)
Maltby St. S9 —4C **88**
Malthouse Cotts. Kiv S
—6D **118**
Malthouse La. Barn —6H **13**
Malting La. S4 —1G **99** (1H **5**)
Maltings, The. Roth —4D **78**
Maltkiln St. Roth —4D **78**
Malton Dri. Ast —6C **104**
Malton Pl. Barn —6A **8**
Malton Rd. Int —4H **33**

Malton Rd. Scaws —2F **31**
Malton St. S4 —4G **87**
Malton Wlk. Ches —6H **137**
Maltravers Clo. S2 —3A **100**
Maltravers Cres. S2 —2H **99**
Maltravers Pl. S2 —2A **100**
Maltravers Rd. S2 —1H **99**
Maltravers St. S4
—1G **99** (1H **5**)
Maltravers Ter. S2 —3A **100**
(in two parts)
Maltravers Way. S2 —2A **100**
Malvern Av. Don —4G **31**
Malvern Clo. Barn —5D **12**
Malvern Rd. S9 —6D **88**
Malvern Rd. Ches —1G **137**
Malvern Rd. Don —5A **34**
Malwood Way. Malt —3H **83**
Manchester Rd. S6 & S10
—2A **98**
Manchester Rd. Stoc —1A **140**
Manchester Rd. Thurl —4A **142**
Mandale St. B Dun —1H **21**
Mandeville St. S9 —6E **89**
Mangham Rd. Roth & Park
—6D **68**
Mangham Way. Roth —6D **68**
Manifold Av. Stav —3B **134**
Manknell Rd. Ches —3A **132**
Mannering Rd. Don —5G **45**
Manners St. S3 —5D **86**
Manor App. Roth —2H **77**
Manor Av. Brim —4F **133**
Manor Av. Gold —4G **29**
Manor Clo. B Dun —2G **21**
Manor Clo. Brmp B —4B **40**
Manor Clo. Malt —4F **83**
Manor Clo. Raw —5C **54**
Manor Clo. Tod —2B **118**
Manor Ct. Den M —2B **58**
Manor Ct. Harl —1G **43**
Manor Ct. Roys —2C **8**
Manor Cres. Brim —3B **90**
Manor Cres. Ches —2F **137**
Manor Cres. Dron —2D **128**
Manor Cres. Grime —5G **11**
Manor Dri. Brim —4F **133**
Manor Dri. Ches —2F **137**
Manor Dri. Don —6F **33**
Manor Dri. Roys —2D **8**
Manor Dri. Tod —2B **118**
Manor Dri. Whis —2A **92**
Manor End. Wors —4H **23**
Manor Est. Tol B —3H **17**
Manor Farm Clo. Ad S —1D **16**
Manor Farm Clo. Aug —3B **104**
Manor Farm Clo. Barn —5F **9**
Manor Farm Ct. Thry —3D **70**
Manor Farm Dri. Swin —3A **56**
Manor Farm Gdns. Ans
—3F **119**
Manor Fields. Roth —1G **77**
Manor Gdns. Barn —1G **25**
Manor Gdns. Spro —2D **44**
Manor Gro. Grime —5F **11**
Manor Gro. Roys —2D **8**
Manor Ho. Stann —5C **84**
Manor Ho. Clo. Hoy —5A **38**
Manor Ho. Ct. Scawt —6H **17**
Manor Ho. Rd. Roth —1G **77**
Manor Laith Rd. S2 —3H **99**
Manor La. S2 —2B **100**
Manor La. Ad D —3E **43**
Manor La. Din —2G **107**
Manor Oaks Clo. S2 —2A **100**
Manor Oaks Gdns. S2 —2H **99**
Manor Oaks Pl. S2 —3A **100**
Manor Oaks Rd. S2 —2G **99**
Manor Occupation Rd. Roys
—1D **8**

Manor Pk. Av. S2 —4B **100**
Manor Pk. Cen. S2 —3B **100**
Manor Pk. Clo. S2 —4B **100**
Manor Pk. Ct. S2 —4B **100**
Manor Pk. Cres. S2 —4B **100**
Manor Pk. Dri. S2 —4B **100**
Manor Pk. Pl. S2 —3B **100**
Manor Pk. Rise. S2 —3B **100**
Manor Pk. Rd. S2 —3B **100**
Manor Pk. Way. S2 —4B **100**
Manor Pl. Hoy —5B **38**
Manor Pl. Raw —2G **69**
Manor Rise. Wadw —6H **61**
Manor Rd. B Dun —1G **21**
Manor Rd. Brmp B —4A **40**
Manor Rd. Brim —4F **133**
Manor Rd. Brin —3B **90**
Manor Rd. Ches —2F **137**
(in two parts)
Manor Rd. Cud —1G **15**
Manor Rd. Din —2F **107**
Manor Rd. Harl —2G **43**
Manor Rd. Kil —4C **126**
Manor Rd. Kim —3G **77**
Manor Rd. Kiv S —6C **118**
Manor Rd. Malt —4G **83**
Manor Rd. Swin —3B **56**
Manor Rd. Thurn —1E **29**
Manor Rd. Tol B —3A **18**
Manor Rd. Wal —4F **117**
Manor Squ. Thurn —1E **29**
Manor St. Barn —5F **9**
Manor View. Half —2E **125**
Manor View. Shaf —3C **10**
Manor Wlk. Wadw —6H **61**
Manor Way. S2 —1A **100**
Manor Way. Hoy —5A **38**
Manor Way. Tod —2B **118**
Manse Clo. Don —3E **49**
Mansel Av. S5 —3C **74**
Mansel Ct. S5 —3C **74**
Mansel Cres. S5 —3C **74**
Mansel Rd. S5 —3C **74**
Mansfeldt Cres. Ches —5G **131**
Mansfeldt Rd. Ches —5G **131**
Mansfield Cres. Arm —2C **34**
Mansfield Dri. S12 —1D **112**
Mansfield Rd. S12 —1C **112**
Mansfield Rd. Barn —5B **8**
Mansfield Rd. Ches —6D **138**
Mansfield Rd. Don —2B **46**
Mansfield Rd. Kil —2D **126**
Mansfield Rd. Kiv P —2C **116**
Mansfield Rd. Roth —3E **79**
Mansfield Rd. Swal —6A **104**
*Manton Ho. Don —1C **46***
(off St James St.)
Manton St. S2 —4F **99**
Manvers Clo. Ans —6E **107**
Manvers Clo. Swal —6A **104**
Manvers Rd. S6 —4A **86**
Manvers Rd. Beig —3F **115**
Manvers Rd. Cal —1G **139**
Manvers Rd. Mex —6C **42**
Manvers Rd. Swal —6A **104**
Manvers Way. Wath D —4G **41**
Maori Av. Bolt D —1G **41**
Maple Av. Don —3D **48**
Maple Av. Malt —4D **82**
Maplebeck Dri. S9 —1H **89**
Maplebeck Rd. S9 —1H **89**
Maple Clo. Barn —2B **24**
Maple Croft Cres. S9 —6B **76**
Maple Croft Rd. S9 —6B **76**
Maple Dri. Flan —3F **81**
Maple Dri. Kil —4A **126**
Maple Gro. S9 —2G **101**
Maple Gro. Arm —2F **35**
Maple Gro. Ast —5D **104**
Maple Gro. Con —5B **58**

Maple Gro. Stoc —4D **140**
Maple Leaf Ct. Mex —6D **42**
Maple Pl. Chap —3E **65**
Maple Rd. Kiv P —4G **117**
Maple Rd. Map —4E **7**
Maple Rd. Mex —6D **42**
Maple Rd. Tank —2B **50**
Maple St. Holl —3H **133**
Mapperley Rd. Dron W
—2A **128**
Mappin's Rd. Cat —6C **90**
Mappin St. S1 —2D **98** (3B **4**)
Mapplebeck Rd. H Grn —6C **50**
Mapplewell Dri. Map —5G **7**
Maran Av. Darf —4G **27**
Marbeck Clo. Din —4D **106**
Marcham Dri. Beig —3G **115**
March Bank. Thry —4E **71**
March Flatts Rd. Thry —5E **71**
March Ga. Con —4E **59**
March St. S9 —4D **88**
March St. Con —3E **59**
March Vale Rise. Con —4E **59**
Marchwood Av. S6 —5E **85**
Marchwood Clo. Ches
—1H **137**
Marchwood Dri. S6 —4E **85**
Marchwood Rd. S6 —5E **85**
Marcliff Clo. Wick —5D **80**
Marcliff Cres. Wick —5D **80**
Marcliff La. Wick —5D **80**
Marcus Dri. S3 —6F **87**
Mardale Clo. Ches —2G **131**
Mardale Wlk. Don —3A **34**
Marden Rd. S7 —1C **110**
Margaret Clo. Ast —1B **116**
Margaret Clo. Darf —4D **26**
Margaret Rd. Darf —4D **26**
Margaret Rd. Wom —1G **39**
Margaret St. S1 —4E **99**
Margaret St. Malt —6H **83**
Margate Dri. S4 —3H **87**
Margate St. S4 —3A **88**
Margate St. Grime —6G **11**
Margerison St. S8 —6E **99**
Margetson Cres. S5 —3D **74**
Margetson Dri. S5 —3D **74**
Margetson Rd. S5 —3D **74**
Marian Rd. Eden —4C **20**
Marigold Clo. S5 —6A **76**
Marina Rise. Darf —4C **26**
Marion Rd. S6 —1H **85**
Markbrook Dri. H Grn —5A **50**
Market Clo. Barn —6A **14**
Market Hill. Barn —6G **13**
Market Pde. Barn —6H **13**
Market Pl. S1 —1F **99** (2F **5**)
Market Pl. Chap —2F **65**
Market Pl. Ches —2A **138**
Market Pl. Cud —6B **10**
Market Pl. Don —6D **32**
Market Pl. Els —6C **38**
Market Pl. Pen —4D **142**
Market Pl. Roth —3D **78**
Market Pl. Stav —1C **134**
Market Pl. Wom —1G **39**
Market Rd. Don —5D **32**
Market Sq. S13 —1C **114**
Market Sq. Gold —4G **29**
*Market Sq. Roth —2E **79***
(off Eastwood La.)
Market St. S9 —1E **89**
Market St. S13 —1C **114**
Market St. Barn —6G **13**
Market St. Chap —2F **65**
Market St. Cud —6B **10**
Market St. Eck —6D **124**
Market St. Gold —4G **29**
Market St. Hghf —6G **11**
Market St. Hoy —4A **38**

Market St. Mex —1F **57**
(in two parts)
Market St. Pen —4C **142**
Market St. Roth —3D **78**
Market St. Stav —1C **134**
Market St. Swin —2C **56**
Market St. Thurn —1E **29**
Markfield Dri. Flan —3F **81**
Mark Gro. Flan —4F **81**
Markham Av. Arm —2E **35**
Markham Av. Con —3C **58**
Markham Ct. Con —3C **58**
Markham Ct. Duck —6E **135**
Markham Cres. Stav —1D **134**
Markham Ho. Don —1C 46
(off Burden Clo.)
Markham La. Pool & Duck
(in two parts)   —3F **135**
Markham Rd. Ches —3H **137**
Markham Rd. Duck —6E **135**
Markham Rd. Edl —3B **60**
Markham Sq. Edl —3B **60**
Markham Ter. S8 —1D **110**
Markham Ter. Edl —3B **60**
Mark La. S10 —1A **108**
Mark St. Barn —6G **13**
Marlborough Av. Don —5H **31**
Marlborough Clo. Ans —6D **106**
Marlborough Clo. Thurn
—1E **29**
Marlborough Rise. Ast
—1C **116**
Marlborough Rd. S10 —2A **98**
Marlborough Rd. Don —5F **33**
Marlborough Ter. Barn —1G **23**
Marlcliffe Rd. S6 —1G **85**
Marlfield Croft. Ecc —1F **75**
Marlow Clo. Don —4A **34**
Marlowe Clo. Bram —5H **81**
Marlowe Dri. Roth —4H **79**
Marlowe Rd. B Dun —1H **21**
Marlowe Rd. Roth —4H **79**
Marlow Rd. Don —4A **34**
Marmion Rd. S11 —6H **97**
Marples Clo. S8 —6D **98**
Marples Dri. S8 —6D **98**
Marquis Gdns. B Dun —2H **21**
Marr Grange La. Don —2A **30**
Marrick Ct. Chap —2D **64**
Marrion Rd. Raw —1G **69**
Marriott La. S7 —4B **110**
Marriott Pl. Raw —6D **54**
Marriott Rd. S7 —4B **110**
Marriott Rd. Swin —1C **56**
Marrison Dri. Kil —3A **126**
Marr Ter. S10 —4F **97**
Marsala Wlk. Darf —3D **26**
Marsden Ind. Est. S13 —3H **101**
Marsden La. S3 —1D **98** (2B **4**)
Marsden Pl. Brmp —3F **137**
Marsden Pl. Ches —1A **138**
Marsden St. Stoc —3E **141**
Marsden St. Ches —2A **138**
Marshall Av. Don —4A **46**
Marshall Clo. Park —4F **69**
Marshall Gro. Wath D —6F **41**
Marshall Hall. S10 —4B **98**
Marshall Rd. S8 —5C **110**
Marsh Av. Dron —6F **123**
Marsh Clo. Mosb —3C **124**
Marshfield. Bird —2D **36**
Marshfield Gro. Stav —1E **135**
Marsh Ga. Don —5B **32**
Marsh Hill. Mick —1C **82**
Marsh Ho. Rd. S11 —2F **109**
Marsh La. S10 —2F **97**
Marsh La. Arks —4D **18**
(in two parts)
Marsh La. B Dun —1A **20**
Marsh Rd. Don —4B **32**

Marsh St. Deep —3F **141**
Marsh St. Roth —4C **78**
Marsh St. Wom —6B **26**
Marsh View. Eck —6G **125**
Marson Av. Wdlnd —2B **16**
Marston Clo. Dron W —3B **128**
Marston Cres. Barn —5B **8**
Marstone Cres. S17 —4E **121**
Marston Rd. S10 —1H **97**
Martin Clo. Aug —3A **104**
Martin Clo. Bird —3D **36**
Martin Ct. Eck —6C **124**
Martin Cres. S5 —3F **75**
Martindale Ter. Chap —2E 65
(off Greenhead Gdns.)
Martin La. B Hill —2H **37**
Martin Rise. Eck —6C **124**
Martin's Rd. Barn —4E **15**
Martin St. S6 —1C **98**
(in three parts)
Martin Well's Rd. Edl —4C **60**
Marton Rd. Tol B —2H **17**
Marvell Rd. Don —3F **31**
Mary Ann Clo. Barn —5D **14**
Mary La. Darf —4F **27**
Mary's Pl. Barn —5D **12**
Mary's Rd. Darf —4F **27**
Mary St. S1 —4E **99**
Mary St. B Grn —3A **12**
Mary St. Eck —6D **124**
Mary St. Lit H —2A **28**
Mary St. Roth —2C **78**
Masbrough St. Roth —3B **78**
(in two parts)
Masefield Clo. Din —5G **107**
Masefield Rd. S13 —6E **101**
Masefield Rd. Don —2A **34**
Masefield Rd. Wath D —4C **40**
Masham Rd. Don —4C **48**
Mason Av. Swal —4B **104**
Mason Cres. S13 —6F **101**
Mason Dri. Swal —4B **104**
Mason Gro. S13 —6F **101**
Mason Lathe Rd. S5 —4A **76**
Mason St. Gold —4G **29**
Masons Way. Barn —3C **24**
Mason Way. Hoy —4H **37**
Massey Rd. Wdhse —2D **114**
Masson Clo. Ches —6F **131**
Mastall La. Arks —5E **19**
Masters Cres. S5 —4F **75**
Masters Rd. S5 —4F **75**
Mather Av. S9 —2D **100**
Mather Cres. S9 —2D **100**
Mather Dri. S9 —2D **100**
Mather Rd. S9 —2D **100**
Mather Wlk. S9 —2D **100**
Mathew Gap. Thurl —3A **142**
Matilda La. S1 —3F **99** (6F **5**)
Matilda St. S1 —3E **99** (5D **4**)
(in three parts)
Matilda Way. S1 —3E **99** (5D **4**)
Matlock Dri. Ink —6A **134**
Matlock Rd. S6 —6A **86**
Matlock Rd. Barn —1B **14**
Matlock Rd. Walt & Ches
—6D **136**
Mattersey Clo. Don —6C **48**
Matthews Av. Wath D —5D **40**
Matthews Clo. Wath D —6E **41**
Matthews Dri. Wick —6F **81**
Matthews La. S8 —6G **111**
Matthew St. S3 —6D **86**
Mauds Ter. Barn —2C **14**
Maugerhay. S8 —6G **111**
Mauncer Cres. S13 —6B **102**
Mauncer Dri. S13 —6B **102**
Mauncer La. S13 —1B **114**
Maun Way. S5 —6G **75**

Maurice St. Park —4F **69**
Mawfa Av. S14 —5H **111**
(in two parts)
Mawfa Cres. S14 —5H **111**
Mawfa Dri. S14 —5H **111**
Mawfa La. S14 —4H **111**
(in two parts)
Mawfa Rd. S14 —6H **111**
Mawfa Wlk. S14 —5H **111**
Mawfield Rd. Barn —3B **12**
Maxey Pl. S8 —1E **111**
Maxfield Av. S10 —2A **98**
Maxwell St. S4 —5G **87**
Maxwell Way. S4 —5G **87**
May Av. Ches —1C **132**
May Av. Don —5H **45**
Maycock Av. Roth —5F **67**
May Day Grn. Barn —6H **13**
May Day Grn. Arc. Barn
—6H **13**
Mayfield. Barn —3B **14**
Mayfield. Oxs —6H **143**
Mayfield Ct. S10 —5C **96**
Mayfield Ct. Oxs —6H **143**
Mayfield Cres. New R —5D **62**
Mayfield Cres. Wors —3G **23**
Mayfield Rd. S10 —6A **96**
Mayfield Rd. Ches —3E **137**
Mayfield Rd. Don —4A **32**
Mayfields. Scawt —6F **17**
Mayflower Cres. War —6E **45**
Mayflower Rd. War —6E **45**
Maynard Rd. Ches —4H **137**
Maynard Rd. Roth —1A **92**
May Rd. S6 —3H **85**
May Ter. Barn —6E **13**
Maythorn Clo. Map —5G **7**
Maytree Clo. Darf —4E **27**
May Tree Clo. Wat —6E **115**
May Tree Croft. Wat —6E **115**
May Tree La. Wat —6E **115**
Meaburn Clo. Don —4D **48**
Meadowland Rise. Cud —3H **15**
Meadow Av. Raw —6D **54**
Meadow Bank Av. S7 —6D **98**
Meadowbank Clo. Roth —3A **78**
Meadow Bank Ind. Est. Roth
—4H **77**
Meadow Bank Rd. S11 —6B **98**
Meadow Bank Rd. Roth —4F **77**
Meadowbrook. Ind. Est. Holb
—2G **125**
Meadow Clo. Coal A —5G **123**
Meadow Clo. Dal —6C **70**
Meadow Clo. Kiv P —4B **118**
Meadow Clo. New W —1D **132**
Meadowcourt. S9 —1D **88**
Meadow Ct. Ad S —1E **17**
Meadow Ct. Roys —2F **9**
Meadow Cres. Grime —6F **11**
Meadow Cres. Mosb —2B **124**
Meadow Cres. Roys —1F **9**
Meadow Croft. Eden —5E **21**
Meadow Croft. Shaf —2C **10**
Meadow Croft. Spro —3E **45**
Meadow Croft. Swin —5A **56**
Meadowcroft Clo. Whis —3H **91**
Meadowcroft Gdns. W'fld
—1E **125**
Meadowcroft Glade. W'fld
—1E **125**
Meadowcroft Rise. W'fld
—1E **125**
Meadow Dri. Barn —3D **14**
Meadow Dri. Chap —2C **64**
Meadow Dri. Darf —4F **27**
Meadow Dri. Swin —3A **56**
Meadowfield Dri. Hoy —1A **52**
Meadow Field Rd. B Dun
—1E **21**

Meadow Ga. Av. Soth —4H **115**
Meadow Ga. Clo. Soth
—5H **115**
Meadow Ga. La. Soth —6H **115**
Meadowgates. Bolt D —6E **29**
Meadow Gro. S17 —5E **121**
Meadow Gro. Rd. S17 —5D **120**
Meadowhall Dri. S9 —2D **88**
Meadowhall Retail Pk. S9
—3E **89**
Meadow Hall Rd. S9 —1D **88**
Meadowhall Rd. Roth —4E **77**
Meadowhall Shopping Mall. S9
—1E **89**
Meadowhall Way. S9 —1D **88**
Meadowhead. S8 —6D **110**
Meadow Head Av. S8 —2C **122**
Meadow Head Clo. S8 —2C **122**
Meadow Head Dri. S8 —1D **122**
Meadowhill Rd. Ches —5D **138**
Meadow Ho. Dri. S10 —4D **96**
Meadowland Rise. Cud —2H **15**
Meadow La. Dart —6C **6**
Meadow La. Malt —5G **83**
Meadow La. Old D —2E **57**
Meadow La. Raw —5D **54**
Meadowpark Croft. Din
—5E **107**
Meadow Rise. Ash —1B **136**
Meadow Rise. B Dun —1E **21**
Meadow Rise. Wadw —6H **61**
Meadow Rd. Roys —2F **9**
Meadows, The. Ash —6B **130**
Meadows, The. Tod —2A **118**
Meadow St. S3 —6D **86** (1B **4**)
Meadow St. Barn —5H **13**
Meadow St. Din —3C **106**
(in two parts)
Meadow St. Roth —3A **78**
Meadow Ter. S11 —5A **98**
Meadow, The. Spro —2E **45**
Meadow View. Ches —5C **136**
Meadow View. Hoy S —1F **143**
Meadow View. Wors —4A **24**
Meadow View Clo. Hoy —6H **37**
Meadow View Rd. S8 —1D **122**
Meadow View Rd. Kiln —5B **56**
Meadow Wlk. Eden —4E **21**
Meadow Way. Swin —2D **56**
Meadstead Dri. Roys —2D **8**
Meads, The. S8 —1F **123**
Mead, The. Ches —5C **138**
Medway Dri. S17 —2C **120**
Medway, The. S17 —2D **120**
Meakin St. Ches —5D **138**
Mede, The. Wdlnd —2B **16**
Medina Way. B Grn —2A **12**
Medley View. Con —4F **59**
Medlock Clo. S13 —4A **102**
Medlock Clo. Walt —6D **136**
Medlock Cres. S13 —3A **102**
Medlock Croft. S13 —3A **102**
Medlock Dri. S13 —4A **102**
Medlock Rd. S13 —4A **102**
Medlock Rd. Ches —5E **137**
Medlock Way. S13 —3A **102**
Medway Clo. B Grn —2B **12**
Medway Pl. Wom —2H **39**
Meersbrook Av. S8 —2D **110**
Meersbrook Pk. Rd. S8
—1E **111**
Meersbrook Rd. S8 —2F **111**
Meetinghouse Croft. S13
—1C **114**
Meetinghouse La. S1
—1F **99** (2F **5**)
Meetinghouse La. Wdhse
—1C **114**
Mekyll Clo. Sun —3F **81**
Melbeck Ct. Chap —2C **64**

Melbourne Av. S10 —3A 98
Melbourne Av. Ast —5C 104
Melbourne Av. Bolt D —1H 41
Melbourne Av. Dron W
　　　　　　　　　—2A 128
Melbourne Rd. Don —5G 45
Melbourne Rd. Stoc —3C 140
Melciss Rd. Wick —5E 81
Meld Clo. New R —6D 62
Melford Clo. Map —4F 7
Melford Dri. Don —1G 61
Melfort Glen. S10 —2F 97
Mell Av. Hoy —5A 38
Melling Av. Don —6H 31
Melling Clo. Ches —5H 137
Mellington Clo. S8 —5G 111
Mellor La. Barl —2A 130
Mellor Rd. Wom —1F 39
Mellor Way. Ches —6A 138
Mellow Fields Rd. Laug
　　　　　　　　　—1D 106
Mellwood Gro. Hem —3E 39
Melrose Clo. Ches —2E 137
Melrose Clo. Don —4G 45
Melrose Clo. Thurc —5H 93
Melrose Cotts. Whis —2A 92
Melrose Gro. Roth —1G 91
Melrose Rd. S3 —4F 87
Melrose Way. Barn —5D 14
Meltham La. Ches —5B 132
Melton Av. Brmp —3B 40
Melton Av. Gold —4G 29
Melton Ct. Den M —1B 58
Meltonfield Clo. Arm —4G 35
Melton Gdns. Spro —2D 44
Melton Grn. Wath D —5C 40
Melton Gro. Owl —5A 114
Melton High St. Wath D
　　　　　　　　　—5C 40
Melton Rd. Don —2A 44
Melton St. Brmp —3B 40
Melton St. Mex —1G 57
Melton Ter. Wors —4C 24
Melton Wood Gro. Spro
　　　　　　　　　—2C 44
Melville Av. Don —4A 46
Melville Cres. Brim —1F 139
Melville St. Wom —6B 26
Melvinia Cres. Barn —3F 13
Melwood Ct. Arm —5G 35
Memesia Clo. Ans —3E 119
Memoir Gro. New R —6C 62
Mendip Clo. Barn —5D 12
Mendip Clo. Don —4G 31
Mendip Cres. Ches —1D 136
Mendip Rise. Brin —4D 90
Merbeck Dri. H Grn —4B 50
Merbeck Gro. H Grn —5C 50
Mercaston Clo. Ches —6C 130
Mercel Av. Arm —1G 35
Mercia Dri. S17 —3E 121
Meredith Cres. Don —5B 46
Meredith Rd. S6 —3H 85
Mere Gro. Arm —2E 35
Mere La. Eden —6E 21
Merlin Clo. Ad S —1D 16
Merlin Clo. Bird —3D 36
Merlin Way. S5 —6G 75
Merlin Way. Thor H —1C 66
Merrick Clo. Ches —6F 131
Merrill Rd. Thurn —1E 29
Merton La. S9 —5D 76
Merton Rise. S9 —5D 76
Merton Rd. S9 —5C 76
Metcalfe Av. Kil —3A 126
Methley Clo. S12 —1B 112
Methley Ho. Don —1C 46
(off Grove Pl.)
Methley St. Cud —1H 15

Metro Trading Cen. Barn
　　　　　　　　　—2A 12
Mews Ct. Bolt D —2A 42
Mews Ct. Owl —5A 114
Mexborough Rd. Bolt D —2B 42
Meynell Clo. Ches —3E 137
Meynell Cres. S5 —5B 74
Meynell Rd. S5 —5B 74
Meynell Way. Kil —3A 126
Meyrick Dri. Dart —6B 6
Michael Croft. Wath D —5D 40
Michael Rd. Barn —5E 15
Michael's Est. Grime —6G 11
Mickelden Way. Barn —6C 12
Micklebring Gro. Con —5C 58
Micklebring Way. Hel —2B 82
Mickley La. S17 & Dron W
　　　　　　　　　—5E 121
Middcliff Ct. Soth —6E 115
Middle Av. Raw —2F 69
Middle Bank. Don —3E 47
Middleburn Clo. Barn —2A 24
Middlecliff Clo. Wat —6E 115
Middlecliff Cotts. Lit H —2A 28
Middlecliff Ct. Wat —6E 115
Middlecliff La. Lit H —1G 27
Middlecliff Rise. Wat —6E 115
Middle Clo. Dart —4A 6
Middlecroft Rd. Stav —4A 134
Middle Dri. Roth —2F 91
Middlefield Clo. S17 —2C 120
Middlefield Croft. S17 —2C 120
Middlefield Rd. Don —4B 48
Middlefield Rd. Roth —1G 91
Middlefields Dri. Whis —2A 92
Middlegate. Don —6G 17
(in two parts)
Middleham Rd. Don —4C 48
Middle Hay Clo. S14 —2A 112
Middle Hay Pl. S14 —3A 112
Middle Hay Rise. S14 —3A 112
Middle Hay View. S14 —3A 112
Middle La. S6 —5G 85
Middle La. Gren —1H 73
Middle La. Roth —2F 79
Middle La. S. Roth —3G 79
Middle Ox Clo. Half —3F 125
Middle Ox Gdns. Half —3F 125
Middle Pavement. Ches
(off Low Pavement) —2A 138
Middle Pl. Roth —2H 79
Middlesex St. Barn —2H 23
Middle Shambles. Ches
(off Shambles, The) —2A 138
Middleton Av. Din —5E 107
Middleton Dri. Ink —6H 133
Middleton La. Gren —1B 74
Middleton Rd. Roth —3F 79
Middlewood Rd. S6 —5G 73
Middlewood Rd. N. Oug
　　　　　　　　　—3E 73
Middlewoods. Dod —2C 22
Midfield Rd. S10 —1G 97
Midhill Rd. S2 —6F 99
Midhope Way. Barn —6C 12
Midhurst Gro. B Grn —2A 12
Midhurst Rd. S6 —3H 73
Midland Rd. Roth —3A 78
Midland Rd. Roys —1E 9
Midland Rd. Swin —2C 56
Midland St. S1 —4E 99
Midland St. Barn —6H 13
Midland St. Raw —5F 69
Midland Ter. Ches —6B 138
Milano Rise. Dart —4D 26
Milbanke St. Don —5D 32
Milburn Ct. Soth —6G 115
Milburn Gro. Soth —6G 115
Milden Pl. Barn —2A 24
Milden Rd. S6 —1G 85

Milefield View. Grime —6F 11
Mile Oak Rd. Roth —6F 79
Miles Clo. S5 —2E 87
Miles Rd. S5 —2D 86
Miles Rd. H Grn —6C 50
Mile Thorn La. Don —4D 32
Milford Av. Els —5D 38
Milford Rd. Ink —6A 134
Milford St. S9 —3D 88
Milgate St. Roys —1F 9
Milgrove Cres. H Grn —5B 50
Milking La. Brmp —4A 40
Millais Rise. Flan —2F 81
Millard La. Malt —4G 83
Millbank Clo. H Grn —1B 64
Mill Clo. Laug —5F 95
Mill Clo. Roth —5C 78
Mill Clo. Tod —3B 118
Mill Ct. Wors —4A 24
Millcross La. Barl —1A 130
Milldale Clo. Ches —6E 131
Milldale Rd. S17 —4F 121
Milldyke Clo. Whis —2B 92
Miller Croft. S13 —1A 114
Miller Dale Dri. Brin —4D 90
Miller Rd. S7 —6D 98
Millers Dale. Wors —5A 24
Miller St. Deep —3H 141
Millfield Ct. B Dun —1E 21
Millfield Ind. Est. Ben —6C 18
Millfield Rd. Don —1C 32
Mill Fields. Tod —3A 118
Mill Ga. Ben —1B 32
Mill Grn. Stav —1C 134
Mill Haven. Ans —2F 119
Mill Hill. Whis —2A 92
Mill Hill. Wom —5H 25
Millhill Clo. Arm —5G 35
Mill Hill Clo. Don —6H 31
Mill Hills. Tod —2B 118
Millhouses Ct. S11 —3H 109
Millhouses Glen. S11 —3H 109
Millhouses La. S11 & S7
　　　　　　　　　—3H 109
Millhouses St. Hoy —6A 38
Millicent Sq. Malt —5G 83
Millindale. Malt —5G 83
Mill La. S3 —1B 98
Mill La. S17 —4F 121
Mill La. Ad S —1D 16
Mill La. Ans —2F 119
Mill La. Bran —3G 49
Mill La. Ches —3F 137
Mill La. Dart —4C 6
Mill La. Deep —3H 141
Mill La. Dron —2F 129
Mill La. Harl —2G 43
Mill La. Thurl —4A 142
Mill La. Tree —1G 115
Mill La. War —3D 44
Mill La. Wath D —6C 40
Mill La. Wen —4B 52
Mill Meadow Clo. Soth
　　　　　　　　　—6H 115
Mill Meadow Gdns. Soth
　　　　　　　　　—6H 115
Millmoor Ct. Wom —5D 26
Millmoor La. Roth —3B 78
Millmoor Rd. Darf —5D 26
Millmoor Rd. Don —3C 48
Millmount Rd. S8 —2D 110
Millmount Rd. Hoy —6B 38
Mill Race Dri. Gold —5E 29
Mill Rd. Ecc —6F 65
Mill Rd. Eck —5D 124
Mill Rd. Tree —1D 102
Mill Rd. Clo. Ecc —6F 65
Millside. Shaf —2C 10
Millside Ct. Ben —1B 32
Millside Wlk. Shaf —2C 10

Millstone Clo. Dron W —1B 128
Millstone Dri. Swal —5B 104
Mill Stream Clo. Ches —4E 137
Millstream Clo. Spro —2F 45
Mill St. Arm —3F 35
Mill St. Barn —6B 14
Mill St. Ches —2B 138
Mill St. Grea —3B 68
Mill St. Roth —4D 78
Millthorpe Rd. S5 —5H 75
Mill View. Bolt D —2H 41
Mill Wlk. S3 —1F 99 (1F 5)
Millwood Rd. Don —6H 45
Millwood View. Stann —4C 84
Milner Av. Pen —3B 142
Milner Clo. Bram —3H 81
Milner Ga. Con —2G 59
Milnergate Ct. Con —3F 59
Milner Ga. La. Con —3F 59
Milner Rd. Don —4H 45
Milnes St. Barn —1A 24
Milne St. B Grn —3A 12
Milnrow Cres. S5 —3D 74
Milnrow Dri. S5 —3D 74
Milnrow Rd. S5 —3D 74
Milnrow View. S5 —3D 74
Milton Av. Don —5H 31
Milton Clo. Jump —4B 38
Milton Clo. Roth —3B 68
Milton Clo. Wath D —3B 40
Milton Ct. Don —1C 46
Milton Ct. Swin —2A 56
Milton Cres. Ches —5A 138
Milton Cres. Hoy —6A 38
Milton Gdns. Arm —3F 35
Milton Gro. Eden —5D 20
Milton Gro. Wom —1G 39
Milton La. S3 —3D 98 (6C 4)
Milton Pl. Stav —1D 134
Milton Rd. S7 —6C 98
Milton Rd. Burn —2B 64
Milton Rd. Din —5G 107
Milton Rd. Hoy —6A 38
Milton Rd. Mex —6E 43
Milton Rd. Roth —1F 79
Milton St. S1 & S3
　　　　　　—3D 98 (6B 4)
Milton St. Malt —5F 83
Milton St. Roth —1D 78
Milton St. Swin —2A 56
Milton Wlk. Don —1C 46
Minden Clo. Wick —5F 81
Minden Ct. Ben —1A 32
Minimum Ter. Ches —3G 137
Minna Rd. S3 —4F 87
Minneymoor Hill. Con —2F 59
Minneymoor La. Con —3F 59
Minster Clo. Don —4E 49
Minster Clo. Ecc —1G 75
Minster Rd. Ecc —1F 75
Minster Way. Barn —4D 14
Minto Rd. S6 —3H 85
Miriam Av. Ches —5C 136
Mission Field. Brmp —3A 40
Mitchell Clo. Wors —4D 24
Mitchell Rd. S8 —5D 110
Mitchell Rd. Wom —4A 26
Mitchells Enterprise Cen. Wom
　　　　　　　　　—4A 26
Mitchell St. S3 —1C 98 (2A 4)
Mitchell St. Swai —4E 25
Mitchells Way. Wom —5A 26
Mitchell Way. New W —1E 133
Mitchelson Av. Dod —2A 22
Moat Croft. Scawt —6H 17
Moat Hill Ct. Ben —6B 18
Moat La. Wick —2G 93
Modena Ct. Darf —3C 26
Moffat Gdns. Don —6B 20
Moffatt Rd. S2 —6F 99

Molineaux Clo. S5 —4H **75**
Molineaux Rd. S5 —3G **75**
Molineux Av. Stav —2B **134**
Molloy Pl. S8 —1E **111**
Molloy St. S8 —1E **111**
Mona Av. S10 —1A **98**
Mona Rd. S10 —1A **98**
Mona Rd. Don —3B **46**
Mona St. Barn —5F **13**
Monckton St. S5 —6B **76**
Moncrieffe Rd. S7 —1C **110**
Monk's Bri. Rd. Din —3C **106**
Monk's Bri. Trading Est. Din
—3D **106**
Monks Clo. Roth —5E **67**
Monkspring. Wors —4C **24**
Monks Way. Barn —4D **14**
Monk Ter. Barn —2E **15**
Monkwood Rd. Ches —3F **131**
Monkwood Rd. Raw —6D **54**
Monmouth Rd. Don —3G **33**
Monmouth St. S3
—3C **98** (5A **4**)
Monsal Cres. Barn —6C **8**
Monsal Cres. Ink —5H **133**
Monsal St. Thurn —1E **29**
Montague Av. Con —3C **58**
Montague St. S6 —4B **86**
Montague St. S11 —4C **98**
Montague St. Cud —5C **10**
Montague St. Don —5D **32**
Montagu Rd. Don —1G **45**
Montagu Sq. Mex —1E **57**
Montagu St. Mex —1F **57**
Monteney Cres. S5 —2E **75**
Monteney Rd. S5 —2E **75**
Montfort Dri. S3 —5F **87**
Montgomery Av. S7 —6C **98**
Montgomery Ct. S11 —2G **109**
Montgomery Dri. S7 —6C **98**
Montgomery Gdns. Don
—3A **34**
Montgomery Rd. S7 —6C **98**
Montgomery Rd. Wath D
—5E **41**
Montgomery Sq. Wath D
—5F **41**
Montgomery Ter. Rd. S6
—6D **86**
Montrose Av. Dart —4D **6**
Montrose Av. Don —4H **33**
Montrose Ct. S11 —3F **109**
Montrose Pl. Dron W —1B **128**
Montrose Rd. S7 —2A **110**
Mont Wlk. Wom —5G **25**
Monyash Clo. Stav —4A **134**
Moonpenny Way. Dron
—2E **129**
Moonshine La. S5 —6D **74**
Moorbank Clo. S10 —3D **96**
Moorbank Clo. Barn —3E **13**
Moorbank Clo. Wom —5H **25**
Moorbank Ct. S10 —2D **96**
Moorbank Dri. S10 —2E **97**
Moorbank Rd. S10 —2D **96**
Moorbank Rd. Wom —4H **25**
Moorbank View. Wom —4H **25**
Moorbridge Cres. Brmp —2B **40**
Moor Cres. Mosb —2C **124**
Moorcrest Rise. Map —3F **7**
Moorcroft Av. S10 —6B **96**
Moorcroft Clo. S10 —6B **96**
Moorcroft Dri. S10 —6B **96**
Moorcroft Rd. S10 —6B **96**
Moordale View. Raw —6A **56**
Moor End Rd. S10 —1A **98**
Moore St. S3 —4D **98** (6C **4**)
Moor Farm Av. Mosb —1B **124**
Moor Farm Garth. Mosb
—1B **124**

Moor Farm Rise. Mosb
—1B **124**
Moorfield Av. Rav —2H **81**
Moorfield Clo. Rav —2H **81**
Moorfield Dri. Arm —4F **35**
Moorfield Gro. Rav —2H **81**
Moorfields. S3 —1E **99** (1D **4**)
Moorfoot. S1 —3E **99** (6D **4**)
Moorgate. Roth —4E **79**
Moorgate Av. S10 —1B **98**
Moorgate Av. Roth —5E **79**
Moorgate Bus. Cen. Roth
(off Moorgate Rd.) —4E **79**
Moorgate Chase. Roth —4E **79**
Moorgate Ct. Roth —4E **79**
Moorgate Cres. Dron —3F **129**
Moorgate Gro. Roth —5E **79**
Moorgate La. Roth —5E **79**
Moorgate St. Roth —3D **78**
Moor Grn. Clo. Barn —6C **12**
Moorhay Clo. Ches —4D **130**
Moorhead. S1 —3E **99** (5D **4**)
Moorhouse Clo. Whis —2B **92**
Moorhouse La. Haig —1B **6**
Moorhouse La. Whis —2A **92**
Moorland Av. Barn —1D **22**
Moorland Av. Map —3E **7**
Moorland Ct. Don —6E **33**
Moorland Cres. Map —3F **7**
Moorland Dri. Stoc —3C **140**
Moorland Gro. Don —2A **48**
Moorland Pl. Stann —5C **84**
Moorlands. Wick —5D **80**
Moorlands Ct. Wath D —3C **40**
Moorlands Cres. Whis —2A **92**
Moorland View. S12 —5C **112**
Moorland View. Ast —6C **104**
Moorland View Rd. Ches
—5E **137**
Moor La. Bird —6D **36**
Moor La. Cal —6H **139**
Moor La. Kirk S —2B **20**
Moor La. Malt —1B **82**
Moor La. N. Rav —5H **71**
Moor La. S. Rav —1H **81**
Moorlawn Av. Holy —6A **136**
Moor Ley. Bird —2C **36**
Moor Oaks Rd. S10 —2A **98**
Mook Pk. Av. Ches —5E **137**
Moor Rd. Roth —3H **79**
Moor Rd. Wath D —4F **41**
Moorside. S10 —5A **96**
Moorside Av. Pen —6D **142**
Moorside Clo. Map —5F **7**
Moorside Clo. Mosb —1C **124**
Moorsyde Av. S10 —6H **85**
Moorsyde Cres. S10 —6H **85**
Moor, The. S1 —3E **99** (6D **4**)
Moorthorpe Gdns. Owl
—5H **113**
Moorthorpe Grn. Owl —5H **113**
Moorthorpe Way. Owl —5H **113**
(in two parts)
Moortown Av. Din —6G **107**
Moor Valley. Mosb —5H **113**
Moor View. Bran —3H **49**
Moorview. Roth —3F **77**
Moorview Clo. Brim —4D **132**
Moorview Ct. S17 —4H **121**
Moor View Dri. S8 —4C **110**
Moor View Rd. S8 —5C **110**
Moor View Rd. Stav —1E **135**
Moor View Ter. S11 —2E **109**
Moorwoods Av. Chap —2E **65**
Moorwoods La. Chap —2E **65**
Moray Pl. Dron W —1B **128**
Mordaunt Rd. S2 —1B **112**
Morgan Av. S5 —1D **86**
Morgan Clo. S5 —6D **74**
Morgan Rd. S5 —1D **86**

Morgan Rd. Don —5A **34**
Morland Clo. S14 —4B **112**
Morland Dri. S14 —4B **112**
Morland Pl. S14 —4B **112**
Morland Rd. S14 —4A **112**
Morley Av. Ches —1E **137**
Morley Clo. Dron W —2A **128**
Morley Pl. Con —4D **58**
Morley Rd. Don —4E **33**
Morley Rd. Roth —6G **67**
Morley St. S6 —4H **85**
Morley St. Park —3F **69**
Morpeth Gdns. S3
—1D **98** (1B **4**)
Morpeth St. S3 —1D **98** (1B **4**)
Morpeth St. Roth —3E **79**
Morrall Rd. S5 —2D **74**
Morrell St. Malt —5G **83**
Morris Av. Ches —6G **131**
Morris Av. Raw —5F **55**
Morris Cres. Don —5G **45**
Morris Dri. Ches —6G **131**
Morrison Av. Malt —3G **83**
Morrison Dri. New R —5E **63**
Morrison Pl. Darf —3E **27**
Morrison Rd. Darf —3D **26**
Morris Rd. Don —5G **45**
Mortain Rd. Roth —1F **91**
Mortains. Tod —1B **118**
Morthen Cotts. Mor —4F **93**
Morthen Hall La. Mor —4F **93**
Morthen La. Roth —5C **92**
Morthen La. Thurc —3E **93**
Morthen Rd. Wick —5F **81**
Mortimer Dri. Pen —6C **142**
Mortimer Rd. Cub —6C **142**
Mortimer Rd. Malt —5H **83**
Mortimer St. S1 —3F **99** (6F **5**)
Mortlake Rd. S5 —1H **87**
Mortomley Clo. H Grn —6C **50**
Mortomley Gdns. H Grn
—6C **50**
Mortomley La. H Grn —6C **50**
Morton Clo. Barn —2D **14**
Morton Pl. Gren —1A **74**
Morton Rd. Mex —6F **43**
Mosborough Hall Dri. Half
—4E **125**
Mosborough Moor. Mosb
—6A **114**
Mosborough Parkway. S12
—2H **113**
Mosborough Rd. S13 —6D **100**
Moscar Cotts. S7 —3B **110**
Moscrop Clo. S13 —6C **102**
Moss Beck Ct. Eck —6C **124**
Moss Clo. Wick —5F **81**
Mossdale Av. Mosb —2D **124**
Mossdale Clo. Don —2G **31**
Moss Dri. Kil —4B **126**
Moss Gro. S12 —4D **114**
Moss Rise. Pl. Eck —6C **124**
Moss Rd. S17 —5A **120**
Moss View. Mosb —3B **124**
Moss Way. S19 —2D **124**
Moston Wlk. Ches —6G **137**
Motehall Dri. S2 —4C **100**
Motehall Pl. S2 —4D **100**
Motehall Rd. S2 —4C **100**
Motehall Wlk. S2 —4D **100**
Motehall Way. S2 —4C **100**
Motte, The. Roth —1H **77**
Mottram St. Barn —5H **13**
Mound Rd. Ches —4A **138**
Mount Av. Grime —5G **11**
Mountbatten Dri. Burn —2B **64**
Mountcastle St. Ches —3H **131**
Mountcastle Wlk. Ches
—3H **131**
Mount Clo. Barn —2H **23**

Mount Cres. Hoy —4H **37**
Mountenoy Rd. Roth —4D **78**
Mountford Croft. S17 —4E **121**
Mt. Olive. Stoc —3D **140**
Mt. Pleasant. Chap —1E **65**
Mt. Pleasant. Ches —1A **132**
Mt. Pleasant. Don —4A **46**
Mt. Pleasant. Grime —5G **11**
Mt. Pleasant. Wors —8B **24**
Mt. Pleasant Clo. Chap —1E **65**
Mt. Pleasant Rd. S7 —5D **98**
Mt. Pleasant Rd. Roth —2B **78**
Mt. Pleasant Rd. Wath D
—1F **55**
Mount Rd. Chap —2C **64**
Mount Rd. Grime —5G **11**
Mount St. Ard —1F **25**
Mount St. Barn —1G **23**
Mount St. Roth —2B **78**
Mount Ter. Wom —6A **26**
Mount, The. Eden —6E **27**
Mt. Vernon Av. Barn —2H **23**
Mt. Vernon Cres. Barn —3A **24**
Mt. Vernon Rd. Wors —4H **23**
Mount View. Edl —4B **60**
Mt. View Av. S8 —4E **111**
Mt. View Gdns. S8 —4E **111**
Mt. View Rd. S8 —5E **111**
Mousehole Clo. Dal —6C **70**
Mousehole La. Dal —6C **70**
Mouse Pk. Ga. Oug —1E **73**
Mowbray Gdns. Roth —1A **80**
Mowbray Pl. Roth —1A **80**
Mowbray St. S3 —6E **87**
Mowbray St. Roth —1A **80**
Mowson Cres. Worr —4D **72**
Mowson Dri. Worr —4D **72**
Mowson La. Worr —4D **72**
Moxon Clo. Deep —4G **141**
Mucky La. Barn —6G **15**
Mucky La. Stoc —1C **140**
(Hunshelf Rd.)
Mucky La. Stoc —5B **140**
(Lee Ho. La.)
Muglet La. Malt —6H **83**
Muirfield Av. Don —5F **49**
Muirfield Av. Swin —3C **56**
Muirfield Clo. Ches —5B **132**
Muirfield Clo. Cud —4C **10**
Muirfields, The. Dart —4E **7**
Mulberry Clo. Cus —4F **31**
Mulberry Clo. Darf —4E **27**
Mulberry Clo. Park —4F **69**
Mulberry Rd. Ans —1G **119**
Mulberry Rd. Eck —6G **125**
Mulberry St. S1 —2F **99** (3F **5**)
Mulberry Way. Kil —4H **125**
Mulehouse Rd. S10 —1G **97**
Mundella Pl. S8 —4E **111**
Mungy La. Roth —5B **70**
Munro Clo. Kil —3B **126**
Munsbrough La. Roth —5B **68**
Munsbrough Rise. Roth
—4B **68**
Munsdale. Roth —4B **68**
Murdoch Pl. Barn —6A **8**
Murdock Rd. S5 —5D **74**
Murrayfield Dri. Half —3E **125**
Murray Rd. S11 —1H **109**
Murray Rd. Kil —2C **126**
Murray Rd. Raw —1G **69**
Musard Pl. Stav —2B **134**
Musard Way. Kil —3A **126**
Musgrave Cres. S5 —2E **87**
Musgrave Dri. S5 —2E **87**
Musgrave Pl. S5 —2E **87**
Musgrave Rd. S5 —2D **86**
Musgrove Av. Thry —5E **71**
Mushroom La. S10 —2B **98**

Muskoka Av. S11 —2E **109**
Muskoka Dri. S11 —1E **109**
Mutual St. Don —1B **46**
Myers Av. Oug —1D **72**
Myers Gro. La. S6 —5E **85**
Myers La. Lox —6A **72**
Mylnhurst Rd. S11 —2H **109**
Mylor Ct. Barn —4C **14**
Mylor Rd. S11 —1G **109**
Myndon Wlk. Den M —2C **58**
Myrtle Cres. Wick —4G **81**
Myrtle Gro. Holl —2G **133**
Myrtle Gro. Kiv P —5G **117**
Myrtle Rd. S2 —6E **99**
Myrtle Rd. Wom —6A **26**
Myrtle Springs. S12 —2B **112**
Myrtle St. Barn —5E **13**
Myton Rd. S9 —1C **100**

Nairn Dri. Dron W —2B **128**
Nairn St. S10 —2H **97**
Nancy Hill. Stoc —3E **141**
Nanny Marr Rd. Darf —4E **27**
Napier Mt. Wors —4H **23**
Napier St. S11 —4C **98**
Narrow La. Ans —2G **119**
Narrow Twitchell. Roth —4E **79**
(off Hollowgate)
Narrow Wlk. S10 —2A **98**
Naseby Av. Don —3F **31**
Naseby St. S9 —1C **88**
Nasmyth Row. Hoy —1D **52**
(off Forge La.)
Nathan Ct. Wat —6F **115**
Nathan Dri. Wat —5F **115**
Nathan Gro. Wat —5E **115**
Navan Rd. S2 —6C **100**
Naylor Gro. Dod —2B **22**
Naylor Gro. Oug —3C **72**
Naylor Rd. Oug —2C **72**
Naylor St. Park —4F **69**
Neale Bank. Brim —4D **132**
Neale Rd. Don —1H **33**
Nearcroft Rd. Roth —1H **77**
Nearfield Rd. Don —4B **48**
Needham Way. S7 —2A **110**
Needlewood. Dod —3B **22**
Neepsend La. S3 —5C **86**
Neild Rd. Hoy —5B **38**
Neill Rd. S11 —5A **98**
Nelson Av. Barn —3A **14**
Nelson Clo. Brin —3D **90**
Nelson Mandela Wlk. S2
(off Saxonlea Av.) —4D **100**
Nelson Pl. Burn —2B **64**
Nelson Rd. S6 —5F **85**
Nelson Rd. Edl —3B **60**
Nelson Rd. Malt —4H **83**
(in three parts)
Nelson Rd. New R —4B **62**
Nelson Rd. Flats. Edl —3B **60**
(off Nelson Rd.)
Nelson St. Barn —6G **13**
Nelson St. Ches —5A **132**
Nelson St. Don —2D **46**
Nelson St. Roth —2E **79**
Nemesia Clo. Ans —3E **119**
Nesfield Clo. Ches —3F **131**
Nesfield Way. S5 —5H **75**
Nether Av. Gren —6B **64**
Nether Av. Kil —3A **126**
Nether Cantley La. Can —1F **49**
Nether Cres. Gren —6B **64**
Nether Croft Clo. Brim —4E **133**
Nether Croft Rd. Brim —4E **133**
Netherdene Rd. Dron —2E **129**
(in two parts)
Nether Edge Rd. S7 —1C **110**

Netherfield. Roth —1H **79**
Netherfield Clo. Deep —3H **141**
Netherfield Clo. Stav —1E **135**
Netherfield Ct. Roth —1F **79**
Netherfield La. Park —1F **69**
Netherfield Rd. S10 —1H **97**
Netherfield Rd. Ches —5C **136**
Netherfields Cres. Dron
—3E **129**
Netherfield View. Roth —1B **80**
Nethergate. Stann —6B **84**
Nethergreen Av. Kil —2B **126**
Nethergreen Gdns. Kil —2B **126**
Nethergreen Rd. S11 —5F **97**
Nether Hall Rd. Don —5D **32**
Nether La. Ecc —5F **65**
Netherleigh Ct. Ches —2D **136**
Netherleigh Rd. Ches —2D **136**
Nether Ley Av. Chap —2E **65**
Nether Ley Ct. Chap —2E **65**
Nether Ley Croft. Chap —2E **65**
Nether Ley Gdns. Chap —2E **65**
Nethermoor Av. Kil —2B **126**
Nethermoor Clo. Kil —2B **126**
Nethermoor Dri. Kil —2B **126**
Nethermoor Dri. Wick —1G **93**
Nethermoor La. Kil —2B **126**
Nether Oak Clo. Soth —5H **115**
Nether Oak Dri. Soth —5H **115**
Nether Oak View. Soth
—5H **115**
Nether Rd. Ecc —6F **65**
Nether Shire La. S5 —2G **75**
Netherthorpe. Stav —1E **135**
Netherthorpe Clo. Kil —2A **126**
Netherthorpe Clo. Stav
—2D **134**
Netherthorpe La. Kil —3A **126**
Netherthorpe Pl. S3
—6D **86** (1B **4**)
Netherthorpe Rd. S3
—1C **98** (3A **4**)
Netherthorpe Rd. Stav
—1D **134**
Netherthorpe St. S3
—1D **98** (1B **4**)
Netherthorpe Wlk. S3
—1D **98** (1B **4**)
Netherthorpe Way. Ans
—6E **107**
Nether Wheel Row. S13
—2H **113**
Netherwood Rd. Wom —4B **26**
Nettleham Rd. S8 —4D **110**
Neville Av. Barn —2D **24**
Neville Clo. S3 —5F **87**
Neville Clo. Barn —2D **24**
Neville Clo. Wom —5H **25**
Neville Ct. Wom —5H **25**
Neville Cres. Barn —2D **24**
Neville Dri. S3 —5F **87**
Neville Rd. Roth —6H **67**
Neville St. Roth —2D **78**
Nevis Clo. Ches —1F **137**
Newark Clo. Map —3F **7**
Newark Rd. Mex —6C **42**
Newark St. S9 —4C **88**
Newark St. New R —3C **62**
New Beetwell St. Ches
—2A **138**
Newbiggin Clo. Park —3E **69**
Newbiggin Dri. Park —3E **69**
Newbold Av. Ches —5G **131**
Newbold Back La. Ches
(in two parts) —5F **131**
Newbold Dri. Ches —5G **131**
Newbold Rd. Ches —3C **130**
Newbold Ter. Don —4H **31**
Newbold Village. Ches —5F **131**
(off Newbold Rd.)

Newbolt Rd. Don —5B **46**
Newbould Cres. Beig —4G **115**
Newbould La. S10 —3A **98**
Newbridge Dri. Brim —3D **132**
New Bri. Gro. Edl —3C **60**
Newbridge La. Old W & Brim
—1A **132**
Newbridge St. Ches —2A **132**
Newburn Dri. S9 —1G **89**
Newburn Rd. S9 —1F **89**
(off Town St.)
Newbury Rd. S10 —1H **97**
Newbury Way. Don —3F **31**
Newby Cres. Don —6A **46**
Newby Rd. Ches —3E **131**
Newcastle Clo. Ans —6E **107**
Newcastle St. S1
—2D **98** (3C **4**)
New Chapel Av. Pen —6C **142**
Newcomen Rd. Don —4A **32**
Newcroft Clo. Soth —4H **115**
New Cross Dri. S13 —1A **114**
New Cross Wlk. S13 —1A **114**
New Cross Way. S13 —1A **114**
Newdale Av. Cud —2G **15**
New Droppingwell Rd. Roth
—3D **76**
Newent La. S10 —1H **97**
Newfield Av. Barn —3D **14**
Newfield Clo. B Dun —1F **21**
Newfield Ct. S10 —5D **96**
Newfield Cres. S17 —2C **120**
Newfield Cres. Wath D —6D **40**
Newfield Croft. S17 —1C **120**
Newfield Farm Clo. S14
—2A **112**
Newfield Grn. Rd. S2 —1H **111**
Newfield La. S17 —2C **120**
Newgate Clo. H Grn —6B **50**
Newhall Av. Wick —1G **93**
New Hall Cres. Stoc —2B **140**
Newhall Grange. Malt —6A **82**
New Hall La. Barn —2H **25**
Newhall La. Malt —6A **82**
New Hall La. Stoc —3A **140**
Newhall Rd. S9 —4B **88**
New Hall Rd. Ches —3F **137**
Newhall Rd. Kirk S —4E **21**
New Haven Clo. Ches —4D **136**
New Hill. Con —3E **59**
Newhill. Wath D —6C **40**
Newhill Rd. Barn —2A **14**
Newhill Rd. Wath D —6D **40**
New Ings. Arm —3E **35**
Newington Av. Cud —5B **10**
Newington Clo. Don —4D **48**
Newington Dri. Ast —6C **104**
Newington Rd. S11 —5A **98**
Newland Av. Cud —2G **15**
Newland Av. Malt —3F **83**
Newland Dale. Ches —1A **138**
Newland Gdns. Ches —6G **131**
Newland Rd. Barn —6A **8**
Newlands Av. S12 —1C **112**
Newlands Av. Ches —2E **137**
Newlands Clo. Don —4D **48**
Newlands Dri. S12 —1C **112**
Newlands Dri. Don —4H **31**
Newlands Gro. S12 —1D **112**
Newlands Rd. S12 —1C **112**
New La. Bolt D —5H **27**
(in two parts)
New La. Ros —4E **63**
New Lodge Cres. Barn —6A **8**
Newlyn Dri. Barn —4B **14**
Newlyn Pl. S8 —4D **110**
Newlyn Rd. S8 —4D **110**
Newman Av. Barn —4E **9**
Newman Clo. S9 —5D **76**

Newman Ct. S9 —5D **76**
Newman Ct. Roth —1G **91**
Newman Dri. S9 —5C **76**
Newman Rd. S9 —6C **76**
Newman Rd. Roth —1G **91**
Newmarch St. S9 —6G **77**
Newmarket Rd. Don —1B **48**
New Mill Bank. Bols —6E **141**
New Orchard La. Thurc —4A **94**
New Orchard Rd. Thurc
—4A **94**
New Oxford Rd. Mex —1F **57**
New Queen St. Ches —1A **138**
New Rd. Ans —1E **119**
New Rd. Dart —3E **7**
New Rd. Din —5F **107**
New Rd. Holy —6A **136**
New Rd. Roth —4D **76**
New Rd. Stoc —3F **141**
New Rd. Tank —6B **36**
New Rd. Wal —3C **116**
New Rd. Wath D —5F **41**
New Rd. Wom —4F **39**
Newsam Rd. Kiln —4B **56**
Newsham Rd. S8 —3D **110**
New Smithy Av. Thurl —4A **142**
New Smithy Dri. Thurl —3A **142**
Newsome Av. Wom —6H **25**
New Sq. Ches —2A **138**
New Sta. Rd. Swin —2C **56**
Newstead Av. S12 —5G **113**
Newstead Av. Oug —1D **72**
Newstead Clo. S12 —4G **113**
Newstead Clo. Dron W
—2A **128**
Newstead Clo. Roth —1H **79**
Newstead Dri. S12 —5G **113**
Newstead Gro. S12 —4G **113**
Newstead Pl. S12 —5G **113**
Newstead Rise. S12 —5H **113**
Newstead Rd. S12 —4G **113**
Newstead Rd. Barn —5A **8**
Newstead Rd. Don —1H **31**
Newstead Way. S12 —5G **113**
New St. S1 —1E **99** (2E **5**)
New St. Barn —1G **23**
(in two parts)
New St. Ben —1A **32**
New St. Bolt D —2B **42**
New St. Cat —5D **90**
New St. Ches —3A **138**
New St. Darf —4E **27**
New St. Deep —3G **141**
New St. Din —4F **107**
New St. Dod —3B **22**
New St. Don —2C **46**
New St. Grea —3B **68**
New St. Gt H —1A **28**
New St. Grime —6G **11**
New St. Hem —4D **38**
New St. H Grn —5B **50**
New St. Holb —2G **125**
New St. Laug —1E **95**
New St. Map —4F **7**
New St. Mex —6H **43**
New St. Raw —2F **69**
New St. Roys —2E **9**
New St. Stair —1E **25**
New St. Thor H —3B **66**
New St. Wom —6C **26**
New St. Wors B —5A **24**
New St. Wors D —5C **24**
Newton Av. Stoc —2B **140**
Newton Dri. Don —6H **31**
Newton Dri. Roth —3G **79**
Newton La. S1 —3E **99** (6E **5**)
Newton La. Don —6H **31**
Newton La. Stoc —2B **140**
Newton Pl. Thor H —4B **66**
Newton Rd. H Grn —6C **50**

Newton St. Barn —5F **13**
Newton St. Roth —3G **79**
Newtown Av. Cud —2G **15**
Newtown Av. Roys —1D **8**
Newtown Grn. Cud —2H **15**
Newtree Dri. Wadw —6H **61**
New Winterwell. Wath D
—4D **40**
New World Cen. Roth —1G **77**
New Wortley Rd. Roth —2A **78**
Niagara Rd. S6 —6A **74**
Nicholas La. Gold —4E **29**
Nicholas St. Barn —6F **13**
Nicholas St. Ches —6D **138**
Nicholson Av. B Grn —3A **12**
Nicholson Av. Wath D —6D **40**
Nicholson Pl. S8 —1F **111**
Nicholson Rd. S8 —1E **111**
Nicholson Rd. Don —2A **46**
Nichols Rd. S6 —6G **85**
Nickerwood Dri. Ast —1B **116**
Nidderdale Pl. Sun —3G **81**
Nidderdale Rd. Roth —4H **67**
Nidd Rd. S9 —6C **88**
Nidd Rd. E. S9 —6D **88**
Nightingale Clo. Roth —4D **78**
Nightingale Croft. Thor H
—1C **66**
Nightingale Rd. Gren —1B **74**
Nightingale St. S9 —6D **88**
Nile St. S10 —3A **98**
Nine Trees Ind. Est. Thurc
—3H **93**
Ninian Gro. Don —3C **48**
Noble St. Hoy —6B **38**
Noblethorpe Rd. Kiln —6D **56**
Nodder Rd. S13 —5E **101**
Noehill Pl. S2 —4D **100**
Noehill Rd. S2 —4D **100**
Nook End. Stann —5D **84**
Nookery Clo. Malt —3H **83**
Nooking Clo. Arm —2G **35**
Nook La. Pen —6E **143**
Nook La. Stann —5C **84**
Nook, The. S8 —3D **110**
Nook, The. S10 —1B **98**
Nook, The. Hoy S —1G **143**
Nora St. Gold —3H **29**
Norborough Rd. S9 —1G **89**
Norborough Rd. Don —4F **33**
Norbreck Cres. War —1C **60**
Norbreck Rd. War —6E **45**
Norbriggs Rd. Mas M —1F **135**
Norbrook Way. Whis —2B **92**
Norburn Dri. Kil —3B **126**
Norbury Clo. Ches —6D **130**
Norbury Clo. Dron W —2B **128**
Norcroft. Wors —3H **23**
Norfolk Clo. Barn —3B **14**
Norfolk Clo. Walt —5D **136**
Norfolk Ct. Roth —2E 79
  (off Wharncliffe Hill)
Norfolk Dri. Ans —1G **119**
Norfolk Hill. Gren —6A **64**
Norfolk Hill Croft. Gren —6A **64**
Norfolk La. S1 —2E **99** (5E **5**)
Norfolk Pk. Av. S2 —4H **99**
Norfolk Pk. Dri. S2 —4G **99**
Norfolk Pk. Rd. S2 —4G **99**
Norfolk Pl. Malt —4G **83**
Norfolk Rd. S2 —3G **99** (5H **5**)
Norfolk Rd. Don —5B **46**
Norfolk Rd. Gt H —1A **28**
Norfolk Row. S1 —2E **99** (3E **5**)
Norfolk St. S1 —2E **99** (4E **5**)
  (in two parts)
Norfolk St. Roth —2E **79**
Norfolk Way. Roth —1G **91**
Norgreave Way. Half —2E **125**
Norman Clo. Barn —3C **14**

Norman Clo. Wors —4A **24**
Norman Cres. Don —2G **31**
Norman Cres. New R —4C **62**
Normancroft Ct. S2 —4D **100**
Normancroft Cres. S2 —4E **101**
Normancroft Dri. S2 —4D **100**
Normancroft Way. S2 —4E **101**
Normandale Av. Lox —3E **85**
Normandale Rd. S6 —4B **86**
Norman St. S9 —4C **88**
Norman St. Thurn —1G **29**
Normanton Gdns. S4 —4G **87**
Normanton Gro. S13 —1H **113**
Normanton Hill. S13 —1E **113**
Normanton Spring Ct. S13
—1H **113**
Normanton Spring Rd. S13
—2G **113**
Normanville Av. Brin —2B **90**
Norrells Croft. Roth —5F **79**
Norris Rd. S6 —3H **85**
Norroy St. S4 —6H **87**
Norstead Cres. Bram —1E **81**
Northampton Rd. Don —4A **34**
N. Anston Bus. Cen. Ans
—5C **106**
N. Anston Trading Est. Ans
—5B **106**
N. Bridge Rd. Don —5B **32**
N. Carr La. Barn —1E **27**
N. Church St. S1 —1E **99** (2E **5**)
N. Cliff Rd. Con —2D **58**
North Clo. Roys —2C **9**
Northcote Av. S2 —1F **111**
Northcote Ho. S8 —4D 110
  (off Chantrey Rd.)
Northcote Rd. S2 —1F **111**
Northcote Ter. Barn —5E **13**
North Cres. Duck —5E **135**
North Cres. Kil —1C **126**
North Cres. Roth —2G **79**
North Dri. Roth —1D **78**
N. End Dri. Harl —1F **43**
Northern Av. S2 —6A **100**
Northern Comn. Dron W
—6H **121**
Northfield Av. S10 —6H **85**
Northfield Av. Raw —6F **55**
Northfield Clo. S10 —6H **85**
Northfield Ct. Wick —4F **81**
Northfield Ind. Est. Roth
—1D **78**
N. Field La. B Dun —1G **21**
Northfield La. Wick —4E **81**
Northfield Rd. S10 —1H **97**
Northfield Rd. Don —4A **32**
Northfield Rd. Roth —2D **78**
Northgate. Barn —4E **13**
North Ga. Eck —6D **124**
North Ga. Mex —1G **57**
North Gro. Duck —5E **135**
N. Hill Rd. S5 —5D **74**
Northlands. Ad S —1C **16**
Northlands. Roys —1E **9**
Northlands Rd. S5 —5D **74**
North Mall. Don —6C 32
  (off French Ga.)
Northmoor Clo. Brim —4F **133**
Northmoor View. Brim —4F **134**
Northorpe. Dod —3D **22**
N. Pitt St. Roth —3H **77**
North Pl. Barn —4D **12**
North Pl. Roth —2G **79**
Northpoint Ind. Est. S9 —6D **76**
N. Quadrant. S5 —5H **75**
North Rd. Cal —2F **139**
North Rd. Roth —1H **79**
North Rd. Roys —1F **9**
Northside Rd. Wath D —5F **41**
North Sq. Edl —3C **60**

North St. Darf —3E **27**
North St. Don —2E **47**
North St. Edl —3C **60**
North St. Raw —6G **55**
North St. Roth —2C **78**
North St. Swin —2C **56**
North Ter. Ches —6B **138**
Northumberland Av. Don
—4H **33**
Northumberland Av. Hoy
—4A **38**
Northumberland La. Den M
—2A **58**
Northumberland Rd. S10
—2B **98**
Northumberland Way. Barn
—1F **25**
North View. Grime —6F **11**
North View. Swal —6B **104**
Norton Av. S8, S14 & S12
—6H **111**
Norton Av. Ches —5C **136**
Norton Chu. Rd. S8 —6F **111**
Norton Grn. Clo. S8 —6G **111**
Norton Hammer La. S8
—3C **110**
Norton La. S8 —2E **123**
Norton Lees Clo. S8 —4E **111**
Norton Lees Cres. S8 —3E **111**
Norton Lees La. S8 —3D **110**
Norton Lees Rd. S8 —2D **110**
Norton Lees Sq. S8 —3E **111**
Norton Pk. Av. S8 —1F **123**
Norton Pk. Cres. S8 —1E **123**
Norton Pk. Dri. S8 —1E **123**
Norton Pk. Rd. S8 —2E **123**
Norton Pk. View. S8 —1E **123**
Norton Rd. Don —4H **33**
Norton Rd. Wath D —4D **40**
Norville Cres. Darf —3F **27**
Norwich Rd. Don —2G **33**
Norwich Row. S2
—2G **99** (5H **5**)
Norwith Rd. Don —5B **48**
Norwood Av. S5 —1F **87**
Norwood Av. Ches —6D **138**
Norwood Av. Malt —3F **83**
Norwood Clo. S5 —2F **87**
Norwood Clo. Ches —6E **139**
Norwood Clo. Malt —3F **83**
Norwood Cres. Kil —2D **126**
Norwood Cres. Kiv P —6G **117**
Norwood Dri. S5 —2F **87**
Norwood Dri. B Grn —2A **12**
Norwood Dri. Ben —4B **18**
Norwood Dri. Brier —2G **11**
Norwood Grange Dri. S5
—1F **87**
Norwood La. Pen —2A **142**
Norwood Pl. Kil —2D **126**
Norwood Rd. S5 —2F **87**
Norwood Rd. Con —3D **58**
Norwood St. Dal —6B **70**
Nostel Ho. Don —1C 46
  (off Grove Pl.)
Nostell Fold. Dod —3B **22**
Nostell Pl. Don —5B **48**
Nottingham Cliff. S3 —5F **87**
Nottingham Clo. Ans —3F **119**
Nottingham Clo. Barn —2G **25**
Nottingham Clo. Don —3F **31**
Nottingham St. S3 —5F **87**
Nottingham St. Roth —2E **79**
Novello St. Malt —5H **83**
Nowill Ct. S8 —1E **111**
Nowill Pl. S8 —1E **111**
Nunnery Cres. Cat —5C **90**
Nunnery Dri. S2 —1B **100**
Nunnery Ter. S2 —2B **100**
Nursery Cres. Ans —1F **119**

Nursery Dri. Cat —5C **90**
Nursery Dri. Ecc —1F **75**
Nursery Gdns. Barn —2E **25**
Nursery Gro. Ecc —1G **75**
Nursery La. S3 —6F **87** (1F **5**)
Nursery La. Don —4C **44**
Nursery Rd. Ans —1G **119**
Nursery Rd. Swal —5A **104**
Nursery St. S3 —6F **87** (1F **5**)
Nursery St. Barn —1G **23**
Nuttack La. Ash —1A **136**
Nuttall Pl. S2 —2H **99**
Nutwell Clo. Don —5C **48**
Nutwell La. Can —2F **49**

Oakamoor Clo. Ches —6D **130**
Oak Apple Clo. Stann —4C **84**
Oak Av. Wath D —6G **41**
Oak Bank Av. Ches —1B **132**
Oakbank Clo. Swin —5B **56**
Oakbank Ct. S17 —4E **121**
Oakbrook Ct. S10 —5F **97**
Oakbrook Rd. S11 —5F **97**
Oakbrook View. S10 —4G **97**
Oakburn Ct. S10 —4B **98**
Oak Clo. Brim —4D **132**
Oak Clo. Flan —3F **81**
Oak Clo. Hoy —6H **37**
Oak Clo. Kil —4A **126**
Oak Clo. Mex —6C **42**
Oak Clo. Wath D —1G **55**
Oak Ct. Mex —6C **42**
Oak Ct. Spro —2F **45**
Oakdale. Wors —4B **24**
Oakdale Clo. Eden —6D **20**
Oakdale Clo. Wors —5B **24**
Oakdale Pl. Roth —4H **77**
Oak Dale Rd. S7 —1B **110**
Oakdale Rd. Ans —2H **119**
Oakdale Rd. Roth —3H **77**
Oak Dale Rd. War —1C **60**
Oakdell. Dron —6H **121**
Oakdene. New R —5D **62**
Oaken Wood Clo. Thor H
—2C **66**
Oaken Wood Rd. Thor H
—2B **66**
Oakes Grn. S9 —5A **88**
Oakes Pk. View. S14 —6H **111**
Oakes St. S9 —5D **76**
Oakfern Gro. H Grn —5B **50**
Oakfield Av. Ches —4D **136**
Oakfield Ct. Map —4E **7**
Oakfield Wlk. Barn —5D **12**
Oak Gro. Arm —1E **35**
Oak Gro. Con —4C **58**
Oakham Dri. S3 —5D **86**
Oakham Pl. Barn —4E **13**
Oak Hill. Roth —1G **79**
Oak Hill Rd. S7 —1B **110**
Oakhill Rd. Don —3H **33**
Oakhill Rd. Dron —1G **129**
Oakholme M. S10 —4A **98**
Oakholme Rd. S10 —3A **98**
Oakland Rd. S6 —3H **85**
Oaklands Av. Barn —3D **14**
Oaklands Dri. Don —3B **48**
Oaklands Gdns. Don —4B **48**
Oaklands Pl. Wath D —6E **41**
Oakland Ter. Edl —3B **60**
Oak Lea. Roth —4B **68**
Oak Lea. Wors —5C **24**
Oak Lea Av. Wath D —4C **40**
Oaklea Clo. Map —3F **7**
Oakley Av. Ches —1G **137**
Oakley Rd. S13 —3G **101**
Oak Lodge Rd. H Grn —6A **50**
Oak Pk. S10 —3H **97**
Oak Pk. Rise. Barn —2A **24**

Oak Pl. S10 —3H **97**
Oak Rd. S12 —5C **112**
Oak Rd. Arm —1E **35**
Oak Rd. Beig —3F **115**
Oak Rd. Malt —4D **82**
Oak Rd. Mex —6C **42**
Oak Rd. Shaf —3D **10**
Oak Rd. Thurn —1F **29**
Oak Rd. Wath D —6G **41**
Oaks Av. Stoc —3C **140**
Oaks Cres. Barn —1C **24**
Oaks Farm Clo. Dart —4D **6**
Oaks Farm Dri. Dart —4D **6**
Oaks Farm La. Cal —3G **139**
Oaks Fold. S5 —3A **76**
Oaks Fold Av. S5 —4A **76**
Oaks Fold Rd. S5 —4A **76**
Oaks La. S5 —4A **76**
Oaks La. Stoc —2A **140**
Oak St. S8 —6E **99**
Oak St. Barn —6F **13**
Oak St. Holl —2G **133**
Oak St. Mosb —1C **124**
Oaks Wood Dri. Dart —5D **6**
Oak Ter. Don —2C **46**
Oak Ter. Swal —5H **103**
Oak Tree Av. Cud —6B **10**
Oak Tree Clo. Dart —5B **6**
Oak Tree Cotts. Cal —4G **139**
Oak Tree Rd. Bran —2H **49**
Oakwell Clo. Malt —3G **83**
Oakwell La. Barn —1A **24**
Oakwell Ter. Barn —6A **14**
Oakwood Av. S5 —2D **74**
Oakwood Av. Roys —1E **9**
Oakwood Clo. Wors —5C **24**
Oakwood Cres. Raw —6E **55**
Oakwood Cres. Roys —1D **8**
Oakwood Cres. Worr —4D **72**
Oakwood Dri. Arm —4E **35**
Oakwood Dri. Bran —3H **49**
Oakwood Dri. Roth —5G **79**
Oakwood Gro. Roth —5G **79**
Oakwood Hall Dri. Roth —1F **91**
Oakwood Rd. Don —4H **45**
Oakwood Rd. Roys —1D **8**
Oakwood Rd. E. Roth —6G **79**
Oakwood Rd. W. Roth —6F **79**
Oakwood Sq. Dart —5A **6**
Oakworth Clo. Half —3E **125**
Oakworth Dri. Half —3D **124**
Oakworth Gro. Half —3D **124**
Oakworth View. Half —3D **124**
Oasis, The. S9 —1E **89**
Oates Av. Raw —2F **69**
Oates Clo. Roth —2A **78**
Oates Orchard. Mosb —3D **124**
Oates St. Roth —2A **78**
Oberon Cres. Darf —3D **26**
Occupation La. S12 —4G **113**
Occupation La. Lox —2D **84**
Occupation Rd. Ches —3H **131**
Occupation Rd. Harl —4H **51**
Occupation Rd. Park —3E **69**
Ochre Dike Clo. Wat —5E **115**
Ochre Dike La. Wat —5D **114**
Ochre Dike Wlk. Roth —3H **67**
Octavia Clo. Brin —1C **90**
Odom Ct. S2 —1F **111**
Ogden Pl. S8 —1E **123**
Ogden Rd. Don —1B **34**
Oil Mill Fold. Roth —3D **78**
Oldale Clo. S13 —2C **114**
Oldale Ct. S13 —1C **114**
Oldale Gro. S13 —2C **114**
Old Anna La. Thurl —3A **142**

Old Bakery Clo. Ches —1A **132**
Oldcotes Clo. Din —3F **107**
Oldcotes Rd. Din —2F **107**
Old Cotts. Ches —2C **138**
Old Cross La. Wath D —5F **41**
Old Farm Ct. Mex —5C **42**
Oldfield Av. Con —3B **58**
Oldfield Av. Stann —5D **84**
Oldfield Clo. B Dun —1F **21**
Oldfield Clo. Stann —5D **84**
Oldfield Gro. Stann —5D **84**
Oldfield Rd. Roth —2B **80**
Oldfield Rd. Stann —6C **84**
Old Field Shutt La. Roth
                        —1D **80**
Oldfield Ter. Stann —6D **84**
*Old Forge Bus. Pk. S2 —6E **99***
(off Guernsey Rd.)
Old Fulwood Rd. S10 —6D **96**
Old Garden Dri. Roth —2G **79**
Old Ga. La. Thry —6C **70**
Old Hall Clo. Bram —4H **81**
Old Hall Clo. Laug —1D **106**
Old Hall Clo. Spro —2E **45**
Old Hall Clo. Tod —1A **118**
Old Hall Cres. Ben —1B **32**
Old Hall Dri. Bram —4H **81**
Old Hall Pl. Ben —1B **32**
Old Hall Rd. S9 —4C **88**
Old Hall Rd. Ben —1B **32**
Old Hall Rd. Ches —3F **137**
Old Hall Rd. Wors —1B **36**
Old Hay Clo. S17 —3D **120**
Old Hay Gdns. S17 —3C **120**
Old Hay La. S17 —4C **120**
Old Hexthorpe. Don —2H **45**
Old Hill. Con —3E **59**
Old Hill La. Roth —2D **80**
Old Ho. Clo. Hem —4E **39**
Old House Rd. Ches —5F **131**
Old La. Holb —2G **125**
Old La. Oug —3A **72**
Old Mnr. Dri. Oxs —6H **143**
Old Mkt. Pl. Wom —1F **39**
Old Mill Dri. Ches —4C **130**
Old Mill La. Barn —5G **13**
Old Mill Rd. Con —4F **59**
Old Pk. Av. S8 —2B **122**
Old Pk. Rd. S8 —2B **122**
Old Peverel Rd. Duck —6E **135**
Old Quarry Av. Kiv P —4F **117**
Old Retford Rd. S13 —5C **102**
Oldridge Clo. Ches —5D **130**
Old Rd. Barn —2A **14**
Old Rd. Ches —2C **136**
Old Rd. Con —5B **58**
Old Row. Els —6D **38**
*Oldroyd Row. Dod —3B **22***
(off Stainborough Rd.)
Old School La. Cal —3F **139**
Old School La. Cat —5D **90**
Old Sheffield Rd. Roth —4D **78**
Old St. S2 —1G **99**
Old Warren Vale. Raw —6F **55**
Oldwell Clo. S17 —5D **120**
Old Wortley Rd. Roth —1G **77**
Old Yew Ga. Oug —1E **73**
Olive Clo. Swal —6B **104**
Olive Cres. S12 —5C **112**
Olive Gro. Rd. S2 —6F **99**
Olive Rd. Mosb —2D **124**
Olive Rd. Stoc —3D **140**
Oliver Rd. S7 —3A **110**
Oliver Rd. Don —4A **46**
Olivers Dri. S9 —1F **101**
Olivers Mt. S9 —1F **101**
Oliver St. Mex —6D **42**
Olive Ter. S6 —4D **84**
Olivet Rd. S8 —4D **110**
Ollerton Rd. Barn —4A **8**

Onchan Rd. S6 —6E **85**
Onesacre. Oug —2B **72**
Onesmoor Bottom. Worr
                        —3A **72**
Onslow Rd. S11 —6H **97**
Orange St. S1 —2D **98** (3C **4**)
Orchard Av. Ans —6E **107**
Orchard Clo. S5 —2F **75**
Orchard Clo. Barn —2C **14**
Orchard Clo. Cat —5D **90**
Orchard Clo. Dart —4F **7**
Orchard Clo. Laug —1E **107**
Orchard Cres. S5 —2F **75**
Orchard Croft. Dod —2C **22**
Orchard Flatts Cres. Roth
                        —5A **68**
Orchard Gdns. Ans —3F **119**
Orchard La. S1 —2E **99** (3E **5**)
Orchard La. Beig —5F **115**
Orchard La. Don —4F **31**
Orchard La. Wal —5F **117**
Orchard Lea Dri. Swal —6B **104**
Orchard M. Barn —4G **13**
Orchard M. Don —4G **31**
Orchard Pl. Kil —3B **126**
Orchard Pl. Roth —3C **78**
Orchard Pl. Wath D —5D **40**
Orchard Rd. S6 —5A **86**
Orchard Sq. S1 —2E **99** (3E **5**)
Orchard Sq. Dron W —1B **128**
Orchard Sq. Shopping Cen. S1
                        —2E **99** (3E **5**)
Orchard St. S1 —2E **99** (3E **5**)
Orchard St. Deep —4H **141**
Orchard St. Don —2B **46**
Orchard St. Gold —5G **29**
Orchard St. Oug —2D **72**
Orchard St. Thurn —1E **29**
Orchard St. Wom —6B **26**
Orchards Way. Ches —4E **137**
Orchard, The. Ans —1G **119**
Orchard View Rd. Ches
                        —1E **137**
Orchard Wlk. Barn —4H **13**
Orchard Way. Brin —4C **90**
Orchard Way. Thurn —1F **29**
Orchid Clo. Cal —2G **139**
Orchid Way. Ans —3E **119**
Ordnance Ter. Roth —3H **77**
(off Up. Clara St.)
Orgreave Clo. S13 —4C **102**
Orgreave Cres. S13 —4C **102**
Orgreave Dri. S13 —4C **102**
*Orgreave Ho. Don —1C **46***
(off Burden Clo.)
Orgreave La. S13 —3B **102**
Orgreave Pl. S13 —3B **102**
Orgreave Rise. S13 —5D **102**
Orgreave Rd. S13 —4B **102**
Orgreave Rd. Cat —1C **102**
Orgreave Way. S13 —5C **102**
Oriel Mt. S10 —6C **96**
Oriel Rd. S10 —6D **96**
Oriel Way. Barn —4D **14**
Ormesby Clo. Dron W —2A **128**
Ormesby Cres. Don —4G **31**
Ormesby Way. Bram —1E **81**
Ormes Meadow. Owl —5C **114**
Ormond Clo. S8 —3F **123**
Ormond Clo. Walt —6D **136**
Ormond Dri. S8 —3F **123**
Ormonde Way. New R —5C **62**
Ormond Rd. S8 —3F **123**
Ormond Way. S8 —2F **123**
Ormsby Clo. Don —1G **61**
Ormsby Rd. Ches —4H **131**
Orpen Dri. S14 —5A **112**
Orpen Way. S14 —5A **112**
Orphanage Rd. S3 —3F **87**
Orwell Clo. Wom —2H **39**

Orwins Clo. Ches —4F **131**
Osbert Dri. Thurc —4A **94**
Osberton Pl. S11 —5B **98**
Osberton St. Dal —6A **70**
Osberton St. Raw —1H **69**
Osberton St. Wadw —6H **61**
Osbert Rd. Roth —1H **91**
Osborne Av. Ast —5C **104**
Osborne Av. Wdlnd —2B **16**
Osborne Clo. S11 —6A **98**
Osborne Ct. S11 —6A **98**
Osborne Ct. Barn —3D **14**
Osborne Dri. Tod —2B **118**
Osborne M. Barn —1A **24**
Osborne Rd. S11 —6A **98**
Osborne Rd. Don —5F **33**
Osborne Rd. Kiv P —5B **118**
Osborne Rd. Tod —2B **118**
Osborne St. Barn —1A **24**
Osgathorpe Cres. S4 —3G **87**
Osgathorpe Dri. S4 —3G **87**
Osgathorpe Rd. S4 —3G **87**
Osmaston Rd. S8 —5D **110**
Osmond Dri. Wors —5A **24**
Osmond Pl. Wors —4A **24**
Osmond Way. Wors —4A **24**
Osmund Rd. Eck —6B **124**
Osprey Av. Bird —3D **36**
Osprey Gdns. S2 —3A **100**
Osprey Rd. Ast —1C **116**
Oswestry Rd. S5 —5G **75**
Oswin Av. Bal —4A **46**
Otley Clo. Con —3F **59**
Otley Wlk. S6 —5B **86**
Otter St. S9 —5B **88**
Oughtibridge Bri. Oug —2D **72**
Oughtibridge La. Oug —2E **73**
Oulton Av. Bram —1E **81**
Oulton Dri. Cud —6C **10**
Oulton Rise. Mex —5H **43**
Ouseburn Croft. S9 —6C **88**
Ouseburn Rd. S9 —1C **100**
Ouseburn St. S9 —6C **88**
Ouse Rd. S9 —6C **88**
Ouse Ter. Con —2E **59**
Outgang La. Din —2C **106**
Outgang La. Malt —6H **83**
Outram Rd. S2 —3A **100**
Outram Rd. Ches —5H **131**
Oval Rd. Roth —2H **79**
Oval, The. S5 —6G **75**
Oval, The. Ans —1G **119**
Oval, The. Con —2E **59**
Oval, The. Don —2A **48**
Oval, The. Wdlnd —1B **16**
Overcroft Rise. S17 —5D **120**
Overdale Av. Wors —3B **24**
Overdale Gdns. S17 —3C **120**
Overdale Rise. S17 —3C **120**
Overdale Rd. Wom —2G **39**
Overend Clo. S14 —3H **111**
Overend Dri. S14 —3H **111**
Overend Way. S14 —3H **111**
Oversley Rd. Don —3F **33**
Oversley St. S9 —6G **77**
Overton Clo. Stav —1D **134**
Overton Rd. S6 —1H **85**
Owen Clo. S6 —3B **74**
Owen Clo. Roth —1E **79**
Owen Pl. S6 —3B **74**
Owen Wlk. S6 —3B **74**
Owler Ga. Whar S —1A **72**
Owler La. S4 —2H **87**
(in three parts)
Owlerton Grn. S6 —3B **86**
Owlet La. S4 —2A **88**
Owlings Pl. S6 —3G **85**
Owlings Rd. S6 —2G **85**
Owlthorpe Av. Mosb —1B **124**

Owlthorpe Clo. Mosb —1B **124**
Owlthorpe Dri. Mosb —1B **124**
Owlthorpe Greenway. Wat
—6D **114**
Owlthorpe Gro. Mosb —1B **124**
Owlthorpe La. Mosb —1B **124**
Owlthorpe Rise. Mosb —1B **124**
Owram St. Darf —4E **27**
Ox Carr. Arm —3E **35**
Ox Clo. Av. S17 —4G **121**
Ox Clo. Av. Roth —6G **67**
Oxclose Dri. Dron W —2A **128**
Oxclose La. Dron W —2A **128**
Oxford Clo. Brim —3F **133**
Oxford Clo. Roth —4C **68**
Oxford Pl. Barn —1E **25**
Oxford Pl. Don —1C **46**
Oxford Rd. Brim —3F **133**
Oxford St. S6 —1B **98**
Oxford St. Barn —2A **24**
Oxford St. Mex —6C **42**
Oxford St. New R —4C **62**
Oxford St. Roth —2G **79**
Oxford St. Stair —1E **25**
Ox Hill. Half —4G **125**
Oxley Clo. Stoc —3C **140**
Oxley Gro. Roth —5F **79**
Oxspring Bank. S5 —1B **86**
Oxspring La. Pen —4G **143**
Oxted Rd. S9 —1C **88**
Oxton Dri. War —5F **45**
Oxton Rd. Barn —5B **8**

Packer's Row. Ches —2A **138**
Packhorse La. H Grn —5C **50**
Packington Rd. Don —4F **49**
Packman La. Hart —6D **118**
Packman Rd. Raw & Wath D
—4C **54**
Packmans Clo. Gren —6A **64**
Packmans Way. Gren —6A **64**
Packman Way. Wath D —5B **40**
Packwood Clo. Malt —3H **83**
Paddock Clo. Don —4G **31**
Paddock Clo. Map —4G **7**
Paddock Cres. S2 —2A **112**
Paddock Rd. Map —4G **7**
Paddocks, The. Ast —6C **104**
Paddocks, The. Cus —4F **31**
Paddocks, The. Mas M
—1G **135**
Paddock, The. Thry —5E **71**
Paddock, The. Ad S —1E **17**
Paddock, The. B Dun —1G **21**
Paddock, The. Darf —3E **27**
Paddock, The. Scho —3D **66**
Paddock Way. Dron —1F **129**
(in two parts)
Padley Clo. Dod —2A **22**
Padley Wlk. S5 —5H **75**
Padley Way. S5 —5G **75**
Padua Rise. Darf —4D **26**
Page Hall Rd. S4 —2H **87**
Pagenall Dri. Swal —5B **104**
Paget St. S9 —4B **88**
Pagnell Av. Thurn —2D **28**
Paisley Clo. Stav —3A **134**
Palermo Fold. Darf —3D **26**
Palgrave Cres. S5 —5C **74**
Palgrave Rd. S5 —5B **74**
Palington Gro. Don —2C **48**
Palm Av. Arm —2G **35**
Palmer Clo. Pen —6C **142**
Palmer Cres. Dron —3F **129**
Palmer Gro. Barn —6H **13**
Palmer Rd. S9 —5E **89**
Palmerston Av. Malt —3E **83**
Palmerston Rd. S10 —2B **98**
Palmer St. S9 —6B **88**

Palmer St. Don —2E **47**
Palmers Way. Thurc —5H **93**
Palm Gro. Con —4C **58**
Palm Hollow Clo. Wick —5D **80**
Palm La. S6 —5A **86**
Palm St. S6 —5A **86**
Palm St. Barn —4F **13**
Pamela Dri. War —5E **45**
Pangbourne Rd. Thurn —1E **29**
Pantry Grn. Wors —5C **24**
Pantry Hill. Wors —4C **24**
Pantry Well. Wors —5C **24**
Paper Mill Rd. S5 —2A **76**
Parade, The. S12 —1C **112**
Parade, The. Hoy —6H **37**
Parade, The. Raw —6E **55**
Paradise La. S1 —1E **99** (2E **5**)
Paradise Sq. S1 —1E **99** (2E **5**)
Paradise St. S1 —1E **99** (2E **5**)
Parish Way. Barn —4D **14**
Park Av. S10 —5H **97**
Park Av. Ans —6E **107**
Park Av. Arm —2D **34**
Park Av. Barn —6G **13**
Park Av. Brier —2H **11**
Park Av. Chap —3E **65**
Park Av. Con —4E **59**
Park Av. Cud —5B **10**
Park Av. Dron —1F **129**
Park Av. Grime —5G **11**
Park Av. Mex —6E **43**
Park Av. New L —6B **8**
Park Av. Pen —4C **142**
Park Av. Roys —2F **9**
Park Av. Whis —1A **92**
Park Clo. Arm —3F **35**
Park Clo. Ches —6A **138**
Park Clo. Map —5G **7**
Park Clo. Spro —2E **45**
Park Clo. Swin —2A **56**
Park Clo. Thry —5D **70**
Park Cotts. Wors —6A **24**
Park Ct. Gren —1A **74**
Park Ct. Thurn —1F **29**
Park Cres. S10 —3B **98**
Park Cres. Ecc —1F **75**
Park Cres. Roys —2F **9**
Park Cres. War —6E **45**
Park Dri. Ches —4B **138**
Park Dri. Spro —2D **44**
Park Dri. S'boro —5D **22**
Park Dri. Stoc —3D **140**
Park Dri. Swal —6H **103**
Park Dri. Way. Stoc —2D **140**
Park End Rd. Gold —5F **29**
Parker Av. Cal —1F **139**
Parker's La. S10 —2A **98**
Parkers La. Dore —1D **120**
Parker's Rd. S10 —2A **98**
Parker's Ter. Bird —4C **36**
Parker St. Barn —6F **13**
Parkers Yd. Ches —2B **138**
Park Farm. Dron W —1A **128**
*Parkfield Ct. Park —4F **69***
(off Naylor St.)
Parkfield Pl. S2 —5E **99**
Parkfield Rd. Roth —3F **79**
Parkgate Av. Con —3C **58**
Parkgate Bus. Pk. Park —5F **69**
Parkgate Clo. Mosb —1A **124**
Parkgate Croft. Mosb —1A **124**
Parkgate Dri. Mosb —6A **114**
Park Grange Clo. S2 —5G **99**
Park Grange Croft. S2 —4G **99**
Park Grange Dri. S2 —5G **99**
Park Grange Mt. S2 —5G **99**
Park Grange Rd. S2 —4G **99**
Park Grange View. S2 —6H **99**
Park Gro. Barn —1G **23**

Park Gro. Bram —4H **81**
Park Gro. Raw —6F **55**
Park Gro. Stoc —2D **140**
Park Hall Av. Walt —5C **136**
Park Hall Clo. Walt —6D **136**
Park Hall Gdns. Walt —5D **136**
Park Hall Clo. Roys —1C **8**
Parkhead Cres. S11 —3F **109**
Parkhead Cres. S11 —3F **109**
Parkhead Rd. S11 —4E **109**
Park Hill. B Dun —2E **21**
Park Hill. Darf —3F **27**
Park Hill. Eck —6E **125**
Park Hill. Swal —6H **103**
Parkhill Cres. B Dun —2H **21**
Parkhill Gro. Dod —1B **22**
Parkhill Rd. B Dun —2H **21**
Park Hill Rd. Wom —6C **26**
Park Hollow. Wom —1H **39**
Park Ho. La. S9 —2H **89**
Parkinson St. Don —4D **32**
Parkland Clo. Ros —4E **63**
Parkland Dri. Ros —4F **63**
Parklands. Eden —6D **20**
Parklands Av. Din —5E **107**
Park La. S9 —6E **77**
Park La. S10 —3B **98**
Park La. Ches —4H **131**
Park La. Con —6C **58**
Park La. Don —1A **48**
Park La. H Grn —4E **51**
Park La. Laug C —3C **106**
Park La. Pen —4C **142**
Park La. Rav —1A **82**
Park La. Stoc —2E **141**
Park La. Thry —5D **70**
Park La. Ct. Thry —4D **70**
Park Mt. Roth —3E **79**
Park Nook. Thry —5C **70**
Park Pl. Roth —2H **79**
Park Rd. S6 —5F **85**
Park Rd. Barn —2F **23**
Park Rd. Ben —6A **18**
Park Rd. Brier —2H **11**
Park Rd. Ches —4H **137**
Park Rd. Con —4D **58**
Park Rd. Don —6D **32**
Park Rd. Grime —6G **11**
Park Rd. Mex —6E **43**
Park Rd. Roth —2H **79**
Park Rd. Swin —3H **55**
Park Rd. Thurn —1E **29**
Park Rd. Wath D —6E **41**
Park Rd. Wors —6A **24**
Parkside La. Stann —6D **84**
Parkside M. Wors B —4A **24**
Parkside Rd. S6 —2A **86**
Parkside Rd. Hoy —1F **51**
Park Side Shopping Cen. Kil
—2B **126**
Parkson Rd. Roth —1H **91**
Park Spring Clo. S2 —5G **99**
Park Spring Dri. S2 —5G **99**
Park Spring Gro. S2 —5G **99**
Park Spring Pl. S2 —5G **99**
Park Spring Way. S2 —5G **99**
Park Sq. S2 —2F **99** (3G **5**)
Parkstone Cres. Hel —5B **82**
Parkstone Delph. S12 —5C **112**
Parkstone Way. Don —2A **34**
Park St. Barn —1G **23**
Park St. Ches —6A **138**
Park St. Raw —1F **69**
Park St. Roth —2B **78**
Park St. Swal —6A **104**
Park St. Wom —1G **39**
Park Ter. Chap —3F **65**
Park Ter. Don —6D **32**
Park Ter. Thry —5C **70**
Park, The. Wdlnd —4C **16**

Park Vale Dri. Thry —5D **70**
Park View. Ad S —2E **17**
Park View. Barn —2F **23**
Park View. Brier —2H **11**
Park View. Ches —6D **138**
Park View. Dod —2B **22**
Park View. Kiv P —4A **118**
Park View. Malt —3H **83**
(in two parts)
Park View. Mex —6C **42**
Park View. Roys —1F **9**
Park View. Shaf —3C **10**
Park View. Thor H —3A **66**
Park View. Wors —4B **24**
Park View Av. Half —2E **125**
Parkview Ct. S8 —5E **111**
Park View Rd. S6 —2A **86**
Park View Rd. Chap —3E **65**
Park View Rd. Map —4H **7**
Park View Rd. Roth —4E **77**
Park Way. Ad S —1D **16**
Parkway. Arm —4F **35**
Parkway Av. S9 —1B **100**
Parkway Clo. S9 —1B **100**
Parkway Dri. S9 —2C **100**
Parkway Mkt. S9 —1D **100**
Parkway N. Don —3F **33**
Parkway S. Don —3F **33**
Parkwood Ind. Est. S3 —5E **87**
Parkwood Rise. B Dun —2E **21**
Parkwood Rd. S3 —4C **86**
Parkwood Rd. N. S5 —1D **86**
Parliament St. S11 —4C **98**
Parma Rise. Darf —4C **26**
Parsley Hay Clo. S13 —4H **101**
Parsley Hay Dri. S13 —4H **101**
Parsley Hay Gdns. S13
—4H **101**
Parsley Hay Rd. S13 —4H **101**
Parsonage Clo. Mosb —3D **124**
Parsonage Cres. S6 —5A **86**
Parsonage St. S6 —5A **86**
Parson Cross Rd. S6 —5A **74**
Parson La. Dod —3A **22**
Partridge Clo. Eck —6B **124**
Partridge Flatt Rd. Don —5D **48**
Partridge Pl. Ast —1C **116**
Partridge Rise. Don —5D **48**
Partridge Rd. B Dun —2H **21**
Partridge View. S2 —3A **100**
Parwich Clo. Ches —6C **130**
Passfield Rd. New R —5E **63**
Passhouses Rd. S4 —3F **87**
Pasture Clo. Arm —4E **35**
(in two parts)
Pasture Gro. Eck —6C **124**
Pasture La. Bolt D —1H **27**
Pastures Rd. Mex —6H **43**
Pastures, The. Tod —2A **118**
Paternoster Row. S1
—3F **99** (5F **5**)
Paterson Clo. Stoc —2C **140**
Paterson Ct. Stoc —2C **140**
Paterson Croft. Stoc —2C **140**
Paterson Gdns. Stoc —2C **140**
Paterson Rd. Din —4G **107**
Patmore Rd. S5 —5H **75**
Paton Gro. Brim —3D **132**
Patrick Stirling Ct. Don —2A **46**
Patterdale Clo. Dron W
—2C **128**
Patterdale Way. Ans —1H **119**
Pavement Cen. Ches —2A **138**
(off Wheeldon La.)
Pavement, The. S2
—2G **99** (3H **5**)
Pavilion Clo. Brier —2G **11**
Pavilion La. Brin —1B **90**
Pavillion Clo. Edl —2C **60**
Paxton Ct. S14 —3B **112**

Paxton Cres. Arm —2D **34**
Paxton La. S10 —3B **98**
Paxton Rd. Ches —6C **132**
Payler Clo. S2 —5C **100**
Paynes Cres. Raw —6E **55**
Peacehaven. B Dun —2H **21**
Peacock Clo. Kil —3A **126**
Peacock Clo. Thor H —1B **66**
Peakdale Cres. S12 —2G **113**
Peake Av. Con —3C **58**
Peak La. Hoo L —6E **83**
Peak Pl. Ink —4B **134**
Peak Rd. Barn —6C **8**
Peaks Mt. Wat —4E **115**
Peaks Sq. Wat —5E **115**
Peak View Rd. Ches —1F **137**
Pearce Rd. S9 —2E **101**
Pearce Wlk. S9 —1E **101**
Pearl St. S11 —5C **98**
Pearmain Dri. Malt —3D **82**
Pea Royd La. Stoc —2E **141**
Pearson Cres. Wom —4H **25**
Pearson Pl. S8 —2D **110**
Pearson's Clo. Roth —5A **80**
Pearson's Field. Wom —6B **26**
Pearson St. Stoc —2D **140**
Pear St. S11 —4C **98**
Pear Tree Av. Bram —4G **81**
Peartree Av. Thurn —1E **29**
Pear Tree Clo. Brin —3D **90**
Pear Tree Clo. Holl —3G **133**
Pear Tree Clo. Kil —4A **126**
Pear Tree Ct. Thurn —1E **29**
Pear Tree St. S5 —3H **75**
Pearwood Cres. Don —6H **45**
Peashill St. Raw —2F **69**
Peatfield Rd. Kil —2D **126**
Peckham Rd. H Grn —1D **64**
Peck Mill View. Kiv S —6D **118**
Pedley Av. W'fld —1E **125**
Pedley Clo. W'fld —6E **115**
Pedley Dri. W'fld —1E **125**
Pedley Gro. W'fld —6E **115**
Peel Clo. Malt —3E **83**
Peel Gdns. Dron —2D **128**
Peel Pl. Barn —4A **14**
Peel Sq. Barn —6G **13**
Peel St. S10 —3A **98**
Peel St. Barn —6G **13**
Peel St. Wors C —2H **23**
Peel St. Arc. Barn —6G **13**
Peel Ter. S10 —2C **98**
Peet Wlk. Jump —4B **38**
Peg Folly. Stoc —3A **140**
Peggy La. Ecc —6A **66**
Pell's Clo. Don —6C **32**
Pembrey Ct. Soth —5G **115**
Pembridge Ct. Roys —1E **9**
Pembroke Av. Don —5A **46**
Pembroke Clo. Ches —4E **137**
Pembroke Cres. H Grn —1C **64**
Pembroke Rise. Ans —3F **119**
Pembroke Rise. Don —3F **31**
Pembroke Rd. Dron —3E **129**
Pembroke St. S11 —4C **98**
Pembroke St. Roth —3H **77**
Pendeen Rd. S11 —5F **97**
Pendlebury Gro. Hoy —6G **37**
Pendle Croft. Soth —6H **115**
Pengeston Rd. Pen —5B **142**
Penistone Rd. S6 —2A **86**
Penistone Rd. Chap —1A **64**
Penistone Rd. Gren —1B **74**
Penistone Rd. N. S6 —1A **86**
Penistone St. Don —5D **32**
Penley St. S11 —5D **98**
Penmore Clo. Ches —4C **138**
Penmore Gdns. Ches —4C **138**
Penmore La. Ches —5C **138**

Penmore St. Ches —5C **138**
Pennine Cen., The. S1 —2D **4**
Pennine Clo. Dart —3E **7**
Pennine Gdns. Malt —3D **82**
Pennine View. Dart —3E **7**
Pennine View. Stoc —5D **140**
Pennine Way. Barn —5D **12**
Pennine Way. Ches —6E **131**
Pen Nook Clo. Deep —5F **141**
Pen Nook Ct. Deep —5G **141**
Pen Nook Dri. Deep —5G **141**
Pen Nook Gdns. Deep —5G **141**
Pen Nook Glade. Deep
—4G **141**
Penns Rd. S2 —1G **111**
Penny Engine La. Eck —5E **125**
Penny Hill La. Ull & Brmp M
—1D **104**
Pennyholme Clo. Kiv P
—5B **118**
Penny La. Tot —5C **120**
Penny Piece La. Ans —1F **119**
Penny Piece Pl. Ans —1F **119**
Penrhyn Rd. S11 —6A **98**
Penrhyn Wlk. Barn —1G **25**
Penrith Clo. S5 —1C **86**
Penrith Cres. S5 —1C **86**
Penrith Gro. Barn —1F **25**
Penrith Rd. S5 —1C **86**
Penrith Rd. Don —5A **34**
Penrose Pl. S13 —1A **114**
Penshurst Clo. Roth —1H **79**
Penthorpe Clo. S12 —1D **112**
Pentland Clo. Ches —6E **131**
Pentland Gdns. Wat —5D **114**
Pentland Rd. Dron W —2B **128**
Penton St. S1 —2E **99** (3D **4**)
Penyghent Clo. Chap —1D **64**
Pepper Clo. Roth —5F **67**
Pepper St. Hoy —3A **38**
Percy St. S3 —6D **86**
Percy St. Roth —3E **79**
Peregrine Dri. Bird —3D **36**
Peregrine Way. Hart —4H **127**
(in two parts)
Perigree Rd. S8 —4C **110**
Periwood Av. S8 —4C **110**
Periwood Clo. S8 —4C **110**
Periwood Dri. S8 —4C **110**
Periwood Gro. S8 —4C **110**
Periwood La. S8 —4C **110**
Perkyn Rd. S5 —2H **75**
Perkyn Ter. S5 —2H **75**
Perran Gro. Cus —4H **31**
Perseverance St. Barn —6F **13**
Persimmon Clo. New R —6D **62**
Perth Clo. Mex —5G **43**
Petal Clo. Malt —3H **83**
Peterborough Clo. S10 —5A **96**
Peterborough Dri. S10 —4A **96**
Peterborough Rd. S10 —4A **96**
Peterdale Clo. Brim —3E **133**
Peterdale Rd. Brim —3E **133**
Petersgate. Don —1G **31**
Peter's Rd. Edl —4B **60**
Peter St. Roth —2D **77**
Peter St. Thurc —4A **94**
Petre Dri. S4 —3A **88**
Petre St. S4 —4H **87**
Pettyclose La. Ches —6D **132**
Petunia Rd. Kirk S —4D **20**
Petworth Croft. Roys —1D **8**
Petworth Dri. S11 —5F **109**
Pevensey Av. Ches —5G **131**
Pevensey Ct. Ches —4G **131**
Peveril Clo. Kiv P —4A **118**
Peveril Cres. Barn —6C **8**
Peveril Rd. S11 —6H **97**
Peveril Rd. Ches —4H **131**
Peveril Rd. Don —5G **45**

Peveril Rd. Eck —5E **125**
Pexton Rd. S4 —3G **87**
Pheasant Bank. Ros —4E **63**
Philip La. H Grn —5A **50**
Philip Rd. Barn —2D **24**
Phillimore Rd. S9 —5D **88**
Phillips Rd. Lox —2D **84**
Phoenix Gro. Brin —1B **90**
Phoenix La. Thurn —2G **29**
(in two parts)
Phoenix Rd. Ridg —6G **113**
Phoenix Rd. Roth —5G **77**
Piccadilly. Ben —1A **32**
Piccadilly Rd. Ches —3B **138**
Piccadilly Rd. Swin —4A **56**
Pickburn La. Pick —4A **16**
Pickering Cres. Swal —1H **115**
Pickering Rd. S3 —4D **86**
Pickering Rd. Ben —4A **18**
Pickhill's Av. Gold —4H **29**
Picking La. Ecc —1F **75**
Pickmere Rd. S10 —1H **97**
Pickton Clo. Ches —3F **137**
Pickup Cres. Wom —2F **39**
Piece End. H Grn —5B **50**
(in two parts)
Piece End Clo. H Grn —5B **50**
Pieces N., The. Whis —3H **91**
Pieces S., The. Whis —3H **91**
Pighills La. Coal A —5F **123**
Pike Clo. Ches —6D,**130**
Pike Lowe Dr. Map —5H **7**
Pike Rd. Brin —2C **90**
Pilgrim St. S3 —4F **87**
Pilley Grn. Tank —6B **36**
Pilley Hill. Dod —3B **22**
Pilley La. Tank —4A **36**
Pilley La. End. Tank —4A **36**
Pinchfield Ct. Wick —6F **81**
Pinchfield Holt. Wick —6F **81**
Pinchfield La. Wick —6F **81**
Pinchmill Hollow. Wick —1F **93**
Pinch Mill La. Roth —2C **92**
Pindale Av. Ink —4A **134**
Pindar Oaks Cotts. Barn
—1B **24**
Pindar Oaks St. Barn —1A **24**
Pindar St. Barn —1B **24**
Pine Av. Ans —4F **119**
Pine Clo. Barn —3C **24**
Pine Clo. Hoy —6A **38**
Pine Clo. Kil —4A **126**
Pine Clo. Sun —3G **81**
Pine Croft. Chap —3E **65**
Pinecroft Way. Chap —3E **65**
Pinefield Av. B Dun —1E **21**
Pinefield Rd. B Dun —1E **21**
Pine Gro. Con —5C **58**
Pinehall Dri. Barn —3D **14**
Pine Hall Rd. B Dun —1E **21**
Pinehurst Rise. Swin —3B **56**
Pine Rd. Don —3D **48**
Pines, The. S10 —5A **96**
Pines, The. Wick —6G **81**
Pine St. Holl —3G **133**
Pine View. Ches —2D **136**
Pine Wlk. Swin —5B **56**
Pinewood Av. Arm —1F **35**
Pinewood Av. Don —6G **45**
Pinfold. Wath D —5E **41**
Pinfold Clo. Barn —1E **25**
Pinfold Clo. Holy —6A **56**
Pinfold Clo. Swin —3A **56**
Pinfold Cotts. Cud —1H **15**
Pinfold Ct. B Dun —1D **20**
Pinfold Hill. Wors —3A **24**
Pinfold Lands. Mex —1F **57**
Pinfold La. S3 —4E **87**
Pinfold La. Darf —4F **27**
Pinfold La. Roth —4E **79**

Pinfold La. Roys —2E **9**
Pinfold St. S1 —2E **99** (3D **4**)
Pinfold St. Eck —6D **124**
Pingle Av. S7 —4A **110**
Pingle La. Rav —5G **71**
Pingle Rd. S7 —4H **109**
Pingle Rd. Kil —2C **126**
Pingles Cres. Thry —5C **70**
Pinner Rd. S11 —5A **98**
Pinstone St. S1 —3E **99** (5E **5**)
Pipe Ho. La. Raw —6F **55**
(in two parts)
Piper Clo. S5 —6E **75**
Piper Cres. S5 —5E **75**
Pipering La. E. Don —2H **31**
Pipering La. W. Don —2G **31**
Piper La. Ash —2A **136**
Piper La. Ast —6D **104**
Piper Rd. S5 —6F **75**
Pipeyard La. Eck —6C **124**
Pippin Ct. Malt —3D **82**
Pipworth Gro. S2 —4E **101**
Pipworth La. Eck —5F **125**
Pipworth Rd. S2 —4D **100**
Pisgah Ho. Rd. S10 —2A **98**
Pitchard Clo. S12 —4B **114**
Pitchford La. S10 —4D **96**
Pit La. S12 —1C **112**
Pit La. Thor H —3B **66**
Pit La. Tree —1F **103**
Pit La. Wom —1C **38**
Pitman Rd. Den M —2A **58**
Pit Row. Hem —6E **39**
Pitsmoor Rd. S3 —5E **87**
Pittam Clo. Arm —3F **35**
Pitt Clo. S1 —2D **98** (4B **4**)
Pitt La. Map —4E **7**
Pitt St. S1 —2D **98** (4B **4**)
Pitt St. Barn —6G **13**
Pitt St. Eck —6H **125**
Pitt St. Mex —1G **57**
Pitt St. Roth —3H **77**
Pitt St. Wom —4C **26**
Pitt St. W. Barn —6F **13**
Plane Clo. Don —3D **48**
Plane Dri. Wick —4G **81**
Planet Rd. Ad S —1E **17**
Plank Ga. Oug —1D **72**
Plantation Av. Ans —1G **119**
Plantation Av. Din —4F **107**
Plantation Av. Don —1F **63**
Plantation Av. Roys —2F **9**
Plantation Clo. Malt —3F **83**
Plantation Rd. S8 —1E **111**
Plantation Rd. Arks —1G **19**
Plantin Rise. Half —2E **125**
Plantin, The. Half —2E **125**
Plaster Pits La. Don —5D **30**
Platts Comn. Ind. Est. Hoy
—4H **37**
Platts Dri. Beig —3G **115**
Platts La. Oug —2E **73**
Platt St. S3 —5E **87**
Playford Yd. Hoy —3H **37**
Pleasant Clo. S12 —1D **112**
Pleasant Pl. Ches —2F **137**
Pleasant Rd. S12 —1D **112**
Pleasant View St. Barn —3G **13**
Pleasley Rd. Whis & Aug
—2G **91**
Plover Ct. S2 —3A **100**
Plover Ct. Ros —4E **63**
Plover Croft. Thor H —1C **66**
Plover Dri. Bird —3D **36**
Plover Way. Cal —2F **139**
Plowmans Way. Roth —4H **67**
Plowright Clo. S14 —2H **111**
Plowright Dri. S14 —2H **111**
Plowright Mt. S14 —2H **111**

Plowright Way. S14 —2H 111
Plumber St. Barn —6F 13
Plumbley Hall M. Mosb
—3C 124
Plumbley Hall Rd. Mosb
—3C 124
Plumbley La. Mosb —3B 124
Plumbleywood La. Mosb
—3A 124
Plum La. S3 —1E 99 (1E 5)
Plumpers Rd. S9 —1F 89
Plumpton Av. Mex —5G 43
Plumpton Ct. Thurl —4A 142
Plumpton Gdns. Don —5E 49
Plumpton Pk. Rd. Don —6E 49
Plum St. S3 —1E 99 (1E 5)
Plunket Rd. Don —5F 33
Plymouth Rd. S7 —2C 110
Pocknedge La. Holy —4A 136
Pogmoor La. Barn —5C 12
Pogmoor Rd. Barn —5D 12
Pog Well La. Hghm —4A 12
Polka Ct. S3 —4E 87
Pollard Av. S5 —6C 74
Pollard Cres. S5 —6C 74
Pollard Rd. S5 —6C 74
Pollard St. Roth —3G 77
Pollitt St. Barn —4F 13
Pollyfox Way. Dod —2B 22
Pomona St. S11 —4C 98
Pond Clo. Stann —5D 84
Pond Hill. S1 —2F 99 (3G 5)
Pond Rd. Stann —5D 84
Pond St. S1 —2F 99 (3F 5)
 (in two parts)
Pond St. Barn —1G 23
 (in two parts)
Pond St. Ches —3A 138
Pondwell Dri. Brim —4F 133
Pontefract Rd. Barn —6H 13
Pontefract Rd. Brmp —3B 40
Pontefract Rd. Cud —5B 10
Pool Dri. Don —6F 49
Poole Pl. S9 —1E 101
Poole Rd. S9 —1D 100
Poolsbrook Av. Pool —3E 135
Poolsbrook Cres. Pool —3E 135
Poolsbrook Rd. Duck —5E 135
Poolsbrook Sq. Pool —3E 135
Poolsbrook View. Pool
—3E 135
Pools La. Roys —2G 9
Pool Sq. S1 —2E 99 (4E 5)
Pope Av. Con —3B 58
Pop La. Con —3E 59
Poplar Av. Beig —2F 115
Poplar Av. Ches —3D 136
Poplar Av. Gold —4G 29
Poplar Av. Shaf —3C 10
Poplar Av. Stoc —4D 140
Poplar Av. Thry —5C 70
Poplar Clo. Bran —2H 49
Poplar Clo. Dron —4G 129
Poplar Clo. Kil —4A 126
Poplar Clo. Mex —5D 42
Poplar Clo. Oug —2C 72
Poplar Dri. Brin —3B 90
Poplar Dri. Don —3A 34
Poplar Dri. Wath D —1F 55
Poplar Glade. Wick —5F 81
Poplar Gro. Con —5D 58
Poplar Gro. Lun —3E 15
Poplar Gro. Rav —1H 81
Poplar Gro. Swin —2B 56
Poplar Gro. War —1C 60
Poplar Nook. Kiv P —4G 117
Poplar Pl. Arm —2F 35
Poplar Pl. Ches —3H 131
Poplar Rise. Malt —3D 82
Poplar Rd. Eck —6H 125

Poplar Rd. Oug —2C 72
Poplar Rd. Wom —1G 39
Poplars Rd. Barn —2B 24
Poplar Ter. Ben —1B 32
Poplar Ter. Roys —1F 9
Poplar Way. Cat —6B 90
Popple St. S4 —2H 87
Poppyfields Way. Bran —3G 49
Porter Av. Barn —5E 13
Porter Brook View. S11 —5B 98
Porter St. Stav —1C 134
Porter Ter. S11 —5A 98
Porter Ter. Barn —5D 12
Portland Av. Ast —6C 104
Portland Bldgs. S6 —6C 86
 (off Portland St.)
Portland Bus. Pk. S13 —3G 101
Portland Clo. Ans —5E 107
Portland La. S1 —2D 98 (4B 4)
Portland Pl. Don —6C 32
Portland Pl. Malt —4G 83
Portland Rd. Beig —5G 115
Portland Rd. New R —6D 62
Portland St. S6 —6C 86
 (in two parts)
Portland St. Barn —1B 24
Portland St. Swin —2B 56
Portobello. S1 —2D 98 (3B 4)
Portobello La. S1
—2D 98 (3B 4)
Portobello St. S1
—2D 98 (3C 4)
Portsea Rd. S6 —3H 85
Pot Ho. La. Stoc —3D 140
Potterdyke Av. Raw —5F 55
Potter Hill. Roth —4C 68
Potter Hill La. H Grn —6A 50
Potteric Carr Rd. Don —2E 47
Potters Ga. H Grn —6A 50
 (in two parts)
Pottery Clo. Raw —2F 69
Pottery La. E. Ches —4B 132
Pottery La. W. Ches —4A 132
Pottery Row. Roth —4A 78
Poucher St. Roth —3F 77
Poulton St. Barn —1D 14
Powder Mill La. Wors —6C 24
Powell Dri. Kil —3A 126
Powell St. S3 —1C 98 (2A 4)
Powell St. Wors —5B 24
Powerhouse Sq. Hoy —1D 52
 (off Forge La.)
Power Sta. Rd. Don —5B 32
Powley Rd. S6 —4B 74
Poynton Av. Ull —2C 104
Poynton Dri. Din —3F 107
Poynton Way. Ull —2C 104
Poynton Wood Cres. S17
—3G 121
Poynton Wood Glade. S17
—3G 121
Prescott Rd. S6 —1G 85
President Way. S4 —5H 87
Preston Av. Jump —4C 38
Preston St. S8 —6E 99
Preston Way. Barn —1D 14
Prestwich St. S9 —5D 76
Prestwood Gdns. Chap —2C 64
Priest Croft La. Barn —1D 26
Priestfield Gdns. Ches —4D 130
Priestley Av. Dart —5A 6
Priestley Av. Raw —6H 55
Priestley Clo. Don —6H 45
Priestley St. S2 —4F 99
Primrose Av. S5 —5A 74
Primrose Av. Brin —4D 90
Primrose Av. Darf —4D 90
Primrose Circ. New R —5E 63
Primrose Clo. Bolt D —6D 28
Primrose Clo. Kil —2C 126

Primrose Ct. Ches —1H 137
Primrose Cres. Beig —4F 115
Primrose Dri. Ecc —1F 75
Primrose Hill. S6 —5B 86
 (in two parts)
Primrose Hill. Hoy —6A 38
Primrose Hill. Roth —1C 78
Primrose La. Kil —1C 126
Primrose Way. Hoy —1A 52
Primulas Clo. Ans —3E 119
Prince Arthur St. Barn —5F 13
Princegate. Don —6D 32
Prince of Wales Rd. S2 & S9
—6C 100
Prince's Cres. Edl —2B 60
Prince's Rd. Don —2H 47
Princess Clo. Bolt D —1H 41
Princess Ct. S2 —5D 100
Princess Dri. Deep —4E 141
Princess Gdns. Wom —1F 39
Princess Gro. Tank —6A 36
Prince's Sq. Kirk S —3D 20
Princess Rd. Dron —1E 129
Princess Rd. Gold —4G 29
Princess Rd. Mex —6F 43
Princess St. S4 —6H 87
Princess St. Barn —6G 13
Princess St. Brim —2F 133
Princess St. Ches —1H 137
Princess St. Cud —4C 10
Princess St. Din —3C 106
Princess St. Hoy —6F 37
Princess St. Map —4E 7
Princess St. Wath D —4D 40
Princess St. Wom —6A 26
Princess St. Wdlnd —3D 16
Prince's St. Don —6D 32
Princes St. Roth —3B 78
Prince St. Swin —1B 56
Pringle Rd. Brin —2B 90
Printing Office St. Don —6C 32
Prior Rd. Con —4D 58
Priory Av. S7 —5D 98
Priory Clo. Con —2E 59
Priory Clo. Ecc —6E 65
Priory Cres. Barn —4E 15
Priory Pl. S7 —5D 98
Priory Pl. Barn —3E 15
Priory Pl. Don —6C 32
Priory Rd. S7 —6C 98
Priory Rd. Barn —3E 15
Priory Rd. Bolt D —1A 42
Priory Rd. Ecc —6E 65
Priory Ter. S7 —5D 98
Priory Way. Ast —6C 104
Pritchard Clo. S12 —4B 114
Private Dri. Hol —3G 133
Probert Av. Gold —4F 29
Proctor Pl. S6 —3A 86
Progress Dri. Bram —5H 81
Prospect Clo. Bram —5H 81
Prospect Cotts. Barn —2H 23
Prospect Ct. S17 —4H 121
Prospect Dri. S17 —4F 121
Prospect Pl. Don —1C 46
Prospect Pl. Tot R —3G 121
Prospect Rd. S17 —4G 121
Prospect Rd. Bolt D —6E 29
Prospect Rd. Ches —1H 131
Prospect Rd. Cud —1H 15
Prospect Rd. Dron —6G 123
Prospect Rd. Heel —6E 99
Prospect Rd. Tol B —3A 18
Prospect St. Barn —6F 13
Prospect St. Cud —6B 10
Prospect Ter. Ches —1G 137
Providence Ct. Barn —1G 23
Providence Rd. S6 —5H 85

Providence St. Grea —4C 68
Providence St. Roth —3C 78
Providence St. Wom —5D 26
Psalter Ct. S11 —6A 98
Psalter La. S11 —6H 97
Psalters Dri. Oxs —6H 143
Psalters La. Roth —3H 77
Pullman Clo. Stav —1D 134
Pump Riding. Edl —4D 60
Purbeck Av. Ches —1F 137
Purbeck Ct. Wat —5D 114
Purbeck Gro. Wat —5D 114
Purbeck Rd. Wat —5D 114
Purcell Clo. Malt —5H 83
Pye Av. Map —5E 7
Pye Bank Clo. S3 —5E 87
Pye Bank Dri. S3 —5E 87
Pye Bank Rd. S3 —5E 87
Pym Rd. Mex —6E 43
Pynot Rd. Ches —1B 132

Quadrant, The. S17 —4E 121
Quail Rise. S2 —3A 100
Quaker Clo. Wath D —6D 40
Quaker La. Ard —1G 25
Quaker La. Barn —3B 14
Quaker La. War —5F 45
Quantock Way. Ches —6D 130
Quarry Bank. Wath D —5B 40
Quarry Bank Rd. Ches —3C 138
Quarry Clo. Brin —3A 90
Quarry Clo. Dart —5B 6
Quarryfield La. Malt —3F 83
Quarry Field La. Wick —1F 93
Quarry Fields. Wick —6F 81
Quarry Hill. Mosb —1A 124
Quarry Hill. Roth —3D 78
Quarry Hill Rd. Wath D —1E 55
Quarry La. S11 —1A 110
Quarry La. Ans —1F 119
Quarry La. Bran —3H 49
Quarry La. Ches —3E 137
Quarry La. Darf —4G 27
Quarry La. Mex —4D 42
Quarry La. Roth —1C 78
Quarry La. Wdlnd —3C 16
Quarry Rd. B Hill —2H 37
Quarry Rd. Han —3H 101
Quarry Rd. Kil —2A 126
Quarry Rd. Tot R —4E 121
Quarry St. Barn —1H 23
Quarry St. Cud —6B 10
Quarry St. Mex —1F 57
Quarry St. Monk B —2A 14
Quarry St. Raw —1F 69
Quarry Vale. Cud —2H 15
Quarry Vale Gro. S12 —3E 113
Quarry Vale Rd. S12 —3E 113
Queen Av. Malt —5G 83
Queen Av. New R —4C 62
Queen Mary Clo. S2 —6C 100
Queen Mary Cres. S2 —5C 100
Queen Mary Rd. Kirk S
—3D 20
Queen Mary Rd. S2 —5B 100
Queen Mary Rd. Ches —4D 136
Queen Mary's Rd. New R
—4C 62
Queen Mary St. Malt —6H 83
Queen's Av. Barn —5F 13
Queen's Av. Kiv P —5G 117
Queen's Av. Lit H —2H 27
Queen's Av. Swin —1B 56
Queensberry Rd. Don —5A 34
Queen's Ct. Don —3A 32
Queen's Cres. Edl —2B 60
Queens Cres. Hoy —6E 37
Queen's Dri. Barn —4E 13
Queen's Dri. Cud —4C 10

Queen's Dri. Dod —2B **22**
Queen's Dri. Don —3A **32**
Queen's Dri. Shaf —2B **10**
Queens Gdns. Barn —4E **13**
Queens Gdns. Hoy —6F **37**
Queens Gdns. Wom —1F **39**
Queensgate. Don —6D **32**
Queensgate. Gren —1B **74**
Queens Rd. S2 —6E **99**
Queen's Rd. Barn —6H **13**
Queens Rd. Beig —3F **115**
Queen's Rd. Cud —4C **10**
Queen's Rd. Don —5E **33**
Queen's Rd. Swal —6A **104**
Queens Row. S3
          —1D **98** (1C **4**)
Queen's Ter. Mex —6E **43**
Queen St. S1 —1E **99** (2E **5**)
Queen St. Barn —6H **13**
Queen St. Brim —2F **133**
Queen St. Chap —2E **65**
Queen St. Ches —1H **137**
Queen St. Darf —3F **27**
Queen St. Din —3F **107**
Queen St. Don —3B **46**
  (in two parts)
Queen St. Eck —6E **125**
Queen St. Gold —4G **29**
Queen St. Grime —6G **11**
Queen St. Hoy —6E **37**
Queen St. Mosb —2C **124**
Queen St. Pen —4E **143**
Queen St. Raw —6G **55**
Queen St. Roth —2G **79**
Queen St. Stav —3B **134**
Queen St. Swin —2B **56**
Queen St. Thurn —2G **29**
Queen St. N. Ches —3A **132**
Queen St. S. Barn —6G **13**
Queensway. Barn —4E **13**
Queensway. Hoy —5B **38**
Queensway. Roth —1F **91**
Queensway. Roys —1E **9**
Queensway. Wors —5B **24**
Queen Victoria Rd. S17
          —5F **121**
Quern Way. Darf —3E **27**
Quest Av. Hem —3E **39**
Quiet La. S10 —1B **108**
Quilter Rd. Malt —5H **83**
Quintec Ct. Roth —6E **69**
Quoit Grn. Dron —2F **129**
Quorn Dri. Ches —6C **130**

Raby Rd. Don —4F **33**
Raby St. S9 —6G **77**
Racecommon La. Barn —2F **23**
Racecommon Rd. Barn —2F **23**
Racecourse Mt. Ches —3H **131**
Racecourse Rd. Ches —3H **131**
Racecourse Rd. Swin —2G **55**
Race St. Barn —6G **13**
Racker Way. S6 —4H **85**
Rackford La. Ans —3H **119**
Rackford Rd. Ans —2G **119**
Radbourne Comn. Dron W
          —2B **128**
Radburn Rd. New R —5C **62**
Radcliffe Clo. Scawt —6G **17**
Radcliffe La. Scawt —6G **17**
Radcliffe Mt. Ben —5A **18**
Radcliffe Rd. Barn —5B **8**
Radcliffe Rd. Ben —5A **18**
Radford St. S3 —1D **98** (2B **4**)
Radiance Rd. Don —4E **33**
Radley Av. Wick —4F **81**
Radnor Clo. Beig —5G **115**
Radnor Way. Don —4A **34**
Raeburn Clo. S14 —5A **112**

Raeburn Pl. S14 —4A **112**
Raeburn Rd. S14 —5A **112**
Raeburn Way. S14 —5A **112**
Ragusa Rd. New R —6D **62**
Raikes St. Mex —1D **56**
Rail Mill Way. Raw —5F **69**
Rails Rd. Stann —1A **96**
Railway Av. Cat —6C **90**
Railway Cotts. Dod —2A **22**
Railway Cotts. Roth —5C **90**
Railway Ter. Ches —6B **138**
Railway Ter. Gold —4F **29**
Railway Ter. Roth —3C **78**
Railway View. Gold —4G **29**
Rainborough M. Brmp B
          —4B **40**
Rainborough Rd. Wath D
          —5B **40**
Rainboro View. Hem —4E **39**
Rainbow Av. S12 —3B **114**
Rainbow Clo. S12 —3C **114**
Rainbow Cres. S12 —3C **114**
Rainbow Dri. S12 —3C **114**
Rainbow Gro. S12 —3C **114**
Rainbow Pl. S12 —5C **114**
Rainbow Wlk. S12 —3B **114**
  (off Carter Lodge Dri.)
Rainbow Way. S12 —3B **114**
Rainford Dri. Barn —1D **14**
Rainford Sq. Kirk S —2D **20**
Rainton Gro. Barn —4D **12**
Rainton Rd. Don —1E **47**
Raintree Ct. Cus —4H **31**
Raisen Hall Pl. S5 —1E **87**
Raisen Hall Rd. S5 —6D **74**
Rakes La. Old E —6D **60**
Raleigh Ct. Don —6H **33**
Raleigh Dri. Burn —2B **64**
Raleigh Rd. S2 —1F **111**
Raleigh Ter. Don —5G **45**
Raley St. Barn —2F **23**
  (in two parts)
Ralph Ellis Dri. Stoc —4D **140**
Ramsker Dri. Arm —4F **35**
Ramsworth Clo. Don —4G **31**
Ranby Rd. S11 —6H **97**
Randall Pl. S2 —5D **98**
Randall St. S2 —4E **99**
Randall St. Eck —6G **125**
Randerson Dri. Kiln —4E **137**
Rands La. Arm —2G **35**
Rands La. Ind. Est. Arm
          —2H **35**
Ranelagh Dri. S11 —2H **109**
Raneld Mt. Ches —5E **137**
Ranfield Ct. Rav —1H **81**
Rangeley Rd. S6 —6G **85**
Range Rd. S4 —2B **88**
Ranmoor Chase. S10 —4H **97**
Ranmoor Cliffe Rd. S10
          —4E **97**
Ranmoor Clo. Ches —5C **138**
Ranmoor Cres. S10 —5G **97**
Ranmoor Ho. S10 —3G **97**

Ranmoor Pk. Rd. S10 —4F **97**
Ranmoor Rise. S10 —4F **97**
Ranmoor Rd. S10 —4F **97**
Ranmore Clo. Ches —5C **138**
Ranskill St. S9 —4E **89**
Ranworth Rd. Bram —1E **81**
Ranyard Rd. Don —4H **45**
Raseby Av. Wat —5E **115**
Raseby Clo. Wat —5E **115**
Raseby Pl. Wat —5E **115**
Rasen Clo. Mex —5G **43**
Ratcliffe Rd. S11 —5B **98**
Ratten Row. Dod —3A **22**
Ratten Row. Wadw —6H **61**
Ravencar Rd. Eck —6B **124**
Ravencarr Pl. S2 —4C **100**
Ravencarr Rd. S2 —4C **100**
Raven Dri. Thor H —1C **66**
Ravenfield Clo. Owl —5A **114**
Ravenfield Dri. Barn —2A **14**
Ravenfield La. Hoo R —1G **71**
Ravenfield Rd. Arm —4G **35**
Ravenholt. Wors —5A **24**
Raven Meadows. Swin —4A **56**
Raven Rd. S7 —1B **110**
Ravenscar Clo. Den M —2A **58**
Ravens Clo. Map —5F **7**
Ravens Ct. Wors —5B **24**
Ravenscroft Av. S13 —5G **101**
Ravenscroft Clo. S13 —5G **101**
Ravenscroft Ct. S13 —5G **101**
Ravenscroft Cres. S13
          —5G **101**
Ravenscroft Dri. S13 —5G **101**
Ravenscroft Oval. S13 —5G **101**
Ravenscroft Pl. S13 —5G **101**
Ravenscroft Rd. S13 —6G **101**
Ravenscroft Way. S13 —6G **101**
Ravensdale Clo. Hoo —6A **134**
Ravensdale Rd. Dron W
          —2A **128**
Ravensfield. Den M —1B **58**
Ravenshaw Clo. Barn —4D **12**
Ravensmead Ct. Bolt D —2A **42**
Ravens Wlk. Con —3G **59**
Ravenswood Rd. Ches
          —6C **130**
Ravensworth Rd. Don —1E **47**
Ravine, The. S5 —2A **76**
Rawlins Ct. Coal A —5G **123**
Rawmarsh Hill. Park —4F **69**
Rawmarsh Rd. Roth —2D **78**
Rawmarsh Shopping Cen. Raw
          —2F **69**
Rawson Clo. Don —2D **48**
Rawson Rd. Roth —2E **79**
Rawsons Bank. Ecc —1F **75**
Rawson Spring Av. S6 —1B **86**
Rawson Spring Rd. S6 —1B **86**
Rawson Spring Way. S6
          —1B **86**
Rawson St. S6 —4C **86**
Raybould Rd. Roth —6H **67**
Rayleigh Av. Brim —3D **132**
Rayls Rise. Tod —2B **118**
Rayls Rd. Tod —2B **118**
Raymond Rd. Barn —1D **24**
Raymond Rd. Don —3H **31**
Raynald Rd. S2 —4H **99**
Raynor Sike La. Oug —1A **72**
Reader Cres. Swin —2B **56**
Reaper Cres. H Grn —1C **64**
Rear of John St. Thurn —1F **29**
  (off John St.)
Reasbeck Ter. Barn —2H **13**
Reasby Av. Raw —1H **81**
Reavill Clo. Din —3F **107**
Rebecca Row. Barn —1H **23**
Recreation Av. Thurc —5B **94**

Recreation La. New R —4C **62**
Recreation Rd. Brim —6F **133**
Recreation Rd. Wath D —4F **41**
Recreation Rd. Wdlnd —3D **16**
Rectory Clo. Carl —4F **9**
Rectory Clo. Eck —5E **125**
Rectory Clo. Stoc —3E **141**
Rectory Clo. Thurn —1D **28**
Rectory Clo. Wom —1F **39**
Rectory Dri. Whis —3A **92**
Rectory Gdns. Don —5E **33**
Rectory Gdns. Kil —3B **126**
Rectory Gdns. Old E —6A **60**
Rectory Gdns. Tod —3B **118**
Rectory La. Thurn —2D **28**
Rectory M. Spro —3D **44**
Rectory Rd. Duck —6E **135**
Rectory Rd. Kil —4B **126**
Rectory Rd. Stav —1C **134**
Rectory St. Raw —3F **69**
Rectory Way. Barn —4D **14**
Redbourne Rd. Ben —6B **18**
Redbrook Av. Ches —5B **138**
Redbrook Bus. Pk. Barn
          —3D **12**
Redbrook Ct. Barn —3E **13**
Redbrook Croft. Owl —4A **114**
Redbrook Gro. Owl —4A **114**
Redbrook Rd. Gaw & Barn
          —3C **12**
Redbrook View. Barn —3D **12**
Redbrook Wlk. Barn —3E **13**
Redcar Clo. Den M —3A **58**
Redcar Rd. S10 —2A **98**
Redcliffe Clo. Barn —3D **12**
Redfearn St. Barn —5H **13**
Redfern Av. Wat —6D **114**
Redfern Ct. Wat —6D **114**
Redfern Dri. Wat —6D **114**
Red Fern Gro. Stoc —4D **140**
Redfern Gro. Wat —6D **114**
Redgrave Pl. Fian —3F **81**
Redgrove Way. Ches —5E **137**
Redhall Clo. Kirk S —3E **21**
Red Hill. Kiv P —5B **118**
Redhill Av. Barn —2C **24**
Redhill Ct. Wadw —6H **61**
Redholme. S10 —3E **97**
Red Ho. La. Ad S —1A **16**
  (in two parts)
Red Ho. Wlk. Ches —6F **131**
Redland Gro. Map —3F **7**
Redland La. S7 —4B **110**
Redland Way. Malt —3E **83**
Red La. S10 —4A **98**
Red La. Ches —2C **132**
Red Lion Yd. Roth —3D **78**
  (off Effingham St.)
Redmarsh Av. Raw —6E **55**
Redmires Rd. S10 —4A **96**
Rednall Clo. Ches —6C **130**
Red Oak La. Stann —4C **84**
Redrock Rd. Roth —1G **91**
Redscope Cres. Roth —5F **67**
Redscope Rd. Roth —6F **67**
Redthorne Way. Shaf —2B **10**
Redthorn Rd. S13 —5H **101**
Redthorpe Crest. Barn —3C **12**
Redvers Buller Rd. Ches
          —4A **138**
Redwood Av. Kil —4A **126**
Redwood Av. Roys —2E **9**
Redwood Clo. Holl —3G **133**
Redwood Clo. Hoy —6H **37**
Redwood Dri. Malt —4C **82**
Redwood Glen. Chap —3D **64**
Reed Clo. Darf —4E **27**
Reedham Dri. Bram —1E **81**
Regency Ter. Chap —2E **65**
  (off Greenhead Gdns.)

Regent Av. Arm —4G **35**
Regent Ct. S6 —3B **86**
Regent Ct. Barn —3E **13**
Regent Ct. Don —6E **33**
Regent Cres. Barn —6B **8**
Regent Gdns. Barn —4G **13**
Regent Gro. New R —5E **63**
Regent Gro. Don —4H **31**
Regent Ho. Barn —6H **13**
Regent Sq. Don —6E **33**
Regent St. S1 —2D **98** (3B **4**)
Regent St. Barn —5G **13**
Regent St. Don —4A **46**
Regent St. Hoy —6E **37**
Regent St. Roth —3H **77**
Regent St. S. Barn —5H **13**
Regent St. S. Barn —5H **13**
Regents Way. Ast —6C **104**
Regent Ter. S3 —2D **98** (3B **4**)
Regent Ter. Don —6E **33**
Regina Cres. Brier —3E **11**
Reginald Rd. Barn —2D **24**
Reginald Rd. Wom —1H **39**
Rembrandt Dri. Dron —2C **128**
Remington Av. S5 —2D **74**
Remington Dri. S5 —2D **74**
Remington Rd. S5 —2D **74**
Remount Rd. Roth —5F **67**
Remount Way. Roth —5F **67**
Renald La. Hoy S —1E **143**
Renathorpe Rd. S5 —3H **75**
Rencliffe Av. Roth —6F **79**
Reneville Clo. S5 —1E **75**
Reneville Clo. Roth —5D **78**
Reneville Ct. Roth —5D **78**
Reneville Cres. S5 —1E **75**
Reneville Dri. S5 —1E **75**
Reneville Rd. Roth —5D **78**
Reney Av. S8 —3B **122**
Reney Cres. S8 —3B **122**
Reney Dri. S8 —3B **122**
Reney Rd. S8 —2C **122**
Reney Wlk. S8 —3B **122**
Renishaw Av. Roth —1H **91**
Renshaw Clo. H Grn —5A **50**
Renshaw Rd. S11 —1G **109**
Renville Clo. Raw —6E **55**
Renway Rd. Roth —6G **79**
Repton Clo. Ches —6C **130**
Repton Pl. Dron W —2A **128**
Reresby Cres. Whis —1A **92**
Reresby Dri. Whis —1A **92**
Reresby Rd. Thry —5E **71**
Reresby Rd. Whis —1H **91**
Reresby Wlk. Den M —1B **58**
Reservoir Rd. S2 —2A **98**
Reservoir Rd. Ull —1A **104**
Reservoir Ter. Ches —1G **137**
Retail World. Roth —5F **69**
Retford Rd. S13 —4B **102**
Retford Wlk. Ros —4F **63**
Revell Clo. Roth —2B **80**
Revill Clo. Malt —3F **83**
Revill La. Wdhse —1C **114**
Rex Av. S7 —3H **109**
Reynard La. Stann —6B **84**
Reynolds Clo. Dron —3C **128**
Reynolds Clo. Flan —3F **81**
Rhodes Av. Ches —6G **131**
Rhodes Av. Roth —5F **67**
Rhodes Dri. Whis —1B **92**
Rhodesia Ct. Bes —3B **48**
Rhodesia Rd. Ches —3E **137**
Rhodes St. S2 —2G **99** (4H **5**)
Rhodes Ter. Barn —1A **24**
Ribble Croft. Chap —1E **65**
Ribblesdale Dri. Ridg —6H **113**
Ribble Way. S5 —6G **75**
Riber Av. Barn —6C **8**
Riber Clo. Ink —6A **134**

Riber Clo. Stann —5D **84**
Riber Ter. Ches —3G **137**
Ribston Ct. S9 —6C **88**
Ribston Rd. S9 —1C **100**
Richard Av. Barn —1A **14**
Richard La. New R —4C **62**
Richard Rd. Barn —1A **14**
Richard Rd. Dart —5B **6**
Richard Rd. Roth —4E **79**
Richards Ct. S2 —1F **111**
Richardson Wlk. Wom —5H **25**
Richards Rd. S2 —6E **99**
(in two parts)
Richard St. Barn —6F **13**
Richards Way. Raw —1G **69**
Rich Farm Clo. Arks —4D **18**
Richmond Av. S13 —5G **101**
Richmond Av. Dart —6B **6**
Richmond Clo. Ches —5G **137**
Richmond Gro. S13 —5G **101**
Richmond Hall Av. S13
                             —5F **101**
Richmond Hall Cres. S13
                             —6F **101**
Richmond Hall Dri. S13
                             —5F **101**
Richmond Hall Rd. S13
                             —5F **101**
Richmond Hall Way. S13
                             —6F **101**
Richmond Hill Rd. S13
                             —6G **101**
Richmond Hill Rd. Don —1G **45**
Richmond Pk. Av. S13
                             —3G **101**
Richmond Pk. Av. Roth —3F **77**
Richmond Pk. Clo. S13
                             —4G **101**
Richmond Pk. Cres. S13
                             —3G **101**
Richmond Pk. Croft. S13
                             —3G **101**
Richmond Pk. Dri. S13
                             —4G **101**
Richmond Pk. Gro. S13
                             —4G **101**
Richmond Pk. Rise. S13
                             —3F **101**
Richmond Pk. Rd. S13
                             —4G **101**
Richmond Pk. View. S13
                             —4G **101**
Richmond Pk. Way. S13
                             —4G **101**
Richmond Pl. S13 —6F **101**
Richmond Rd. S13 —1E **103**
Richmond Rd. Don —2F **31**
Richmond Rd. Roth —3G **77**
Richmond Rd. Thurn —1E **29**
Richmond St. S3 —5F **87**
Richmond St. Barn —6F **13**
Richworth Rd. S13 —5H **101**
Ricknald Clo. Aug —4B **104**
Ridal Av. Stoc —2C **140**
Ridal Clo. Stoc —2C **140**
Ridal Croft. Stoc —2C **140**
Riddings Clo. S2 —6C **100**
Riddings Clo. Thurc —5B **94**
Rider Rd. S6 —3A **86**
Ridge Balk La. Wdlnd —2B **16**
Ridgehill Av. S12 —2C **112**
Ridgehill Gro. S12 —2D **112**
Ridge Rd. Hghf —5D **16**
Ridge Rd. Roth —2E **79**
Ridge, The. S10 —4C **96**
Ridge, The. Wdlnd —3B **16**
Ridge View Clo. S9 —6C **76**
Ridge View Dri. S9 —6C **76**
Ridgewalk Way. Wors —3H **23**
Ridgeway. Roth —2A **80**

Ridgeway Clo. Hel —5A **82**
Ridgeway Clo. Roth —2B **80**
Ridgeway Cres. S12 —2C **112**
Ridgeway Cres. Barn —4E **9**
Ridgeway Dri. S12 —1C **112**
Ridgeway Rd. S12 —1C **112**
Ridgeway Rd. Brin —3C **90**
Ridgeway, The. Coal A —6H **123**
Ridgewood Av. Eden —6D **20**
Ridgway Av. Darf —3E **27**
Riding Clo. Flan —4E **81**
Ridings Av. Barn —2B **14**
Ridings Clo. Don —5F **49**
Ridings, The. Barn —2B **14**
Rig Clo. Roth —6H **67**
Rig Dri. Swin —2G **55**
Riggotts La. Ches —6F **137**
Riggotts Way. Cut —3A **130**
Riggs High Rd. S6 —6A **84**
Riggs Low Rd. S6 —6A **84**
Rigs La. Raw —1C **68**
Riley Av. Don —5H **45**
Riley Rd. Wath D —6F **41**
Rimington Rd. Wom —6B **26**
Rimini Rise. Darf —4C **26**
Ringinglow Rd. S11 —3A **108**
Ringstead Av. S10 —3E **97**
Ringstead Cres. S10 —3E **97**
Ringstone Gro. Brier —2G **21**
Ringway. Bolt D —1H **41**
Ringwood Av. Ches —4G **131**
Ringwood Av. Stav —3A **134**
Ringwood Cres. Soth —5G **115**
Ringwood Dri. Soth —5G **115**
Ringwood Gro. Soth —5G **115**
Ringwood Rd. Brim —3F **133**
Ringwood Rd. Soth —5G **115**
Ringwood View. Brim —4F **133**
Ripley Gro. Barn —3D **12**
Ripley St. S6 —4A **86**
Ripon Av. Don —3F **33**
Ripon St. S9 —6B **88**
(in two parts)
Ripon Way. Swal —6A **104**
Rippon Ct. Raw —6F **55**
Rippon Cres. S6 —3H **85**
Rippon Rd. S6 —3H **85**
Risedale Rd. Gold —5H **29**
Rise, The. Ans —2G **119**
Rise, The. Swin —3H **55**
Rising St. S3 —5F **87**
Rivelin Bank. S6 —1E **97**
Rivelin Ct. Roth —1E **91**
Rivelin Glen Cotts. S6 —1E **97**
Rivelin Pk. Ct. S6 —5G **85**
Rivelin Pk. Cres. S6 —5G **85**
Rivelin Pk. Dri. S6 —5G **85**
Rivelin Pk. Rd. S6 —6G **85**
Rivelin Rd. S6 —5G **85**
Rivelin St. S6 —5G **85**
Rivelin Ter. S6 —5G **85**
Rivelin Valley Rd. S6 —2A **96**
Riverdale Av. S10 —5G **97**
Riverdale Dri. S10 —4G **97**
Riverdale M. S10 —5F **97**
Riverdale Pk. Caravan Site. Stav
                             —1E **135**
Riverdale Rd. S10 —4G **97**
Riverdale Rd. Don —1G **31**
Riverhead. Spro —2D **44**
Riverside Clo. S6 —3F **85**
Riverside Clo. Darf —4G **27**
Riverside Ct. S9 —4B **88**
Riverside Ct. Mex —1G **57**
Riverside Cres. Holy —6A **136**
Riverside Dri. Spro —2E **45**
Riverside Gdns. Bolt D —2B **42**
Riverside Precinct. Roth
  *(off Corporation St.) —3D **78***

Riverside Way. Roth —4C **78**
River Ter. S6 —3A **86**
River View Rd. Oug —2D **72**
Riviera Mt. Don —4B **32**
Riviera Pde. Don —4B **32**
Rix Rd. Kiln —5B **56**
Roache Dri. Gold —5E **29**
Roach Rd. S11 —6A **98**
Robert Av. Barn —5D **14**
Robert Rd. S8 —2D **122**
Robert's Av. Con —4F **59**
Robertshaw Cres. Deep
                             —3F **141**
Robertson Dri. S6 —5G **85**
Robertson Rd. S6 —5G **85**
Robertsons Av. Duck —6E **135**
Roberts Rd. Don —2B **46**
Roberts Rd. Edl —4C **60**
Roberts St. Cud —6B **10**
Roberts St. Wom —1E **39**
Robert St. Roth —3B **78**
Robey St. S4 —2H **87**
Robinbrook La. S12 —6E **113**
Robincroft. Ches —6H **137**
Robinets Rd. Roth —4A **68**
Robin Hood Av. Roys —1F **9**
Robin Hood Chase. Stann
                             —4C **84**
Robin Hood Cres. Eden —6E **21**
Robin Hood Rd. S9 —5C **76**
Robin Hood Rd. Eden —6E **21**
Robin La. Beig —3F **115**
Robin La. Roys —1F **9**
Robin Pl. Ast —1C **116**
Robins Clo. Ast —6C **104**
Robinson Rd. S2 —3G **99**
Robinson's Sq. Bird —4C **36**
Robinson St. Roth —5D **78**
Robinson Way. Kil —3A **126**
Rob Royd. Dod —3B **22**
Rob Royd. Wors —4E **23**
Rob Royd La. Barn —4F **23**
*Roche. W'fld —1E **125***
  (off Shortbrook Dri.)
Roche Clo. Barn —4B **14**
Roche End. Tod —2A **118**
Rocher Av. Gren —2C **74**
Rocher Clo. Gren —2C **74**
Rocher Gro. Gren —2C **74**
Rochester Clo. S10 —4A **96**
Rochester Dri. S10 —4A **96**
Rochester Rd. S10 —4A **96**
Rochester Rd. Ans —4F **119**
Rochester Rd. Barn —3B **14**
Rochester Row. Don —4F **31**
Rockcliffe Dri. Wadw —6H **61**
Rockcliffe Rd. Raw —3F **69**
*Rockingham. W'fld —1E **125***
  (off Shortbrook Dri.)
Rockingham Bus. Pk. Bird
                             —5D **36**
Rockingham Clo. S1
                             —3E **99** (5D **4**)
Rockingham Clo. Bird —5C **36**
Rockingham Clo. Ches
                             —2E **137**
Rockingham Clo. Dron W
                             —2A **128**
Rockingham Ga. S1
                             —3E **99** (5D **4**)
*Rockingham Ho. Don —1C **46***
  (off Elsworth Clo.)
Rockingham Ho. Raw —1G **69**
Rockingham La. S1
                             —2E **99** (4D **4**)
Rockingham Rd. Dod —3C **22**
Rockingham Rd. Don —4E **33**
Rockingham Rd. Raw —1G **69**
Rockingham Rd. Swin —3G **55**
Rockingham Row. Bird —5D **36**

Rockingham St. S1
—2D **98** (3C **4**)
Rockingham St. Barn —3G **13**
Rockingham St. Barn —5D **36**
Rockingham St. Grime —6G **11**
Rockingham St. Hoy —5F **37**
Rockingham Way. S1
—3E **99** (5D **4**)
Rockingham Way. Roth —4H **67**
Rockland Vs. Thry —5C **70**
Rocklea Clo. Swin —3A **56**
Rockley Av. Bird —3C **36**
Rockley Av. Wom —2D **38**
Rockley Clo. Ches —6G **137**
Rockley Cres. Bird —4C **36**
Rockley La. Wors —6E **23**
Rockley Nook. Don —2H **33**
Rockley Rd. S6 —1H **85**
Rockleys. Dod —3C **22**
Rockley View. Tank —5B **36**
Rock Mt. Hoy —5B **38**
Rockmount Rd. S9 —5D **76**
Rock Pl. Deep —3F **141**
Rock Side Rd. Thurl —4A **142**
Rock St. S3 —6E **87**
Rock St. Barn —5F **13**
Rock Ter. Con —4D **58**
Rockwood Clo. Chap —2C **64**
Rockwood Clo. Dart —4D **6**
Roden Way. Raw —5C **54**
Rodger Rd. S13 —6D **102**
Rodger St. Roth —2B **78**
Rodman Dri. S13 —5D **102**
Rodman St. S13 —5D **102**
Rod Moor Rd. Dron W —5H **121**
Rodney Hill. Lox —3D **84**
Rodsley Clo. Ches —6D **130**
Roebuck Hill. Jump —3B **38**
Roebuck Rd. S6 —1B **98**
Roebuck St. Wom —2F **39**
Roeburn Clo. Map —3E **7**
Roecar Clo. Ches —1B **132**
Roe Croft Clo. Spro —1D **44**
Roehampton Rise. Barn —1F **25**
Roehampton Rise. Brin —2A **90**
Roehampton Rise. Don —4F **31**
Roe La. S3 —3F **87**
Roewood Ct. S3 —3F 87
(off Orphanage Rd.)
Roger Rd. Barn —5E **15**
Rojean Rd. Gren —1B **74**
Rokeby Dri. S5 —3E **75**
Rokeby Rd. S5 —3E **75**
Rolleston Av. Malt —5E **83**
Rolleston Rd. S5 —5G **75**
Rollet Clo. S2 —5C **100**
Rollin Dri. S6 —2H **85**
Rolling Dales Clo. Malt —3E **83**
Rolls Cres. Raw —5C **54**
Roman Ct. Roth —3G **77**
Roman Cres. Brin —1C **90**
Roman Cres. Raw —1E **69**
Romandale Gdns. S2 —4E **101**
Roman Ridge. Don —2G **31**
Roman Ridge Rd. S9 —6D **76**
Roman Rd. Dart —6B **6**
Roman Rd. Don —1E **47**
Roman St. Thurn —1G **29**
Romney Clo. Flan —3F **81**
Romney Dri. Dron —2C **128**
Romney Gdns. S2 —1F **111**
Romsdal Rd. S10 —1A **98**
Romwood Av. Swin —2G **55**
Ronald Rd. S9 —1E **101**
Ronald Rd. Don —3A **46**
Ronksley Cres. S5 —3H **75**
Ronksley Rd. S5 —3H **75**
Rookdale Clo. Barn —3D **12**
Rookery Clo. Kiv P —4G **117**
Rookery Rd. Swin —3H **55**

Rookhill. Wors —4C **24**
Rosamond Av. S17 —3G **121**
Rosamond Clo. S17 —3G **121**
Rosamond Ct. S17 —3G **121**
Rosamond Dri. S17 —4G **121**
Rosamond Glade. S17 —3G **121**
Rosamond Pl. S17 —3G **121**
Rosa Rd. S10 —1A **98**
Roscoe Bank. S6 —1D **96**
Roscoe Ct. S6 —5F **85**
Roscoe Dri. S6 —6F **85**
Roscoe Mt. S6 —6F **85**
Roscoe Rd. S3 —6D **86**
Rose Av. Beig —4F **115**
Rose Av. Cal —2G **139**
Rose Av. Darf —2D **26**
Rose Av. Don —3B **46**
Roseberry Clo. Hoy —1A **52**
Rosebery St. Barn —1D **24**
Rosebery St. Roth —3A **78**
Rosebery Ter. Barn —1H **23**
Rose Clo. Brin —4D **90**
Rose Cottage. B Dun —1H **21**
Rose Ct. Wick —5E **81**
Rose Cres. Don —2G **31**
Rose Cres. Raw —1H **69**
Rosedale Av. Ches —5B **138**
Rosedale Av. Raw —1G **69**
Rosedale Clo. Ast —5C **104**
Rosedale Gdns. S11 —5B **98**
Rosedale Gdns. Barn —6E **13**
Rosedale Rd. S11 —5B **98**
Rosedale Rd. Ast —5B **104**
Rosedale Rd. Ben —5A **18**
Rosedale Rd. Don —2F **31**
Rosedale Way. Sun —3G **81**
Rose Dri. Wick —4G **81**
Rose Garth Av. Ast —5B **104**
Rosegarth Clo. Don —2H **31**
Rose Gro. Arm —3E **35**
Rose Gro. Wom —5H **25**
Rose Hill. Ches —2H **137**
Rose Hill. Don —2A **48**
Rosehill. Raw —6F **55**
Rosehill Av. Raw —6G **55**
Rose Hill Clo. Pen —5D **142**
Rosehill Cotts. Raw —4A **52**
Rosehill Ct. Barn —5G **13**
Rose Hill Dri. Dod —2B **22**
Rose Hill E. Ches —2A **138**
Rose Hill Rise. Don —2A **48**
Rosehill Rd. Raw —1F **69**
Rose Hill W. Ches —2H **137**
Rose Ho. Arm —3E **35**
Rose La. Laug —5D **94**
Roselle St. S6 —3A **86**
Rosemary Ct. S6 —6A 86
(off Bankhouse Rd.)
Rosemary Ct. S10 —5A 86
(off Heavygate Rd.)
Rosemary Rd. Beig —3F **115**
Rosemary Rd. Wick —4E **81**
Rosene Cotts. Cut —4A **130**
Rose Pl. Wom —5A **26**
Rose Tree Av. Cud —6B **10**
Rose Tree Ter. Cud —6B **10**
Roseville. Darf —3E **27**
Rose Way. Kil —4B **126**
Rose Wood Clo. Ches —3F **131**
Rosewood Dri. B Dun —2G **21**
Roslin Rd. S10 —2A **98**
Rossendale Clo. Ches —5G **137**
Rosser Av. S12 —5B **112**
Rossetti Mt. Flan —3F **81**
Rossington Ho. Don —2C 46
(off Elsworth Clo.)
Rossington Rd. S11 —5A **98**
Rossington St. Den M —1B **58**
Rossiter Rd. Roth —3C **68**

Rosslyn Av. Ast —5C **104**
Rosslyn Cres. Ben —5B **18**
Ross St. S9 —1F **101**
Rosston Rd. Malt —4H **83**
Rostholme Sq. Ben —5B **18**
Roston Clo. Dron W —2B **128**
Roston Clo. Dron W —3C **128**
Rothay Rd. S4 —2B **88**
Rothbury Clo. Soth —5G **115**
Rothbury Ct. Soth —5G **115**
Rothbury Way. Brin —2C **90**
Rother Av. Brim —3D **132**
Rother Clo. Ches —5G **137**
Rother Ct. Park —5E **69**
Rother Ct. Roth —1E **91**
Rother Cres. Tree —1E **103**
Rotherham Clo. Kil —1D **126**
Rotherham La. Laug —6E **95**
Rotherham Rd. S13 —3B **102**
Rotherham Rd. Barn —1H **13**
Rotherham Rd. Beig —3G **115**
Rotherham Rd. Cat —6D **90**
Rotherham Rd. Din —3C **106**
Rotherham Rd. Eck —5E **125**
Rotherham Rd. Half —2F **125**
Rotherham Rd. Kil —2D **126**
Rotherham Rd. Lit H & Gt H
—4H **27**
Rotherham Rd. Malt —4C **82**
Rotherham Rd. Park —6E **69**
Rotherham Rd. Swal —6A **105**
Rotherham Rd. Wath D —5B **40**
Rotherham Rd. Wdll & Blbgh
—5E **127**
Rotherham Rd. Nth. Half
—2F **125**
Rotherhill Clo. Roth —2G **79**
Rothermoor Av. Kiv P —5G **117**
Rother Rd. Roth —6D **78**
Rotherside Rd. Eck —5F **125**
Rotherstoke Clo. Roth —5E **79**
Rother St. Brmp —3A **40**
Rother Ter. Roth —6D **78**
Rothervale Clo. Beig —3G **115**
Rothervale Rd. Ches —5A **138**
(in two parts)
Rother Valley Way. Holb
—2H **125**
Rother View Rd. Roth —6D **78**
Rother Way. Ches —5B **132**
Rother Way. Hel —3A **82**
Rotherway. Roth —3E **91**
Rotherwood Av. S13 —5D **102**
Rotherwood Clo. Don —3F **31**
Rotherwood Cres. Thurc
—5A **94**
Rotherwood Rd. Kil —2C **126**
Rothesay Clo. Cus —4H **31**
Rothey Gro. Ches —6B **130**
Rotunda Bus. Cen. H Grn
—6E **51**
Roughbirchworth La. Oxs
—6H **143**
Rough La. Gren —6A **64**
Roughwood Grn. Roth —4A **68**
Roughwood Rd. Roth —5G **67**
Roughwood Way. Roth —5G **67**
Roundel St. S9 —6B **88**
Round Grn. La. S'boro —5D **22**
Round Hill. Map —5F **7**
Roundwood Ct. Wors —5A **24**
Roundwood Gro. Raw —2G **69**
Roundwood Way. Darf —3D **26**
Rowan Clo. Barn —2H **23**
Rowan Clo. Chap —3E **65**
Rowan Ct. Don —3A **34**
Rowan Dri. Barn —4D **12**
Rowan Dri. Bram —4G **81**
Rowan Garth. Don —3A **32**
Rowan Mt. Don —3H **33**

Rowan Rise. Malt —4D **82**
Rowan Rd. Eck —6H **125**
Rowan Tree Clo. Kil —4A **126**
Rowan Tree Dell. S17 —6E **121**
Rowan Tree Rd. Kil —3H **125**
Rowborn Dri. Oug —5F **73**
Rowdale Cres. S12 —2F **113**
Rowell La. Lox —3B **84**
Rowena Av. Eden —6D **20**
Rowena Dri. Don —3E **31**
Rowena Dri. Thurc —4A **94**
Rowena Rd. Con —3D **58**
Rowland Pl. Don —1C **46**
Rowland Rd. S2 —5E **99**
Rowland Rd. Barn —4E **13**
Rowland St. S3 —6E **87**
Rowland St. Roys —1F **9**
Rowms La. Swin —2C **56**
Rowsley Cres. Stav —3A **134**
Rowsley St. S2 —4F **99**
Row, The. Can —2F **49**
Roxby Clo. Don —5B **48**
Roxton Av. S8 —1D **122**
Roxton Rd. S8 —6C **110**
Royal Av. Don —5E **33**
Royal Ct. Hoy —5B **38**
Royale Clo. Eck —6E **125**
Royal St. Barn —6G **13**
Royalty La. Arks —1H **19**
Royd Av. Cud —1H **15**
Royd Av. Map —4F **7**
Royd Clo. Wors —5H **23**
Roydfield Clo. Wat —5D **114**
Roydfield Dri. Wat —5D **114**
Roydfield Gro. Wat —5D **114**
Royd Field La. Pen —6D **142**
Royd La. Deep —5F **141**
Royd La. Hghm —4A **12**
Royd Moor Ct. Thurl —3A **142**
Royd Moor Rd. Thurl —3A **142**
Royds Av. Whis —1A **92**
Royds Clo. Cres. Thry —5C **70**
Royds La. Els —6E **39**
Royds Moor Hill. Whis —2D **92**
Royd, The. Deep —5F **141**
Royd View. Brier —2G **11**
Roy Kilner Rd. Wom —5H **25**
(in two parts)
Royston Av. Don —2A **32**
Royston Av. Owl —5A **114**
Royston Clo. Owl —5A **114**
Royston Clo. Walt —6D **136**
Royston Cotts. Hoy —5H **37**
Royston Croft. Owl —5A **114**
Royston Gro. Owl —5A 114
(off Royston Clo.)
Royston Hill. Hoy —5H **37**
Royston La. Roys —3E **9**
Royston Rd. Cud —4A **10**
Rubens Clo. Dron —2D **128**
Rud Broom Clo. Pen —5C **142**
Rud Broom La. Pen —4B **142**
Rudyard M. S6 —3A **86**
Rudyard Rd. S6 —3A **86**
Rufford Av. Barn —5C **8**
Rufford Clo. Ches —4G **137**
Rufford Ct. Soth —5G **115**
Rufford Pl. Roth —1H **79**
Rufford Rise. Gold —5E **29**
Rufford Rise. Soth —5G **115**
Rufford Rd. Don —2F **47**
Rufus La. New R —4B **62**
Rugby St. S3 —5E **87**
Rundle Dri. S7 —6C **98**
Rundle Rd. S7 —6C **98**
Rundle Rd. Stoc —3D **140**
Runnymede Rd. Don —5H **33**
Rupert Rd. S7 —2C **110**
Rural Cres. Bran —3H **49**
Rural La. S6 —1F **85**

Rushby St. S4 —2H **87**
Rushdale Av. S8 —2E **111**
Rushdale Mt. S8 —2E **111**
Rushdale Rd. S8 —2E **111**
Rushdale Ter. S8 —2E **111**
Rushen Mt. Ches —6H **137**
Rushey Clo. Raw —5E **55**
Rushleigh Ct. S17 —2D **120**
Rushley Av. S17 —1D **120**
Rushley Clo. S17 —1D **120**
Rushley Dri. S17 —1D **120**
Rushley Rd. S17 —1D **120**
Rushworth Clo. Dart —5A **6**
Ruskin Av. Mex —5F **43**
Ruskin Clo. Wath D —4C **40**
Ruskin Dri. Arm —3G **35**
Ruskin Rd. Don —5A **46**
Ruskin Sq. S8 —1E **111**
Russell Clo. Barn —2B **14**
Russell Ct. S11 —5G **109**
Russell Pl. Malt —3G **83**
Russell Rd. Kiln —6C **56**
Russell St. S3 —6E **87** (1E **5**)
Russell St. Roth —1E **79**
Rustlings Ct. S10 —5F **97**
Rustlings Rd. S11 —5G **97**
Rustlings View. S11 —5H **97**
Ruston Clo. Ches —5D **130**
Ruthin St. S4 —3A **88**
Ruth Sq. S10 —3G **98**
Ruthven Dri. War —4F **45**
Rutland Av. Ans —6D **106**
Rutland La. New R —4B **62**
Rutland Pk. S10 —3A **98**
Rutland Pl. Wom —1D **38**
Rutland Rd. S3 —5D **86**
Rutland Rd. Ches —2H **137**
Rutland St. S3 —5E **87**
Rutland St. Ches —1A **132**
Rutland St. Don —5E **33**
Rutland Way. S3 —6D **86**
Rutland Way. Barn —4E **13**
Ryan Pl. Park —3F **69**
Rydal Clo. Bolt D —2A **42**
Rydal Clo. Din —6F **107**
Rydal Clo. Dron W —2B **128**
Rydal Clo. Pen —3D **142**
Rydal Cres. Ches —3G **131**
Rydalhurst Av. S6 —1G **85**
Rydall Pl. Don —1H **31**
Rydal Rd. S8 —2C **110**
Rydal Rd. Din —6F **107**
Rydal Ter. Barn —6A **14**
Rydal Way. Mex —5G **43**
Rye Bank. Whis —2B **92**
Rye Ct. Roth —1E **91**
Rye Croft. Barn —1A **14**
Rye Croft. Con —3G **59**
Ryecroft Glen Rd. S17 —1G **121**
Ryecroft Rd. Raw —1A **70**
Ryecroft View. S17 —1D **120**
Ryedale Wlk. Don —2E **31**
Ryefield Gdns. S11 —2G **109**
Ryegate Cres. S10 —2H **97**
Ryegate Rd. S10 —3G **97**
Ryehill Av. Ches —3C **136**
Ryeview Gdns. Roth —5B **68**
Ryhill Dri. Owl —5A **114**
Ryle Rd. S7 —6C **98**
Rylstone Ct. S12 —4B **114**
Rylstone Gro. S12 —5B **114**
Rylstone Wlk. Barn —3D **24**
Ryton Av. Wom —2H **39**
Ryton Clo. Malt —4G **83**
Ryton Rd. Ans —3F **119**
Ryton Way. Don —5E **49**

Sackerville Ter. Kil —3H **125**
Sackup La. Dart —4D **6**

Sackville Clo. Walt —5D **136**
Sackville Rd. S10 —1H **97**
Sackville St. Barn —5F **13**
Saddler Av. Wat —6D **114**
Saddler Clo. Wat —6D **114**
Saddler Grn. Wat —6D **114**
Saddler Gro. Wat —6D **114**
Sadler Ga. Barn —5G **13**
Sadler's Ga. Wom —5A **26**
St Agnes Rd. Don —1G **47**
St Aidan's Av. S2 —5H **99**
St Aidan's Clo. S2 —4A **100**
St Aidan's Dri. S2 —4A **100**
St Aidan's Mt. S2 —5A **100**
St Aidan's Pl. S2 —5A **100**
St Aidan's Rd. S2 —5A **100**
St Aidan's Way. S2 —5A **100**
St Albans Clo. S10 —4C **96**
St Albans Ct. Wick —5F **81**
St Albans Dri. S10 —4B **96**
St Albans Rd. S10 —4B **96**
St Alban's Way. Wick —5E **81**
St Andrew Rd. Deep —4G **141**
St Andrew's Clo. S11 —6B **98**
St Andrew's Clo. Bram —2G **81**
St Andrew's Clo. Don —5F **49**
St Andrew's Clo. Swin —4B **56**
St Andrews Cres. Hoy —5A **38**
St Andrews Dri. Dart —4E **7**
St Andrews Rise. Ches
—5E **137**
St Andrew's Rd. S11 —6B **98**
St Andrew's Rd. Con —4D **58**
St Andrews Rd. Hoy —5A **38**
St Andrew's Sq. Bolt D —1A **42**
St Andrew's Ter. Don —2E **47**
St Andrew's Wlk. Brin —2A **90**
St Andrew's Way. B Dun
—1E **21**
St Andrews Way. Barn —2G **25**
St Anne's Dri. Barn —6F **9**
St Anne's Rd. Don —1G **47**
St Ann's Rd. Deep —3F **141**
St Ann's Rd. Roth —1E **79**
St Anthony Rd. S10 —1G **97**
St Augustines Av. Ches
—5A **138**
St Augustines Cres. Ches
—5A **138**
St Augustines Dri. Ches
—4A **138**
St Augustines Mt. Ches
—5A **138**
St Augustines Rise. Ches
—5A **138**
St Augustines Rd. Ches
—5H **137**
St Augustine's Rd. Don —2A **48**
St Austell Dri. B Grn —3A **12**
St Barbara's Clo. Malt —5E **83**
St Barbara's Rd. Darf —4D **26**
St Barnabas La. S2 —5E **99**
St Barnabas Rd. S2 —5E **99**
St Bartholomew's Clo. Malt
—5E **83**
St Bartholomews Rise. Don
—2B **48**
St Bart's Ter. Barn —1H **23**
St Bede's Rd. Roth —3E **79**
St Catherine's Av. Don —3C **46**
St Catherine's Way. Barn
—6D **12**
St Cecilia's Rd. Don —2G **47**
St Chad's Sq. Den M —1B **58**
St Chads Way. Spro —2E **45**
St Charles St. S9 —5A **88**
St Christophers Clo. Barn
—2G **25**
St Christopher's Cres. Don
—3G **31**

St Christopher's Flats. Don
(off Ashfield Rd.) —4A **46**
St Clements Clo. Barn —2G **25**
St Clement's Clo. Don —3F **31**
St David Rd. Deep —4G **141**
St David's Dri. Ans —4F **119**
St David's Dri. Barn —1F **25**
St David's Dri. Brin —2A **90**
St David's Dri. Don —3F **31**
St David's Rise. Ches —5F **137**
St David's Rd. Con —3D **58**
St Dominic's Clo. Spro —3D **44**
St Edmund's Av. Thurc —6A **94**
St Edward's Av. Barn —1F **23**
St Elizabeth Clo. S2 —5F **99**
St Eric's Rd. Don —3B **48**
St Francis Boulevd. Barn —6F **9**
St Francis Clo. Bram —2G **81**
St George Ga. Don —6C **32**
St George Rd. Deep —4G **141**
St George's Av. Swin —2A **56**
St George's Clo. S3
—1C **98** (2A **4**)
St George's Ct. S3
—2D **98** (3B **4**)
St George's Dri. Brin —3A **90**
St George's Rd. Barn —6G **13**
St George's Rd. Don —2A **48**
St George's Ter. S3
—2D **98** (3B **4**)
St Georges Ter. S10 —5D **98**
(off Sharrow La.)
St Giles Clo. Ches —5B **138**
St Giles Ga. Don —4F **31**
St Giles Sq. Chap —2D **64**
St Helen Rd. Deep —5G **141**
St Helen's Av. Barn —2B **14**
St Helen's Boulevd. Barn
—1B **14**
St Helen's Clo. Ches —1A **138**
St Helen's Clo. Thurn —1D **28**
St Helen's Clo. Tree —2F **103**
St Helens Ct. Hoy —5C **38**
St Helen's La. Don —1H **43**
St Helen's Rd. Don —1G **47**
St Helen's Sq. Kirk S —3D **20**
St Helen's St. Ches —1A **138**
St Helen's St. Els —5C **38**
St Helen's View. Barn —2C **14**
St Helen's Way. Barn —2D **14**
St Helier Dri. Barn —5D **12**
St Hilda Av. Barn —6E **13**
St Hilda Clo. Deep —5G **141**
St Hildas Clo. Thurn —1G **29**
St Hilda's Rd. Don —1G **47**
St James Av. Ans —3F **119**
St James Clo. Ches —4C **138**
St James Clo. Kirk S —3D **20**
St James Clo. Wath D —5G **41**
St James' Clo. Wors —5A **24**
St James Ct. Don —1G **47**
St James' Dri. Rav —4H **71**
St James' Gdns. Don —2B **46**
St James' Row. S1
—2E **99** (3E **5**)
St James's Bri. Don —1C **46**
St James Sq. Hoy —5A **38**
(off High St.)
St James' St. S1
—2E **99** (3E **5**)
St James St. Don —1C **46**
St James' View. Rav —4H **71**
St James Wlk. S13 —5D **102**
St Joan Av. Deep —5G **141**
St John's. Hoy S —1F **143**
St John's Av. B Grn —3A **12**
St John's Av. Roth —3B **78**
St John's Av. Sun —3G **81**
St John's Clo. S2 —1G **99**
St John's Clo. Dod —2A **22**

St John's Clo. Pen —5C **142**
St John's Clo. Roth —1G **79**
St John's Ct. Laug —1E **107**
St Johns Ct. Roth —3B **78**
St John's Ct. Sun —3G **81**
St John's Croft. Wadw —6H **61**
St Johns Grn. Roth —6G **67**
St John's Mt. Ches —3H **131**
St Johns Pl. Stav —2B **134**
St John's Rd. S2 —2G **99**
St John's Rd. Barn —1G **23**
St John's Rd. Ches —4G **131**
(in two parts)
St John's Rd. Cud —1H **15**
St John's Rd. Deep —4H **141**
St John's Rd. Don —3A **46**
St John's Rd. Edl —3B **60**
St John's Rd. Laug —1E **107**
St John's Rd. Roth —1G **79**
St Johns Rd. Stav —2A **134**
St John's Rd. Swin —2A **56**
St John's Wlk. Ad D —3D **42**
St John's Wlk. Roys —2F **9**
St Joseph's Ct. Din —4F **107**
St Joseph's Rd. S13 —3H **101**
St Lawrence Rd. S9 —6G **77**
St Lawrence's Ter. Ad S
—1E **17**
St Leger Av. Laug C —3C **106**
St Leger Way. Din —3F **107**
St Leonard's Av. Thry —5D **70**
St Leonards Clo. Din —5E **107**
St Leonards Ct. S5 —6F **75**
St Leonard's Croft. Thry
—4D **70**
St Leonards Dri. Ches —4C **138**
St Leonard's La. Roth —2F **79**
St Leonard's Lea. Don —3G **31**
St Leonard's Pl. Roth —2F **79**
St Leonard's Rd. Roth —2E **79**
St Leonards Way. Barn —2G **25**
St Lukes Ct. Ches —3H **131**
St Lukes Way. Barn —4C **14**
St Margaret Av. Deep —4G **141**
St Margaret's Av. Barnb
—1G **43**
St Margaret's Dri. Ches
—2H **137**
St Margaret's Dri. Swin
—2H **55**
St Margaret's Rd. Don —2G **47**
St Margarets Rd. Ecc —2F **75**
St Mark Rd. Deep —4G **141**
St Mark's Cres. S10 —3B **98**
St Mark's Rd. Ches —2G **137**
St Martin Clo. Deep —4G **141**
St Martins Av. Don —3G **31**
St Martin's Clo. Barn —6D **12**
St Mary Cres. Deep —5G **141**
St Mary's Clo. Cud —6B **10**
St Mary's Clo. Ecc —6E **65**
St Mary's Cres. Don —5E **33**
St Mary's Cres. Swin —1A **56**
St Mary's Dri. Arm —3G **35**
St Mary's Dri. Cat —5C **90**
St Marys Gdns. Wors —1E **37**
St Mary's Ga. S2 —4D **98**
St Mary's Ga. Barn —5G **13**
St Mary's Ga. Ches —2B **138**
St Marys La. Ecc —6E **65**
St Mary's Pl. Barn —5G **13**
St Mary's Pl. Ches —2B **138**
St Mary's Rd. S2
—4E **99** (6F **5**)
St Mary's Rd. Darf —4F **27**
St Mary's Rd. Don —6E **33**
St Mary's Rd. Edl —4C **60**
St Mary's Rd. Gold —3H **29**
St Mary's Rd. Raw —2G **69**
St Mary's Rd. Wom —1E **39**

St Mary's St. Pen —4D **142**
St Mary's Ter. Stoc —6E **141**
(off Walders La.)
St Mary's View. Roth —4B **68**
St Matthews Way. Barn
—4C **14**
St Matthias Rd. Deep —5G **141**
St Michaels Av. Barn —1D **14**
St Michaels Av. Ros —3E **63**
St Michael's Av. Swin —1B **56**
St Michaels Clo. Ecc —1F **75**
St Michaels Clo. Gold —4F **29**
St Michaels Cres. Ecc —2F **75**
St Michael's Rd. Don —2H **47**
St Michaels Rd. Ecc —1F **75**
St Nicholas Clo. Eden —5C **20**
St Nicholas Rd. Raw —1G **69**
St Nicolas Wlk. Raw —1H **69**
St Oswald's Dri. Eden —5D **20**
St Owens Dri. Barn —5D **12**
St Patrick Rd. Deep —4G **141**
St Patrick's Rd. Don —4G **33**
St Patrick's Way. Don —3F **31**
St Paul Clo. Deep —4G **141**
St Paul Clo. Tod —2A **118**
St Pauls Av. Ches —6D **138**
St Paul's Pde. S1
—2E **99** (4E **5**)
St Paul's Pde. Barn —1F **25**
St Paul's Pde. Don —4F **31**
St Peter Av. Deep —4H **141**
St Peter's Clo. S1
—1E **99** (2E **5**)
St Peter's Clo. Brin —3A **90**
St Peter's Dri. Con —4D **58**
St Peters Ga. Thurn —1E **29**
St Peter's Rd. Con —4D **58**
St Peter's Rd. Don —4G **45**
St Peter's Ter. Barn —1A **24**
St Philip's Clo. Malt —5E **83**
St Philip's Dri. Ches —5B **138**
St Philip's La. S3 —6D **86**
St Philip's Rd. S3
—1C **98** (2A **4**)
(in three parts)
St Quentin Clo. S17 —4H **121**
St Quentin Dri. S17 —4H **121**
St Quentin Mt. S17 —4H **121**
St Quentin Rise. S17 —4H **121**
St Quentin View. S17 —4H **121**
St Ronan's Rd. S7 —6D **98**
St Sepulchre Ga. Don —6C **32**
St Sepulchre Ga. W. Don
—1C **46**
St Stephens Dri. Ast —5B **104**
St Stephen's Rd. Roth —2E **79**
St Stephen's Wlk. S3 —1C **98**
St Stephens Wlk. Don —4G **31**
St Thomas Rd. S10 —2H **97**
St Thomas's Clo. Don —5G **45**
St Thomas's Rd. Barn —3C **12**
St Thomas St. S1
—2D **98** (3C **4**)
St Thomas St. Ches —3E **137**
St Ursula's Rd. Don —1G **47**
St Veronica Rd. Deep —4H **141**
St Vincent Av. Don —5E **33**
St Vincent Av. Wdlnd —1B **70**
St Vincent Rd. Don —5E **33**
St Vincent's Av. Bran —4G **49**
St Wandrilles Clo. Ecc —6F **65**
St Wilfrids Ct. Don —4C **48**
(off Masham Rd.)
St Wilfrid's Rd. S2 —5E **99**
St Wilfrids Rd. Don —2A **48**
St Withold Av. Thurc —5A **94**
Salcey Sq. Ches —4F **137**
Salcombe Clo. Map —5G **7**
Sale Hill. S10 —3H **97**
Salerno Way. Darf —3C **26**

Sale St. Hoy —6E **37**
Salisbury Av. Ches —4G **131**
Salisbury Av. Dron —4E **129**
Salisbury Cres. Ches —4H **131**
Salisbury Rd. S10 —1H **97**
Salisbury Rd. Don —2A **46**
Salisbury Rd. Dron —4F **129**
Salisbury Rd. Malt —3F **83**
Salisbury St. Barn —4F **13**
Salmon St. S11 —5D **98**
Salt Box La. Gren —2A **74**
Saltergate. Ches —2H **137**
Saltersbrook. Gold —4F **29**
Saltersbrook Flats. Gold —4F **29**
Saltersbrook Rd. Darf —2D **26**
Salters Way. Pen —6D **142**
Samson St. S2 —3G **99**
Samuel Clo. S2 —6H **99**
Samuel Dri. S2 —6H **99**
Samuel Pl. S2 —5H **99**
Samuel Rd. S2 —6H **99**
Samuel Rd. Barn —4D **12**
Samuel Sq. Barn —4D **12**
Samuel St. Don —5H **45**
Sanctuary Fields. Ans —6D **106**
Sandall Beat La. Don —3B **34**
Sandall Beat Rd. Don —6H **33**
Sandall Carr Rd. Kirk S —4C **20**
Sandall La. Kirk S —2B **20**
Sandall Pk. Dri. Don —2A **34**
Sandall Rise. Don —3H **33**
Sandall Stones Rd. Kirk S
—5B **20**
Sandall View. Din —2C **106**
Sandal Rd. Con —4C **58**
Sandalwood Clo. Don —1A **34**
Sandalwood Rise. Swin —5B **56**
Sandbeck Clo. Barn —4G **13**
Sandbeck Ct. Den M —2B **58**
Sandbeck Ho. Don —1C **46**
(off Grove Pl.)
Sandbeck Pl. S11 —5B **98**
Sandbeck Rd. Don —1F **47**
Sandbeck Way. Hel —4A **82**
Sandbergh Rd. S3 —4C **86**
Sandbergh Rd. Roth —5G **67**
Sandby Ct. S14 —5A **112**
Sandby Croft. S14 —5A **112**
Sandby Dri. S14 —5A **112**
Sandcliffe Rd. Don —3H **33**
Sandcroft Clo. Hoy —1G **51**
Sandeby Dri. Rav —2H **81**
Sanderson M. Pen —4D **142**
Sanderson St. S9 —4B **88**
Sandford Ct. Barn —6F **13**
Sandford Ct. Don —4A **46**
Sandford Gro. Rd. S7 —2C **110**
Sandford Rd. Don —5A **46**
Sandhill Clo. Raw —6H **55**
Sandhill Ct. GH —1B **28**
Sandhill Gro. Grime —4G **11**
Sandhill Rd. Raw —6H **55**
Sandhurst Pl. S10 —1A **98**
Sandhurst Rd. Can —4E **49**
Sandiway. Ches —5E **137**
Sandon View. S10
—3C **98** (6A **4**)
Sandown Clo. Eck —6B **124**
Sandown Gdns. Don —1B **48**
Sandown Rd. Mex —5F **43**
Sandpiper Rd. Thor H —1B **66**
Sandringham Av. Whis —2H **91**
Sandringham Clo. Cal —1G **139**
Sandringham Dri. Thurl
—3A **142**
Sandringham Pl. Rav —1H **81**
Sandringham Rd. S9 —5C **76**
Sandringham Rd. Cal —1G **139**
Sandringham Rd. Don —6G **33**
Sandrock Dri. Don —4C **48**

Sands Clo. S14 —3A **112**
Sandstone Av. S9 —1B **88**
Sandstone Av. Walt —4D **136**
Sandstone Clo. S9 —6C **76**
Sandstone Dri. S9 —1B **88**
Sandstone Rd. S9 —1B **88**
Sandwith Rd. Tod —2A **118**
Sandy Acres Clo. Wat —6F **115**
Sandy Acres Dri. Wat —6F **115**
Sandybridge La. Shaf —1B **10**
Sandybridge La. Ind. Est. Shaf
—2B **10**
Sandy Flat La. Wick —2E **93**
Sandygate. Wath D —5F **41**
Sandygate Ct. S10 —3D **96**
Sandygate Cres. Wath D
—1F **55**
Sandygate Grange Dri. S10
—3E **97**
Sandygate Gro. S10 —3D **96**
Sandygate La. S10 —3E **97**
Sandygate Pk. S10 —3D **96**
Sandygate Pk. Cres. S10
—3D **96**
Sandygate Pk. Rd. S10 —3D **96**
Sandygate Rd. S10 —3D **96**
Sandy La. Bram —6H **81**
Sandy La. Don —2G **47**
Sandy La. Thurc —4B **94**
Sandy La. Wom —1A **38**
Sandymount Rd. Wath D
—6G **41**
Sanforth St. Ches —5A **132**
Sankey Sq. Gold —4F **29**
Sarah St. Mex —1E **57**
Sarah St. Roth —3B **78**
Sark Rd. S2 —6E **99**
Sarrius Ct. Can —3C **48**
Saundby Clo. Don —4A **48**
Saunderson Rd. Pen —3B **142**
Saunders Pl. S2 —2A **100**
Saunders Rd. S2 —2A **100**
Saunders' Row. Wom —1E **39**
Savage La. S17 —2D **120**
Savile St. S4 —6G **87**
Savile St. E. S4 —5H **87**
Saville Clo. Hoy —6F **37**
Saville Hall La. Dod —3B **22**
Saville La. Thurl —4A **142**
Saville Rd. Dod —3B **22**
Saville Rd. Wath D —5E **41**
Saville Rd. Whis —2H **91**
Saville St. Cud —6B **10**
Saville St. Dal —6A **70**
Saville Ter. Barn —1G **23**
Sawdon Rd. S11 —4C **98**
Sawn Moor Av. Thurc —5B **94**
Sawn Moor Rd. Thurc —6B **94**
Sawston Clo. Don —1G **61**
Saxon Cres. Wors —4A **24**
Saxonlea Av. S2 —4E **101**
Saxonlea Ct. S2 —4E **101**
Saxonlea Cres. S2 —4E **101**
Saxonlea Dri. S2 —4D **100**
Saxon Rd. S8 —1E **111**
Saxon Rd. Kiv P —5B **118**
Saxon Rd. Roth —3F **77**
Saxon Row. Con —3G **59**
Saxon St. Cud —1H **15**
Saxon St. Thurn —1G **29**
Saxton Av. Don —3A **48**
Saxton Clo. Els —5D **38**
Saxton Dri. Roth —2F **91**
Sayers Clo. Harl —1G **43**
Scafell Pl. Ans —1H **119**
Scaftworth Clo. Don —4A **48**
Scammadine Clo. Brin —3D **90**
Scamming La. Laug —6H **95**
Scampton Lodge. S5 —1F **87**

Scarborough Clo. Ans —6E **107**
Scarborough La. New R
—4B **62**
Scarborough Rd. S9 —6E **89**
Scarbrough Cres. Malt —5G **83**
Scarbrough Farm Ct. Malt
—4F **83**
Scarbrough Rd. Wick —4F **81**
Scarfield Clo. Don —1F **25**
Scargill Croft. S1 —1E **99** (2E **5**)
Scar La. Barn —1F **25**
Scarlet Oak M. Stann —5C **84**
Scarll Rd. Don —2A **46**
Scarsdale Clo. Dron —3F **129**
Scarsdale Cres. Brim —4D **132**
Scarsdale Cross. Dron —2E **129**
Scarsdale Rd. S8 —4D **110**
Scarsdale Rd. Ches —3A **132**
Scarsdale Rd. Dron —2E **129**
Scarsdale St. Din —4D **107**
Scarth Av. Don —3B **46**
Scawsby La. Scaws —1D **30**
Scawthorpe Av. Don —1F **31**
Sceptone Gro. Shaf —2C **10**
Sceptre Gro. New R —6C **62**
Schofield Dri. Darf —3E **27**
Schofield Pl. Darf —3E **27**
Schofield Rd. Darf —3E **27**
Schofield Rd. Deep —3F **141**
Schofield St. Mex —6D **42**
Schole Av. Pen —4C **142**
Schole Hill La. Pen —5B **142**
Scholes Grn. Roth —3E **67**
Scholes La. Scho —4C **66**
Scholes View. Ecc —6F **65**
Scholes View. Hoy —6A **38**
Scholes View. Jump —4B **38**
Scholey Rd. Wick —4F **81**
Scholey St. S3 —6F **87**
Scholfield Cres. Malt —5H **83**
School Av. Half —2E **125**
School Board La. Ches
—2G **137**
School Clo. Half —2F **125**
School Clo. Wal —5F **117**
Schoolfield Dri. Raw —6F **55**
School Grn. La. S10 —6B **96**
School Gro. Ast —6C **104**
School Hill. Cud —6B **10**
School Hill. Cut —4A **130**
School Hill. Whis —2A **92**
School La. S2 —2G **99** (3H **5**)
(in two parts)
School La. Can —3F **49**
School La. Dron —3E **129**
School La. Grnhl —2D **122**
School La. Gren —6A **64**
School La. Nort —6G **111**
School La. Park —4E **69**
School La. Stann —6C **84**
School La. Thry —4D **70**
School La. Clo. S8 —6G **111**
School Rd. S10 —2H **97**
School Rd. Beig —4G **115**
School Rd. Ches —4A **132**
School Rd. H Grn —6C **50**
School Rd. Laug —1D **106**
School Rd. Thurc —5B **94**
School Rd. Wal —5E **117**
School St. Barn —4F **13**
School St. Bolt D —1A **42**
School St. Cud —5B **10**
School St. Darf —3F **27**
School St. Dart —4C **6**
School St. Din —4F **107**
School St. Eck —6D **124**
School St. Hem —3E **39**
School St. Map —4G **7**
School St. Mosb —2D **124**
School St. Stair —1D **24**

School St. Swal —6A **104**
School St. Thry —5C **70**
School St. Thurn —1F **29**
School St. Wom —6B **26**
School St. Flats. S2
　　　　　—2G **99** (4H 5)
School Ter. Con —3D **58**
School Wlk. Den M —1B **58**
School Wlk. Malt —4F **83**
School Wlk. Old E —6A **60**
Scorah's La. Swin —2G **55**
Scotia Clo. S2 —5B **100**
Scotia Dri. S2 —5B **100**
Scotland St. S3 —1D **98** (1C 4)
Scot La. Don —6D **32**
Scott Av. Barnb —1G **43**
Scott Av. Con —3C **58**
Scott Clo. Thurc —5A **94**
Scott Cres. Eden —4C **20**
Scott Hill. Spro —3D **44**
Scott Rd. S4 —3G **87**
Scott St. S4 —3A **88**
Scott Way. Chap —3D **64**
Scovell Av. Raw —6D **54**
Scowerdons Clo. S12 —2H **113**
Scowerdons Dri. S12 —2H **113**
Scraith Wood Dri. S5 —1C **86**
Scrooby Dri. Roth —4C **68**
Scrooby La. Park —4D **68**
Scrooby Pl. Roth —4C **68**
Scrooby St. Roth —4C **68**
Sea Breeze Ter. S13 —5F **101**
Seabrook Rd. S2 —3H **99**
Seagrave Av. S12 —3D **112**
Seagrave Cres. S12 —4C **112**
Seagrave Dri. S12 —3D **112**
Seagrave Rd. S12 —3C **112**
Searby Rd. Bram —2H **81**
Seaton Clo. S2 —3B **100**
Seaton Cres. S2 —3B **100**
Seaton Gdns. New R —6D **62**
Seaton Pl. S2 —3B **100**
Seaton Way. S2 —3B **100**
Sebastian View. Brin —1C **90**
Second Av. Wdlnd —3E **17**
Second La. Ans —4G **119**
Second La. Wick —1G **93**
Sedan St. S4 —4G **87**
Sedbergh Cres. Ches —4F **131**
Sedge Clo. Bram —5H **81**
Sedgefield Way. Mex —5F **43**
Sedgemoor Clo. Ches —1D **136**
Sedgley Rd. S6 —3B **86**
Sefton Ct. S10 —6E **97**
Sefton Rd. S10 —6D **96**
Selborne Rd. S10 —3G **97**
Selborne St. Roth —1E **79**
Selbourne Clo. B Grn —2A **12**
Selby Clo. Ches —5E **137**
Selby Clo. Swal —6A **104**
Selby Rd. S4 —2H **87**
Selby Rd. Barn —6B **8**
Selby Rd. Don —4G **33**
Selhurst Cres. Don —4C **48**
Selhurst Rd. Ches —6H **131**
Selkirk Av. War —5F **45**
Selkirk Rd. Don —3A **34**
Sellars Rd. Roth —6G **67**
Sellars Row. H Grn —5B **50**
Sellers St. S8 —6D **98**
Selly Oak Gro. S8 —3G **123**
Selly Oak Rd. S8 —3G **123**
Selmer Ct. Brim —3D **132**
Selwood Flats. Roth —2F **79**
Selwyn St. Roth —1E **79**
Senior Rd. S9 —1F **101**
Senior Rd. Don —1A **46**
Seniors Pl. Chap —1E **65**
Sennen Croft. Barn —4B **14**

Serlby Ho. Don —1C 46
(off Grove Pl.)
Serpentine Wlk. S8 —1E **123**
Setcup La. Eck —6H **125**
Seth Ter. Barn —1A **24**
Setts Mkt. S1 —1F **99** (2G 5)
Sevenaires Rd. Wat —4E **115**
Sevenfields Ct. S6 —2G **85**
Sevenfields La. S6 —2G **85**
Severn Ct. S10 —2B **98**
Severn Rd. S10 —2B **98**
Severnside Dri. S13 —6A **102**
Severnside Gdns. S13 —6A **102**
Severnside Pl. S13 —6A **102**
Severnside Wlk. S13 —6A **102**
Sewage Cotts. Roth —6G **69**
Sewell Rd. Half —3F **125**
Sexton Dri. Bram —6H **81**
Seymore Rd. Ast —1B **116**
Seymour La. Mas M —2G **135**
(in two parts)
Seymour Rd. Malt —4H **83**
Shackleton Rd. Don —6B **20**
Shackleton View. Pen —5D **142**
Shady Side. Don —2A **46**
(in two parts)
Shaftesbury Av. Ches —2F **137**
Shaftesbury Av. Don —6H **33**
Shaftesbury Dri. Hoy —6H **37**
Shaftesbury Ho. Don —4A **34**
Shaftesbury Sq. Roth —2E **79**
Shaftesbury St. Barn —1E **25**
Shaftholme La. Ben —1B **18**
Shaftholme Rd. Ben —2D **18**
Shafton Hall Dri. Shaf —2B **10**
Shafton Rd. Roth —1H **91**
Shaftsbury Av. Wdlnd —1B **16**
Shakespeare Av. Don —5H **31**
Shakespeare Cres. Dron
　　　　　—3G **129**
Shakespeare Dri. Din —5G **107**
Shakespeare Rd. Ben —6B **18**
Shakespeare Rd. Roth —1F **79**
Shakespeare Rd. Wath D
　　　　　—4D **40**
Shaldon Gro. Ast —6B **104**
Shalesmoor. S3 —6D **86**
Shambles St. Barn —6G **13**
Shambles, The. Ches —2A **138**
Shap Clo. Ches —6E **131**
Shardlow Gdns. Don —5D **48**
Sharlston Gdns. Ros —4F **63**
Sharpe Av. S8 —1C **122**
Sharpfield Av. Raw —5E **55**
Sharrard Clo. S12 —2D **112**
Sharrard Dri. S12 —2D **112**
Sharrard Gro. S12 —1D **112**
Sharrard Rd. S12 —2D **112**
Sharrow La. S11 —5C **98**
Sharrow Mt. S11 —6B **98**
Sharrow St. S11 —5D **98**
Sharrow Vale Rd. S11 —5A **98**
Sharrow View. S7 —5C **98**
Shaw Ct. Arm —4G **35**
Shawfield Clo. B Dun —1E **21**
Shawfield Rd. Barn —6F **9**
Shaw La. Barn —6E **13**
Shaw La. Carl —4F **9**
Shaw La. Don —1B **34**
Shaw La. Map —3G **7**
Shaw La. Ind. Est. Don —1C **34**
Shaw Rd. Edl —2C **60**
Shaw Rd. Roth —1G **79**
Shawsfield Rd. Roth —6F **79**
Shaws Row. Ches —3F **137**
Shaw St. Barn —6F **13**
Shaw St. Ches —3A **132**
Shaw St. Coal A —5G **123**
Shaw Wood Way. Don —2B **34**
Shay Ho. La. Stoc —4D **140**

Shay Rd. Stoc —3D **140**
Shay, The. Don —4C **48**
Sheaf Bank. S2 —6E **99**
Sheaf Clo. Con —4F **59**
Sheaf Ct. Barn —2D **24**
Sheaf Cres. Bolt D —2B **42**
Sheaf Gdns. S4 —4F **99**
Sheaf Gdns. Ter. S2 —4F **99**
Sheaf Mkt. S1 —1F **99** (2G 5)
Sheaf Sq. S1 —3F **99** (5F 5)
Sheaf St. S1 —2F **99** (5G 5)
Sheardown St. Don —1B **46**
Sheards Clo. Dron W —1D **128**
Sheards Dri. Dron W —2C **128**
Sheards Way. Dron W
　　　　　—2D **128**
Shearman Av. Roth —5G **67**
Shearwood Rd. S10 —2B **98**
Shed La. S'boro —6B **22**
Sheepbridge La. Ches —1G **131**
Sheep Bri. La. Ros —4E **63**
Sheepbridge Works. Ches
　　　　　—1G **131**
Sheepcote Rd. Kil —3A **126**
Sheep Cote Rd. Roth —6B **80**
Sheep Dike La. Thurc —4G **93**
Sheephill Rd. S11 —4A **108**
Sheep La. Don —6A **30**
Sheerien Clo. Barn —5A **8**
Sheffield La. Cat —6C **90**
Sheffield Parkway. S2, S9 & Cat
　　　　　—1G **99**
Sheffield Rd. S9 & Roth
　　　　　—2E **89**
Sheffield Rd. Ast —1B **118**
Sheffield Rd. Barn —1H **23**
Sheffield Rd. Bird —2C **36**
Sheffield Rd. Ches —5A **132**
Sheffield Rd. Con —5B **58**
Sheffield Rd. Dron —6D **122**
(in two parts)
Sheffield Rd. Eck —3D **124**
Sheffield Rd. Hack —5H **113**
Sheffield Rd. Hoy —6E **37**
Sheffield Rd. Kil —2H **125**
Sheffield Rd. Old W —1G **131**
Sheffield Rd. Pen & Oxs
　　　　　—4E **143**
Sheffield Rd. Tod & Ans
　　　　　—2F **119**
Sheffield Rd. War —1B **60**
Sheffield Rd. Wdhse —1A **114**
Sheffield Rd. Wood M & Swal
　　　　　—5E **103**
Sheffield Science Pk. S1 —5F **5**
(in two parts)
Sheffield Technology Pk. S9
　　　　　—5C **88**
Sheldon Av. Con —4F **59**
Sheldon La. Stann —5C **84**
Sheldon Rd. S7 —1C **110**
Sheldon Rd. Ches —6D **130**
Sheldon Rd. Stoc —3E **141**
Sheldon Row. S3
　　　　　—1F **99** (1G 5)
Sheldon St. S2 —4E **99**
Sheldrake Clo. Thor H —1B **66**
Shelley Av. Don —5B **46**
Shelley Clo. Pen —3D **142**
Shelley Dri. Arm —3G **35**
Shelley Dri. Barn —4A **14**
Shelley Dri. Din —5H **107**
Shelley Dri. Dron —4G **129**
Shelley Dri. Roth —4H **79**
Shelley Gro. Don —6H **31**
Shelley Rise. Ad S —2C **16**
Shelley Rd. Roth —4H **79**
Shelley Way. Wath D —4C **40**
Shenstone Dri. Roth —5H **79**
Shenstone Rd. S6 —1A **86**

Shenstone Rd. Roth —5H **79**
Shepcote La. S9 —4E **89**
Shepcote Way. S9 —4E **89**
Shephards Clo. Den M —2B **58**
Shepherd Dri. H Grn —1C **64**
Shepherd La. Thurn —2F **29**
Shepherd St. S3
　　　　　—1D **98** (1C 4)
Shepherd St. Barn —1H **23**
Shepley Croft. H Grn —1C **64**
Shepley St. Ches —3F **137**
Shepley's Yd. Ches —2A **138**
Sheppard Rd. Don —4A **46**
Shepperson Rd. S6 —2H **85**
Sherbourne Av. Ches —3G **131**
Sherburn Ga. Chap —1D **64**
Sherburn Rd. Barn —6A **8**
Sherde Rd. S6 —6C **86**
Sheridan Av. Don —5C **46**
Sheridan Ct. Barn —4B **14**
Sheridan Dri. Roth —3A **80**
Sheridan Rd. B Dun —1H **21**
Sheringham Clo. H Grn —6B **50**
Sheringham Gdns. H Grn
(off Sheringham Clo.) —6B 50
Sherwood Av. Con —4C **58**
Sherwood Av. Don —3F **31**
Sherwood Av. Eden —5D **20**
Sherwood Chase. S17 —4E **121**
Sherwood Cres. Roth —3E **79**
Sherwood Dri. Don —6G **45**
Sherwood Glen. S7 —6H **109**
Sherwood Pl. Dron W —2B **128**
Sherwood Rd. Dron W
　　　　　—2B **128**
Sherwood Rd. Kil —2C **126**
Sherwood Rd. New R —5E **63**
Sherwood St. Barn —6H **13**
Sherwood St. Ches —4B **138**
Sherwood Way. Cud —4A **10**
Shetland Gdns. Don —4A **34**
Shetland Rd. Dron —3F **129**
Shield Av. Wors —4A **24**
Shinwell Av. Ink —4H **133**
Shipcroft Clo. Wom —1G **39**
Ship Hill. Roth —3D **78**
Shipman Ct. Mosb —2D **124**
Shipton St. S6 —6C **86**
Shirburn Gdns. Don —2D **48**
Shirebrook Rd. S8 —1E **111**
Shirecliffe Clo. S3 —3F **87**
Shirecliffe La. S3 —4E **87**
Shirecliffe Rd. S5 —1E **87**
Shiregreen La. S5 —7A **76**
Shiregreen Ter. S5 —4H **75**
Shirehall Cres. S5 —2H **75**
Shirehall Rd. S5 —3H **75**
Shireoaks Rd. Dron —1G **129**
Shires Clo. Spro —2D **44**
Shirland Av. Barn —1A **14**
Shirland Ct. S9 —6D **88**
Shirland La. S9 —5B **88**
Shirland M. S9 —6C **88**
Shirland Pl. S9 —6D **88**
Shirland St. Ches —1A **138**
Shirley Clo. Ches —6D **130**
Shirley Dri. S3 —4F **87**
Shirley Rd. Don —2A **46**
Shore Ct. S10 —3H **97**
Shoreham Av. Roth —2G **91**
Shoreham Dri. Roth —2F **91**
Shoreham Rd. Roth —2F **91**
Shoreham St. S2 & S1 —5E **99**
Shore La. S10 —3G **97**
Shore St. Wom —1F **39**
Shortbrook Bank. W'fld
　　　　　—1E **125**
Shortbrook Clo. W'fld —1F **125**
Shortbrook Croft. W'fld
　　　　　—1F **125**

Shortbrook Dri. W'fld —1E **125**
Shortbrook Rd. W'fld —1E **125**
Shortbrook Wlk. W'fld —1F **125**
  (off Eastcroft Way)
Shortbrook Way. W'fld
—1E **125**
Shortfield Ct. Barn —5A **8**
Short Ga. Wadw —6F **61**
Short La. Don —4H **47**
Shortridge St. S9 —5B **88**
Short Rd. Don —5A **34**
Short Row. Barn —2H **13**
Shorts La. S17 —3B **120**
Short St. Hoy —6F **37**
Short Wood Clo. Bird —2D **36**
Shortwood Vs. Hoy —4E **37**
Shotton Wlk. Don —1C **46**
Shrewsbury Almshouses. S2
—3G **99**
Shrewsbury Clo. Mex —6D **42**
Shrewsbury Clo. Pen —4D **142**
Shrewsbury Rd. S2
—3F **99** (6G **5**)
Shrewsbury Rd. Pen —4D **142**
Shrewsbury Ter. S17 —5D **120**
Shrewsbury Ter. —3H **77**
Shroggs Head Clo. Darf —3F **27**
Shrogs Wood Rd. Roth —6B **80**
Shubert Clo. S13 —5B **102**
Shude Hill. S1 —1F **99** (2G **5**)
Sibbering Row. Deep —4H **141**
Sicey Av. S5 —5H **75**
Sicey La. S5 —3H **75**
Sidcop Rd. Cud —5B **10**
Siddall St. S1 —2D **98** (3B **4**)
Sidlaw Clo. Ches —6E **131**
Sidney Rd. Don —5H **33**
Sidney St. S1 —3E **99** (6E **5**)
Sidney St. Swin —2B **56**
Sidons Clo. Roth —5G **67**
Siemens Clo. S9 —1G **89**
Siena Clo. Darf —4C **26**
Sike Clo. Dart —4A **6**
Sike La. Pen —6A **142**
Sikes Rd. Ans —2F **119**
Silkstone Clo. S12 —3G **113**
Silkstone Clo. Tank —6B **36**
Silkstone Cres. S12 —3G **113**
Silkstone Dri. S12 —3F **113**
Silkstone Pl. S12 —3G **113**
Silkstone Rd. S12 —3F **113**
Silkstone View. Hoy —3A **38**
Silver Birch Av. S10 —6C **96**
Silverdale Clo. S11 —3G **109**
Silverdale Clo. Bran —3H **49**
Silverdale Clo. Ches —2G **131**
Silverdale Ct. S11 —3H **109**
  (off Silverdale Gdns.)
Silverdale Cres. S11 —2G **109**
Silverdale Croft. S11 —3G **109**
Silverdale Dri. Barn —2D **14**
Silverdale Gdns. S11 —3H **109**
Silverdale Glade. S11 —3G **109**
Silverdale Rd. S11 —2G **109**
Silverdales. Din —4G **107**
Silver Hill Rd. S11 —2H **109**
Silver Jubilee Clo. Don —3A **34**
Silver Mill Rd. S2 —5E **99**
Silvermoor Dri. Rav —1H **81**
Silverstone Av. Cud —6C **10**
Silver St. S1 —1E **99** (2E **5**)
Silver St. Barn —1G **23**
  (in two parts)
Silver St. Dod —3B **22**
Silver St. Don —6D **32**
Silver St. Thry —5C **70**
Silver St. Head. S1
—1E **99** (2D **4**)
Silverwood Ho. Don —2C **46**
  (off Elsworth Clo.)

Silverwood View. Con —3D **58**
Silverwood Wlk. Flan —3F **81**
Simcrest Av. Kil —4B **126**
Simmonite Rd. Roth —5H **67**
Simon Ct. S10 —5F **97**
Simons Way. Wom —4H **25**
Simpson Pl. Mex —6D **42**
Sims Croft. Ches —1C **132**
Sims St. S1 —1E **99** (2D **4**)
Sincil Way. Don —4C **48**
Singleton Cres. S6 —4A **86**
Singleton Gro. S6 —4A **86**
Singleton Rd. S6 —4A **86**
Sitka Clo. Roys —2D **8**
Sitwell. W'fld —1E **125**
  (off Shortbrook Way)
Sitwell Av. Ches —4H **137**
Sitwell Dri. Roth —6G **79**
Sitwell Gro. Roth —1G **91**
Sitwell Gro. Swin —3B **56**
Sitwell La. Wick —6F **81**
Sitwell Pk. Rd. Roth —6B **80**
Sitwell Pl. S7 —5D **98**
Sitwell Rd. S7 —5D **98**
  (in two parts)
Sitwell St. Eck —6G **125**
Sitwell Ter. Wick —6F **81**
  (off Sitwell La.)
Sitwell Vale. Roth —6F **79**
Sitwell View. Whis —2B **92**
Sivilla Rd. Kiln —5B **56**
Skeldale Dri. Ches —5B **138**
Skelton Av. Map —4F **7**
Skelton Clo. S13 —2B **114**
Skelton Dri. S13 —1C **114**
Skelton Gro. S13 —1B **114**
Skelton La. Beig —4F **115**
Skelton La. Wdhse —1B **114**
Skelton Rise. Oug —3D **72**
Skelton Rd. S8 —2E **111**
Skelton Wlk. S13 —1C **114**
Skelton Way. S13 —1B **114**
Skelwith Clo. S4 —2B **88**
Skelwith Clo. Ches —3F **131**
Skelwith Dri. S4 —1B **88**
Skelwith Rd. S4 —2B **88**
Skew Hill. Gren —2A **74**
Skew Hill La. Gren —1H **73**
Skiddaw Clo. Ches —5F **131**
Skiers View Rd. Hoy —6G **37**
Skiers Way. Hoy —6G **37**
Skinnerthorpe Rd. S4 —2H **87**
Skinpit La. Hoy S —1G **143**
Skipton Clo. Den M —2A **58**
Skipton Rd. S4 —3G **87**
Skipton Rd. Swal —6A **104**
Skipwith Gdns. New R —5C **62**
Skye Croft. Roys —1E **9**
Skye Edge Av. S2 —3H **99**
Skye Edge Rd. S2 —3H **99**
Slack Fields La. Whar S
—1B **72**
Slack La. Ches —2D **136**
Slacks La. Bram —6H **81**
Slade Rd. Swin —3A **56**
Slaidburn Av. Chap —1D **64**
Slate St. S2 —4F **99**
Slayleigh Av. S10 —5C **96**
Slayleigh Delph. S10 —5C **96**
Slayleigh Dri. S10 —5D **96**
Slayleigh La. S10 —5C **96**
Sleaford St. S9 —5B **88**
Sledgate Dri. Wick —6D **80**
Sledgate La. Wick —6D **80**
Sledmere Rd. Don —3G **31**
Slinn St. S10 —1A **98**
Slitting Mill La. S9 —5B **88**
Smallage La. S13 —4F **103**
Smalldale Rd. S12 —3F **113**

Smeaton Clo. Rav —1H **81**
Smeaton St. S11 —5D **98**
Smelter Wood Av. S13
—6G **101**
Smelter Wood Clo. S13
—6G **101**
Smelter Wood Ct. S13 —6G **101**
  (off Smelter Wood Way)
Smelter Wood Cres. S13
—6H **101**
Smelter Wood Dri. S13
—6G **101**
Smelter Wood La. S13
—6G **101**
Smelter Wood Pl. S13 —6G **101**
Smelter Wood Rise. S13
—6H **101**
Smelter Wood Rd. S13
—6G **101**
Smelter Wood Way. S13
—6G **101**
Smeltinghouse La. Barl
—1A **130**
Smillie Rd. New R —5E **63**
Smith Av. Ink —4H **133**
Smith Cres. Ches —4D **138**
Smithey Clo. H Grn —1B **64**
Smithfield. S3 —1E **99** (1D **4**)
Smithfield Av. Ches —6C **138**
Smithfield Rd. S12 —5C **112**
Smithies La. Barn —3G **13**
Smithies Rd. Swin —1B **56**
Smithies St. Barn —3G **13**
Smithley La. Wom —6F **25**
Smith Rd. Stoc —3D **140**
Smith Sq. Don —4H **45**
Smith St. Chap —2E **65**
Smith St. Don —4H **45**
Smith St. Wom —6C **26**
Smithy Bri. La. Wom —4F **39**
  (in two parts)
Smithy Carr Av. Chap —2D **64**
Smithy Carr Clo. Chap —2D **64**
Smithy Clo. Roth —6H **67**
Smithy Croft. Dron W —1A **128**
Smithy Grn. Rd. Barn —2H **13**
Smithy Moor Av. Stoc —1A **140**
Smithy Moor La. Stoc —2A **140**
Smithy Wood Cres. S8
—3C **110**
Smithy Wood La. Dod —3B **22**
Smithy Wood Rd. S8 —3C **110**
Smithy Wood Rd. Chap
—3H **65**
Snail Hill. Roth —3D **78**
Snailsden Way. Map —5H **7**
Snaithing La. S10 —4E **97**
Snaithing Pk. Clo. S10 —4E **97**
Snaithing Pk. Rd. S10 —4E **97**
Snake La. Con —4F **59**
Snape Hill. Dron —1E **129**
Snapehill Clo. Dron —6E **123**
Snapehill Cres. Dron —6E **123**
Snapehill Dri. Dron —6E **123**
Snape Hill La. Dron —1E **129**
Snape Hill Rd. Darf —4D **26**
Snelston Clo. Dron W —2A **128**
Snetterton Clo. Cud —6C **10**
Snig Hill. S3 —1F **99** (2F **5**)
Snowberry Clo. Swin —5A **56**
Snowden Ter. Wom —6B **26**
Snowdon Way. Brin —4D **90**
Snow Hill. Dod —3B **22**
Snow La. S3 —1E **99** (1D **4**)
Snydale Rd. Cud —6B **10**
Soaper La. Dron —1E **129**
Soap Ho. La. S13 —1F **115**
Society St. Don —6D **32**
Sokell Av. Wom —1E **39**
Solario Way. New R —6C **62**

Solferino St. S11 —4D **98**
Solly St. S1 —1D **98** (3B **4**)
Solway Rise. Dron W —1B **128**
Somercotes Rd. S12 —2F **113**
Somersall Clo. Ches —4C **136**
Somersall Hall Dri. Ches
—5C **136**
Somersall La. Ches —5C **136**
Somersall Pk. Rd. Ches
—4C **136**
Somersall Willows. Ches
—4C **136**
Somersby Av. Don —5H **31**
Somersby Av. Walt —6D **136**
Somerset Ct. Cud —1H **15**
Somerset Dri. Brim —2F **133**
Somerset Rd. S3 —5F **87**
Somerset Rd. Don —1D **46**
Somerset St. S3 —5F **87**
Somerset St. Barn —6F **13**
Somerset St. Cud —1H **15**
Somerset St. Malt —5H **83**
Somerton Dri. Don —4C **48**
Somerville Ter. S6 —5B **86**
Sopewell Rd. Roth —3F **77**
Sorby Hall. S10 —4H **97**
Sorby Rd. Swal —6H **103**
Sorby St. S4 —6G **87**
Sorby Way. Wick —6E **81**
Soresby St. Ches —2A **138**
Sorrel Rd. Sun —3G **81**
Sorrelsykes Clo. Whis —3H **91**
Sorrento Way. Darf —2D **26**
Sothall Clo. Beig —4F **115**
Sothall Ct. Beig —4F **115**
Sothall Grn. Beig —4F **115**
Sothall M. Beig —4F **115**
Sough Hall Av. Thor H —2B **66**
Sough Hall Clo. Thor H —2B **66**
Sough Hall Cres. Thor H
—2B **66**
Sough Hall Rd. Thor H —3B **66**
Sousa St. Malt —5H **83**
Southall St. S8 —1E **111**
South Av. Swin —3H **55**
Southbourne Ct. S17 —3D **120**
Southbourne Hall. S10 —3B **98**
Southbourne Rd. S10 —3A **98**
South Clo. Roys —3E **9**
Southcote Dri. Dron W
—2B **128**
South Ct. S17 —2E **121**
South Cres. Dod —2B **22**
South Cres. Duck —6E **135**
South Cres. Kil —2C **126**
South Cres. Roth —2H **79**
South Croft. Shaf —2C **10**
Southcroft Gdns. S7 —1D **110**
Southcroft Wlk. S7 —1D **110**
  (off Southcroft Gdns.)
Southdown Av. Ches —1E **137**
South Dri. Bolt D —2H **41**
South Dri. Roys —3E **9**
Southend Pl. S2 —3A **100**
Southend Rd. S2 —3A **100**
Southey Av. S5 —6E **75**
Southey Clo. S5 —6D **74**
Southey Cres. S5 —6D **74**
Southey Cres. Malt —4G **83**
Southey Dri. S5 —6E **75**
Southey Grn. Clo. S5 —6D **74**
Southey Grn. Rd. S5 —5B **74**
Southey Hall Clo. Roth —2B **66**
Southey Hall Dri. S5 —6E **75**
Southey Hall Rd. S5 —6D **74**
Southey Hill. S5 —5C **74**
Southey Pl. S5 —6D **74**
Southey Rise. S5 —6D **74**
Southey Rd. Malt —4G **83**
Southey Wlk. S5 —6D **74**

Southfield Av. Ches —6D 138
Southfield Cotts. Barn —4E 9
Southfield Cres. Thurn —2D 28
Southfield Dri. Dron —3G 129
Southfield Mt. Dron —3G 129
Southfield Rd. Arm —3E 35
Southgate. Barn —4E 13
Southgate. Eck —6E 125
Southgate. Hoy —5A 38
Southgate. Pen —5E 143
Southgate Ct. Eck —6E 125
Southgrove Rd. S10 —4B 98
Southlands Way. Ast —6C 104
South La. S1 —4D 98 (6D 4)
Southlea Av. Hoy —6B 38
Southlea Clo. Hoy —6B 38
Southlea Dri. Hoy —6A 38
Southlea Rd. Hoy —6B 38
S. Lodge Ct. Ches —2D 136
South Mall. Don —6C 32
(off French Ga.)
Southmoor Av. Arm —3E 35
Southmoor Clo. Brim —1F 139
Southmoor La. Arm —4E 35
South Pde. S3 —6E 87
South Pde. Don —6E 33
South Pl. Barn —4D 12
South Pl. Brmp —3F 137
South Pl. Ches —3A 138
South Pl. Wom —6H 25
South Rd. S6 —5A 86
South Rd. Dod —2B 22
South Rd. H Grn —6B 50
South Rd. Roth —2G 77
Southsea Rd. S13 —1A 114
South St. S2 —2G 99 (3H 5)
South St. Barn —6F 13
South St. Ches —3A 138
South St. Darf —4F 27
South St. Din —4F 107
South St. Dod —3B 22
South St. Don —2D 46
South St. Grea —4C 68
South St. Hghf —5D 16
South St. Kim & Roth —4G 77
(in three parts)
South St. Mosb —3D 124
South St. Raw —1G 69
South St. Thurc —4B 94
South St. N. New W —1D 132
South Ter. Kiv P —4D 116
South Ter. Roth —3D 78
(off Moorgate St.)
S. Vale Dri. Thry —5D 70
South View. Darf —4E 27
South View. Grime —6F 11
South View. Holb —2G 125
South View. Kiv P —5H 117
Southway. W'fld —1E 125
Southwell Rise. Mex —5F 43
Southwell Rd. S4 —2B 88
Southwell Rd. Don —3F 33
Southwell Rd. Raw —1H 69
Southwell St. Barn —5F 13
Southwood Av. Dron —4E 129
S. Yorkshire (Redbrook)
    Ind. Est. Barn —2C 12
Sowters Row. Ches —2A 138
(off Shambles, The)
Spa Brook Clo. S12 —3H 113
Spa Brook Dri. S12 —2H 113
(in two parts)
Spa La. S13 —2C 114

Spa La. Ches —2B 138
(in two parts)
Spa La. Croft. S13 —1C 114
Spalton Rd. Park —3F 69
Spansyke St. Don —1B 46
Sparkfields. Map —5F 7
Spark La. B Grn & Map —6E 7
Spartan View. Malt —2D 82
Spa View Av. S12 —4H 113
Spa View Dri. S12 —4H 113
Spa View Pl. S12 —4H 113
Spa View Rd. S12 —4H 113
Spa View Ter. S12 —4H 113
Spa View Way. S12 —4H 113
Spa Well Cres. Tree —6E 91
Spa Well Gro. Brier —2G 11
Spa Well Ter. Barn —5H 13
Speedwell Ind. Est. Stav
    —2C 134
Speeton Rd. S6 —4A 86
Spencer Av. Mas M —1F 135
Spencer Ct. Whis —2B 92
Spencer Dri. Rav —2H 81
Spencer Grn. Whis —2B 92
Spencer Rd. S2 —6E 99
Spencer St. Barn —1G 23
Spencer St. Ches —1A 138
Spencer St. Mex —1C 56
Spenser Rd. Roth —4H 79
Spilsby Clo. Don —5E 49
Spink Hall La. Stoc —4D 140
Spinkhill Av. S13 —5E 101
Spinkhill Dri. S13 —5F 101
Spinkhill Rd. S13 —6E 101
Spinkhill Rd. Kil —6B 126
Spinners Wlk. Roth —4E 79
(off Warwick St.)
Spinney Clo. Roth —6G 79
Spinneyfield. Roth —1G 91
Spinney Hill. Spro —3D 44
Spinney, The. B Dun —1E 21
Spinney, The. Brim —3D 132
Spinney, The. Don —6H 45
Spitalfields. S3 —6F 87
Spital Gdns. Ches —4C 138
Spital Gro. Ros —6E 63
Spital Hill. S4 —6G 87
Spital La. S3 —6G 87
Spital La. Ches —3B 138
Spital St. S3 —6F 87
Spital St. S4 —6G 87
Spofforth Rd. S9 —6C 88
Spooner Dri. Kil —3A 126
Spooner Rd. S10 —3A 98
Spoon Glade. Stann —5C 84
Spoonhill Rd. S6 —5F 85
Spoon La. S6 —5A 84
Spoon M. Stann —5C 84
Spoon Oak Lea. Stann —5C 84
Spoon Way. Stann —5C 84
Spotswood Clo. S14 —3A 112
Spotswood Dri. S14 —2A 112
Spotswood Mt. S14 —3H 111
Spotswood Pl. S14 —3H 111
Spotswood Rd. S14 —3H 111
Spout Copse. Stann —5B 84
Spout La. Stann —5B 84
Spout Spinney. Stann —5B 84
Springbank. Darf —4F 27
Springbank Clo. Barn —6E 9
Spring Bank Rd. Ches —2H 137
Spring Bank Rd. Con —5D 58
Spring Clo. Whis —2A 92
Spring Clo. Dell. S14 —3B 112
Spring Clo. Dri. S14 —3B 112
Spring Clo. Mt. S14 —3B 112
Spring Clo. View. S14 —3A 112
Spring Cres. Spro —2D 44
Spring Croft. Roth —6H 67
Springcroft Dri. Don —1G 31

Springdale Rd. Don —4G 33
Spring Dri. Brmp —3A 40
Springfield. Bolt D —1G 41
Springfield Av. S7 —2A 110
Springfield Av. Ches —2F 137
Springfield Clo. S7 —3A 110
Springfield Clo. Arm —4G 35
Springfield Clo. Darf —4F 27
Springfield Clo. Eck —6C 124
Springfield Clo. Roth —6D 68
Springfield Ct. Don —4G 31
Springfield Cres. Darf —4F 27
Springfield Cres. Hoy —6G 37
Springfield Dri. Thry —5E 71
Springfield Glen. S7 —3H 109
Springfield Path. Mex —1E 57
Springfield Pl. Barn —6F 13
Springfield Rd. S7 —3H 109
Springfield Rd. Edl —3C 60
Springfield Rd. Grime —6F 11
Springfield Rd. Hoy —6F 37
Springfield Rd. Kiln —6C 56
Springfield Rd. Wick —4E 81
Springfield St. Barn —6F 13
Springfield Ter. Ans —6C 106
Springfield Ter. Barn —6F 13
Springfield Way. Burn —2B 64
Spring Gdns. Barn —3C 14
Spring Gdns. Can —2G 49
Spring Gdns. Don —6C 32
Spring Gdns. Hoy —5A 38
Spring Hill. S10 —1A 98
Springhill Av. Brmp —3A 40
Springhill Clo. Spro —2D 44
Spring Hill Rd. S10 —1A 98
Spring Ho. Clo. Ash —6B 130
Spring Ho. Rd. S10 —1A 98
Spring La. S2 —5A 100
Spring La. Barn —5E 9
Spring La. Spro —5D 30
Spring La. Wool —1G 7
Springmill Ter. Stoc —2D 140
Spring Pl. Ches —2A 138
Spring St. S3 —1E 99 (1E 5)
Spring St. Barn —1G 23
Spring St. Roth —2E 79
Spring Vale Av. Wors —5H 23
Springvale Clo. Malt —3F 83
Springvale Clo. Wick —1G 93
Springvale Rd. S6 & S10
    —1B 98
Spring Vale Rd. Brim —3D 132
Springvale Wlk. S6 —6B 86
Spring View Rd. S10 —1A 98
Spring Wlk. Roth —2E 79
(off Wharncliffe Hill)
Spring Wlk. Wom —5H 25
Spring Water Av. S12 —4A 114
Spring Water Clo. S12
    —4H 113
Spring Water Dri. S12 —4A 114
Springwell Av. Beig —3E 115
Springwell Clo. Malt —3H 83
Springwell Cres. Beig —3E 115
Springwell Dri. Beig —3E 115
Springwell Gdns. Bal —5H 45
Springwell Gro. Beig —3E 115
Springwell La. Don & Alv
    —5H 45
Springwood. S5 —1H 86
Springwood Av. Aug —4A 104
Springwood Clo. Bran —3G 49
Spring Wood Clo. Ches
    —3E 131
Springwood Ho. Don —1C 46
(off Elsworth Clo.)
Springwood La. H Grn —6A 50
Springwood Rd. S8 —1E 111
Springwood Rd. Don —1G 31
Springwood Rd. Hoy —6G 37

Sprink Hall La. Stoc —4D 140
Sprotbrough Rd. Don —6H 31
Spruce Av. Roys —2D 8
Spruce Av. Wick —4G 81
Spruce Rise. Kil —4A 126
Spurley Hey Gro. Stoc —4E 141
Spurr La. S2 —1G 111
Spurr St. S2 —5F 99
Square E., The. Sun —2G 81
Square, The. Barn —1F 23
Square, The. Cut —4B 130
Square, The. Har —4H 51
Square, The. Wal —5F 117
Square W., The. Sun —2F 81
Squirrel Croft. Roth —3H 67
Stacey Bank. Lox —1A 84
Stacey Cres. Grime —6F 11
Stacey Dri. Thry —4D 70
Stacye Av. Wdhse —1D 114
Stacye Rise. Wdhse —2D 114
Stadium Ct. Park —5E 69
Stadium Way. S9 —6B 88
Stadium Way. Park —6F 69
Stafford Clo. Dron W —1A 128
Stafford Cres. Roth —2F 91
Stafford Dri. Roth —2F 91
Stafford La. S2 —3H 99
Stafford M. S2 —3H 99
(off Stafford La.)
Stafford Pl. Den M —2B 58
Stafford Rd. S2 —3H 99
Stafford Rd. Wdlnd —3E 17
Staffordshire Clo. Malt —4H 83
Stafford St. S2 —3G 99
Stafford Way. Burn —2D 64
Stag Clo. Roth —6A 80
Stag Cres. Roth —6A 80
Stag La. Roth —6H 79
Stainborough Clo. Dod —3B 22
Stainborough La. Hood G
    —6A 22
Stainborough Rd. Dod —3B 22
Stainborough View. Tank
    —5B 36
Stainborough View. Wors
    —4H 23
Staincross Comn. Map —3F 7
Staindrop View. Chap —1E 65
Stainforth Rd. B Dun —2H 21
Stainley Clo. Barn —3D 12
Stainmore Av. Soth —5G 115
Stainton Clo. Barn —1G 13
Stainton La. Stain —2H 83
Stainton Rd. S11 —5H 97
Stainton St. Den M —2B 58
Stairfoot Ind. Est. Barn —2E 25
Stair Rd. S4 —3G 87
Staithes Wlk. Den M —1C 58
Stalker Lees Rd. S11 —5B 98
Stalker Wlk. S11 —4C 98
Stamford St. S9 —4B 88
Stamford Way. Map —3F 7
Stanage Rise. S12 —2F 113
Stanage Way. Ches —6C 130
Stanbury Clo. Barn —3D 12
Standhill Cres. Barn —6A 8
Standish Av. S5 —3E 87
Standish Clo. S5 —2E 87
Standish Dri. S5 —2E 87
Standish Rd. S5 —2E 87
Standon Cres. S9 —4C 76
Standon Dri. S9 —4C 76
Standon Rd. S9 —4C 76
Stand Rd. Ches —3H 131
Staneford Ct. Wal —6D 114
Stanford Clo. Malt —5H 83
Stanford Rd. Dron W —2A 128
Stanford Way. Walt —5D 136
Stanground Rd. S2 —4D 100
Stanhope Gdns. Barn —4E 13

Stanhope Rd. S12 —2E **113**
Stanhope Rd. Don —4E **33**
Stanhope St. Barn —6F **13**
Staniforth Av. Eck —6B **124**
Staniforth Rd. S9 —6B **88**
Stanley Av. Ink —5H **133**
Stanley Ct. Malt —4D **82**
Stanley Gdns. Don —2B **46**
Stanley Gro. Ast —5C **104**
(in two parts)
Stanley La. S3 —6F **87**
Stanley Rd. S8 —2F **111**
Stanley Rd. Barn —2E **25**
Stanley Rd. Chap —1B **64**
Stanley Rd. Don —2F **31**
Stanley Rd. Stoc —3E **141**
Stanley Sq. Kirk S —3D **20**
Stanley St. S3 —6F **87** (1G **5**)
Stanley St. Barn —6F **13**
Stanley St. Ches —3C **138**
Stanley St. Kil —2B **126**
Stanley St. Roth —3D **78**
Stanley Ter. Malt —4D **82**
Stannington Glen. Stann
—5E **85**
Stannington Rd. Stann —5B **84**
Stannington View Rd. S10
—1G **97**
Stanton Cres. S12 —3F **113**
Stanwell Av. S9 —5C **76**
Stanwell Clo. S9 —5C **76**
Stanwell St. S9 —5C **76**
Stanwell Wlk. S9 —5C **76**
Stanwood Av. S6 —5F **85**
Stanwood Cres. S6 —5F **85**
Stanwood Dri. S6 —5F **85**
Stanwood Dri. Walt —5D **136**
Stanwood Rd. S6 —5F **85**
Staple Grn. Thry —5E **71**
Stapleton Rd. War —6F **45**
Star La. Barn —6G **13**
Star La. Con —3E **59**
Starling Mead. S2 —3H **99**
Starnhill Clo. Ecc —6G **65**
Station App. Don —6C 32
(off Factory La.)
Station Bk. La. Ches —2B **138**
Station Cotts. Dart —4A **6**
Station Ct. Don —6C **32**
Station La. S9 —1C **88**
Station La. Old W & New W
—1B **132**
Station La. Oug —2D **72**
Station Rd. S9 —1E **101**
Station Rd. Ad S —1F **17**
Station Rd. Arks —6D **18**
Station Rd. B Dun —1D **20**
Station Rd. Barn —5F **13**
Station Rd. Bolt D —1A **42**
Station Rd. Brim —3C **132**
Station Rd. Cat —5C **90**
Station Rd. Chap —2F **65**
Station Rd. Ches —2B **138**
Station Rd. Con —2E **59**
Station Rd. Dart —4C **6**
Station Rd. Deep —3H **141**
Station Rd. Din —2C **106**
Station Rd. Dod —2A **22**
Station Rd. Ecc —6G **65**
Station Rd. Eck —6D **124**
Station Rd. Holl —2F **133**
Station Rd. Kil —3H **125**
Station Rd. Kiv P —5H **117**
Station Rd. Lun —2F **15**
Station Rd. Mex —1E **57**
(in two parts)
Station Rd. Mosb —2D **124**
Station Rd. Ros —4E **63**
Station Rd. Roth —3B **78**

Station Rd. Roys —1D **8**
Station Rd. Spin —6B **126**
Station Rd. Thurn —1F **29**
Station Rd. Tree —1E **103**
Station Rd. Wath D —4F **41**
Station Rd. Whit M —2A **132**
Station Rd. Wom —6C **26**
(in two parts)
Station Rd. Wdhse —1C **114**
Station Rd. Wors —5C **24**
Station Rd. Ind. Est. Wom
—5C **26**
Station St. Swin —2B **56**
Station Ter. Ches —3C **132**
Station Ter. Roys —1G **9**
Station Way. Din —2C **106**
Staton Av. Beig —3G **115**
Statutes, The. Roth —3D **78**
Staunton Rd. Don —4E **49**
Staveley La. Eck —6E **125**
Staveley Rd. S8 —6E **99**
Staveley Rd. Duck —6C **134**
Staveley Rd. New W —1E **133**
Staveley Rd. Pool —3D **134**
Staveley St. Edl —2B **60**
Steade Rd. S7 —6D **98**
Steadfield Rd. Hoy —6F **37**
Steadfolds Clo. Thurc —5C **94**
Steadfolds Gdns. Thurc —5C **94**
Steadfolds La. Thurc —5C **94**
Steadfolds Rise. Thurc —5C **94**
Steadlands, The. Raw —6D **54**
Stead La. Hoy —6F **37**
Stead St. Eck —6D **124**
Steele Av. Ink —5H **133**
Steele St. Hoy —6E **37**
Steelhouse La. S3
—1E **99** (1E **5**)
Steel Rd. S11 —5A **98**
Steel St. Roth —4A **78**
Steeping Clo. Brim —3E **133**
Steep La. Pen —3F **143**
Steeton Ct. Barn —5C **38**
Stemp St. S11 —5D **98**
Stenson Ct. Don —3A **46**
Stenton Rd. S8 —2D **122**
Stentons Ter. Mex —1F **57**
Stephen Dri. S10 —2F **97**
Stephen Dri. Gren —1H **73**
Stephen Hill. S10 —2F **97**
Stephen Hill Rd. S10 —2F **97**
Stephen La. Gren —1H **73**
Stephenson Hall. S10 —4A **98**
Stephenson Pl. Ches —2A **138**
Stephenson Pl. Swin —1B **56**
Stephenson Rd. Stav —2C **134**
Stepping La. Gren —6A **64**
Sterland St. Ches —2G **137**
Sterndale Rd. S7 —4A **110**
Steven Cres. Chap —2D **64**
Stevens Ct. Ches —2A **138**
Stevenson Dri. Hghm —3A **12**
Stevenson Dri. Roth —4H **79**
Stevenson Rd. S9 —5A **88**
Stevenson Rd. Don —5B **46**
Stevenson Way. S9 —5B **88**
Stevens Rd. Don —2B **46**
Steventon Rd. Thry —5E **71**
Stewart Rd. S11 —5B **98**
Stewarts Rd. Raw —1H **69**
Stewart St. Don —1C **46**
Sticking La. Mex —4B **42**
Stillman Clo. Ches —5C **138**
Stirling Clo. Els —5C **38**
Stirling St. Don —1C **46**
Stockarth Clo. Oug —5F **73**
Stockarth La. Oug —4B **73**
Stockbridge Av. Fon —2A **32**
Stockbridge Caravan Site. Ben
—6C **18**

Stockbridge La. Ben —6C **18**
Stockil Rd. Don —1E **47**
Stock Rd. S2 —4A **100**
Stocks Grn. Ct. S17 —5D **120**
Stocks Grn. Dri. S17 —5D **120**
Stocks Hill. Ecc —6E **65**
Stocks Hill Clo. Barn —4E **9**
Stock's La. Barn —5E **13**
Stock's La. Raw —2F **69**
Stockton Clo. S3 —6F **87**
Stockton St. S3 —6F **87**
Stockwell Av. Kiv P —6G **117**
Stockwell La. Wal —6F **117**
Stockwith La. Hoy —4F **37**
Stoddart Way. Park —4F **69**
Stoke St. S9 —6A **88**
Stoket La. Ull —6D **92**
Stokewell Rd. Wath D —4C **40**
Stoneacre Av. S12 —4B **114**
Stoneacre Clo. S12 —4B **114**
Stoneacre Dri. S12 —5B **114**
Stoneacre Rise. S12 —4B **114**
Stonecliffe Clo. S2 —4C **100**
Stonecliffe Dri. Stoc —5D **140**
Stonecliffe Pl. S2 —4C **100**
Stonecliffe Rd. S2 —4C **100**
Stonecliffe Wlk. S2 —4C **100**
Stonecliff Wlk. Den M —1C **58**
Stone Clo. Coal A —6G **123**
Stone Clo. Kiv P —5A **118**
Stone Clo. Rav —2H **81**
Stone Clo. Av. Don —1B **46**
Stone Cotts. Don —2H **17**
Stone Cres. Wick —4F **81**
Stonecroft Rd. S17 —4E **121**
Stone Cross Dri. Spro —1D **44**
Stonecross Gdns. Don —3E **49**
Stone Delf. S10 —4C **96**
Stone Font Gro. Don —4D **48**
Stonegarth Clo. Cud —1H **15**
Stonegravels Croft. Half
—3E **125**
Stonegravels La. Ches —6A **132**
Stonegravels Way. Half
—3F **125**
Stone Gro. S10 —2B **98**
Stonehill Clo. Hoy —4G **37**
Stone Hill Dri. Swal —6B **104**
Stonehill Rise. Cud —1H **15**
Stonehill Rise. Don —1G **31**
Stonehill Rise. Pen —6C **142**
Stone La. S13 —2A **114**
Stoneleigh Croft. Barn —2H **23**
Stoneley Clo. S12 —6D **112**
Stoneley Cres. S12 —6D **112**
Stonelow Ct. Dron —1F 129
(off Paddock Way)
Stonelow Cres. Dron —1G **129**
Stonelow Grn. Dron —1F **129**
Stonelow Rd. Dron —1F **129**
Stonely Brook. Rav —1F **81**
Stone Moor Rd. Stoc & Bols
—4C **140**
Stone Pk. Clo. Malt —4H **83**
Stone Riding. Edl —4A **60**
Stone Riding. Edl —6D **60**
(Edlington Wood)
Stone Rd. Coal A —5G **123**
Stone Row. Ches —3G **137**
Stonerow Way. Roth —6E **69**
Stonesdale Clo. Mosb —2D **124**
Stones Inge. H Grn —6B **50**
Stone St. Barn —3G **13**
Stone St. Mosb —2D **124**
Stonewood Ct. S10 —3D **96**
Stonewood Gro. S10 —3D **96**
Stonewood Gro. Hoy —1A **52**
Stoney Bank Dri. Kiv P
—5A **118**
Stoney Ga. H Grn —5B **50**

Stonyford Rd. Wom —5D **26**
Stony La. Oug —2B **72**
Stony Wlk. S6 —4A **86**
Stoops Clo. Ches —5F **131**
Stoops La. Don —4H **47**
Stoops Rd. Don —4B **48**
Stopes Rd. Stann —5A **84**
Stoppard Row. Ches —3E **137**
Store St. S2 —4F **99**
Storey's Ga. Wom —6H **25**
Storey St. Swin —2A **56**
Storforth La. Ches —6A **138**
Storforth La. Ter. Ches
—5C **138**
Storforth La. Trading Est. Ches
—5B **138**
Storrs Bri. La. Lox —2A **84**
Storrs Carr. S6 —3A **84**
Storrs Grn. S6 —3A **84**
Storrs Hall Rd. S6 —5H **85**
Storrs La. S6 —4A **84**
Storrs La. H Grn —3A **50**
Storrs La. Oxs —4H **143**
Storrs Rd. Ches —3D **136**
Storth Av. S10 —5E **97**
Storth La. S10 —5E **97**
Storth La. Kiv P —4G **117**
Stortholme M. S10 —4E **97**
Storth Pk. S10 —6D **96**
Storthwood Ct. S10 —4E **97**
Stotfold Dri. Thurn —1E **29**
Stothard Rd. S10 —1H **97**
Stottercliffe Rd. Pen —4B **142**
Stour Clo. Brim —3E **133**
Stour La. S6 —1F **85**
Stovin Dri. S9 —5D **88**
Stovin Gdns. S9 —5D **88**
(in two parts)
Stovin Way. S9 —4D **88**
Stow Bri. La. Roth —5C **92**
Stowe Av. S7 —3A **110**
Stradbroke Av. S13 —6F **101**
Stradbroke Clo. S13 —6G **101**
Stradbroke Cres. S13 —6G **101**
Stradbroke Dri. S13 —6G **101**
Stradbroke Pl. S13 —6G **101**
Stradbroke Rise. Ches —5E **137**
Stradbroke Rd. S13 —6F **101**
Stradbroke Wlk. S13 —6F **101**
Stradbroke Way. S13 —6G **101**
Strafford Av. Els —5C **38**
Strafford Av. Wors —3H **23**
Strafford Gro. Bird —5D **36**
Strafford Pl. Thor H —2A **68**
Strafford Rd. Don —4E **33**
Strafford Rd. Roth —5G **67**
Strafford St. Dart —5A **6**
Strafford Wlk. Dod —3B **22**
Strafforth Ho. Den M —2B 58
(off Ravenscar Clo.)
Straight La. Gold —4G **29**
Straight Riding. Edl —5C **60**
Strait La. Wath D —5E **41**
Stratford Rd. S10 —4D **96**
Stratford Way. Bram —2E **81**
Strathmore Gro. Wath D
—5F **41**
Strathmore Rd. Don —6G **33**
Strathtay Rd. S11 —6H **97**
Strauss Cres. Malt —5H **83**
Strawberry Av. S5 —3F **75**
Strawberry Gdns. Roys —1E **9**
Strawberry Lee La. S17
—4B **120**
Straw La. S6 —6C **86**
Streatfield Cres. New R —5C **62**
Streetfield Cres. Mosb —3D **124**
Streetfield La. Half —3E **125**
Streetfields. Half —3E **125**
Street La. Wen —3F **53**

Strelley Av. S8 —6C **110**
Strelley Rd. S8 —6C **110**
Strelley Rd. Barn —5A **8**
Stretton Clo. Don —3E **49**
Stretton Rd. S11 —6A **98**
Stretton Rd. Barn —2A **14**
Stride, The. Ches —6H **137**
Stringers Croft. Whis —2B **92**
Stringvale Clo. Wick —1G **93**
Stripe Rd. Ros —4E **63**
Struan Rd. S7 —2A **110**
Strutt Rd. S3 —4E **87**
Stuart Clo. Ches —5C **132**
Stuart Gro. Chap —3F **65**
Stuart Rd. Chap —3F **65**
Stuart St. Thurn —1G **29**
Stubbin Clo. Raw —6D **54**
Stubbing Ho. La. S6 —2G **73**
Stubbing La. Worr —6C **72**
Stubbing Rd. Ches —6H **137**
Stubbin La. S5 —5G **75**
Stubbin La. Raw —5C **54**
Stubbin Rd. Raw —6B **54**
Stubbins Hill. Edl —3B **60**
Stubbins Riding. Edl —4C **60**
Stubbs Cres. Roth —6H **67**
Stubbs Rd. Wom —1E **39**
Stubbs Wlk. Roth —6H **67**
Stubley Clo. Dron W —1C **128**
Stubley Croft. Dron W —1B **128**
Stubley Dri. Dron W —1C **128**
Stubley Gdns. W —1C **128**
Stubley Hollow. Dron —6C **122**
Stubley La. Dron W —1B **128**
Stubley Pl. Dron —1C **128**
Studfield Cres. S6 —3F **85**
Studfield Dri. S6 —2F **85**
Studfield Gro. S6 —3F **85**
Studfield Hill. S6 —3F **85**
Studfield Rise. S6 —2F **85**
Studfield Rd. S6 —3F **85**
Studley Ct. S9 —1E **101**
Studmoor Rd. Roth —5F **67**
Studmoor Wlk. Roth —5F **67**
Stump Cross Gdns. Bolt D
—1H **41**
Stump Cross Rd. Wath D
—6E **41**
Stumperlowe Av. S10 —5E **97**
Stumperlowe Clo. S10 —5E **97**
Stumperlowe Cres. Rd. S10
—5D **96**
Stumperlowe Croft. S10
—4D **96**
Stumperlowe Hall Chase. S10
—4D **96**
Stumperlowe Hall Rd. S10
—5D **96**
Stumperlowe La. S10 —5D **96**
Stumperlowe Mans. S10
—5D **96**
Stumperlowe Pk. Rd. S10
—5D **96**
Stumperlowe View. S10
—4D **96**
Stupton Rd. S9 —1C **88**
Sturge Croft. S2 —1F **111**
Sturton Clo. Don —5A **48**
Sturton Croft. Dal —6C **70**
Sturton Rd. S4 —3G **87**
Sub-Station La. Ches —3A **132**
(off Queen St. N.)
Sudbury Clo. Ches —6D **130**
Sudbury Dri. Ast —6C **104**
Sudbury St. S3 —6D **86**
Sudhall Clo. Ches —3F **131**
Sudhall Ct. Ches —3F **131**
Suffolk Clo. Ans —1G **119**
Suffolk La. S2 —3F **99** (6G 5)
Suffolk Rd. S2 —3F **99** (5F 5)
Suffolk Rd. Don —5B **46**

Suffolk View. Den M —3B **58**
Sulby Gro. Barn —3D **24**
Summerdale Rd. Cud —1G **15**
Summerfield. S10 —3A **98**
Summerfield. Roth —3E **79**
Summerfield Cres. Brim
—3D **132**
Summerfield Rd. Ches
—4H **137**
Summerfield Rd. Dron —6F **123**
Summerfield St. S11 —4C **98**
Summer La. S17 —5D **120**
Summer La. Barn —6E **13**
Summer La. Roys —1D **8**
Summer La. Wom —6H **25**
Summerley Wlk. Ches —6F **131**
Summer Rd. Roys —1D **8**
Summerskill Grn. Ink —4A **134**
Summer St. S3 —1C **98**
Summer St. Barn —5F **13**
(in two parts)
Summerwood La. Dron
—6D **122**
Summerwood Pl. Dron
—1D **128**
Sumner Rd. Roth —1F **79**
Sunbury Ct. S10 —3A **98**
Sunderland St. S11 —4C **98**
Sunderland Ter. Barn —1A **24**
Sundew Croft. H Grn —5B **50**
Sundew Gdns. H Grn —5B **50**
Sundown Pl. S13 —5H **101**
Sundown Rd. S13 —5H **101**
Sunningdale Av. Dart —4E **7**
Sunningdale Clo. Ches
—5G **137**
Sunningdale Clo. Don —5F **49**
Sunningdale Clo. Swin —4B **56**
Sunningdale Dri. Cud —5C **10**
Sunningdale Mt. S11 —2A **110**
Sunningdale Rise. Ches
—5E **137**
Sunningdale Rd. Din —5F **107**
Sunningdale Rd. Don —4G **33**
Sunny Bank. S10 —4C **98**
Sunny Bank. Eden —6E **21**
Sunny Bank. H Grn —6E **21**
Sunnybank Cres. Brin —3C **90**
Sunnybank Dri. Cud —2H **15**
Sunny Bank Rise. Els —5C **38**
Sunny Bank Rd. Stoc —6E **141**
Sunny Bar. Don —6D **32**
Sunnybrook Clo. Hoy —1A **52**
Sunnyside. Eden —4C **20**
Sunnyside Clo. Ans —1G **119**
Sunny Springs. Ches —1A **138**
Sunnyvale Av. S17 —5D **120**
Sunnyvale Rd. S17 —5D **120**
Sunny View Caravan Pk. Alv
—1F **61**
Sunrise Mnr. Hoy —4A **38**
Surbiton St. S9 —3D **88**
Surrey Clo. Barn —2H **23**
Surrey La. S1 —3F **99** (5F 5)
(in two parts)
Surrey Pl. S1 —2F **99** (4F 5)
Surrey St. S1 —2F **99** (4E 5)
Surrey St. Don —4B **46**
Surtees Clo. Malt —2E **83**
Sussex Gdns. Den M —2B **58**
Sussex Rd. S4 —6G **87**
Sussex Rd. Chap —2E **65**
Sussex St. S4 —6G **87** (1H 5)
Sussex St. Don —4B **46**
Suthard Cross Rd. S10 —1H **97**
Sutherland Ho. Don —3G **33**
Sutherland Rd. S4 —5G **87**
Sutherland St. S4 —5H **87**
Sutton Av. Barn —5B **8**
Sutton Cres. Ink —4A **134**

Sutton Rd. Kirk S —2E **21**
Sutton St. S3 —2C **98** (3A 4)
Sutton St. Don —2A **46**
Swaddale Av. Ches —5B **132**
Swaddale Clo. Ches —5B **132**
Swaith Av. Don —2H **31**
Swaithedale. Wors —4C **24**
Swaithe View. Wors —4D **24**
Swalebank Clo. Ches —5B **138**
Swale Clo. Bolt D —1B **42**
Swale Ct. Roth —1F **91**
Swaledale Rd. S7 —2B **110**
Swale Dri. Chap —2C **64**
Swale Gdns. S9 —1E **101**
Swale Rd. Roth —4A **68**
Swallow Clo. Bird —3D **36**
Swallow Clo. Dart —5B **6**
Swallow Ct. Ros —4E **63**
Swallow Hill Rd. B Grn —6E **7**
Swallow La. Ast —1C **116**
Swallow's La. Mosb —1C **124**
Swallow Wood Ct. S13
—1A **114**
Swamp Wlk. S6 —4B **86**
Swanbourne Clo. Ches
—5C **138**
Swanbourne Pl. S5 —5G **75**
Swanbourne Rd. S5 —4G **75**
Swanee Rd. Barn —2B **24**
Swannington Clo. Don —4F **49**
Swan Rd. Ast —2C **116**
Swan St. Ben —6B **18**
Swan St. Roth —4D **78**
Swanwick St. Ches —1A **132**
Swarcliffe Rd. S9 —6C **88**
Sweet La. Wadw —6H **61**
Sweyn Croft. Wors —4A **24**
Swifte Rd. Roth —6G **79**
Swift Rise. Thor H —1C **66**
Swift Rd. Gren —1B **74**
Swift St. Barn —5F **13**
Swift Way. S2 —4A **100**
Swinburne Av. Ad S —2C **16**
Swinburne Av. Don —5B **46**
Swinburne Clo. B Dun —1H **21**
Swinburne Pl. Roth —4H **79**
Swinburne Rd. Roth —4H **79**
Swinscoe Way. Ches —6C **130**
Swinston Hill Rd. Din —5F **107**
Swinton Meadows Ind. Est. Swin
—2D **56**
Swinton Rd. Mex —1D **56**
(in two parts)
Swinton St. S3 —6E **87**
Sycamore Av. Arm —2G **35**
Sycamore Av. Ches —4G **137**
Sycamore Av. Cud —6B **10**
Sycamore Av. Dron —6E **123**
Sycamore Av. Kiv P —5F **117**
Sycamore Av. Wick —4G **81**
Sycamore Ct. Mex —6C **42**
Sycamore Cres. Wath D
—6G **41**
Sycamore Dri. Kil —4A **126**
Sycamore Dri. Roys —2C **8**
Sycamore Farm Clo. Wick
—6F **81**
Sycamore Gro. Con —4C **58**
Sycamore Gro. Don —3D **48**
Sycamore Ho. Rd. S5 —3B **76**
Sycamore La. Holl —2G **133**
Sycamore Rd. B Dun —2H **21**
Sycamore Rd. Ecc —1F **75**
Sycamore Rd. Holl —2F **133**
Sycamore Rd. Mex —6C **42**
Sycamore Rd. Roth —6H **69**
Sycamore Rd. Stoc —4C **140**
Sycamores, The. Scawt —1F **31**
Sycamore St. Barn —5E **13**
Sycamore St. Beig —3F **115**

Sycamore St. Mosb —1C **124**
Sycamore View. Spro —2F **45**
Sycamore Wlk. Pen —4D **142**
Sycamore Wlk. Thurn —1F **29**
Sydney Rd. S6 —1B **98**
Sydney St. Ches —2G **137**
Sydney Ter. Barn —1H **23**
Sykes Av. Barn —5F **13**
Sykes Ct. Swin —4B **56**
Sykes St. King —2F **23**
Sylvan Clo. Ches —4B **138**
Sylvan Clo. Malt —3H **83**
Sylvester Av. Don —2C **46**
Sylvester Gdns. S1
—3E **99** (6E 5)
Sylvester St. S1 —3E **99** (6E 5)
Sylvestria Ct. Ros —4E **63**
Sylvia Clo. S13 —6D **102**
Sylvia Rd. Uns —5H **129**
Symes Gdns. Don —2D **48**
Symonds Av. Raw —5C **54**
Symons Cres. S5 —5D **74**
Syrett Clo. S3 —2D **98** (4B 4)

Tadcaster Clo. Den M —3A **58**
Tadcaster Cres. S8 —3D **110**
Tadcaster Rd. S8 —3D **110**
Tadcaster Way. S8 —3D **110**
Taddington Rd. Ches —6D **130**
Tait Av. Edl —5B **60**
Talbot Av. B Dun —2H **21**
Talbot Circ. B Dun —2H **21**
Talbot Cres. S2 —3G **99** (5H 5)
Talbot Cres. Ches —6D **138**
Talbot Gdns. S2 —3G **99** (5H 5)
Talbot Pl. S2 —3G **99**
Talbot Rd. S2 —3G **99**
Talbot Rd. Pen —3C **142**
Talbot Rd. Swin —2D **56**
Talbot St. S2 —3G **99** (5H 5)
Talbot St. Ches —6D **138**
Talmont Rd. S11 —1H **109**
Tamar Clo. Hghm —4A **12**
Tanfield Clo. Roys —1C **8**
Tanfield Rd. S6 —2B **86**
Tanfield Way. Wick —5F **81**
Tankersley La. Hoy —1D **50**
Tank Row. Barn —6D **14**
Tannery Clo. S13 —1B **114**
Tannery St. S13 —1B **114**
Tan Pit La. Bolt D —6F **29**
Tansley Dri. S9 —5D **76**
Tansley St. S9 —5D **76**
Tansley Way. Ink —5A **134**
Tanyard. Dod —3A **22**
Tap La. Ches —2G **137**
Taplin Rd. S6 —3H **85**
Tapton. S10 —2A **98**
Tapton Bank. S10 —3G **97**
Tapton Ct. S10 —3H **97**
Tapton Cres. Rd. S10 —3H **97**
Tapton Grange. Brim —6E **133**
Tapton Gro. Brim —6E **133**
Tapton Hill Rd. S10 —2G **97**
Tapton Ho. Rd. S10 —3H **97**
Tapton La. Ches —2B **138**
Tapton M. S10 —2H **97**
Tapton Pk. Ches —6C **132**
Tapton Pk. Rd. S10 —4F **97**
Tapton Ter. Ches —1B **138**
Tapton Vale. Ches —6C **132**
Tapton View Rd. Ches —6H **131**
Taptonville Cres. S10 —3A **98**
Taptonville Rd. S10 —2A **98**
Tapton Wlk. S10 —3H **97**
Tapton Way. Cal —2F **139**
Tarleton Clo. Kirk S —3E **21**
Tasker Rd. S10 —1H **97**
Tasman Gro. Malt —3E **83**

Top View Cres. Edl —5B **60**
Top Warren. Chap —5F **51**
Torbay Rd. S4 —4H **87**
Tor Clo. Barn —2B **14**
Torksey Clo. Don —6C **48**
Torksey Rd. S5 —5H **75**
Torksey Rd. W. S5 —5H **75**
Torne Clo. Don —5E **49**
Torrington Clo. Ad S —1C **16**
Torry Ct. S13 —1C **114**
Tortmayns. Tod —2A **118**
Torver Dri. Bolt D —2A **42**
Tor Way. Brin —3D **90**
Tor Wood Dri. S8 —2C **122**
Totley Brook Clo. S17 —4D **120**
Totley Brook Croft. S17
—4D **120**
Totley Brook Glen. S17
—4D **120**
Totley Brook Gro. S17 —4D **120**
Totley Brook Rd. S17 —3D **120**
Totley Brook Way. S17
—4D **120**
Totley Clo. Barn —6D **8**
Totley Grange Clo. S17
—5D **120**
Totley Grange Dri. S17
—5D **120**
Totley Grange Rd. S17
—5D **120**
Totley Hall La. S17 —5D **120**
Totley La. S17 —5F **121**
(in three parts)
Totley Mt. Brim —3D **132**
Towcester Way. Mex —5G **43**
Tower Clo. S2 —5G **99**
Tower Clo. Scawt —6F **17**
Tower Dri. S2 —5G **99**
Tower St. Barn —2G **23**
Town End. Don —5B **32**
Town End Av. Ast —5C **104**
Townend Av. Dal —6C **70**
Townend Clo. Tree —1E **103**
Town End Ind. Est. Don
—5A **32**
Townend La. Deep —5G **141**
Town End Rd. Ecc —1D **74**
Townend St. S10 —1A **98**
Town Fields Av. Ecc —1G **75**
Town Field Vs. Don —6E **33**
Towngate. Dart —4F **7**
Towngate. Thurl —3A **142**
Towngate Rd. Worr —4C **72**
Townhead Rd. S17 —2C **120**
Townhead St. S1
—2E **99** (3D **4**)
Town La. Roth —5F **67**
Town Moor Av. Don —5F **33**
Town St. S9 —1F **89**
Town St. Roth —5D **78**
Town View Av. Scaws —1D **30**
Town Wells. Ans —2F **119**
Toyne St. S10 —1H **97**
Trafalgar Rd. S6 —5A **74**
Trafalgar St. S1 —2D **98** (4C **4**)
Traffic Ter. Ches —6B **138**
Trafford Ct. Don —6C **32**
Trafford Way. Don —6C **32**
Tranmoor Av. Don —4C **48**
Tranmoor Ct. Hoy —6F **37**
Tranmoor La. Arm —4F **35**
Tranquil Wlk. New R —5B **62**
Trap La. S11 —1E **109**
Travey Rd. S2 —6C **100**
Travis Gdns. Don —2H **45**
(in three parts)
Travis Pl. S10 —3C **98** (6A **4**)
Tredis Clo. Barn —4B **14**
Treecrest Rise. Barn —3G **13**
Treefield Clo. Roth —4A **68**

Treelands. Barn —4D **12**
Treeneuk Clo. Ches —2D **136**
Tree Root Wlk. S10 —2B **98**
Treeton Cres. Roth —6E **91**
Treeton Enterprise Cen. Tree
—2F **103**
Treeton Ho. Don —1C 46
(off St James St.)
Treeton La. Aug —3A **104**
Treeton La. Roth —6D **90**
Treetown Cres. Tree —6E **91**
Treherne Rd. Roth —4F **79**
Trelawney Wlk. Wors —4H **23**
Trent Clo. Edl —2C **60**
Trent Gro. Dron —6F **123**
Trentham Clo. Brin —3D **90**
Trenton Clo. Wdhse —1D **114**
Trenton Rise. Wdhse —1D **114**
Trent St. S9 —5A **88**
Trent Ter. Con —2E **59**
Trent Vs. Kiv P —5H **117**
Treswell Cres. S6 —3A **86**
Trevose Clo. Ches —6E **137**
Trewan Ct. Barn —4B **14**
Triangle Est. S9 —2G **101**
Trickett Clo. Swin —4B **56**
Trickett Rd. S6 —4A **86**
Trickett Rd. H Grn —5A **50**
Trinity Clo. Ches —1H **137**
Trinity Rd. Kiv P —5B **118**
Trinity St. S3 —1E **99** (1D **4**)
Trippet Clo. S10 —5F **97**
Trippet La. S1 —2D **98** (3C **4**)
Tristford Clo. Cat —5D **90**
Troon Clo. Ches —5E **137**
Troon Wlk. Din —5F **107**
Troughbrook Hill. Ink —3A **134**
Troughbrook Rd. Holl —2H **133**
Trough Dri. Thry —5E **71**
Troutbeck Clo. Thurn —2E **29**
Troutbeck Rd. S7 —3C **110**
Troutbeck Way. New R —6C **62**
Trowell Way. Barn —5B **8**
Trueman Grn. Malt —3E **83**
Trueman Ter. Barn —5E **15**
Truman Gro. Deep —3H **141**
Truman St. Ben —6A **18**
Truro Av. Don —1H **33**
Truro Ct. Barn —4B **14**
Truswell Av. S10 —1G **97**
Truswell Rd. S10 —2G **97**
Tudor Ct. B Dun —1D **20**
Tudor Rd. Don —5G **33**
Tudor Rd. Wdlnd —4E **17**
Tudor Sq. S1 —2F **99** (4F **5**)
Tudor St. New R —5D **62**
Tudor St. Stav —1G **21**
Tudor St. Thurn —1G **29**
Tudor Way. Wors —4A **24**
Tuffolds Clo. S2 —6C **100**
Tulip Tree Clo. Beig —2G **115**
Tullibardine Rd. S11 —1H **109**
Tulyar Clo. New R —6D **62**
Tumbling La. Barn —1F **15**
Tummon Rd. S2 —3A **100**
Tummon St. Roth —3B **78**
Tune St. Barn —1A **24**
Tune St. Wom —1E **39**
Tunstall Grn. Ches —4F **137**
Tunstall Way. Ches —4F **137**
Tunwell Av. S5 —2F **75**
Tunwell Dri. S5 —2F **75**
Tunwell Greave. S5 —2F **75**
Tunwell Rd. Malt —2E **95**
Turie Av. S5 —3E **75**
Turie Cres. S5 —3E **75**
Turnberry Clo. Ches —5E **137**
Turnberry Ct. Ben —1A **32**
Turnberry Gro. Cud —5C **10**
Turnberry Way. Din —6F **107**

Turner Av. Wom —6H **25**
Turner Clo. Dron —2D **128**
Turner Clo. Park —3G **69**
Turner Dri. Ink —4H **133**
Turner La. Whis —2H **91**
Turner's Clo. Jump —4B **38**
Turners La. S10 —3A **98**
Turner St. S2 —3F **99** (5G **5**)
Turner St. Gt H —1A **28**
Turnesc Gro. Thurn —2F **29**
Turnoaks La. Ches —6A **138**
(in two parts)
Turnpike Croft. Gren —6A **64**
Turnshaw Av. Aug —4A **104**
Turnshaw Rd. Ull —4C **104**
Tutbury Gdns. Don —4E **49**
Tuxford Cres. Barn —5D **14**
Tween Woods La. Wadw
—4F **61**
Twelve O'Clock Ct. S4 —6G **87**
Twenty Lands, The. Tree
—2E **103**
Twentywell Dri. S17 —3H **121**
Twentywell La. S17 —2G **121**
Twentywell Rise. S17 —3H **121**
Twentywell Rd. S17 —4H **121**
Twentywell View. Brdwy
—4H **121**
Twibell St. Barn —4A **14**
Twickenham Clo. Half —3E **125**
Twickenham Ct. Half —3E **125**
Twickenham Cres. Half —3E **125**
Twickenham Glade. Half
—3E **125**
Twickenham Glen. Half —4F **125**
Twickenham Gro. Half —3E **125**
Twitchill Dri. S13 —1B **114**
Twyford Clo. Swin —2G **55**
Tyas Pl. Mex —6G **43**
Tyas Rd. S5 —2E **75**
Tye Rd. Beig —4G **115**
Tyler St. S9 —1D **88**
Tyler Way. S9 —6D **76**
Tilney Rd. S2 —3H **99**
Tilney Rd. Ches —5D **136**
Tynedale Ct. Kirk S —3E **21**
Tynker Av. Beig —4G **115**
Tyzack Rd. S8 —5C **110**

Ulley Beeches. Thurc —2F **105**
Ulley Cres. S13 —6D **100**
Ulley La. Ast —4C **104**
Ulley La. Aug & Ull —3B **104**
Ulley Rd. S13 —6D **100**
Ulley View. Aug —3B **104**
Ullswater Av. Half —3E **125**
Ullswater Clo. Ans —6E **107**
Ullswater Clo. Bolt D —2A **42**
Ullswater Clo. Half —3E **125**
Ullswater Dri. Dron W —2C **128**
Ullswater Pk. Dron W —1C **128**
Ullswater Rd. Barn —1H **25**
Ullswater Rd. Mex —5H **43**
Ullswater Wlk. Don —2E **31**
Ulrica Dri. Thurc —5A **94**
Ulverston Rd. S8 —3C **110**
Ulverston Rd. Ches —4F **131**
Underbank La. Stoc —1A **140**
Undercliffe Rd. S6 —6F **85**
Undergate Rd. Din —4E **107**
Underhill. Wors —5B **24**
Underhill La. S6 —4H **73**
Underwood Av. Wors —3B **24**
Underwood Rd. S8 —3D **110**
Union Ct. Barn —1H **23**
Union La. S1 —3E **99** (6D **4**)
(in two parts)

Union Rd. S11 —1B **110**
Union St. S1 —3E **99** (5E **5**)
Union St. Barn —1H **23**
Union St. Don —1C **46**
Union St. Roth —3B **78**
Union Wlk. Ches —2A **138**
Unity Pl. Roth —3D **78**
Universal Clo. Ans —5B **106**
Universal Cres. Ans —5B **106**
Unsliven Rd. Stoc —1A **140**
Unstone-Dronfield By-Pass.
Dron W —6D **122**
Unstone St. S2 —4E **99**
Unwin Cres. Pen —5D **142**
Unwin St. Pen —5D **142**
Upland Rise. Ches —4F **137**
Uplands Av. Dart —5A **6**
Uplands Rd. Arm —3G **35**
Uplands Way. Raw —1E **69**
Up. Albert Rd. S8 —3F **111**
Up. Allen St. S3 —1D **98** (2B **4**)
—1F **99** (2G **5**)
Up. Charter Arc. Barn —6H 13
(off Cheapside)
Up. Clara St. Roth —3H **77**
Up. Cliffe Rd. Dod —1A **22**
Up. Croft Clo. Brim —4E **133**
Upperfield Clo. Malt —3F **83**
Up. Field La. Dart —5A **6**
Upperfield Rd. Malt —3E **83**
Up. Folderings. Dod —2B **22**
Up. Forest Rd. Barn —5B **8**
Uppergate St. Stann —6B **84**
Up. Hanover St. S3
(in two parts) —3C **98** (5A **4**)
Up. High Royds. Dart —5E **7**
Up. Hoyland Rd. Hoy —3F **37**
Up. King St. Brim —2F **133**
Up. Ley Ct. Chap —3E **65**
Up. Ley Dell. Chap —3E **65**
Up. May Day Grn. Arc. Barn
(off Cheapside) —6H 13
Up. Millgate. Roth —3D **78**
Up. Moor St. Ches —3D **136**
Up. Newbold Clo. Ches
—4D **130**
Up. New St. Barn —1H **23**
Up. Rye Clo. Whis —2B **92**
Up. School La. Dron —2E **129**
Up. Sheffield Rd. Barn —2A **24**
Upperthorpe. S6 —6B **86**
(in two parts)
Upperthorpe Glen. S6 —6B **86**
Upperthorpe Rd. S6 —6C **86**
Upperthorpe Rd. Kil —4B **126**
Upperthorpe Vs. Kil —4B **126**
Up. Valley Rd. S8 —2E **111**
Up. Whiston La. Whis —4A **92**
Upperwood Rd. Darf —3C **26**
Up. Wortley Rd. Roth —3A **66**
Upton Clo. Malt —2E **83**
Upton Clo. Wom —5H **25**
Upwell Hill. S4 —2A **88**
Upwell La. S4 —2A **88**
Upwell St. S4 —2B **88**
Upwood Clo. Ches —6C **130**
Upwood Rd. S6 —2H **85**
Urban Rd. Don —2A **46**
Urch Clo. Con —4E **59**
Utah Ter. S12 —4C **114**
Uttley Clo. S9 —5D **88**
Uttley Croft. S9 —5D **88**
Uttley Dri. S9 —5D **88**
Uttoxeter Av. Mex —5G **43**

Vaal St. Barn —1B **24**
Vainor Rd. S6 —1G **85**
Vale Av. Thry —5D **70**

Vale Clo. Dron —2E **129**
Vale Cres. Thry —5D **70**
Vale Gro. Lox —3E **85**
Valentine Clo. S5 —4G **75**
Valentine Cres. S5 —4G **75**
(in two parts)
Valentine Rd. S5 —4G **75**
Vale Rd. S3 —4D **86**
Vale Rd. Thry —5D **70**
Vale View. Oxs —6H **143**
Valiant Gdns. Spro —6G **31**
Valley Cres. Ches —3C **138**
Valley Dri. Bran —3H **49**
Valley Dri. Kil —2B **126**
Valley Dri. Wath D —5E **41**
Valley Rd. S8 —1E **111**
Valley Rd. Ches —3C **138**
Valley Rd. Hack —4C **114**
Valley Rd. H Grn —1C **64**
Valley Rd. Kil —2B **126**
Valley Rd. Map —4E **7**
Valley Rd. Swin —3H **55**
Valley Rd. Wom —5C **26**
Valley View Clo. Ches —6E **139**
Valley View Clo. Eck —6H **125**
Valley Way. Hoy —5A **38**
Valley Way. Wom —6C **26**
Vancouver Dri. Bolt D —1H **41**
Vanguard Trading Est. Ches
—6B **138**
Varley Gdns. Flan —3F **81**
Varney Rd. Wath D —6E **41**
Vaughan Rd. Barn —4D **12**
Vaughan St. Don —5D **32**
Vaughton Hill. Deep —4H **141**
Vauxhall Clo. S9 —5D **76**
Vauxhall Rd. S9 —5D **76**
Velvet Wood Clo. Barn —4C **12**
Velvet Wood Clo. Hoy —6F **37**
Venetian Cres. Darf —4D **26**
Ventnor Clo. Don —4H **45**
Ventnor Ct. S7 —5D **98**
Ventnor Pl. S7 —5D **98**
Venus Ct. Brin —1C **90**
Verdant Way. S5 —4H **75**
Verdon St. S3 —5F **87**
Verelst Av. Ast —4B **104**
Vere Rd. S6 —1A **86**
Verger Clo. Ros —4F **63**
Vernon Av. Barn —2H **23**
Vernon Clo. Barn —2H **23**
Vernon Cres. Wors —4H **23**
Vernon Delph. S10 —2F **97**
Vernon Dri. Chap —2E **65**
Vernon Rd. S17 —3E **121**
Vernon Rd. Ches —2F **137**
Vernon Rd. Roth —6H **79**
Vernon Rd. Wors —4H **23**
Vernon St. Barn —5H **13**
Vernon St. Bird —5D **36**
Vernon St. Hoy —6H **37**
Vernon St. N. Barn —5H **13**
Vernon Ter. S10 —3G **97**
Vernon Ter. Barn —1A **24**
(off Gold St.)
Vernon Way. Barn —4D **12**
Vernon Way. Malt —3E **83**
Verona Rise. Darf —4E **27**
Vesey St. Raw —3F **69**
Vicarage Clo. Don —4E **49**
Vicarage Clo. Hoy —5A **38**
Vicarage Clo. Mex —1G **57**
Vicarage Clo. Roth —1B **80**
Vicarage Cres. Gren —1A **74**
Vicarage Dri. Wadw —6H **61**
Vicarage La. Roth —3D **78**
Vicarage La. Roys —2E **9**
Vicarage Rd. S9 —4B **88**
Vicarage Rd. Gren —1A **74**

Vicarage Wlk. Pen —4D **142**
Vicarage Way. Arks —5E **19**
Vicar Cres. Darf —4F **27**
Vicar La. S1 —2E **99** (3E 5)
Vicar La. Ches —2A **138**
Vicar La. Wdhse —6B **102**
Vicar Rd. Darf —4F **27**
Vicar Rd. Wath D —4E **41**
Vickers Dri. S5 —6H **75**
Vickers Rd. S5 —1H **87**
Vickers Rd. H Grn —6B **50**
Victoria Av. Barn —5G **13**
Victoria Av. Roth —3F **79**
Victoria Av. Stav —1D **134**
Victoria Clo. Kiv P —5A **118**
Victoria Clo. Stoc —3D **140**
Victoria Ct. Ben —4B **18**
Victoria Ct. Kiv P —5A **118**
Victoria Cres. Barn —5F **13**
Victoria Cres. Bird —4C **36**
(off Chapel St.)
Victoria Cres. W. Barn —5F **13**
Victoria Gro. Brim —6F **133**
Victoria La. New R —4C **62**
Victorian Cres. Don —5F **33**
Victoria Pk. Rd. Brim —6F **133**
Victoria Quays. S2
—1G **99** (2H 5)
Victoria Rd. S10
—4C **98** (6A 4)
Victoria Rd. Ad S —1F **17**
Victoria Rd. Barn —5G **13**
Victoria Rd. Beig —3F **115**
Victoria Rd. Ben —5B **18**
Victoria Rd. Don —3B **46**
Victoria Rd. Edl —2B **60**
Victoria Rd. Mex —6E **43**
Victoria Rd. Park —3F **69**
(in two parts)
Victoria Rd. Roys —1F **9**
Victoria Rd. Stoc —3D **140**
Victoria Rd. Wath D —4D **40**
Victoria Rd. Wom —4B **26**
Victoria Sta. Rd. S4
—1F **99** (2G 5)
Victoria St. S3 —2D **98** (3B 4)
Victoria St. Barn —5G **13**
Victoria St. Brim —2F **133**
Victoria St. Cat —5D **90**
Victoria St. Ches —1A **138**
Victoria St. Cud —6B **10**
Victoria St. Darf —3F **27**
Victoria St. Din —4G **107**
Victoria St. Dron —1D **128**
Victoria St. Gold —4G **29**
Victoria St. Hoy —5B **38**
Victoria St. Kiln —6C **56**
Victoria St. Malt —6G **83**
Victoria St. Mex —6C **42**
Victoria St. Pen —4D **142**
Victoria St. Roth —3B **78**
(in two parts)
Victoria St. Stair —1D **24**
Victoria St. Stoc —3D **140**
Victoria St. N. Ches —1H **131**
Victoria St. W. Ches —3E **137**
Victoria Ter. Barn —1A **24**
Victoria Vs. S6 —6C **86**
(off Blake Gro. Rd.)
Victoria Way. Malt —3D **82**
Victor Rd. S17 —2F **121**
Victor St. S6 —4B **86**
Victor Ter. Barn —1A **24**
Viewland Clo. Cud —2H **15**
Viewlands Clo. Bram —2E **81**
Viewlands Clo. Pen —2D **142**
View Rd. S2 —6E **99**
View Rd. Roth —1G **79**

Viewtree Clo. Har —4H **51**
Vikinglea Clo. S2 —5D **100**
Vikinglea Dri. S2 —5D **100**
(in two parts)
Vikinglea Glade. S2 —4D **100**
Vikinglea Rd. S2 —4D **100**
Viking Way. Kiv P —4B **118**
Villa Gdns. Tol B —2A **18**
Village St. Ad S —1D **16**
Village St. Don —4F **31**
Villa Pk. Rd. Don —3C **48**
Villa Rd. Wdlnd —2D **16**
Villiers Clo. S2 —1A **112**
Villiers Dri. S2 —1A **112**
Vincent Cres. Ches —3D **136**
Vincent Rd. S7 —5D **98**
Vincent Rd. Barn —4F **15**
Vincent Rd. Rav —2H **81**
Vincent Ter. Thurn —2H **29**
Vine Clo. Barn —3C **14**
Vine Clo. Roth —3C **78**
Viola Bank. Stoc —3D **140**
Violet Av. Beig —4E **115**
Violet Av. Edl —4B **60**
Violet Bank Rd. S7 —1C **110**
Violet Farm Ct. Brier —3G **11**
Vivian Rd. S5 —1H **87**
Vizard Rd. Hoy —5C **38**
Vulcan Ho. Roth —2G **79**
Vulcan St. S9 —1E **89**

Wadbrough Rd. S11 —4B **98**
Waddington Rd. Barn —5D **12**
Waddington Ter. Mex —1F **57**
Wade Clo. Roth —5F **79**
Wade Meadow. S6 —2G **85**
Wade St. S4 —2A **88**
Wade St. Barn —5D **12**
Wadsley La. S6 —1G **85**
Wadsley Pk. Cres. S6 —2G **85**
Wadsworth Av. S12 —2E **113**
Wadsworth Clo. S12 —1F **113**
Wadsworth Dri. S12 —2E **113**
(in two parts)
Wadsworth Dri. Raw —5C **54**
Wadsworth Rd. S12 —2E **113**
Wadsworth Rd. Bram —5H **81**
Wadworth Av. Ros —4F **63**
Wadworth Hall. Wadw —6H **61**
Wadworth Hall La. Wadw
—6G **61**
Wadworth Hill. Wadw —6H **61**
Wadworth Rise. Dal —6C **70**
Wadworth St. Den M —2C **58**
Wager La. Brier —2G **11**
Wagon Rd. Roth —5B **68**
Waingate. S3 —1F **99** (2F 5)
Wainscott Clo. Barn —2C **14**
Wainwright Av. S13 —5F **101**
Wainwright Av. Wom —6H **25**
Wainwright Cres. S13 —5F **101**
Wainwright Pl. Wom —6H **25**
Wainwright Rd. Don —1E **47**
Wainwright Rd. Roth —6H **67**
Wakefield Rd. Wool & Barn
—2G **7**
Wake Rd. S7 —6C **98**
Walbank Rd. Arm —3G **35**
Walbert Av. Thurn —2E **29**
Walbrook. Wors —5B **24**
Walden Av. Don —6G **17**
Walden Rd. S2 —6F **99**
Walders Av. S6 —1G **85**
Walders La. Bols —6E **141**
Walesmoor Av. Kiv P —3F **127**
Wales Pl. S6 —5B **86**
Wales Rd. Kiv P —5F **117**
Waleswood Ind. Est. Wal
—3D **116**

Waleswood Rd. Ast —2H **115**
Waleswood Rd. Wal B
—3D **116**
Waleswood View. Ast —1B **116**
Waleswood Vs. Kiv P —4D **116**
Walford Rd. Kil —3A **126**
Walgrove Av. Ches —4F **137**
Walgrove Rd. Ches —4F **137**
Walker Clo. Gren —1A **74**
Walker La. Roth —3E **79**
Walker Pl. Roth —2E **79**
Walker Rd. Roth —6H **67**
Walker Rd. Tank —6D **36**
Walker's La. Kil —3B **126**
Walkers Ter. Barn —2C **14**
Walker St. S3 —6F **87**
Walker St. Raw —1H **69**
Walker St. Swin —2C **56**
Walker View. Raw —1H **69**
Walkley Bank Clo. S6 —4A **86**
Walkley Bank Rd. S6 —5G **85**
Walkley Cres. Rd. S6 —5H **85**
Walkley La. S6 —3A **86**
Walkley Rd. S6 —5A **86**
Walkley St. S6 —5A **86**
Walkley Ter. S6 —5G **85**
Walk, The. Bird —5C **36**
Walk, The. Roth —2H **79**
Wallace Rd. S3 —4D **86**
Wallace Rd. Don —5G **45**
Waller Rd. S6 —5G **85**
Walling Clo. S9 —1D **88**
Walling Rd. S9 —1D **88**
Wall St. Barn —1G **23**
Walney Fold. Barn —1D **14**
Walnut Dri. Din —5F **107**
Walnut Dri. Kil —4A **126**
Walnut Gro. Mex —5D **42**
Walnut Pl. Chap —3D **64**
(in two parts)
Walnut Tree Hill. Wadw
—6H **61**
Walpole Clo. Don —6H **45**
Walpole Gro. Swal —4B **104**
Walseker La. Hart —1G **127**
Walsham Dri. Don —4G **31**
Walshaw Rd. Worr —4D **72**
Walters Rd. Malt —4H **83**
Walter St. S6 —4B **86**
Walter St. Roth —2C **78**
Waltham Gdns. Soth —5G **115**
Waltham St. Barn —1H **23**
Waltheof Rd. S2 —5C **100**
Walton Back La. Walt —6A **136**
Walton Clo. Ches —5D **136**
Walton Clo. Dron W —1A **128**
Walton Clo. H Grn —5A **50**
Walton Ct. S8 —1C **122**
Walton Cres. Ches —4G **137**
Walton Dri. Ches —4G **137**
Walton Dri. Ct. Ches —4G **137**
Waltonfields Rd. Ches —3F **137**
Walton Ho. Don —1C **46**
(off Grove Pl.)
Walton Rd. S11 —4B **98**
Walton Rd. Ches —3F **137**
Walton St. Barn —4E **13**
Walton St. N. Barn —4E **13**
Walton Wlk. Ches —3G **137**
Wannop St. Park —4F **69**
Wansfell Rd. S4 —2B **88**
Wansfell Ter. Barn —6A **14**
Wapping, The. Hoo R —6G **57**
Warburton Clo. S2 —6G **99**
Warburton Gdns. S2 —6G **99**
Warburton Rd. S2 —6G **99**
Warde Aldam Cres. Wick
—4E **81**
Warde Av. Don —5H **45**
Warden Clo. Don —3E **49**

Wensley Grn. S4 —1A **88**
Wensley Rd. Barn —6A **8**
Wensley St. S4 —1A **88**
Wensley St. Thurn —1D **28**
Wentworth Av. S11 —5F **109**
Wentworth Av. Ast —1D **116**
Wentworth Av. Ches —5G **137**
Wentworth Clo. Thor H —2A **66**
Wentworth Ct. Roth —3B **68**
Wentworth Cres. Map —5H **7**
Wentworth Cres. Pen —4D **142**
Wentworth Dri. Map —5G **7**
Wentworth Dri. Raw —3F **69**
Wentworth Gdns. Swin —4A **56**
Wentworth Ho. Don —1C 46
(off St James St.)
Wentworth Ind. Pk. Tank
—1B **50**
Wentworth Pk. Wen —6E **53**
Wentworth Pl. Scho —5E **67**
Wentworth Rd. B Hill —2H **37**
Wentworth Rd. Dart —5B **6**
Wentworth Rd. Don —4E **33**
Wentworth Rd. Dron W
—2A **128**
Wentworth Rd. Els —1C **52**
Wentworth Rd. Jump —4C **38**
Wentworth Rd. Map —2G **7**
Wentworth Rd. Pen —3C **142**
(in two parts)
Wentworth Rd. Raw & Swin
—4C **54**
Wentworth Rd. Thor H —2B **66**
Wentworth St. Barn —4G **13**
Wentworth St. Bird —4C **36**
Wentworth View. Hoy —6A **38**
(Millhouses St.)
Wentworth View. Hoy —6G **37**
(Willow Clo.)
Wentworth View. Wom —2F **39**
Wentworth Way. Din —6F **107**
Wentworth Way. Dod —3B **22**
Wentworth Way. Tank —1B **50**
Wentworth Woodhouse. Wen
—5E **53**
Wescoe Av. Gt H —1A **28**
Wesley Av. Swal —5B **104**
Wesley Ct. Thor H —2B **66**
Wesley La. S10 —2H **97**
Wesley Pl. Ans —3F **119**
Wesley Rd. Kiv P —4H **117**
(in two parts)
Wessenden Clo. Barn —6C **12**
Wessex Gdns. S17 —4D **120**
West Av. Bolt D —2H **41**
West Av. Don —4A **46**
West Av. Raw —1F **69**
West Av. Roys —1F **9**
West Av. Wom —6H **25**
West Av. Wdlnd —2B **16**
Westbank Clo. Coal A —5F **123**
Westbank Ct. Coal A —5G **123**
Westbank Dri. Ans —3E **119**
W. Bank La. S1 —2E **99** (3D **4**)
W. Bank Rise. Ans —3F **119**
West Bar. S3 —1E **99** (1E **5**)
Westbar Grn. S1 —1E **99** (2D **4**)
West Bars. Ches —2H **137**
W. Bawtry Rd. Roth —2D **90**
Westbourne Gdns. Don —6H **45**
Westbourne Gro. Barn —4F **13**
Westbourne Gro. Ches
—2D **136**
Westbourne Rd. S10 —4A **98**
Westbourne Ter. Barn —6E **13**
Westbrook Bank. S11 —5B **98**
Westbrook Clo. Ches —3B **136**
Westbrook Dri. Ches —3B **136**

Westbrook Rd. Chap —2E **65**
Westbury Av. Chap —3F **65**
Westbury Clo. Barn —3D **12**
Westbury St. S9 —6B **88**
Westby Cres. Whis —2H **91**
Westby Wlk. Bram —1E **81**
West Clo. Roth —1G **77**
West Cres. Duck —6E **135**
West Cres. Oxs —5G **143**
West Cres. Stoc —3C **140**
Westcroft Cres. W'fld —1E **125**
Westcroft Dri. W'fld —2E **125**
Westcroft Gdns. W'fld —1E **125**
Westcroft Glen. W'fld —2E **125**
Westcroft Gro. W'fld —2E **125**
W. Don St. S6 —5C **86**
W. End Av. Don —2A **32**
W. End Av. Roys —2C **8**
W. End Cres. Roys —2C **8**
W. End La. New R —4A **62**
W. End Rd. Wath D —4B **40**
W. End View. Eck —6H **125**
Westerdale Rd. Don —2F **31**
Western Av. Din —5F **107**
Western Bank. S10 —2B **98**
Western Rd. S10 —1H **97**
Western Rd. Roth —2G **79**
Western St. Barn —5G **13**
Western Ter. Wom —4A **26**
Westfield. W'fld —1E **125**
Westfield Av. S12 —4C **114**
Westfield Av. Aug —4A **104**
Westfield Av. Ches —4D **136**
Westfield Av. Thurl —3A **142**
Westfield Cen. W'fld —1E **125**
Westfield Clo. Ches —3D **136**
Westfield Cres. Mosb —1C **124**
Westfield Cres. Thurn —1D **28**
Westfield Gdns. Ches —3D **136**
Westfield Gro. S12 —4B **114**
Westfield La. Barnb —1F **43**
Westfield La. Barn —2A **12**
Westfield La. Thurl —3A **142**
Westfield Northway. W'fld
—1E **125**
Westfield Rd. Arm —3E **35**
Westfield Rd. Bram —4H **81**
Westfield Rd. Brmp & Wath D
—5A **40**
Westfield Rd. Don —3B **46**
Westfield Rd. Dron —3G **129**
Westfield Rd. Kil —4A **126**
Westfield Rd. Park —4E **69**
Westfields. Roys —1C **8**
Westfields. Wors —5A **24**
Westfield Southway. W'fld
—1E **125**
Westfield St. Barn —6F **13**
Westfield Ter. S1
—2D **98** (4C **4**)
Westgarth Clo. Din —4F **107**
Westgate. Barn —6G **13**
West Ga. Mex —6G **43**
Westgate. Monk B —3B **14**
Westgate. Pen —5D **142**
Westgate. Roth —4D **78**
West Gro. Don —4G **33**
West Gro. Roys —1C **8**
W. Hall Fold. Wen —4C **52**
Westhaven. Cud —2H **15**
West Hill. Roth —3E **77**
Westhill La. S3 —2D **98** (4B **4**)
Westholme Rd. Don —2B **46**
W. Kirk La. Lit H —2A **28**
W. Laith Ga. Don —6C **32**
Westland Clo. W'fld —6E **115**
Westland Gdns. W'fld —6E **115**
Westland Gro. W'fld —1E **125**
Westland Rd. W'fld —1E **125**

West La. Aug —4H **103**
West La. Lox —1A **84**
West La. Malt —2D **94**
West Lea. Ches —3D **136**
Westleigh Ct. Ches —6G **131**
West Mall. Don —6C 32
(off French Ga.)
West Mall. Wat —5E **115**
Westminster Av. S10 —4B **96**
Westminster Clo. S10 —4B **96**
Westminster Clo. Bram —2E **81**
Westminster Cres. S10 —4B **96**
Westminster Cres. Don —4H **33**
Westminster Ho. Don —4A **34**
W. Moor Cres. Barn —6C **12**
W. Moor La. Arm —1H **35**
(in two parts)
W. Moor La. Bolt D & Harl
—1E **43**
Westmoor Rd. Brim —1F **139**
Westmoreland St. S6 —6C **86**
Westmoreland Way. Spro
—2C **44**
Westmorland La. Den M
—2B **58**
Westmorland St. Don —5H **45**
W. Mount Av. Wath D —3C **40**
Westnall Ho. Oug —2D 72
(off Glossop Row)
Westnall Rd. S5 —2H **75**
Westnall Ter. S5 —2H **75**
Weston Clo. Ches —5C **130**
Westongales Way. Ben —1A **32**
Weston Rd. Don —5A **46**
Weston St. S3 —1C **98** (2A **4**)
Westover Rd. S10 —3E **97**
W. Park Dri. Swal —6H **103**
W. Pinfold. Roys —2E **9**
Westpit Hill. Brmp B —4A **40**
West Pl. Ben —6B **18**
W. Quadrant. S5 —6H **75**
West Rd. Barn —5D **12**
West Rd. Mex —6D **42**
West St. S1 —2D **98** (4B **4**)
West St. Ans —3F **119**
West St. Beig —4F **115**
West St. Ches —1H **137**
West St. Con —3E **59**
West St. Darf —4E **27**
West St. Don —6C **32**
West St. Dron —1D **128**
West St. Eck —6H **125**
West St. Gold —3G **29**
West St. Hoy —5G **37**
West St. Mex —1E **57**
West St. Roys —1F **9**
West St. Thurc —4B **94**
West St. Wath D —5E **41**
(in two parts)
West St. Wom —6A **26**
West St. Wors —5A **24**
West St. La. S1 —2E **99** (3D **4**)
Westthorpe Fields Rd. Kil
—5A **126**
Westthorpe Rd. Kil —4B **126**
W. Vale Gro. Thry —5D **70**
West View. Barn —2G **23**
West View. Ink —2B **134**
W. View Clo. S17 —3F **121**
W. View Cres. Gold —5E **29**
W. View La. S17 —3F **121**
W. View Rd. Ches —5G **131**
W. View Rd. Mex —1E **57**
W. View Rd. Roth —3E **77**
W. View Ter. Wors —5B **24**
Westville Rd. Barn —4F **13**
Westwell Pl. Mosb —3D **124**
Westwick Cres. S8 —2B **122**
Westwick Gro. S8 —2C **122**

Westwick La. Holy —3A **136**
Westwick Rd. S8 —3B **122**
Westwood. H Grn —4B **50**
Westwood Av. Stav —3A **134**
Westwood Clo. Ink —6A **134**
Westwood Ct. Barn —5G **13**
Westwood Dri. Ink —6A **134**
Westwood Ind. Est. Arm
—4G **35**
Westwood La. Brim —1F **139**
Westwood La. H Grn —1A **50**
Westwood New Rd. Barn
—6E **37**
(off Sheffield Rd.)
Westwood New Rd. H Grn &
Tank —6A **50**
Westwood Rd. S11 —5F **97**
Westwood Rd. Cal —1G **139**
Westwood Rd. H Grn —5B **50**
Wetherby Clo. Don —4F **31**
Wetherby Ct. S9 —1E **101**
Wetherby Dri. Mex —5F **43**
Wetherby Dri. Swal —6A **104**
Wetlands La. Ches —1E **139**
Wet Moor La. Wath D —4D **40**
(in two parts)
Whaley Rd. Barn —2B **12**
Wharf Clo. Swin —2C **56**
Wharfe Ct. Roth —1F **91**
Wharfedale Dri. Chap —2C **64**
Wharfedale Rd. Barn —5C **12**
Wharf La. Ches —1A **138**
Wharf La. Stav —1D **134**
Wharf Rd. S9 —6F **77**
Wharf Rd. Don —4D **32**
Wharf Rd. Kiln —6C **56**
Wharf St. S2 —1G **99** (2G **5**)
Wharf St. Barn —4A **14**
Wharf St. Swin —2C **56**
Wharncliffe. Dod —3C **22**
Wharncliffe Av. Ast —5C **104**
Wharncliffe Av. Wath D —5F **41**
Wharncliffe Clo. Hoy —1H **51**
Wharncliffe Clo. Raw —5D **54**
Wharncliffe Hill. Roth —2E **79**
Wharncliffe Rd. S10
—3C **98** (6A **4**)
Wharncliffe Rd. H Grn —6B **50**
Wharncliffe St. Barn —6F **13**
Wharncliffe St. Carl —5F **9**
Wharncliffe St. Don —1A **46**
Wharncliffe St. Roth —2E **79**
Wharton Av. Swal —4B **104**
Wheatacre Rd. Stoc —3E **141**
Wheata Dri. S5 —2F **75**
Wheata Pl. S5 —2E **75**
Wheata Rd. S5 —3E **75**
Wheatbridge Rd. Ches
—2G **137**
Wheat Croft. Con —3G **59**
Wheatcroft Rd. Raw —1H **69**
Wheatfield Clo. B Dun —1E **21**
Wheatfield Cres. S5 —3H **75**
Wheatfield Dri. Thurn —2F **29**
Wheatfield Way. Ash —6B **130**
Wheathill Clo. Ash —6B **130**
Wheathill Clo. Brim —1F **139**
Wheathill La. Ches —1D **138**
Wheatley Cen., The. Don
—1H **33**
Wheatley Clo. Barn —3H **13**
Wheatley Gro. S13 —4G **101**
Wheatley Hall Rd. Don —3E **33**
Wheatley La. Don —4E **33**
Wheatley Pk. Rd. Ben —5A **18**
Wheatley Pl. Den M —2B **58**
Wheatley Rise. Map —3F **7**
Wheatley Rd. Barn —2E **25**
Wheatley Rd. Kiln —6C **56**
Wheatley Rd. Roth —6G **67**

Wheatley St. Den M —2B **58**
Wheats La. S1 —1E **99** (2E **5**)
Wheeldon Cres. Brim —3D **132**
Wheeldon La. Ches —2A **138**
Wheeldon St. S1
   —2D **98** (3B **4**)
Wheel La. Gren —1B **74**
Wheel La. Oug —2B **72**
Wheel, The. Ecc —1D **74**
Wheldrake Rd. S5 —1H **87**
Whernside Av. Chap —1D **64**
Whinacre Clo. S8 —3F **123**
Whinacre Pl. S8 —3E **123**
Whinacre Wlk. S8 —3E **123**
Whinby Croft. Dod —2B **22**
Whinby Rd. Dod —1A **22**
Whinfell Clo. Ad S —1D **16**
Whinfell Ct. S11 —5E **109**
Whin Hill Rd. Don —3D **48**
Whinmoor Rd. S5 —6B **76**
Whinmoor Rd. H Grn —6A **50**
Whins, The. Raw —2C **68**
Whiphill Clo. Don —4C **48**
Whiphill La. Arm —4G **35**
Whiphill Top La. Bran —1H **49**
Whirlow Ct. Rd. S11 —5F **109**
Whirlowdale Clo. S11 —5F **109**
Whirlowdale Cres. S7 —4H **109**
Whirlowdale Rise. S11 —5F **109**
Whirlowdale Rd. S11 & S7
   —5E **109**
Whirlow Farm M. S11 —4E **109**
Whirlow Gro. S11 —5F **109**
Whirlow La. S11 —4E **109**
Whirlow M. S11 —4F **109**
Whirlow Pk. Rd. S11 —5F **109**
Whiston Brook View. Whis
   —2A **92**
Whiston Grange. Roth —2G **91**
Whiston Grn. Whis —3H **91**
Whiston Gro. Roth —5F **79**
Whiston Vale. Whis —3H **91**
Whitaker Clo. Ros —6D **62**
Whitaker Sq. New R —5C **62**
Whitbeck Clo. Wadw —6H **61**
Whitburn Rd. Don —1E **47**
Whitby Rd. S9 —6E **89**
Whitby Rd. New R —5C **62**
Whitbank Clo. Ches —4B **138**
Whitcotes Clo. Ches —5G **137**
Whitcotes La. Ches —5F **137**
White Croft. S1 —1E **99** (2C **4**)
Whitecroft Cres. Brin —3C **90**
White Cross Av. Cud —2H **15**
White Cross Ct. Cud —2H **15**
White Cross La. Wadw —4G **61**
White Cross La. Wors —4D **24**
White Cross Rise. Wors
   —4D **24**
White Cross Rd. Cud —2H **15**
White Edge Clo. Ches —6F **131**
White Ga. Ans —1H **119**
Whitegate Wlk. Roth —4G **67**
Whitehall Rd. Roth —3H **67**
Whitehall Way. Roth —4A **68**
Whitehead Av. Deep —3F **141**
Whitehead Clo. Din —4E **107**
Whitehead St. Stav —1D **134**
White Hill Av. Barn —6C **12**
Whitehill Av. Brin —3C **90**
White Hill Gro. Barn —6D **12**
Whitehill La. Roth —2C **90**
Whitehill Rd. Brin —3C **90**
White Hill Ter. Barn —6C **12**
Whitehouse La. S6 —5B **86**
Whitehouse Rd. S6 —5B **86**
Whitehouses. Ches —4B **138**
White Ho. View. B Dun —1G **21**

White La. S12 —4C **112**
White La. Chap —1F **65**
Whitelea Gro. Mex —1D **56**
Whitelea Gro. Trading Est. Mex
   —1D **56**
White Leas. Ches —1D **136**
Whitelee Rd. Swin —2C **56**
Whiteley La. S10 —6C **96**
Whiteleys Av. Raw —6E **55**
Whiteley Wood Clo. S11
   —6F **97**
Whiteley Wood Rd. S11
   —1E **109**
Whitelow La. S17 —1A **120**
White Rd. Stav —1E **135**
White Rose Ct. Ben —6C **18**
White Rose Ho. Roth —4D **78**
White Rose Way. Don —2D **46**
White's La. S2 —2H **99**
White Thorns Clo. S8 —3F **123**
White Thorns Dri. S8 —4F **123**
White Thorns View. S8
   —3F **123**
White Towers Caravan Site. Don
   —3C **34**
Whiteways Clo. S4 —3H **87**
Whiteways Dri. S4 —3H **87**
Whiteways Gro. S4 —3H **87**
Whiteways Rd. S4 —3H **87**
Whitewood Clo. Roys —2D **8**
Whitfield Rd. S10 —6C **96**
Whitfield Rd. Raw —6D **54**
Whitham Rd. S10 —3A **98**
Whiting St. S8 —1E **111**
Whitley La. Gren —6B **64**
Whitley View Rd. Roth —4D **76**
Whitney Clo. Don —6G **45**
Whittier Rd. Don —5A **46**
Whittington Hill. Ches —2A **132**
Whittington St. Don —4D **32**
Whittington Way. Ches
   —2A **132**
Whitting Valley Rd. Ches
   —2A **132**
Whitton Clo. Don —5A **48**
Whitton Pl. Duck —6E **135**
Whitwell Cres. Stoc —3D **140**
Whitwell La. Stoc —4C **140**
Whitwell St. S9 —1F **101**
Whitwell View. Ros —4F **63**
Whitworth Bldgs. Thurn
   (off Clarke St.) —1G **29**
Whitworth Croft. S10 —3F **97**
Whitworth La. S9 —4C **88**
Whitworth Rd. S10 —4E **97**
Whitworth Rd. Ches —5H **131**
Whitworth St. Gold —4G **29**
Whitworth Way. Wath D
   —4E **41**
Whybourne Gro. Roth —4E **79**
Whybourne Ter. Roth —3E **79**
Whyn View. Thurn —1E **29**
Wicker. S3 —1F **99** (1G **5**)
Wicker La. S3 —1F **99** (1F **5**)
Wickersley Rd. Roth —5G **79**
Wickett Hern Rd. Arm —3G **35**
Wicket Way. Edl —2C **60**
Wickfield Clo. S12 —2H **113**
Wickfield Dri. S12 —2H **113**
Wickfield Gro. S12 —3G **113**
Wickfield Pl. S12 —2G **113**
Wickfield Rd. S12 —3H **113**
Wicklow Rd. Don —4G **33**
Widdop Clo. S13 —5F **101**
Widdop Croft. S13 —5F **101**
Wigfield Dri. Wors —4H **23**
Wigfull Rd. S11 —4A **98**
Wigley Rd. Ink —5A **134**
Wignall Av. Wick —5D **80**
Wikeley Way. Brim —3D **132**

Wike Rd. Barn —5E **15**
Wilberforce Rd. Ans —2F **119**
Wilberforce Rd. Don —6B **20**
Wilbrook Rise. Barn —3C **12**
Wilby La. Barn —1A **24**
Wilcox Clo. S6 —4B **74**
Wilcox Grn. Roth —3A **68**
Wilcox Rd. S6 —4A **74**
Wild Av. Raw —6C **54**
Wildflower Clo. New R —6C **62**
Wilding Clo. Roth —1G **77**
Wilding Way. Roth —1G **77**
Wilford Rd. Barn —4A **8**
Wilfred Ct. S9 —6C **88**
Wilfred Dri. S9 —6C **88**
Wilfred St. Roth —3D **78**
Wilfred Ter. Barn —1G **23**
Wilfrid Rd. S9 —6C **88**
Wilkin Hill. Barl —2A **130**
Wilkinson Av. New R —5E **63**
Wilkinson Clo. Ches —6H **137**
Wilkinson Dri. Ink —4H **133**
Wilkinson La. S10
   (in two parts) —2C **98** (4A **4**)
Wilkinson Rd. Els —6C **38**
Wilkinson St. S10
   (in two parts) —2C **98** (4A **4**)
Wilkinson St. Barn —1H **23**
Willan Dri. Cat —6C **90**
Willbury Dri. S12 —1C **112**
Willey St. S3 —1F **99** (1G **5**)
William Clo. Mosb —3D **124**
William Cres. Mosb —2D **124**
William La. New R —3B **62**
Williamson Rd. S11 —6B **98**
Williams Rd. Don —3H **31**
Williams St. Park —3G **69**
William St. S10 —3C **98** (6A **4**)
William St. Ches —5A **132**
William St. Eck —6D **124**
William St. Gold —4E **29**
William St. Roth —3E **79**
William St. Swin —2C **56**
William St. Wath D —5F **41**
William St. Wom —6A **26**
William St. Wors —4A **24**
William St. N. Ches —1H **131**
Willingham Clo. Soth —6G **115**
Willingham Gdns. Soth
   —6G **115**
Willington Rd. S5 —5G **75**
Willis Rd. S6 —2H **85**
Willman Rd. Barn —4F **15**
Willoughby St. S4 —1A **88**
Willow Av. Don —3D **48**
Willow Av. Raw —2G **69**
Willow Bank. Barn —2F **13**
Willow Bri. Caravan Site. Don
   —4B **32**
Willowbrook Rd. Map —5E **7**
Willow Clo. Ans —4F **119**
Willow Clo. Brin —4D **90**
Willow Clo. Cud —6B **10**
Willow Clo. Flan —3G **81**
Willow Clo. Hoy —6G **37**
Willow Ct. Cal —2G **139**
Willow Ct. Wath D —6F **41**
Willow Cres. Chap —3E **65**
Willowcroft. Bolt D —2H **41**
Willowdale Clo. Spro —3F **45**
Willow Dene Rd. Grime —6G **11**
Willow Dri. S9 —2G **101**
Willow Dri. Edl —2C **60**
Willow Dri. Flan —3G **81**
Willow Dri. Mex —6D **42**
Willow Garth. Raw —1G **69**
Willowgarth Av. Brin —3C **90**
Willow Garth Rd. Ches
   —3E **131**

Willow Glen. Bran —3H **49**
Willow Gro. Ast —5D **104**
Willow La. Bolt D —2B **42**
Willow La. Pen —5H **143**
Willow La. Ros —4E **63**
Willowlees Ct. Don —4C **48**
Willow Rd. Arm —2G **35**
Willow Rd. Kil —4A **126**
Willow Rd. Malt —4D **82**
Willow Rd. Stoc —5D **140**
Willow Rd. Thurn —1F **29**
Willow Rd. Wath D —1G **55**
Willows, The. Darf —4E **27**
Willows, The. Oxs —6H **143**
Willows, The. Roth —5F **67**
Willow St. Barn —1F **23**
Willow St. Con —3F **59**
Willow Wlk. Ben —4A **18**
Wilsden Gro. Barn —4D **12**
Wilsic Ho. Don —1C **46**
   (off Grove Pl.)
Wilson Av. Pen —5D **142**
Wilson Av. Raw —1E **69**
Wilson Dri. Dal —6C **70**
Wilson Gro. Barn —3E **15**
Wilson Pl. S8 —1E **111**
Wilson Rd. S11 —5A **98**
Wilson Rd. Coal A —5G **123**
Wilson Rd. Deep —4H **141**
Wilson St. S3 —5E **87**
Wilson St. Dron —3F **129**
Wilson St. Wom —6H **25**
Wilson Wlk. Dod —3C **22**
Wilstrop Rd. S9 —6D **88**
Wilthorpe Av. Barn —3E **13**
Wilthorpe Cres. Barn —3E **13**
Wilthorpe Farm Rd. Barn
   —3E **13**
Wilthorpe Gdns. Owl —4A **114**
Wilthorpe Grn. Barn —3E **13**
Wilthorpe La. Barn —3D **12**
Wilthorpe Rd. Barn —3C **12**
Wilton Clo. Raw —2F **69**
Wilton Ct. Roth —2A **78**
Wilton Gdns. Roth —2A **78**
Wilton La. Roth —3A **78**
Wilton Pl. S10 —3C **98**
Wiltshire Av. Den M —2B **58**
Wiltshire Rd. Don —5A **34**
Wimborne Cres. Ches
   —4G **131**
Winberry Av. Ans —2G **119**
Wincanton Clo. Mex —5F **43**
Winchester Av. S10 —5B **96**
Winchester Av. Don —3G **33**
Winchester Ct. Roth —2E **79**
   (off Nottingham St.)
Winchester Cres. S10 —5B **96**
Winchester Dri. S10 —5B **96**
Winchester Ho. Don —3F **31**
Winchester Rd. S10 —5B **96**
Winchester Rd. Ches —4G **131**
Winchester Way. Barn —2G **25**
Winchester Way. Brin —2A **90**
Winchester Way. Don —3G **31**
Wincobank Av. S5 —6A **76**
Wincobank Clo. S5 —6B **76**
Wincobank La. S4 —2B **88**
Wincobank Rd. S5 —6B **76**
Winco Rd. S4 —2B **88**
Winco Wood La. S9 —6B **76**
Windam Dri. B Dun —1H **21**
Windermere Av. Don —4A **34**
Windermere Av. Dron W
   —2C **128**
Windermere Av. Gold —5G **29**
Windermere Clo. Mex —5H **43**
Windermere Ct. Ans —1G **119**
Windermere Cres. Kirk S
   —3D **20**

Windermere Grange. Edl
—4B **60**
Windermere Rd. S8 —2C **110**
Windermere Rd. Barn —6A **14**
Windermere Rd. Ches —4E **131**
Windermere Rd. Pen —3D **142**
Winders Pl. Wom —1F **39**
Windgate Hill. Con —2F **59**
Windham Clo. Barn —4H **13**
Windhill Av. —2E **7**
Windhill Av. Mex —6G **43**
Windhill Cres. —2E **7**
Windhill Cres. Mex —5G **43**
Windhill Dri. Dart —2E **7**
Windhill La. Dart —2D **6**
Windhill Mt. Dart —2E **7**
Windhill Ter. Mex —5G **43**
Windle Rd. Don —2A **46**
Windle Sq. Kirk S —3D **20**
Windmill Av. Con —4F **59**
Windmill Av. Grime —5F **11**
Windmill Balk La. Ad S —3C **16**
Windmill Dri. Wadw —6H **61**
Windmill Est. Con —4F **59**
Windmill Greenway. Half
—4E **125**
Windmill Hill La. Chap —3C **64**
Windmill La. S5 —5A **76**
Windmill La. Thurl —4A **142**
Windmill Rd. Ans —1G **119**
Windmill Rd. Wom —1D **38**
Windmill Ter. Roys —1D **8**
Windsor Av. Dart —5A **6**
Windsor Av. Thurl —3A **142**
Windsor Clo. Bram —3H **81**
Windsor Clo. Ches —4E **137**
Windsor Clo. Harl —1G **43**
Windsor Ct. S11 —3F **109**
Windsor Ct. Thurn —1G **29**
Windsor Cres. Barn —4B **14**
Windsor Cres. Lit H —2H **27**
Windsor Dri. Dod —2B **22**
Windsor Dri. Dron W —2A **128**
Windsor Dri. Mex —5G **43**
Windsor Rise. Ast —1C **116**
Windsor Rd. S8 —1D **110**
Windsor Rd. Con —2D **58**
Windsor Rd. Don —5F **33**
Windsor Rd. Thor H —3B **66**
Windsor Sq. Thurn —1G **29**
Windsor St. S4 —5H **87**
(in two parts)
Windsor St. Hoy —5H **37**
Windsor St. Thurn —1G **29**
Windsor Wlk. Ans —4E **119**
Windsor Wlk. Ches —4C **138**
Windsor Wlk. Don —3G **31**
Windy Ho. La. S2 —6B **100**
Windy Ridge. Aug —4A **104**
Winfield Rd. Wath D —6F **41**
Wingerworth Av. S8 —1B **122**
Wingerworth Way. Ches
—6H **137**
Wingfield Clo. Dron W —3A **128**
Wingfield Clo. Roth —4A **68**
Wingfield Ct. Roth —5H **67**
Wingfield Cres. S12 —2E **113**
Wingfield Rd. Barn —1A **14**
Wingfield Rd. Roth —4H **67**
Winholme. Arm —3F **35**
Winifred St. Roth —3C **78**
Winkley Ter. S5 —4A **76**
Winlea Av. Roth —5C **80**
Winmarith Ct. Roys —2D **8**
Winnat Pl. Ink —4A **134**
Winnats Clo. Ches —6E **131**
Winn Clo. S6 —6H **73**
Winn Dri. S6 —6H **73**
Winn Gdns. S6 —6H **73**
Winn Gro. S6 —5G **73**

Winnipeg Rd. Ben —6B **18**
Winsford Rd. S6 —4A **74**
Winster Clo. Bird —3D **36**
Winster Ct. Ches —1A **138**
Winster Rd. S6 —2A **86**
Winster Rd. Stav —3A **134**
Winston Av. Stoc —2B **140**
Winter Av. Barn —5E **13**
Winter Av. Roys —1E **9**
Winter Hill La. Roth —2G **77**
Winterhill Rd. Roth —3F **77**
Winter Rd. Barn —5E **13**
Winter St. S3 —1C **98**
Winter Ter. Barn —5E **13**
Winterton Clo. Don —5B **48**
Winterton Gdns. S12 —4C **114**
Winterwell Rd. Wath D —4C **40**
(in two parts)
Winton Clo. Barn —2A **24**
Winton Rd. Don —5H **33**
Wisbech Clo. Ches —5G **137**
Wiseton Rd. S11 —5A **98**
Wisewood Av. S6 —3G **85**
Wisewood La. S6 —3G **85**
Wisewood Pl. S6 —3G **85**
Wisewood Rd. S6 —3G **85**
Witham Clo. Ches —5C **132**
Witham Ct. Ches —2E **137**
Witham Ct. Hghm —4A **12**
Withens Av. S6 —1H **85**
Withens Ct. Map —4E **7**
Witney St. S8 —5E **99**
Wittsend Caravan Site. Arks
—4E **19**
Wivelsfield Rd. Don —4G **45**
Woburn Clo. Don —6G **45**
Woburn Pl. S11 —5F **109**
Woburn Pl. Dod —3B **22**
Wolfe Clo. Ches —4F **137**
Wolfe Dri. S6 —4B **74**
Wolfe Rd. S6 —4B **74**
Wollaton Av. S17 —4G **121**
Wollaton Clo. Barn —5A **8**
Wollaton Dri. S17 —4G **121**
Wollaton Rd. S17 —5F **121**
Wolseley Rd. S8 —6E **99**
Wolsey Av. Don —6G **33**
Wolverley Rd. S13 —1A **114**
Wombwell Av. Wath D —6E **41**
Wombwell La. Barn & Wmbwl
—2E **25**
Wombwell La. Hoy —1H **37**
Wombwell Rd. Hoy —4A **38**
Woodall La. Hart —3G **127**
Woodall Rd. Kil —4D **126**
Woodall Rd. Roth —4A **80**
Woodall Rd. S. Roth —5A **80**
Woodbank Cres. S8 —2D **110**
Woodbank Rd. S6 —1A **96**
Woodbine Rd. S9 —4B **88**
Woodbourn Hill. S9 —6B **88**
Woodbourn Rd. S9 —1B **100**
Woodbridge Rise. Ches
—5D **136**
Woodburn Dri. Chap —3G **65**
Woodbury Clo. S9 —4C **76**
Woodbury Rd. S9 —4C **76**
Wood Cliffe. S10 —1B **108**
Wood Clo. Chap —3G **65**
Wood Clo. Raw —6E **55**
Woodcock Clo. Roth —5H **67**
Woodcock Pl. S2 —2H **99**
Woodcock Rd. Hoy —6A **38**
Wood Croft. Roth —6H **67**
Woodcross Av. Don —4E **49**
Wood End. Gren —5C **64**
Wood End Av. Cub —6C **142**
Woodend Clo. S6 —4G **85**
Woodend Dri. S6 —4G **85**

Woodfarm Av. S6 —5F **85**
Woodfarm Clo. S6 —5E **85**
Woodfarm Dri. S6 —5E **85**
Woodfarm Pl. S6 —5F **85**
Woodfield Clo. Darf —3E **27**
Woodfield Link Rd. Don
—1H **61**
Woodfield Rd. S10 —6H **85**
Woodfield Rd. Arm —4G **35**
Woodfield Rd. Don —4A **46**
(in two parts)
Woodfield Rd. Wath D —5B **40**
Wood Fold. S3 —4E **87**
Woodfoot Rd. Roth —2F **91**
Woodford Rd. B Dun —1H **21**
Woodgrove Rd. S9 —5D **76**
Woodgrove Rd. Roth —2A **80**
Woodhall Flats. Darf —3E **27**
Woodhall Rise. Swin —3B **56**
Woodhall Rd. Darf —3E **27**
Woodhead Dri. B Hill —2H **37**
Woodhead La. Hoy —1A **38**
Woodhead Rd. S2 —5E **99**
Woodhead Rd. Gren —5A **64**
Woodholm Pl. S11 —2H **109**
Woodholm Rd. S11 —2H **109**
Woodhouse Av. Beig —3F **115**
Woodhouse Clo. Raw —5D **54**
Woodhouse Ct. Beig —3E **115**
Woodhouse Cres. Beig
—3F **115**
Woodhouse Gdns. S13
—1C **114**
Woodhouse Grn. Thurc —4A **94**
Woodhouse La. Beig —2E **115**
Woodhouse La. Bsvr —6H **135**
Wood Ho. La. Wadw —5G **61**
Woodhouse La. Wool —1F **7**
Woodhouse Rd. S12 —1D **112**
Woodhouse Rd. Don —3E **33**
Woodhouse Rd. Hoy —6A **38**
Woodland Av. Ans —2G **119**
Woodland Clo. Cat —6C **90**
Woodland Clo. Wick —6G **81**
Woodland Dri. S12 —5D **112**
Woodland Dri. Ans —2G **119**
Woodland Dri. Barn —1D **22**
Woodland Gdns. Malt —4H **83**
Woodland Gro. Wath D —1F **55**
Woodland Pl. S17 —4F **121**
Woodland Rd. S8 —4F **111**
Woodland Rd. Wath D —1F **55**
Woodlands. Brim —4D **132**
Woodlands Av. Beig —2F **115**
Woodlands Clo. Swal —4B **84**
Woodlands Cres. Swin —3G **55**
Woodlands Rd. Hoy —3A **38**
Woodlands Rd. Wdlnd —3D **16**
Woodlands Ter. Edl —3B **60**
Woodlands, The. S10 —3G **97**
Woodlands, The. Arm —2G **35**
Woodlands View. Hoy —4A **38**
Woodlands View. Wom —3C **38**
Woodlands View. Wdlnd
—3C **16**
Woodlands Way. Den M
—2B **58**
Woodland View. S12 —5D **112**
Woodland View. S17 —2G **121**
Woodland View. Cud —2H **15**
Woodland View. Mex —1G **57**
Woodland View Rd. S6 —5G **85**
Woodland Vs. Tank —6C **36**
Woodland Wlk. Ches —6B **130**
Woodland Way. Roth —5A **80**
Wood La. S6 —5E **85**
Wood La. Brin —4A **90**
Wood La. Carl —3A **8**
(in two parts)

Wood La. Edl —6B **60**
Wood La. Roth —6D **78**
(in two parts)
Wood La. Thurc —6G **93**
Wood La. Tree —1F **103**
Wood La. Wadw —3E **61**
Wood La. Wick —6G **81**
Wood La. Clo. S6 —5E **85**
Woodlea Gdns. Don —4D **48**
Woodlea Gro. Arm —3F **35**
Woodlea Way. Don —2A **34**
Woodleigh Clo. Ches —6B **130**
Woodleys Av. Raw —5E **55**
Woodman Dri. Swin —3G **55**
Woodmoor St. Barn —5F **9**
Wood Nook. Gren —6A **64**
Woodnook Clo. Ash —1B **136**
Woodnook La. Ash —6B **130**
Woodnook Way. Ash —1B **136**
Woodpecker Clo. Ast —1C **116**
Wood Rd. S6 —3H **85**
Wood Rd. Roth —6H **67**
Woodrove Av. S13 —6D **100**
Woodrove Clo. S13 —6D **100**
Woodroyd Av. Barn —4E **9**
Woodroyd Clo. Barn —4E **9**
Wood Royd Rd. Deep —3G **141**
Woodseats. Gren —4B **64**
Woodseats Clo. S8 —3C **110**
Woodseats Ho. Rd. S8
—5D **110**
Woodseats Rd. S8 —3C **110**
Woodsetts Rd. Ans —1G **119**
Woodsett Wlk. Con —3G **59**
Woodside Av. Kil —2D **126**
Woodside Av. Wath D —5F **41**
Woodside Clo. Ches —1D **136**
Woodside Clo. Malt —4H **83**
Woodside Cotts. Wdlnd —4C **16**
Woodside Ct. Malt —5H 83
(off Tickhill Rd.)
Woodside Ct. Wick —6G **81**
Woodside Ct. Wdlnd —3C **16**
Woodside La. S3 —5E **87**
(in two parts)
Woodside La. Gren —6A **64**
Woodside Rd. Don —1G **31**
Woodside Rd. Wdlnd —3C **16**
Woodside Wlk. Roth —5B **68**
(in two parts)
Woodspring Ct. S4 —3A **88**
Woodstock Dri. Ches —5C **138**
Woodstock Rise. Ches
—5C **138**
Woodstock Rd. S7 —1C **110**
Woodstock Rd. Barn —3F **13**
Woodstock Rd. Don —4G **45**
Woodstock Rd. Lox —3E **85**
Wood St. S6 —5C **86**
Wood St. Barn —1G **23**
Wood St. Don —6D **32**
Wood St. Mex —6D **42**
Wood St. Swin —2C **56**
Wood St. Thry —5C **70**
Wood St. Wom —1E **39**
Wood Syke. Dod —2C **22**
Wood Ter. Roth —6D **78**
Woodthorpe Clo. S2 —5C **100**
Woodthorpe Cres. S13
—5E **101**
Woodthorpe Est. S13 —6E **101**
Woodthorpe Rd. S13 —6E **101**
Woodthorpe Rd. Mas M
—1G **135**
Woodvale Clo. Ches —5C **136**
Woodvale Flats. S10 —4H **97**
Woodvale Rd. S10 —4H **97**
Wood View. Bird —5D **36**
Wood View. Con —4G **59**
Wood View. Edl —3C **60**

Wood View. Els —6C **38**
Wood View. Malt —4H **83**
Woodview. Spro —2D **44**
Wood View La. Barn —4D **12**
Wood View Pl. Roth —6D **78**
Woodview Rd. S6 —4A **86**
Woodview Ter. S11 —5E **97**
Woodville Hall. S10 —4C **98**
Wood Wlk. Hoy & Wmbwl
  —3A **38**
Wood Wlk. Mex —5D **42**
Woodway, The. Sun —2F **91**
Woofindin Av. S11 —6E **97**
Woofindin Rd. S10 —6D **96**
Wooldale Clo. Owl —5A **114**
Wooldale Croft. Owl —5A **114**
Wooldale Dri. Owl —5A **114**
Wooldale Gdns. Owl —5A **114**
Wooley Av. Wom —1E **39**
Woollen La. S6 —6C **86**
Woolley Colliery Rd. Dart —4C **6**
Woolley Edge La. Barn —1D **6**
Woolley Ho. Don —2C 46
  (off Elsworth Clo.)
Woolley Rd. Stoc —3C **140**
Woolley Wood Rd. S5 —2A **76**
Wootton Ct. Thry —5C **70**
Worcester Av. Don —2F **33**
Worcester Clo. S10 —4B **96**
Worcester Dri. S10 —4B **96**
Worcester Rd. S10 —4A **96**
Wordsworth Av. S5 —6C **74**
Wordsworth Av. Din —5G **107**
Wordsworth Av. Don —5A **46**
Wordsworth Av. Pen —5C **142**
Wordsworth Clo. S5 —3C **74**
Wordsworth Cres. S5 —5C **74**
Wordsworth Dri. S5 —5C **74**
Wordsworth Dri. Don —5H **31**
Wordsworth Dri. Roth —3G **79**
Wordsworth Pl. Dron —4G **129**
Wordsworth Rd. Barn —3B **14**
Wordsworth Rd. Ches —3H **131**
Wordsworth Rd. Wath D
  —4C **40**

Work Bank La. Thurl —3A **142**
Workhouse La. S3
  —1E **99** (1E **5**)
Works La. Cal —3H **139**
Worksop Rd. S9 —5C **88**
Worksop Rd. Ans —3F **119**
Worksop Rd. Ast —6E **105**
Worksop Rd. Stav —1E **135**
Worksop Rd. Swal —6B **104**
Works Rd. Holl —1H **133**
Worral Av. Tree —6E **91**
Worral Clo. Wors —3H **23**
Worrall Dri. Worr —4D **72**
Worrall Rd. H Grn —1C **64**
Worrall Rd. Worr & S6 —5D **72**
Worrygoose La. Whis —1A **92**
Worsbrough Rd. Bird —3D **36**
Worsbrough Rd. B Hill —2H **37**
Worsbrough View. Tank
  —5B **36**
Worsley Clo. Barn —3B **24**
Worthing Cres. Con —3F **59**
Worthing Rd. S9 —1A **100**
Wortley Av. Con —3C **58**
Wortley Av. Swin —2B **56**
Wortley Av. Wom —4H **25**
Wortley Dri. Oug —2E **73**
Wortley Rd. Deep —3H **141**
Wortley Rd. H Grn —5A **50**
Wortley Rd. Roth —1G **77**
  (in two parts)
Wortley St. Barn —6G **13**
Wortley View. B Hill —2H **37**
Wostenholm Rd. S7 —6D **98**
Wragby Rd. S11 —5G **97**
Wragg La. Ast —2H **115**
Wragg Rd. S2 —3A **100**
Wreakes La. Dron —6D **122**
Wrelton Clo. Roys —2D **8**
Wren Bank. S2 —3A **100**
Wren Pk. Clo. Ches —6H **137**
Wrens Way. Bird —3D **36**
Wren View. Barn —2H **23**
Wright Cres. Wom —1F **39**
Wright's Hill. S2 —5D **98**

Wrightson Av. War —6E **45**
Wrightson Ter. Don —3B **32**
Wright St. Ans —1G **119**
Wroxham Clo. Bram —1E **81**
Wroxham Dri. Bram —1E **81**
Wroxham Way. Bram —1E **81**
Wroxham Way. Don —4G **31**
Wulfric Clo. S2 —5B **100**
Wulfric Pl. S2 —5B **100**
Wulfric Rd. S2 —5C **100**
Wulfric Rd. Eck —6C **124**
Wyatt Av. S11 —1A **110**
Wybourn Ho. Rd. S2 —2A **100**
Wybourn Ter. S2 —2A **100**
Wychwood Clo. Don —1F **61**
Wychwood Croft. Soth
  —5G **115**
Wychwood Glen. Soth
  —5G **115**
Wychwood Gro. Soth —5G **115**
Wycombe St. Barn —5E **15**
Wyedale Ct. Ches —4G **131**
Wyedale Croft. Beig —3F **115**
Wyndthorpe Av. Don —4C **48**
Wyn Gro. Brmp —3A **40**
Wynmoor Cres. Brmp —4A **40**
Wynyard Rd. S6 —2H **85**
Wythburn Rd. Ches —4E **131**
Wyvern Gdns. S17 —3E **121**

Yarborough Ter. Don —4B **32**
Yardley Sq. S3 —1C **98**
Yarmouth St. S9 —2D **88**
Yarncliff Clo. Ches —6F **131**
Yarwell Dri. Malt —3E **83**
Yates Clo. Wick —6E **81**
Yealand Clo. Ad S —1D **16**
Yeldersley Clo. Ches —6D **130**
Yeomans Rd. S6 —6C **86**
Yeomans Way. Ans —3F **119**
Yewdale. Worn —4B **24**
Yew Greave Cres. S5 —2D **74**
Yew La. S5 —2C **74**
Yews Av. Wors —4B **24**

Yews Clo. Worr —5D **72**
Yews La. Wors —4B **24**
Yews Pl. Barn —2B **24**
Yew Tree Av. Ans —2H **119**
Yew Tree Cres. Ros —3E **63**
Yew Tree Dri. S9 —2H **89**
Yew Tree Dri. Ches —5C **136**
Yew Tree Dri. Kil —4A **126**
Yew Tree Rd. Malt —3C **82**
Yewtrees La. Bols —6D **140**
Yoredale Av. Chap —1D **64**
York Gdns. Don —2B **48**
York Gdns. Wath D —4D **40**
York La. Mor —4F **93**
York Rise. Swal —6A **104**
York Rd. S9 —6E **89**
York Rd. Roth —2E **79**
York Rd. Scawt —1F **31**
York Rd. Stoc —3D **140**
York Sq. Mex —1E **57**
York St. S1 —1E **99** (2E **5**)
York St. Barn —6G **13**
York St. Ches —6C **138**
York St. Cud —1G **15**
York St. Hoy —4A **38**
York St. Mex —6D **42**
York St. New R —3C **62**
York St. Thurn —1G **29**
York St. Wom —6B **26**
York Ter. Thurn —1G 29
  (off Chapman St.)
York Way. Con —2G **59**
Youlgreave Dri. S12 —2F **113**
Young St. Don —6D **32**
Young St. S3 —3D **98** (6C **4**)
Yvonne Gro. Wom —6H **25**

Zamor Cres. Thurc —6A **94**
Zetland Rd. Don —4F **33**
Zetland Rd. Els —6D **38**
Zion Dri. Map —4F **7**
Zion La. S9 —5B **88**
Zion Pl. S9 —5B **88**
Zion Ter. Barn —2E **25**